Sardaigne

Duncan Garwood

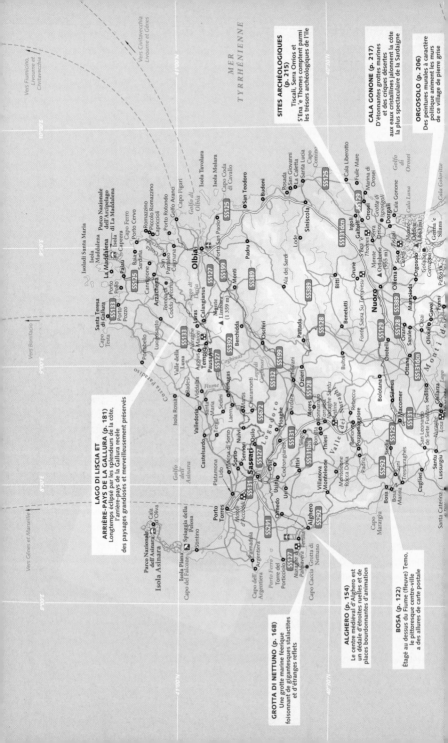

SITES ARCHÉOLOGIQUES (p. 215)
Tiscali, Serra Orrios et
S'Ena 'e Thomes comptent parmi
les trésors archéologiques de l'île

CALA GONONE (p. 217)
D'étonnantes grottes marines
et des criques désertes
aux eaux cristallines jalonnent la côte,
la plus spectaculaire de la Sardaigne

ORGOSOLO (p. 206)
Des peintures murales à caractère
politique animent les murs
de ce village de pierre grise

**LAGO DI LISCIA ET
ARRIÈRE-PAYS DE LA GALLURA (p. 181)**
Longtemps éclipsé par les splendeurs de la côte,
l'arrière-pays de la Gallura recèle
des paysages grandioses et merveilleusement préservés

GROTTA DI NETTUNO (p. 168)
Une grotte marine féerique
foisonnant de gigantesques stalactites
et d'étranges reflets

ALGHERO (p. 154)
Le centre médiéval d'Alghero est
un dédale d'étroites ruelles et de
places bourdonnantes d'animation

BOSA (p. 122)
Étagé au dessus du Fiume (fleuve) Temo,
le pittoresque centre-ville,
a des allures de carte postale

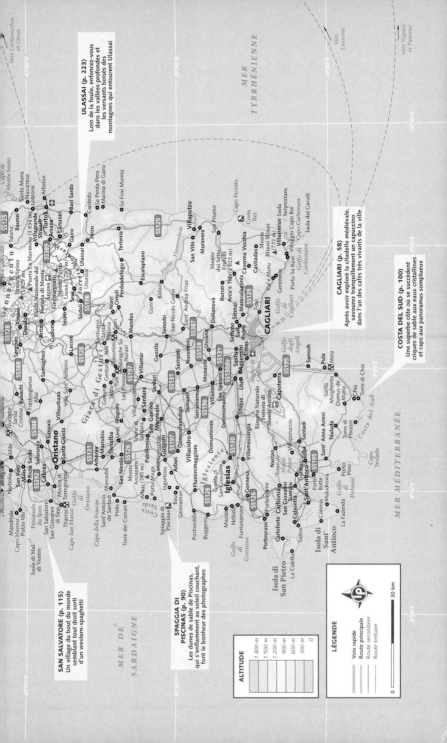

ULASSAI (p. 223)
Loin de la foule, enfoncez-vous dans les vallées profondes et les versants boisés des montagnes qui entourent Ulassai

CAGLIARI (p. 58)
Après avoir exploré la citadelle médiévale, savourez tranquillement un capuccino dans l'un des cafés très vivants de la ville

COSTA DEL SUD (p. 100)
Une superbe côte où se succèdent criques de sable aux eaux cristallines et caps aux panoramas somptueux

SAN SALVATORE (p. 115)
Un village du bout du monde semblant tout droit sorti d'un western-spaghetti

SPAGGIA DI PISCINAS (p. 90)
Les dunes de sable de Piscinas, qui s'enflamment au soleil couchant, font le bonheur des photographes

MER TYRRHÉNIENNE

MER MÉDITERRANÉE

MER DE SARDAIGNE

Vers Civitavecchia et Gênes

Vers Livourne

Vers Trapani et Palerme

ALTITUDE
1 800 m
1 500 m
1 200 m
900 m
600 m
300 m
0

LÉGENDE
Voie rapide
Route principale
Route secondaire
Route tertiaire

0 —— 30 km

À ne pas manquer

Méditerranéenne, italienne et dotée d'une identité forte, la Sardaigne possède de nombreux atouts qu'elle dévoile généreusement à ses visiteurs : des plages magnifiques et des eaux turquoise, une ambiance conviviale, une succulente cuisine du terroir et des fêtes authentiques... En témoignent ces expériences livrées par des voyageurs.

ANDREW PEACOCK

① LES PLAGES DU GOLFO DI OROSEI

Cala Gonone (p. 217) est extraordinaire. J'ai adoré les grottes. Nous avons visité la Grotta del Bue Marino (p. 217) et fait une excursion en bateau le long de la côte, en nous arrêtant sur les plus fabuleuses plages. La mer était d'une incroyable beauté et les eaux cristallines.

Stefania Masella, Italie

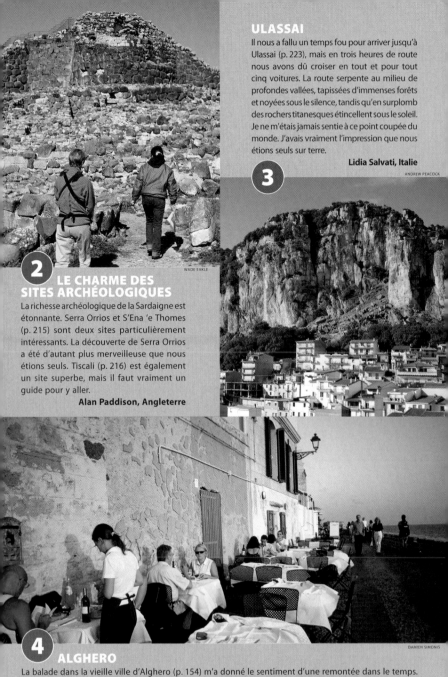

ULASSAI

Il nous a fallu un temps fou pour arriver jusqu'à Ulassai (p. 223), mais en trois heures de route nous avons dû croiser en tout et pour tout cinq voitures. La route serpente au milieu de profondes vallées, tapissées d'immenses forêts et noyées sous le silence, tandis qu'en surplomb des rochers titanesques étincellent sous le soleil. Je ne m'étais jamais sentie à ce point coupée du monde. J'avais vraiment l'impression que nous étions seuls sur terre.

Lidia Salvati, Italie

ANDREW PEACOCK

WADE EAKLE

② LE CHARME DES SITES ARCHÉOLOGIQUES

La richesse archéologique de la Sardaigne est étonnante. Serra Orrios et S'Ena 'e Thomes (p. 215) sont deux sites particulièrement intéressants. La découverte de Serra Orrios a été d'autant plus merveilleuse que nous étions seuls. Tiscali (p. 216) est également un site superbe, mais il faut vraiment un guide pour y aller.

Alan Paddison, Angleterre

DAMIEN SIMONIS

④ ALGHERO

La balade dans la vieille ville d'Alghero (p. 154) m'a donné le sentiment d'une remontée dans le temps. On peut facilement échapper à l'agitation en se faufilant dans une ruelle pavée. C'est d'ailleurs là que nous avons rencontré des habitants qui faisaient sécher leur linge et étaient ravis de bavarder.

Paul Griffin, Angleterre

LA DESCENTE EN KAYAK DE LA TEMO

Nous avons loué des kayaks pour aller pagayer sur la Temo au milieu d'immenses roseaux. Quel calme quand on traverse ainsi la campagne en glissant sur l'eau... Mais le plus beau fut le retour sur Bosa (p. 122) en début de soirée, quand les maisons du bourg s'illuminèrent de reflets dorés au coucher du soleil.

Sandra Haywood, Grande-Bretagne

5

DOUG MCKIN

CAGLIARI

Pour moi, le moment le plus mémorable reste une simple promenade sur les rues pavées du Castello (p. 61) à Cagliari, où j'ai découvert des coins inattendus et d'anciens ateliers d'art. Il y a aussi le Mercato San Benedetto (p. 73), un fantastique marché au poisson et d'alimentation dans le quartier de Villanova.

Alice Grigg, Grande-Bretagne

6

DALLAS STRIBLEY

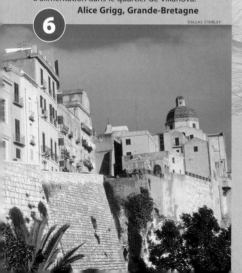

7

SPIAGGIA DI PISCINAS

Les dunes de la Spiaggia di Piscinas (p. 90) sont magnifiques. On peut en faire des photos incroyables, en particulier au soleil couchant, avec une lumière étonnante.

Luca Antonelli, Italie

RICCARDO SPILA / SIME/4CORNERS IMAG

L'EXPLORATION DE LA GROTTA DI NETTUNO

Nous avons embarqué sur un bateau à Alghero et filé sur les eaux turquoise jusqu'à la Grotta di Nettuno (p. 168). L'exploration de cette gigantesque grotte marine était à couper le souffle. Les stalagmites qui montent jusqu'à la voûte se reflètent dans les lacs souterrains pour former des colonnes immenses. Parfois on avait l'impression d'être dans une cathédrale, et d'autres fois, carrément sur la Lune.

Korina Miller, auteur Lonely Planet, Canada

8

9 LA PÉNINSULE DU SINIS

J'adore l'atmosphère surréelle, quasi tropicale, de la péninsule du Sinis (p. 114), avec son sable blanc, ses ruines de Tharros (p. 115) et ses lagunes. Lorsque je suis allé pour la première fois à San Salvatore (p. 115), j'ai d'abord dépassé le bourg et continué à rouler tout droit ; je ne pouvais pas croire que cette minuscule piste de sable était la principale entrée du village. Tout était si étrange – les curieuses petites maisons de pèlerins, la place poussiéreuse… J'ai même dû demander où se trouvait la grande église, alors que j'avais le nez dessus.

Duncan Garwood, auteur Lonely Planet, Italie

10 D'IRRÉSISTIBLES SAVEURS

La nourriture était un délice ! J'ai mangé des pâtes et du fromage qui avait un goût fumé et quantité de sorbets. Mon dîner favori a été une grande assiettée de pâtes savourées face à la mer.

Simone Griffin, Australie

L'ARRIÈRE-PAYS

Nous nous sommes arrachés à la plage pour rouler vers l'intérieur, où nous avons été époustouflés par la vue sur la côte. Nous avons pique-niqué sur des pierres néolithiques, au milieu des champs de fleurs sauvages.

Caroline Haywood, Grande-Bretagne

PHILIP & KAREN SMI

11

ORGOSOLO

Je savais qu'il y avait des murs peints à Orgosolo (p. 207), mais jamais je n'avais imaginé que le village entier servait de toile pour des peintures parmi les plus étonnantes que j'ai jamais vues. Commentaires sociaux et politiques, nouvelles internationales et prophéties sur la "fin du monde", on voit de tout sur les modestes façades des maisons et des cafés. Le plus étrange fut de tomber sur des images des Twin Towers et de la chute de Bagdad, un monde qui semblait à mille lieues de ce petit village de montagne.

Paula Hardy, équipe Lonely Planet

12

DALLAS STRIBLEY

13

PHILIP & KAREN SMI

PLAGES DE LA COSTA DEL SUD

Les plages de Sardaigne sont vraiment superbes, en particulier le long de la Costa del Sud (p. 100), sur la côte sud-ouest.

Hema Mistry, Angleterre

Sommaire

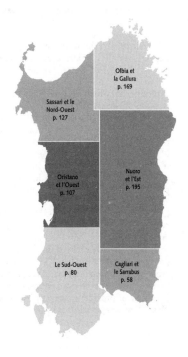

Destination Sardaigne

Derrière l'image dorée d'une île de vacances, aux plages spectaculaires et aux stations balnéaires huppées, se cache une Sardaigne totalement différente, empreinte de mystère. C'est une île fière de ses traditions, à la nature encore sauvage, où les pics de granit sombre, les vertigineuses vallées et les interminables forêts sont enveloppés d'un étrange silence. Dans la campagne, quelque 7 000 nuraghi (tours en pierre) témoignent d'une présence humaine remontant à la préhistoire.

Ce paysage minéral a façonné un mode de vie solitaire encore manifeste aujourd'hui. Même si elles sont aujourd'hui desservies par des routes modernes, de nombreuses populations sont restées durant des siècles coupées du monde extérieur par les montagnes de l'arrière-pays. Ce qui explique peut-être que les habitants, bien que toujours polis et serviables, se montrent parfois farouches à l'égard des étrangers, et que de nombreuses bourgades témoignent aujourd'hui encore d'une subsistance difficile.

Pour s'attaquer aux problèmes traditionnels de la vie rurale, les instances régionales tentent avec force de promouvoir un tourisme des quatre saisons en Sardaigne. L'île possède un fabuleux potentiel pour la pratique des activités de plein air : randonnée, cyclotourisme et escalade sont en plein essor. Les fêtes locales – qui donnent lieu à de superbes spectacles mais sont surtout une expression authentique de la culture sarde – attirent des touristes séduits par le folklore et par les traditions gastronomiques de l'île.

Le littoral reste toutefois le principal attrait touristique. Avec le développement ces dernières années des vols à bas prix, Alghero et Olbia ont vu s'accroître le nombre de touristes, tandis que la Costa Smeralda (Côte d'Émeraude) demeure la destination privilégiées des oligarques, capitaines d'industrie et magnats des médias.

Mais si le tourisme prospère, le reste de l'économie bat de l'aile. Après deux années d'expansion, la croissance industrielle s'est ralentie en 2008 et, avec le spectre de la récession, l'économie fait grise mine. La décision de l'Union européenne de réduire les aides à la région (jusqu'en 2007 l'UE accordait à la Sardaigne une importante aide au développement) n'a fait qu'aggraver la situation.

L'homme chargé de faire le bilan de la situation économique est le président de la région Ugo Cappellacci, de centre droit. Élu en février 2009, Cappellacci succède à Renato Soru, une forte personnalité dont les quatre années de mandat font l'objet de controverses. Parmi les actions de Soru, l'interdiction de construire sur le littoral ainsi que la création d'une taxe sur les résidences secondaires et sur les super-yachts, introduite dans le cadre d'un vaste plan (le *piano paesaggistico*, ou "plan paysage") visant à maîtriser les aménagements sur l'île, figurent encore au cœur de nombreux débats. Avec le basculement politique, Cappellacci a maintenant le champ libre pour mettre en œuvre son nouveau programme. Le nouveau président a promis de modifier le plan-paysage de Soru et a placé dans ses priorités les problèmes de pauvreté et de chômage.

QUELQUES CHIFFRES

Population : 1, 65 million d'habitants

Superficie : 24 090 km^2

PIB de l'Italie : 1 400 milliards €

PIB de la Sardaigne par habitant : 18 570 €

Croissance du PIB : 1,3%

Inflation : 4,75%

Taux de chômage : 11,8%

Densité de population : 68 habitants/km^2

Cheptel ovin : 3 millions

Mise en route

La Sardaigne est une île très vaste (270 km sur 110 km). Même si vous êtes motorisé, vous serez surpris par la durée des trajets. À l'intérieur des terres, les infrastructures touristiques peuvent être rudimentaires et il est préférable de bien préparer son voyage. Si vous disposez de peu de temps sur place, essayez d'organiser vos randonnées, ascensions et plongées avant le départ. Sachez également qu'en automne et au printemps, les conditions météorologiques instables peuvent bouleverser un itinéraire, même soigneusement planifié.

Les zones les plus fréquentées (et les plus chères) sont sans aucun doute la Costa Smeralda, Alghero et Cagliari. Néanmoins, il existe quantité de lieux à découvrir en dehors des sentiers battus. L'île est bien desservie par les compagnies aériennes européennes et les ferries, mais il vous faudra réserver longtemps à l'avance si vous voyagez en juillet ou en août. Le meilleur moyen pour explorer réellement la Sardaigne consiste à louer un véhicule. Même s'ils sont fiables, les services de train et de bus sont limités à l'intérieur des terres, notamment hors saison.

QUAND PARTIR

La Sardaigne est réputée pour son été de sept mois. Les bonnes années, on peut profiter des plages d'avril à fin octobre – les températures avoisinant encore les 20°C. La meilleure période pour visiter l'intérieur des terres s'étend de mars à juin, lorsque de nombreuses villes célèbrent leur saint patron (voir p. 17). Réservez votre hébergement longtemps à l'avance si vous souhaitez faire coïncider votre itinéraire avec l'une de ces manifestations.

La température moyenne est de 25°C en été (légèrement supérieure à l'intérieur des terres) et de 8 à 10°C en hiver (diminuant dans les terres avec l'altitude). Les précipitations tombent surtout au printemps et en automne, le centre montagneux en recevant la majeure partie (sous forme de neige sur les points culminants). Les plaines et les zones côtières de l'Est et du Sud sont nettement plus sèches. L'époque idéale pour la randonnée dans le Gennargentu dure de mars à juin, lorsque les fleurs sauvages s'épanouissent et que les paysages sont les plus verdoyants.

À partir de la mi-juin et jusqu'à fin août, l'Italie prend la route des vacances. La Sardaigne constitue alors une destination très prisée et les touristes y affluent en masse. Mieux vaut donc éviter cette période : les hébergements se font rares, les prix grimpent en flèche et la chaleur peut être insupportable.

Pour plus d'informations, voir la rubrique *Climat* (p. 229).

N'OUBLIEZ PAS...

- Une assurance voyage couvrant tout ce que vous comptez faire, notamment la plongée, le vélo, l'escalade, etc. (p. 228)
- Votre carte d'identité ou votre passeport (p. 231)
- Votre permis de conduire et, si vous êtes motorisé, les papiers du véhicule et l'attestation d'assurance (p. 248)
- Des vêtements de pluie, un pull chaud, des chaussures de marche robustes et imperméables pour la randonnée (p. 204)
- Des tenues un peu habillées pour les soirées sur la Costa Smeralda
- Éventuellement, un adaptateur pour les prises électriques 220 V

L'écart entre les tarifs pratiqués en haute saison (Pâques et juillet-août) et pendant le reste de l'année est important, même dans les complexes touristiques les plus fréquentés. De novembre à février, certains établissements ferment leurs portes (surtout les campings). Renseignez-vous à l'avance si vous prévoyez de voyager durant cette période.

COÛT DE LA VIE

Tout dépend du lieu et de la saison. Séjourner dans l'un des meilleurs hôtels de bord de mer en juillet-août vous coûtera une fortune, mais visiter l'île hors saison vous paraîtra étonnamment bon marché. En tout cas, le coût de la vie est généralement moins cher sur l'île que sur le continent italien. Pour des détails sur les prix indiqués dans ce guide, reportez-vous aux rubriques *Hébergement* (p. 232) et *Alimentation* (p. 225) du chapitre *Carnet pratique*.

Un voyageur indépendant économe ne peut dépenser que 50 € par jour en dormant dans des pensions ou hôtels petits budgets, en achetant sa nourriture au supermarché et en fréquentant les pizzerias. Quant au visiteur souhaitant séjourner dans des hôtels confortables de catégorie moyenne, faire deux bons repas quotidiens, louer une voiture et visiter sites et musées sans restriction, il devra plutôt tabler sur un minimum de 100 à 120 € par jour.

QUELQUES PRIX

Billet de bus municipal 1 €

Journal international 2,50-3 €

Café et *cornetto* 2,50-3 €

Assiette de pâtes 6-8 €

Glace 2,50-4 €

LIVRES À EMPORTER

Malgré la beauté de l'île et la richesse de son passé rural, la littérature de voyage à recommander n'est guère abondante. D. H. Lawrence est le plus célèbre écrivain à avoir décrit la Sardaigne, et son portrait vibrant de l'île constitue l'unique véritable récit de voyage qui lui soit consacré.

Sardaigne et Méditerranée (D. H. Lawrence). Récit de voyage de l'auteur britannique D. H. Lawrence, au retour d'un périple de six jours en Sardaigne en 1921. Son amour pour le caractère rural de l'île tempère un peu ses critiques, souvent acerbes et drôles, à l'égard des hébergements et de la cuisine.

Italie, anthologie des voyageurs français aux XVIIIe et XIXe siècles (Yves Hersant, Robert Laffont, 1998). Parmi les auteurs dont les pages sont réunies ici, quelques-uns (Antoine-Claude Pasquin, Auguste Boullier, Maxime Du Camp) ont arpenté l'île et livré leurs souvenirs et impressions.

Mère Méditerranée (Dominique Fernandez, Grasset, 1965). Le voyageur impénitent qu'est Dominique Fernandez a interrogé de nombreux insulaires durant les années 1950-1960 pour rédiger la soixantaine de pages qu'il consacre à la Sardaigne dans ce livre.

La Porte d'argent – Contes sardes (Lauranne Milliquet, Slatkine, 2003). Cette spécialiste de la littérature orale a réuni 55 contes traditionnels sardes. Elle présente plusieurs d'entre eux et donne quelques éléments pour mieux comprendre la culture populaire sarde.

SITES INTERNET

Lonely Planet (www.lonelyplanet.fr). Une présentation synthétique de l'île dans la rubrique Destinations, le forum pour poser toutes vos questions sur le pays, et une newsletter pour vous tenir informé de l'actualité du voyage.

Mondo Sardegna (www.mondosardegna.net). L'histoire de la Sardaigne, son patrimoine naturel et architectural, sa gastronomie, mais aussi de nombreux renseignements pratiques présentés en français.

Office national italien de tourisme (www.enit.it). Le site officiel de l'Agence nationale italienne pour le tourisme italien contient de nombreux renseignements utiles délivrés, entres autres, en français.

Sardaigne on line (www.sardaigne-online.com). Des informations pratiques et culturelles en français pour préparer son voyage.

Get Around Sardinia (www.getaroundsardinia.com). Un site (en anglais) pratique pour ceux qui veulent circuler en Sardaigne par les transports en commun, avec des suggestions d'itinéraires et de nombreux conseils pratiques.

COUPS DE CŒUR

RÉGIONS PROTÉGÉES

Les grandioses paysages de Sardaigne ont encore largement échappé aux méfaits de l'urbanisation et du tourisme, mais leur protection fait tout de même débat. Petite sélection des plus belles régions protégées de l'île :

- Le **Parco Nazionale del Golfo di Orosei e del Gennargentu** (p. 205) qui englobe le massif du Supramonte (p. 203) et le Golfo di Orosei (p. 213).

- Le **Parco Nazionale dell'Arcipelago di La Maddalena** (p. 184), ses 7 îles et sa quarantaine d'îlots.

- Le **Parco Nazionale dell'Asinara** (p. 153) et sa population de petits ânes blancs.

- L'**Isola Tavolara** (p. 175) aux vues superbes et aux eaux translucides.

- L'**Isola di Mal di Ventre** (p. 117), juste au large de la péninsule du Sinis, une île balayée par le vent et bordée de plages de sable.

- Les forêts de la **Riserva Naturale Foresta di Monte Arcosu** (p. 103), domaine du rare cerf sarde.

- Les **oliviers millénaires** (p. 181) qui surplombent le **Lago di Liscia** (p. 181).

- La **Scala di San Giorgio** (p. 223), une gorge spectaculaire proche d'Ulassai.

LES MEILLEURS ALBUMS

La Sardaigne un haut lieu d'étude pour les ethnomusicologues. Ces CD constituent une bonne introduction aux sonorités originales et parfois étranges de la musique sarde (voir p. 38) :

- *Suoni di un'Isola* (2003). Compilation de *tenores* (chants polyphoniques) traditionnels.

- *Intonos* (2000) et *Caminos De Pache* (2005), Tenores di Bitti. Chants du plus célèbre ensemble de *tenores* de Sardaigne.

- *Launeddas* (2002), Efisio Melis et Antonio Lara. Enregistrements historiques de deux grands joueurs de *launeddas*.

- *Alguimia* (2003), Franca Masu. Hommage aux traditions musicales d'Alghero, chanté dans le dialecte catalan local.

- *Organittos* (1999), Totore Chessa. Musique traditionnelle sarde.

- *Sonos* (1988), Elena Ledda. La musique traditionnelle revue par une célèbre chanteuse sarde.

- *Launeddas* (2003), Franco Melis. Musique traditionnelle de *launeddas* par un maître moderne.

- *Sardegna canta* (1970), Maria Carta. Le premier album d'une légendaire chanteuse de musique traditionnelle sarde.

LES MEILLEURS LIVRES

Féconde dans les années qui ont suivi la Première Guerre mondiale, la littérature sarde est aujourd'hui bien établie (mais malheureusement trop rarement traduite en français). Pour en savoir plus, voir p. 40.

- *La Mère* (*La Madre*, 1920) et les autres romans de Grazia Deledda.

- *Le Jour du jugement*, de Salvatore Satta (*Il Giorno del giudizio*, 1977).

- *Ceux d'Arasolé*, de Francesco Masala (*Quelli dalle labbra bianche*, 1962).

- Les romans noirs de Marcelo Fois (*Sempre caro*, *Le Sang du ciel*…).

- *Le Fils de Bakounine,* de Sergio Atzeni (*Il Figlio di Bakunin*, 1991).

- *Institutrice en Sardaigne*, de Maria Giacobbe (*Diario di una Maestrina*, 1957).

Mare Nostrum (www.marenostrum.it). Un excellent portail sarde présentant des événements, des expositions, des festivals, des restaurants, les dernières actualités et bien plus encore.

Sardinia Point (www.sardiniapoint.it, en italien). Informations culturelles en tous genres : programme des événements, recettes, hébergements, etc.

Sardegna Turismo (www.sardegnaturismo.it). Très complet et d'une navigation facile, le site officiel du tourisme en Sardaigne regorge d'informations pratiques.

Sarnow (www.sarnow.com). Divisé en rubriques claires, ce site (en anglais et en italien) offre de belles descriptions de l'île et suggère des itinéraires thématiques. Des vidéos intéressantes illustrent la section Sagre e Tradizioni ("fêtes et traditions").

TOURISME RESPONSABLE

Vous trouverez un index écotouristique p. 270.

En 2006, dans une enquête menée par le *National Geographic* sur l'environnement de 111 îles touristiques, la Sardaigne arrivait en 31ᵉ position. Si elle y était recommandée pour ses plages et son littoral préservé, elle perdait des points en raison du sous-développement de son réseau de transport et de ses équipements touristiques. Voilà qui résume assez bien la situation : un patrimoine naturel en grande partie sauvegardé et un réseau de transport déficient. Quant aux équipements touristiques, la question se discute : dans certaines régions, en particulier dans l'intérieur, ils sont pour ainsi dire inexistants, mais dans les grandes stations balnéaires, ils n'ont rien à envier au continent.

Les voyageurs responsables organiseront leur séjour en Sardaigne en faisant en sorte qu'il soit bénéfique pour l'économie de l'île et sans effet néfaste pour son environnement. Le choix de l'hébergement est important. Les grands complexes hôteliers appartiennent souvent à des groupes internationaux qui contribuent étonnamment peu à l'économie de l'île. En revanche, on voit se développer les maisons d'hôte gérées localement et les *agriturismi* (séjours à la ferme). S'il est vrai qu'ils offrent rarement le même genre d'équipements que les grands hôtels, ils sont en contrepartie généralement moins chers, souvent situés dans des lieux superbes et servent fréquemment une nourriture délicieuse. Parmi les sites utiles figurent www.agriturismodisardegna.it, qui fournit une liste d'*agriturismi* avec leurs tarifs, et www.bed-and-breakfast.it (en français).

Les restaurants recommandés par la **branche italienne de Slow Food** (www.slowfood.it), une association éco-gastronomique – faciles à repérer grâce à leur logo figurant un escargot – servent une cuisine traditionnelle, de préférence à base d'ingrédients locaux. Pour soutenir la production alimentaire de l'île, vous pouvez aussi visiter les marchés et les fêtes gastronomiques locaux.

Le transport reste problématique car, pour sortir des sentiers battus, il faut une voiture, à moins de pratiquer la marche ou le vélo. On trouve des loueurs de vélos dans la plupart des grandes villes et un nombre croissant d'organismes locaux proposent des randonnées à pied ou en vélo, qui vous entraînent souvent dans des endroits de l'île que vous n'auriez sans doute jamais découverts par vous-même.

De même, toutes sortes de coopératives locales proposent des excursions et des activités de plein air (randonnée, escalade, spéléologie, kayak, etc.). Même si vous détestez les sorties avec un guide, n'en écartez pas systématiquement l'idée. S'aventurer dans certaines régions sauvages de Sardaigne peut être une gageure et comporte un véritable risque de se perdre. Pour plus de détails, voir la rubrique Circuits organisés, p. 244.

N'oubliez pas non plus les règles de base : ne pas gaspiller l'eau, rester sur les chemins balisés, respecter les barrières, ne pas cueillir de fleurs, ne pas faire de feu dans les régions où c'est interdit et céder le passage aux moutons sur les routes.

Fêtes et festivals

Très varié, le programme des festivités sardes comprend aussi bien des fêtes religieuses que des défilés costumés, des courses de chevaux endiablées ou des festivals musicaux. Pour les fêtes gastronomiques, voir p. 50.

JANVIER

FESTA DI SANT'ANTONIO ABATE 16 janvier
Le solstice d'hiver étant passé, de nombreux villages de la province de Nuoro célèbrent l'arrivée du printemps en allumant de grands feux de joie. Vous en verrez de très beaux à Orosei, Orgosolo, Sedilo et Paulilatino.

**FESTA DI SANT'ANTONIO ABATE –
MAMUTHONES** 16-17 janvier
Fête païenne célébrée à Mamoiada. Une dizaine de villageois arborent des masques en bois noirs et des costumes hirsutes. Huit *issokadores,* en tenue de gendarmes démodée, se lancent à leur trousse en une poursuite rituelle.

FESTA DI SAN SEBASTIANO 19 janvier
Semblable à la fête de saint Antoine (Sant'Antonio). On allume de grands feux de joie en l'honneur de saint Sébastien (San Sebastiano) dans de nombreuses bourgades.

FÉVRIER

CARNEVALE (CARNAVAL)
période précédent le mercredi des Cendres
De nombreuses villes et villages fêtent carnaval. L'effigie d'un soldat français est brûlée à Alghero ; les sinistres *mamuthones* paradent à Mamoiada ; on défile en costume à Ottana tandis qu'à Bosa, les processions se succèdent sur plusieurs jours.

SA SARTIGLIA Mardi gras et dimanche précédent
Depuis 1200, Oristano organise un tournoi équestre accompagné de superbes défilés costumés et d'épreuves chevaleresques. Des courses de chevaux encore plus débridées ont lieu à Santu Lussurgiu et à Sedilo.

MARS/AVRIL

PASQUA Pâques
La Semaine sainte en Sardaigne est célébrée en grande pompe. On assiste à des processions et à des mises en scène de la Passion du Christ dans toute l'île. Celles d'Alghero, Castelsardo, Cagliari, Iglesias et Tempio Pausania se distinguent tout particulièrement.

FESTA DI SANT'ANTIOCO
2e dimanche après Pâques
Parades costumées, danses, concerts et feux d'artifice se déroulent durant 4 jours à Sant'Antioco pour célébrer le saint patron du bourg.

MAI

FESTA DI SANT'EFISIO 1er-4 mai
Le 1er mai, une statue en bois de saint Éphèse est transportée dans tout Cagliari sur une carriole tirée par des bœufs, au milieu d'une procession de gens costumés. On emmène le saint jusqu'à Nora, où il fut tué. Son retour à Cagliari le 4 mai donne lieu à de nouvelles fêtes et à des manifestations de rue.

FESTA DI SANTA GIUSTA 14-18 mai
Cette fête se tient dans la ville du même nom, au sud d'Oristano. Défilés et musique sont à l'honneur 4 jours durant.

CAVALCATA SARDA
avant-dernier dimanche de mai
Des centaines de Sardes en costume traditionnel se rassemblent à Sassari pour célébrer leur victoire sur les Sarrasins en l'an 1000. Ils sont suivis par des cavaliers qui miment une charge guerrière dans les rues, à la fin du défilé.

JUIN

**FESTA DELLA MADONNA
DEI MARTIRI** lundi suivant le 1er dimanche de juin
Les habitants de Fonni s'habillent en costume traditionnel puis défilent en procession depuis la basilique avec la statue de la Vierge Marie.

JUILLET

S'ARDIA 6-7 juillet
Encore plus dangereuse que le Palio de Sienne, la course de chevaux de Sedilo célèbre la victoire de l'empereur romain Constantin sur les troupes de Maxence en 312. Les talentueux cavaliers entament une course autour de la chapelle érigée en l'honneur de Constantin.

L'ISOLA DELLE STORIE, FESTIVAL LETTERARIO DELLA SARDEGNA

1re semaine de juillet

Depuis son inauguration en 2003, le festival de littérature de Gavoi connaît un énorme succès. Lectures, rencontres avec des auteurs et concerts se succèdent durant trois jours dans le charmant village de Barbagia, sur les rives d'un lac, mais aussi aux alentours.

FESTA DELLA MADONNA DEL NAUFRAGO

2e dimanche de juillet

Étonnante procession d'embarcations ayant lieu au large des côtes de Villasimius, où une statue de la Vierge Marie repose au fond des mers en l'honneur des marins naufragés.

ISOLA TAVOLARA CINEMA FESTIVAL

seconde quinzaine de juillet

Projections de films en plein air avec, pour décor, les pics rocheux et dénudés de l'Isola Tavolara.

NARCAO BLUES FESTIVAL

dernière semaine de juillet

Sous ses airs de petit bourg ordinaire, Narcao accueille le plus grand festival de blues de Sardaigne, qui attire des artistes de renommée internationale et des foules passionnées.

AOÛT

ESTATE MUSICALE INTERNAZIONALE DI ALGHERO

juillet et août

Durant l'Été international de la musique, le centre historique d'Alghero s'anime avec, un peu partout, des concerts de musique classique.

FESTA DI SANTA MARIA DEL MARE

1er dimanche d'août

Les pêcheurs de Bosa célèbrent la Vierge Marie en organisant une procession sur l'eau, au cours de laquelle ils transportent sa statue à bord de leurs bateaux. Les festivités durent ensuite 4 jours.

MATRIMONIO MAUREDDINO

1er dimanche d'août

Sur la place centrale de Santadi, les villageois rejouent en costume un mariage maure. Les fiancés sont transportés sur une carriole traditionnelle tirée par un puissant taureau.

I CANDELIERI

14 août

La grande fête annuelle de Sassari. Elle atteint son paroxysme avec la *faradda*, lorsque les représentants des neuf guildes défilent dans les rues en portant d'immenses cierges (*candelieri*) en bois, au son des tambours et des pipeaux.

FESTA DELL'ASSUNTA

15 août

À Orgosolo, l'Assomption donne lieu à l'une des plus importantes fêtes de la Barbagia : processions de fraternités religieuses, port de costumes traditionnels colorés par les femmes.

ESTATE MEDIEVALE IGLESIENTE

mi-août

Depuis le milieu des années 1990, Iglesias accueille l'Été médiéval, un festival de plus en plus populaire. Le point d'orgue est le Corteo Storico Medioevale, une parade en costume.

TIME IN JAZZ

mi-août

Grande fête du jazz avec jam-sessions, happenings de danse, concerts dans des lieux rares (églises, forêts, parfois même à l'aube) et dégustation de vins. Le cœur de la manifestation est le village Berchidda, mais des concerts ont également lieu à Olbia, Tempio Pausania, Oschiri et Ozieri.

SEPTEMBRE

FESTA DI SAN SALVATORE

1er dimanche de septembre

Plusieurs centaines de jeunes hommes vêtus de blanc partent du village côtier de Cabras et se lancent dans la Corsa degli Scalzi ("course des déchaussés"), itinéraire de 8 km menant au hameau et sanctuaire de San Salvatore.

FESTA DI NOSTRA SIGNORA DI REGNOS ALTOS

mi-septembre

Les habitants de la vieille ville de Bosa décorent les rues avec des feuilles de palmier, des fleurs et des *altaritos* (autels votifs) en l'honneur de la Vierge Marie.

DÉCEMBRE

NATALE

Noël

Au cours des semaines précédant Noël ont lieu un peu partout diverses processions et fêtes religieuses. Dans de nombreuses églises, on peut admirer des crèches ou des scènes de la Nativité que l'on appelle *presepi*. Le jour de Noël se passe en famille.

Itinéraires

LES GRANDS CLASSIQUES

SEPT CITÉS ROYALES
deux semaines/de Cagliari à Castelsardo

Passez quelques jours à **Cagliari** (p. 58), la modeste capitale sarde, et explorez le labyrinthe du **Castello** (p. 61) et le quartier bigarré de la **Marina** (p. 66). Ne manquez pas le **Museo Archeologico Nazionale** (p. 63) et ses merveilleuses figurines en bronze nuragiques. Les enfants apprécieront la plage tranquille de **Poetto** (p. 68).

Dirigez-vous vers l'ouest en direction d'**Iglesias** (p. 82), autrefois un important centre minier sarde. Faites un crochet par l'immense **Grotta di San Giovanni** (p. 86). Remontez doucement la superbe **Costa Verde** (p. 89) jusqu'aux dunes de **Spiagga della Piscinas** (p. 90) avant de gagner **Oristano** (p. 107) puis les ruines phéniciennes de **Tharros** (p. 115).

Dirigez-vous vers l'intérieur des terres pour aller voir l'ensemble nuragique de **Santa Cristina** (p. 120) et le **Nuraghe Losa** (p. 120). Traversez **Santu Lussurgiu** (p. 118), où l'on mange fort bien, puis rejoignez la cité médiévale de **Bosa** (p. 122). Au-delà se trouve **Alghero** (p. 154) avec sa forte empreinte catalane. Engagez-vous sur les marches à flanc de falaise du **Capo Caccia** (p. 168), qui descendent jusqu'à une vaste grotte marine, la **Grotta di Nettuno** (p. 168).

L'itinéraire vous mène à **Sassari** (p. 127), 2ᵉ ville de l'île. Visitez le **Duomo di San Nicola** (p. 132) et le musée archéologique, le **Museo Nazionale Sanna** (p. 131). Enfin, vous atteignez la côte septentrionale et **Castelsardo** (p. 149).

Cet itinéraire de 285 km vous fera découvrir les sept cités royales de Sardaigne, ses plus célèbres musées archéologiques ainsi que de superbes côtes. Deux semaines suffisent, mais une semaine supplémentaire vous permettra de profiter pleinement de la Costa Verde et d'explorer les alentours d'Oristano. Trains et bus desservent toutes ces villes.

ENTRE PASSÉ ET PRÉSENT

une à deux semaines/
d'Alghero à la Costa Smeralda

Baignade dans une mer turquoise ou promenade dans une ancienne forêt de chênes-lièges ; se mêler à la jet-set ou méditer dans les églises romanes : le Nord de l'île offre toutes sortes de plaisirs.

Visitez **Alghero** (p. 154), aux ruelles pavées et aux façades couleur miel. Consacrez une journée aux spectaculaires falaises du **Capo Caccia** (p. 168) et dînez dans l'un des restaurants les plus chics de l'île (p. 162).

Poursuivez vers le nord jusqu'à la bourgade isolée de **Stintino** (p. 151). Là, détendez-vous sur l'une des plus belles plages de l'île, la **Spiaggia della Pelosa** (p. 153), ou visitez l'étrange **Parco Nazionale dell'Asinara** (p. 153). Repartez vers l'intérieur des terres pour atteindre la fière **Sassari** (p. 127), profiter de son ambiance urbaine et de ses excellentes tables. Faites le tour des églises de style roman pisan dans la paisible vallée du Logudoro : la **Basilica della Santissima Trinità di Saccargia** (p. 146), la **Chiesa di San Michele e Sant'Antonio di Salvènero** (p. 146), la **Chiesa di Santa Maria del Regno** (p. 146), la **Chiesa di Sant'Antioco di Bisarcio** (p. 146) et la **Chiesa di Nostra Signora di Castro** (p. 146) sur les berges du Lago di Coghinas.

Reprenez la SS127 vers le nord-est jusqu'à **Tempio Pausania** (p. 191), cachée dans les forêts de chênes-lièges. Faites des achats (tapis et couvertures sardes) à **Aggius** (p. 194) ; explorez la mystérieuse **Valle della Luna** (p. 194) et montez en voiture jusqu'au sommet du **Monte Limbara** (p. 193).

Dans le Nord-Est, la campagne est riche en sites préhistoriques, notamment autour d'**Arzachena** (p. 180). Plus loin, les lumières de **Porto Cervo** (p. 176) brillent de tous leurs feux. Menez grand train sur la Costa Smeralda puis gagnez les îles du **Parco Nazionale dell'Arcipelago della Maddalena** (p. 184).

Une semaine suffit pour couvrir cet itinéraire de 265 km, mais si vous voulez lézarder sur les plages et explorer les pentes boisées autour de Tempio Pausania, vous pouvez facilement y consacrer deux semaines. Il est préférable d'être motorisé, mais on peut néanmoins rejoindre les principales localités par les transports en commun.

LE CŒUR GRANITIQUE DE LA SARDAIGNE

**deux semaines/
de Nuoro à Tortoli**

Cet itinéraire, entre plages superbes et montagnes granitiques sauvages, traverse des paysages parmi les plus spectaculaires de Sardaigne.

Partez de **Nuoro** (p. 195), capitale de la montagneuse région de la Barbagia. Visitez le **Museo Deleddiano** (p. 198) et le **Museo della Vita e delle Tradizioni Sarde** (p. 197), puis gagnez **Oliena** (p. 203), village réputé pour son vin rouge.

Une vingtaine de kilomètres à l'est, la petite ville animée de **Dorgali** (p. 214) constitue une excellente base pour explorer la région sauvage alentour. De là, vous pourrez visiter la spectaculaire **Grotta di Ispinigoli** (p. 215) et le village nuragique de **Serra Orrios** (p. 215).

De Dorgali, suivez la route qui descend jusqu'à **Cala Gonone** (p. 217), station balnéaire courue du **Golfo di Orosei** (p. 213). Cette partie du littoral, spectaculaire, comporte de superbes plages telles que la **Cala Luna** (p. 217) ou la sublime **Cala Mariolu** (p. 217), ainsi qu'une grotte marine, la **Grotta del Bue Marino** (p. 217) – autant de lieux auxquels on accède en bateau.

En continuant vers le sud, la SS125 grimpe jusqu'au col de Genna 'e Silana à travers un paysage granitique grandiose. Depuis la route, vous pouvez emprunter les chemins de randonnée menant au village nuragique de **Tiscali** (p. 216) ou à la **Gola Su Gorruppu** (p. 216), un canyon parmi les plus impressionnants d'Europe.

De retour sur la grand-route, il faut traverser la ville sans attrait particulier de Baunei pour gagner l'**Altopiano del Golgo** (p. 222), un étrange plateau d'altitude. Deux ou trois restaurants se prêtent à un déjeuner mémorable.

Au bout de la route vous attend **Tortoli** (p. 220), ville balnéaire à l'ambiance tapageuse qui vous ramènera brutalement sur terre.

Sur cet itinéraire (180 km), vous découvrirez des gorges cachées, des villages préhistoriques, un étonnant tronçon de littoral encore vierge abritant de superbes plages isolées. Deux semaines suffisent pour le parcourir, à condition de disposer de son propre véhicule.

Mer
Tyrrhénienne

Serra Orrios
Grotta di Ispinigoli
Nuoro
Oliena
Dorgali
Cala Gonone
Grotta del Bue Marino
Tiscali
Cala Luna
Gola Su Gorruppu
Cala Mariolu
Altopiano del Golgo
Tortoli
Golfo di Orosei

VOYAGES THÉMATIQUES

SENSATIONS FORTES

Avec 1 849 km de côte et un arrière-pays sauvage, la Sardaigne se prête formidablement aux activités de plein air.

Les véliplanchistes ont l'embarras du choix, mais le meilleur spot reste **Porto Pollo** (p. 183), où les vents se concentrent au passage des bouches de Bonifacio, le détroit entre la Sardaigne et la Corse. Là, vous pouvez essayer le kitesurf, la voile et la plongée. Le **Capo del Falcone** (p. 153) et la **péninsule du Sinis** (p. 114) sont également d'excellents spots.

Les plongeurs adoreront les eaux sardes. On peut visiter des épaves dans le **Golfo di Cagliari** (p. 69) ou plonger au large d'**Alghero** (p. 154) pour explorer la Grotta di Nettuno, la plus grande grotte marine de Méditerranée. Au **Capo Carbonara** (p. 77), la plongée s'effectue au-dessus d'une montagne sous-marine tandis que les eaux de **Pula** (p. 101) abritent des ruines romaines.

Les randonneurs s'en donneront à cœur joie dans le **Supramonte** (p. 203), où les grottes raviront les spéléologues, et dans le **Golfo di Orosei** (p. 213), sur le Selvaggio Blu, un sentier de 45 km reconnu comme le plus difficile d'Italie. Les parois abruptes autour d'**Ulassai** (p. 223) et de **Cala Gonone** (p. 217) font la joie des amateurs d'escalade.

Les cyclistes sont également bien servis malgré le terrain très accidenté. Un itinéraire facile suit la superbe route côtière entre **Bosa** (p. 122) et Alghero.

L'équitation est très populaire en Sardaigne. Le plus grand centre est le **Horse Country Resort** (p. 114), près d'Arborea. **Mandra Edera** (p. 120), près d'Abbasanta, est également une bonne école d'équitation.

LA TABLE SARDE

La découverte de la cuisine sarde est une expérience aussi surprenante qu'inoubliable. Si vous commencez votre séjour à **Cagliari** (p. 58) ou à **Alghero** (p. 154), vous dégusterez de nombreuses délices de la mer. **Carloforte** (p. 94) est incontournable pour son *casca* (couscous) au thon et au safran, **Cabras** (p. 114) pour ses mulets, sa *bottarga* (œufs de mulet) et son anguille fumée, **Olbia** (p. 170) pour son calamar farci, sa seiche fumée et ses plats typiques de la Gallura tels que la *suppa cuata* (soupe au pain et au fromage). Des saveurs

espagnoles et génoises influencent la cuisine de **Sassari** (p. 127), où vous goûterez des *panadas* (tourtes à la viande et au gibier) et du *fainè* (sorte de pizza). Dans les montagnes de la Barbagia, vous trouverez du *pecorino romano* parmi les meilleurs d'Italie dans des villages tels qu'**Orgosolo** (p. 206) et du miel parfumé dans des villes comme **Oliena** (p. 203). Parmi les autres spécialités sardes figurent le tendre bœuf *bue rosso*, l'huile d'olive poivrée produite dans les environs de **Seneghe** (p. 117), et la Malvasia, un vin doux de **Bosa** (p. 122). Enfin, ne quittez pas l'île sans emporter un assortiment de bonbons au miel et de biscuits aromatisés à l'amande : pour ces achats, la meilleure adresse est **Durke** (p. 75), à Cagliari.

Histoire

Durant la majeure partie de son histoire troublée, la Sardaigne n'a jamais été une priorité dans les batailles tactiques et territoriales des grandes puissances méditerranéennes. Toutefois, ses réserves minérales et sa position stratégique ont été source de convoitise pour un flot constant de visiteurs indésirables. Mais les envahisseurs n'ont jamais eu la tâche facile, devant faire face aux épidémies de malaria et aux reliefs de la Sardaigne.

LES DÉBUTS

Cette étrange île de granit figure parmi les plus anciens fragments terrestres de l'Europe. Au fil des années, les fouilles archéologiques y ont mis au jour des vestiges retraçant toute l'évolution de la civilisation humaine depuis l'ère paléolithique (âge de la pierre taillée). En 1979, la découverte fortuite, à Perfugas, d'outils en silex, a conduit les archéologues à envisager l'arrivée d'hommes dès 350 000 ans av. J.-C. Ceux-ci auraient effectué la traversée depuis les côtes toscanes, bien que d'autres groupes aient pu venir d'Afrique du Nord et de la péninsule Ibérique via les îles Baléares.

Il faudra cependant attendre encore plusieurs centaines de milliers d'années avant que n'émerge une réelle population sarde. En 6000 av. J.-C., l'ère néolithique est à son apogée, marquée par l'élevage du bétail, l'agriculture, l'exploitation minière, la fabrication d'armes et une vie villageoise intense. La Sardaigne offre alors toutes les richesses naturelles propices au développement de son peuplement avec d'épaisses forêts giboyeuses, de riches terres agricoles et pastorales et, surtout, des gisements d'obsidienne : utilisée pour créer des outils tranchants et des pointes de flèche, cette roche volcanique noire et vitreuse, est alors convoitée dans tout le bassin méditerranéen où elle constitue la marchandise la plus précieuse de l'époque (des éclats d'obsidienne sarde ont été retrouvés jusqu'en France).

En 3000 av. J.-C., des villages parsèment toute l'île. Les archéologues parlent de la "culture d'Ozieri" en raison de découvertes effectuées autour de cette ville (voir p. 145). Les premiers signes de rituels funéraires complexes datent également de cette période, qui voit la construction des premières nécropoles creusées dans la roche, les *domus de janas* ("maisons des fées", voir p. 43)

L'ÈRE DES NURAGHI

Tout change entre 1800 et 1500 av. J.-C., au début de l'âge du bronze. Les Sardes commencent à ériger les nuraghi, tours de pierre typiques de l'île qui conservent aujourd'hui encore une part de leur mystère. Les premiers – de simples constructions isolées – jouaient peut-être un rôle

Panorama des nuraghi et mégalithes sardes par Roger Joussaume, chercheur au CNRS et auteur de plusieurs ouvrages sur : www.clio. fr/bibliotheque

CHRONOLOGIE

350000 av. J.-C.	4000-2700 av. J.-C.	1800-500 av. J.-C.
Des fragments d'outils en silex attestent une présence humaine sur l'île. Selon certains chercheurs, l'origine de ces premiers habitants pourrait être la Toscane ou la Péninsule ibérique.	Les communautés chalcolithiques se développent autour d'Ozieri. Les premières *domus de janas* (tombes de pierre) apparaissent. Les archéologues parlent de "culture d'Ozieri" pour décrire ce mode de vie.	Ère des nuraghi : la majorité des ruines sardes remontent à cette période. Les quelque 30 000 tours de pierre fortifiées érigées sur l'île servaient de tours de guet militaire.

militaire. L'utilisation de métaux pour fabriquer des outils et, surtout, des armes, se répand.

Avec le développement de clans organisés et d'une culture de plus en plus complexe, la forme toute simple du nuraghe évolue. Ceux bâtis entre 1500 et 1300 av. J.-C. deviennent plus grands, tel le nuraghe Santu Antine (p. 147) qui atteint trois étages. Des murailles sont érigées autour de ces tours majestueuses et les villageois regroupent leurs habitations à l'intérieur de ces enceintes protectrices. L'exemple le plus spectaculaire est constitué par l'ensemble nuragique Su Nuraxi (p. 105).

Des contacts plus fréquents avec d'autres civilisations (Étrusques, Mycéniens, peuples d'Espagne et du Sud de la France) se développent. Comme l'a montré la découverte de céramiques sur différents sites du bassin méditerranéen, un commerce réciproque intense existait. Néanmoins, les Sardes ressentent le besoin de se protéger et construisent de plus en plus de tours ; celles-ci auraient servi à marquer les frontières des territoires tribaux et à surveiller les alentours.

De cette époque, aucun document écrit n'est parvenu jusqu'à nous, conduisant de nombreux experts à supposer que les Sardes n'avaient pas de langue écrite. Leur vie sociale et religieuse transparaît toutefois au travers de divers vestiges, comme les *pozzi sacri* ("puits sacrés") construits à partir de 1000 av. J.-C., et dont un bel exemple subsiste à Santa Cristina (voir p. 120). Mais c'est surtout l'art florissant des *bronzetti* (figurines de bronze) qui nous en apprend le plus sur ce monde mystérieux ; ne manquez pas la formidable collection du Museo Archeologico Nazionale (p. 63) de Cagliari.

Le petit livre de Paolo Melis, *La Civilisation nuragique* (Éd. Carlo Delfino, en français), que vous trouverez dans les boutiques à proximité des principaux monuments, révèle le secret de ces étranges constructions.

LES PHÉNICIENS ET CARTHAGE

Si les Mycéniens croisent près de la Sardaigne dès 1200 av. J.-C. dans le cadre d'échanges commerciaux, les Phéniciens ont d'autres vues sur la Sardaigne. Ces marins et commerçants émérites (dont le territoire correspond à l'actuel Liban) possèdent alors des comptoirs un peu partout en Méditerranée. Des inscriptions sémitiques suggèrent que les Phéniciens installés en Espagne se seraient établis à Nora, sur la côte sud de l'île, dès 1100 av. J.-C.

Entre les IXe et VIIe siècles av. J.-C., les Phéniciens créent et étendent leurs colonies côtières, ajoutant Karalis (Cagliari), Bithia (près de l'actuelle Chia), Sulci (l'actuelle Sant'Antioco), Tharros et Bosa. Leur mainmise sur les riches mines de plomb et d'argent du Sud-Ouest de l'île constitue une importante pomme de discorde avec les Sardes. En 650 av. J.-C., les Phéniciens érigent donc leur première forteresse intérieure sur le mont Sirai.

La première révolte des Sardes contre plusieurs bases phéniciennes intervient en 509 av. J.-C. Les Phéniciens appellent Carthage (leur alliée en Afrique du Nord) à la rescousse. Bientôt, les forces carthaginoises et phéniciennes unies contrôlent la majeure partie de l'île, à l'exception des

1500-1300 av. J.-C.	1100 av. J.-C.	540 av. J.-C.
La Sardaigne entretient des relations commerciales avec divers peuples de Méditerranée orientale, enrichissant son patrimoine culturel.	Les Phéniciens bâtissent la ville de Nora, sur la côte sud-ouest. Maintenant submergée, c'était l'un des grands comptoirs phéniciens avec Karalis (Cagliari) et Tharros.	Carthage envoie des garnisons en Sardaigne pour aider les Phéniciens à enrayer la révolte des autochtones. L'expédition est un désastre. Une nouvelle attaque menée en 509 av. J.-C. soumet l'île.

régions montagneuses rebelles de l'Est. Au cours de cette période, nombre de Sardes quittent les nuraghi pour s'installer dans les villes côtières florissantes. Rapidement, les ambitions carthaginoises de domination de toute la Méditerranée occidentale se heurtent bientôt à l'expansion romaine.

ROME PREND LE POUVOIR

Le mouvement d'expansion de Rome entraîne un conflit pour le contrôle de la Sicile, alors sous domination carthaginoise. S'ensuit la première guerre punique (264-241 av. J.-C.), qui s'achève par le départ des Phéniciens de Sicile en 241 et a pour conséquence l'annexion brutale de la Sardaigne par les Romains en 238 av. J.-C.

À leur arrivée, les Romains introduisent de profonds changements en Sardaigne. Avec leur efficacité légendaire, ils développent les villes et les colonies carthaginoises, construisent un réseau de routes pour faciliter les communications et assurer leur contrôle sur l'île. Ils pénètrent même en Barbagia, dans les montagnes orientales.

La région du Campidano, importante productrice de blé, devient, avec la Sicile et l'Afrique du Nord occupée, le grenier de l'Empire romain. Les agriculteurs sardes diversifient leur activité pour produire également du vin, des olives et des fruits. Le commerce avec la péninsule Italienne, l'Ibérie et surtout l'Afrique du Nord, prospère.

Asseoir le contrôle sur l'île ne s'avère pas une tâche aisée, et les Romains sont fréquemment contraints de réprimer des insurrections, notamment dans l'irréductible Barbagia – une région d'ailleurs ainsi baptisée par les Romains, en raison du courage "barbare" de ses habitants. Ainsi la première campagne de conquête dure sept ans, et l'île n'est déclarée province romaine (avec la Corse) qu'en 227 av. J.-C. Onze ans plus tard, les Sardes, emmenés par le chef Ampsicora, font alliance avec Carthage au cours de la deuxième guerre punique et se révoltent contre Rome. En 215 av. J.-C., ils sont défaits lors de la seconde bataille de Cornus. La rébellion reste toutefois latente pendant les deux siècles suivants. En 177 av. J.-C., quelque 12 000 Sardes périssent et 50 000 sont envoyés à Rome en tant qu'esclaves.

Durant la domination romaine règne un équilibre fragile. Les villes romanisées et les habitants des régions côtières et agricoles s'opposent aux bergers indomptables de Barbagia. Si certaines cités et nombre de familles nobles obtiennent le statut de citoyens romains et adoptent la langue latine, l'île demeure un territoire soumis, surexploité et sous-développé.

L'INVASION DES VANDALES

Après la chute de Rome au début du Ve siècle, la Sardaigne se retrouve vulnérable. Des réfugiés arrivent du continent, bientôt suivis par des envahisseurs. Les Vandales, qui avaient fondé un royaume en Afrique du Nord, débarquent en Sardaigne en 456 et en Corse peu de temps après.

500 av. J.-C.	238 av. J.-C.	27 av. J.-C.
La domination carthaginoise, qui fait des Sardes de véritables prisonniers sur leur île, signe le déclin de la civilisation nuragique.	Rome prend le contrôle de l'île, mais les Carthaginois résistent jusqu'en 216 av. J.-C. Les centres urbains de Karalis (Cagliari), Nora, Sulcis, Tharros, Olbia et Turris Libisonis (Porto Torres) voient le jour.	Sous le règne d'Auguste (27 av. J.-C.-14 apr. J.-C.), la première colonie romaine est fondée : Turris Libisonis (actuelle Porto Torres). La citoyenneté romaine est accordée aux habitants de plusieurs villes.

Ils envoient en exil sur l'île des chrétiens gênants, surtout des évêques et des notables d'Afrique du Nord.

Des chroniqueurs byzantins décrivent les quelque 80 années de domination vandale comme une période de pillages et de misère. Toutefois, les rares éléments dont disposent les historiens sur cette époque modèrent ce constat : Karalis et d'autres villes portuaires demeurèrent prospères, notamment grâce au commerce entre l'île et l'Afrique du Nord.

LA REVANCHE DE L'EMPIRE BYZANTIN

Au début du VIᵉ siècle, il ne subsiste de l'Empire romain que sa partie orientale, dont la capitale est Byzance, avec un territoire couvrant approximativement la Grèce et la Turquie actuelles. La nostalgie de la grandeur romaine incite l'empereur Justinien à se lancer dans une campagne visant à rétablir la puissance impériale. Après avoir reconquis la péninsule Italienne, Belisarios, son plus célèbre général, réussit à reprendre aux Vandales la majeure partie de l'Afrique du Nord. Vaincus en 534, ces derniers abandonnent la Sardaigne, qui devient l'une des sept provinces africaines de Byzance.

Les Byzantins créent la première administration officielle de l'île. En haut de la hiérarchie se trouve le *dux,* un chef militaire qui dirige la garnison de Forum Traiani (Fordongianus). L'île est divisée en quatre *judex provinciae* (provinces contrôlées par un juge), lesquelles sont à leur tour fractionnées en *partes* (municipalités). Même les villages possèdent leur propre *maiore* (maire), complétant un système qui – du moins dans les grandes lignes – ressemble fortement à l'organisation administrative actuelle.

L'ère byzantine coïncide également avec la diffusion du christianisme sur toute l'île. Seule exception : la Barbagia, dont les habitants continueront de pratiquer leurs rites païens et de vénérer le bois et la pierre jusqu'en 600.

LES INCURSIONS ARABES ET LES GIUDICATI

Au début du VIIIᵉ siècle, les Arabes ont conquis l'Afrique du Nord et une large partie de l'Espagne. La Sardaigne se retrouve de plus en plus isolée. Menacés sur plusieurs fronts, les Byzantins ne peuvent plus assurer la protection de leur lointaine colonie.

Devant l'affaiblissement de l'autorité extérieure, les quatre gouverneurs provinciaux (*giudici*) du système byzantin prennent leur indépendance et les *giudicati* (provinces) se transforment lentement en mini-royaumes. Les territoires sont délimités selon les anciennes divisions byzantines : Cagliari au sud, Arborea à l'ouest, Logudoro (ou Torres) au nord-ouest et Gallura au nord-est. Pour la première fois depuis la conquête carthaginoise, les Sardes gèrent eux-mêmes leurs affaires. Les *giudici* ont le pouvoir de rois, même s'ils sont contrôlés par la *Corona de logu* (Conseil des nobles).

456	600	711
Après la chute de Rome, les Vandales envahissent l'île. Des chroniqueurs byzantins, certes partiaux, décrivent les 80 années de domination vandale comme une période de pillages et de misère.	La religion chrétienne est imposée dans la région de la Barbagia, la dernière à succomber au prosélytisme byzantin. Les anciens rites païens y sont toujours célébrés lors de certaines fêtes.	Les Arabes débarquent en Sardaigne et s'emparent de Cagliari. Les incursions se répètent et ne prennent fin qu'en 1015 lorsque les Sardes reçoivent l'aide des républiques maritimes de Gênes et de Pise.

PISE ET GÊNES SE DISPUTENT LE CONTRÔLE DE L'ÎLE

Les *giudici* se révèlent incapables de faire face aux raids des pirates et des Arabes. Lorsque ces derniers envahissent une nouvelle fois l'île en 1015, ils finissent par demander de l'aide à leur allié chrétien, le pape. Le moment semble propice pour le souverain pontife, qui souhaite profiter de l'affaiblissement des Arabes en Méditerranée et satisfaire les nouvelles ambitions chrétiennes : il envoie les forces navales de Pise et de Gênes à la rescousse des Sardes.

Une fois les Arabes écartés, les Pisans et les Génois (deux puissances marchandes rivales) voient tout l'intérêt de la situation. La Sardaigne possède d'abondantes ressources naturelles et elle se situe sur les principales routes commerciales partant du Sud de l'Italie. À la fin du XIe siècle, des ordres religieux comme les moines victoriens (proches de Pise) se voient attribuer des terres et des concessions dans le Giudicato di Cagliari. C'est ainsi que débute entre les deux puissances une rivalité acharnée qui durera trois siècles.

Bien que les *giudicati* aient changé plusieurs fois de main entre Génois et Pisans au cours d'une longue série de batailles, d'échauffourées et d'intrigues, la période reste dans l'ensemble prospère. L'île adopte les mœurs culturelles de l'Europe médiévale, et de puissants monastères veillent à ce que les insulaires reçoivent le message des Évangiles. Les églises du Nord-Ouest, de style roman pisan, demeurent un témoignage remarquable de cette époque (p. 146).

Les Pisans sont d'abord dominants dans le Nord de l'île, tandis que les Génois s'imposent au Sud, notamment autour de Cagliari. Cependant, l'influence génoise est également forte à Porto Torres, car le *giudicato* change régulièrement d'allégeance par souci de préservation. Les Pisans et les Génois cherchent alors à détruire le pouvoir des *giudicati*. En 1200, le Giudicato di Logudoro est défait. En 1235, le dernier *giudice*, Barisone III, est assassiné, et les terres réparties entre les Génois Dorias et Malaspinas. Dans le même temps, les Pisans confortent leur position dans le Giudicato di Gallura, dont ils s'emparent en 1297. La politique qui consiste à gouverner le territoire sarde directement depuis Pise est étendue au Giudicato di Cagliari suite à la disgrâce d'Ugolino della Gherardesca en 1288. La même année, Nino Visconti, dernier *giudice* de Gallura, est renversé. Il meurt l'année suivante sans héritiers.

Seul le Giudicato d'Arborea demeure indépendant. Cependant, ses liens étroits avec le royaume d'Aragon (en 1157, Barisone d'Arborea avait épousé une descendante de la famille royale de Barcelone) vont signer sa perte. Depuis la florissante Barcelone, le royaume catalano-aragonais lorgne sur l'île – certaines familles catalanes nobles détiennent déjà d'importants intérêts dans le Nord-Ouest de la Sardaigne. C'est probablement la raison pour laquelle le pape Boniface VIII décide, en 1297, de créer sur le papier

1000-1400	1015	1297
La Sardaigne est divisée en quatre *giudicati* (provinces). Le plus puissant est le Giudicato d'Arborea, autour d'Oristano. Génois et Pisans se disputent le contrôle des *giudicati*.	Les flottes pisane et génoise, venues aider la Sardaigne à mettre en déroute les Arabes, commencent leur longue lutte pour le contrôle de l'île. À la fin du XIIe siècle, les trois quarts du territoire sont sous leur contrôle.	Devant la pression des Catalans, le pape Boniface VIII instaure le Regnun Sardiniae et Corsicae ; Jacques II d'Aragon est déclaré roi de Corse et de Sardaigne.

JUSTICE ET ÉGALITÉ POUR TOUS

Au cours de la longue et tumultueuse histoire de la Sardaigne, un personnage se démarque : Eleonora d'Arborea (1340-1404). Décrite comme la Jeanne d'Arc sarde, elle fut la souveraine la plus inspirée de l'île, vantée pour sa sagesse, sa modération et sa grande humanité.

Après l'assassinat en 1383 de son frère corrompu, Hugues III, et de la fille de ce dernier, elle devient Giudicessa (gouverneur) d'Arborea. Entourée d'ennemis de toutes parts (son mari était emprisonné en Aragon), elle fait taire les rebelles et œuvre pendant les 20 années suivantes à préserver l'indépendance du Giudicato d'Arborea dans un contexte politique changeant.

Le principal héritage qu'elle laisse est la *Carta de Logu*, qu'elle promulgue en 1392. Eleonora révise et complète ce code des lois ébauché par son père, Mariano. À la satisfaction des insulaires, il est publié en langue sarde, formant ainsi une assise pour la conscience nationale naissante. Progressiste, fondé sur la loi romaine, il est très en avance sur la législation de l'époque. Pour la première fois, les délicates questions de la jouissance des terres et de la possibilité de soutenir une action en justice sont codifiées. Les femmes se voient accorder une série de droits, dont celui de refuser un mariage et – fait important pour une société rurale – des droits de propriété. Alphonse V fut si impressionné qu'il appliqua ce code à l'ensemble de l'île en 1421, et celui-ci resta en vigueur jusqu'en 1871.

Eleonora ne put apprécier la postérité de sa *Carta de Logu*. Elle mourut de la peste en 1404 et, cinq ans à peine après sa mort, les Aragonais prirent le contrôle d'Arborea. Elle demeure la figure historique la plus respectée sur l'île.

le Regnum Sardiniae et Corsicae (royaume de Sardaigne et de Corse) et d'en confier les rênes au Catalano-Aragonais Jacques II.

LA COURONNE D'ARAGON

Dans un premier temps, Jacques II intervient peu dans la gestion de ce nouveau domaine. Ce n'est qu'en 1323 que son armée, transportée par 300 vaisseaux de guerre, débarque sur la côte sud-ouest de l'île pour déloger les représentants locaux de Pise et asseoir son pouvoir.

Alliés au Giudicato d'Arborea, les nouveaux venus s'emparent rapidement de Cagliari et d'Iglesias, et concluent des accords de vassalité avec d'autres nobles sur toute l'île. Toutefois, lorsque Barcelone comprend que les seigneurs d'Arborea ont pour but de prendre le contrôle total de l'île, les relations se détériorent. En 1353, les Catalano-Aragonais conquièrent la ville portuaire d'Alghero, qui voit toute sa population chassée et remplacée par des colons catalans.

De 1356 à 1404, les souverains d'Arborea (les rois Mariano IV et Ugone III et la reine Eleonora) harcèlent les Catalano-Aragonais. Cette longue résistance est due à la détermination sans faille et à l'habileté politique de la reine Eleonora (1340-1404), qui gagne le respect des habitants grâce à son administration équitable et à la promulgation d'une charte progressiste, la

1323	1392	1400-1500
Les forces navales du royaume d'Aragon et de la république de Pise s'affrontent au large de Cagliari. Victoire des Aragonais et début de la suzeraineté de l'Espagne sur la Sardaigne.	Eleonora d'Arborea, héroïne sarde et gouverneur d'Arborea, publie la *Carta de Logu*, premier code des lois de Sardaigne. La propriété foncière et le droit des femmes y sont notamment traités.	Depuis l'Espagne, les nobles catalano-aragonais imposent de lourdes taxes aux habitants. Ceux-ci luttent seuls contre la famine et les épidémies, qui déciment près de 50% de la population de l'île.

Carta de Logu (code des lois ; voir encadré, ci-contre). Cinq ans après sa mort, les Sardes sont vaincus à la bataille de Sanluri. La révolte se poursuit toutefois, culminant dans les années 1470 avec un soulèvement général, écrasé par les Aragonais lors de la bataille de Macomer en 1478.

LE BOURBIER ESPAGNOL

En 1479, le mariage de Ferdinand et d'Isabelle unit les couronnes de Castille et d'Aragon. Sous les Espagnols, les structures féodales instaurées par les Catalano-Aragonais sont renforcées, laissant la majeure partie de la population rurale dans une misère profonde. D'immenses zones tombent dans l'escarcelle de puissants nobles espagnols qui ne viennent jamais sur l'île (un siècle après la fin de la domination espagnole, la noblesse ibérique détiendra encore une large part des terres sardes).

Aux XVIe et XVIIe siècles, les paysans sardes sont accablés d'impôts exorbitants, l'économie de l'île stagne et l'Espagne est en déclin. Ironie du sort, ce sont des marchands génois (dont les banquiers étaient devenus l'une des principales sources de revenus de Madrid) qui remplacent peu à peu les Catalans à la tête du commerce international de l'île.

En 1700, le roi Charles II de la maison des Habsbourg meurt sans descendance. Une fois de plus, l'île se retrouve sans maître. En Sardaigne comme en Espagne, la société est divisée entre les factions autrichienne, partisane des Habsbourg, et française, partisane des Bourbons, qui se disputent les restes de l'immense empire espagnol. Le décès de Charles II déclenche la guerre de la Succession d'Espagne, un conflit qui implique la plupart des puissances européennes. En 1708, les forces autrichiennes appuyées par la flotte navale anglaise occupent la Sardaigne.

Philippe V, prétendant bourbon au trône d'Espagne, soutenu par les Français, obtient gain de cause. Toutefois, le coût pour l'Espagne est considérable : Madrid perd bon nombre de ses territoires, dont la Sardaigne, laquelle est attribuée à l'Autriche par le traité d'Utrecht de 1713. Vienne, qui tient peu à sa nouvelle possession, n'oppose qu'une faible résistance à une tentative espagnole pour reconquérir l'île en 1717. Le reste de l'Europe, en revanche, s'indigne : un an plus tard, le traité de Londres oblige les Espagnols à se retirer.

La Sardaigne est attribuée au duché de Savoie. Si les ducs auraient préféré la Sicile aux campagnes désolées de la Sardaigne, ils obtiennent toutefois une couronne royale très convoitée.

UNE PÉRIODE DIFFICILE

Le contexte économique déplorable de l'île est un choc pour les vice-rois piémontais, mais ils sont résolus à tirer le meilleur parti de la situation. Attribuant la faiblesse de la production agricole à une insuffisance démographique (300 000 habitants à l'époque), ils encouragent la

1478	**1708**	**1720**
Le 19 mai, la résistance sarde, emmenée par le marquis d'Oristano, est écrasée par l'armée aragonaise lors de la bataille de Macomer.	Les forces anglaises et autrichiennes prennent la Sardaigne des mains du roi Philippe V d'Espagne durant la guerre de la Succession d'Espagne. L'empire des Habsbourg est démantelé.	L'Autriche et l'Espagne alternent au pouvoir jusqu'à ce que le duc Victor-Amédée II de Savoie devienne finalement roi du Piémont et de Sardaigne.

colonisation. Seule l'arrivée de Liguriens de Tabarqa (Tunisie) sur l'île de San Pietro en 1738, où ils fondent la ville de Carloforte, connaîtra le succès. Néanmoins, ce peuple de pêcheurs ne contribue guère à améliorer le rendement de l'agriculture.

En dépit d'un XVIIIᵉ siècle marqué par une série de famines, la production agricole de l'île augmente néanmoins. La population s'accroît, atteignant 436 000 personnes en 1782. Le système féodal de propriété foncière est modernisé et les universités, moribondes, de Cagliari et Sassari, sont ressuscitées.

Les difficultés reviennent avec la Révolution française qui, comme sur toute l'Europe, jette une ombre sur la Sardaigne. En 1792, la milice sarde repousse une tentative de débarquement des forces françaises (au nombre desquelles se trouvait le jeune Napoléon sur l'archipel de la Maddalena). Invoquant ce témoignage de loyauté, une délégation de Sardes se rend à Turin auprès du roi Victor-Amédée III pour demander une plus grande autonomie. À leur grand mécontentement, la quasi-totalité de leurs requêtes sont rejetées.

Il ne faudra pas longtemps pour que les Sardes déclenchent leur propre révolte. En 1795, à Cagliari, deux hauts responsables piémontais sont tués par une foule en colère. Les révoltés sont menés par un juge radical, Giovanni Maria Angioi, qui tente, en vain, de marcher sur Cagliari. Lorsque, en 1799, la famille royale de Savoie, chassée du continent par Napoléon Bonaparte, est forcée de s'installer dans cette ville, il ne reste aucune trace de ce mouvement révolutionnaire.

TIMIDES PROGRÈS ET UNITÉ

Les premières décennies du XIXᵉ siècle sont plus calmes. Le roi Charles-Félix de Savoie fait construire une route entre Cagliari et Porto Torres, instaure un enseignement de base, et apporte des changements majeurs en matière de propriété foncière. Adoptée en 1823, la loi sur la propriété foncière vise à transformer les terres communales en parcelles privées. Bien que probablement motivée par des intentions économiques louables, elle exclut les paysans pauvres et les bergers qui perdent l'usage des terres communales. Désespérés, ceux-ci se tournent vers le banditisme.

L'abolition des privilèges féodaux en 1835 représente également une grande avancée. Toutefois, les petits agriculteurs qui achètent les terres s'endettent considérablement auprès de l'État. En définitive, ces difficiles réformes ne bénéficient guère aux paysans sardes.

En 1847, l'île perd son statut d'entité séparée gouvernée par un vice-roi. Enhardie par des réformes introduites dans les territoires savoyards du continent, une délégation réclame "l'unité parfaite" entre le royaume de Sardaigne et le Piémont, pour bénéficier d'un régime plus équitable. La requête est acceptée. Dès lors, l'île sera régie directement depuis Turin.

1795-1799	1823	1847
Les Piémontais ayant refusé une plus grande autonomie de la Sardaigne, la population se révolte et assassine à Cagliari des dignitaires de Savoie. En 1799, le mouvement révolutionnaire s'éteint de lui-même.	La loi sur la propriété foncière, qui promeut la propriété chez les ruraux, se traduit par la vente des terres communales séculaires et l'abolition des droits communaux, provoquant des émeutes.	La requête émise par le royaume de Sardaigne, alors entité séparée gouvernée par un vice-roi, de rejoindre le royaume du Piémont est acceptée. Dès lors, l'île sera régie par Turin.

Au même moment, la situation évolue rapidement dans le reste de la péninsule italienne. En 1848, le roi Charles-Albert prend la tête des États italiens lors de la guerre d'indépendance contre l'Autriche. Après son échec, c'est son fils Victor-Emmanuel qui, une dizaine d'années plus tard, grâce aux manœuvres diplomatiques de Cavour ainsi qu'à une série de campagnes militaires audacieuses dirigées par Giuseppe Garibaldi, parvient finalement à unifier la péninsule Italienne autour du Piémont pour créer le royaume d'Italie (un processus qui ne s'achèvera qu'en 1870).

Le régime italien n'est pas bien différent du piémontais, cependant quelques améliorations sont progressivement réalisées : la première ligne de chemin de fer est inaugurée dans les années 1870, l'enseignement est développé, les produits laitiers trouvent des débouchés sur le continent, et les premières banques ouvrent permettant aux gens ordinaires d'accéder au crédit. En 1913, la Sardaigne élit son premier député socialiste au Parlement italien. La vie reste pourtant difficile, et les années précédant la Première Guerre mondiale sont marquées par des grèves de mineurs (impitoyablement réprimées), le banditisme et les émeutes de subsistance.

> Le héros révolutionnaire de l'Italie, Giuseppe Garibaldi, est mort le 2 juin 1882 sur l'Isola Caprera, son île privée dans l'Arcipelago della Maddalena.

LES GUERRES MONDIALES

En 1915, la décision de l'Italie d'entrer en guerre aux côtés des Alliés est motivée par le désir de s'emparer de ce qu'elle considère comme des territoires italiens aux mains de l'Autriche. Le pays n'était pas préparé à un conflit d'une telle ampleur et allait payer un lourd tribut humain.

Les "diables rouges" de la Brigata Sassari (p. 33) se distinguent dans les combats impitoyables qui ravagent les tranchées du Nord de l'Italie. Dès le début du conflit, les hommes et officiers de la brigade sont loués pour leur bravoure. Les régiments sardes recevront de nombreuses décorations – piètre récompense lorsque l'on sait que la Sardaigne, par rapport à sa population, a perdu plus de jeunes soldats au front que les autres régions italiennes.

Lorsque les survivants rentrent chez eux après la fin de la guerre, en 1918, ils ne sont plus les mêmes. Paysans illettrés lors de leur départ, ils reviennent sensibilisés à la politique. Nombre d'entre eux rejoignent le nouveau Partito Sardo d'Azione (PSA ; Parti sarde d'action), dont l'objectif premier est l'autonomie administrative de l'île. Sous l'influence d'intellectuels tels Emilio Lussu (l'un des fondateurs du PSA) et Antonio Gramsci (Parti communiste italien), la politique sarde se teinte de couleurs socialistes, visant à accorder aux ouvriers les droits civiques et à sortir paysans et bergers de leur existence en marge de la vie politique et sociale. Le PSA constitue la plus forte opposition à Mussolini jusqu'à ce que celui-ci prenne le pouvoir à Rome en 1922.

L'ère fasciste est une période singulière pour la Sardaigne. Le régime reconnaît que des mesures doivent être prises pour sortir l'île de sa pauvreté. Il met en place des programmes de grande envergure, toutefois exécutés de façon partielle ou maladroite. La bonification de terres autour des deux

> Arrêté en 1928 par la police fasciste, Antonio Gramsci meurt en prison en 1937. Ses *Lettres de prison*, publiées pour la première fois entre 1948 et 1951, sont un chef-d'œuvre de la littérature italienne.

1915	**1921**	**1928-1938**
La Brigata Sassari est fondée et envoyée dans les tranchées alpines de la Première Guerre mondiale. Les soldats sardes s'illustrent mais subissent de lourdes pertes : 2 164 morts, 12 858 blessés ou disparus.	Le Partito Sardo d'Azione (Parti d'action sarde) est créé par des vétérans de la Brigata Sassari. L'objectif est l'autonomie de l'île et la prise de conscience politique du peuple sarde.	Mussolini, qui veut rendre l'Italie autosuffisante, lance en Sardaigne de grands projets (irrigation, infrastructures, bonification des terres agricoles). De nouvelles villes sont bâties.

nouvelles villes, Mussolinia (l'actuelle Arborea) et Fertilia, dégage des surfaces agricoles supplémentaires, mais moins que prévu. L'exploitation minière est relancée, et l'extraction de lignite (le "charbon du Sulcis", de faible qualité) est stimulée par la création d'une autre ville, Carbonia.

Globalement, la Sardaigne souffre cependant des tentatives fascistes pour rendre l'Italie économiquement autonome (l'excluant ainsi des circuits commerciaux internationaux). L'alliance avec Hitler pendant la Seconde Guerre mondiale ne fait qu'empirer les choses. Certes, la Sardaigne n'est pas envahie, mais durant la première moitié de l'année 1943, les bombardements alliés détruisent les trois quarts de Cagliari. Pire encore, la guerre provoque l'isolement quasi total de l'île. Le ferry reliant le continent à Olbia ne reprend son service quotidien qu'en 1947.

Avec la fin des hostilités, l'organisation politique de l'Italie est transformée. Au cours du référendum de 1946, la population vote contre la monarchie et pour la création d'une république parlementaire. En 1948, la Sardaigne et quatre autres régions se voient accorder leur propre parlement ainsi que le pouvoir de légiférer dans certains domaines, mais ces mesures ne satisfont pas entièrement les attentes de nombreux Sardes.

Des 20 régions italiennes, 5 disposent d'une autonomie élargie : la Sardaigne, la Sicile, le Val d'Aoste, le Trentin-Haut-Adige et le Frioul-Vénétie Julienne.

ÉRADICATION DE LA MALARIA ET MODERNITÉ

Depuis l'époque romaine, une grande partie de la côte sarde était couverte de marais impaludés. Mené entre 1946 et 1950 par l'armée américaine et financé par la Fondation Rockefeller, le Sardinia Project donne des résultats spectaculaires : drainés et traités aux pesticides, les marais sont débarrassés des moustiques, et la malaria, éradiquée. Dans les années 1920, on dénombrait en moyenne 78 000 cas de malaria par an. Ce chiffre tombe à 40 000 en 1947, et aucun nouveau cas n'est signalé en 1950.

Dans les années 1940, 60% des Sardes souffraient de la malaria.

La même année, la Sardaigne est désignée comme l'un des bénéficiaires majeurs de la Cassa per il Mezzogiorno ("Caisse du Midi"), un fonds de développement national visant à redresser l'économie désastreuse du Sud de l'Italie. En quelques décennies, beaucoup d'argent a ainsi été injecté dans l'économie de l'île. Celui-ci n'est cependant pas toujours employé à bon escient à cause de l'impéritie de l'administration, comme l'illustrent parfaitement les projets de grandes usines retenus à cette époque. Nombre d'entre elles, comme celles situées à Porto Torres, Portovesme et Sarroch, sont des raffineries et des usines pétrochimiques qui ne parviennent pas à offrir les emplois locaux nécessaires et constituent rapidement un casse-tête écologique et économique. Dans les années 1970, l'effondrement du secteur dû à la crise pétrolière se traduit par des licenciements massifs qui plongent l'île dans la récession. Enfin, les mines de l'Iglesiente (région d'Iglesias, p. 86) commencent à décliner pour fermer au milieu des années 1990.

Banditi a Orgosolo (Bandits à Orgosolo), film de Vittorio de Seta sorti en 1961, décrit parfaitement la dure réalité de la vie rurale dans la Sardaigne des années 1950.

Les réformes agricoles et administratives tardent à venir. Ainsi, bien que le niveau de vie progresse en Sardaigne entre les années 1950 et 1980, de

1948	**1946-1951**	**1960-1992**
La Sardaigne est déclarée région semi-autonome. Son assemblée régionale peut légiférer sur l'agriculture, l'exploitation des forêts, l'aménagement urbain, le tourisme et la police.	Le Sardinia Project parvient à éradiquer le paludisme. L'armée américaine, financée par la Fondation Rockefeller, répand 10 000 tonnes de DDT sur l'île. On en ignore encore les effets secondaires.	Entre 1960 et 1992, 621 personnes sont kidnappées en Italie, dont 178 en Sardaigne. Ces enlèvement contre rançon sont généralement orchestrés par le banditisme mafieux.

LE RÉVEIL RÉGIONAL DE LA SARDAIGNE

La Première Guerre mondiale a été un tournant pour la Sardaigne, et pas seulement en termes de pertes humaines et d'horreur. Ce fut un vrai réveil politique. À leur retour en 1918, les soldats sardes étaient des hommes changés. Les fermiers illettrés qu'ils étaient en partant au combat étaient devenus une force politique consciente. Beaucoup rejoignirent le nouveau Partito Sardo d'Azione (Parti sarde d'action), qui visait à obtenir l'autonomie administrative de l'île.

Fondé à Oristano en 1921 par Emilio Lussu et d'autres vétérans de la Brigata Sassari (une unité de recrues sardes qui s'est illustrée pendant la guerre), le PSA s'est appuyé sur cette conscience politique naissante, se nourrissant du sentiment d'identité régionale qui se répandait sur l'île. Le peuple sarde a toujours fait preuve d'une grande fierté, mais n'avait encore jamais eu l'occasion de se battre pour une cause commune avant de se retrouver dans les tranchées. Après cela, beaucoup commencèrent à voir la Sardaigne comme une région avec une culture, des aspirations et une identité propres.

L'autonomie de l'île n'était qu'une des lignes directrices du parti. En associant des thèmes socialistes (appel à la justice sociale, développement des coopératives agricoles) et économie de marché (besoin de libéralisme économique et suppression du protectionnisme d'État), une nouvelle branche de la pensée sociale-démocrate est née.

Quelque 90 ans plus tard, ce parti existe toujours (et ce n'est pas rien pour un parti politique italien) et reste actif. En minorité dans le gouvernement régional de Renato Soru (2004-2008), le PSA s'est présenté en tant que parti indépendant lors de l'élection générale de 2008, obtenant 1,5% des votes sardes.

sérieux problèmes subsistent. En témoigne la vague d'émigration qui touche l'île à partir de la fin des années 1940. L'arrivée de la télévision et la prise de conscience qu'une vie meilleure est possible incitent de nombreux jeunes à partir. Dans les années 1960, 10% de la population quittent la Sardaigne pour la péninsule Italienne ou l'Europe de l'Ouest.

La Sardaigne est la dernière région d'Italie à être raccordée au réseau de télévision en 1956.

Le tourisme pourrait constituer la bouée de sauvetage économique de l'île. Dans les années 1960, la construction du complexe de luxe de l'Aga Khan sur la Costa Smeralda (p. 176) apporte une lueur d'espoir, même si elle s'accompagne de son lot de problèmes. Des hordes de vacanciers en quête de divertissements confrontent les insulaires à de nouveaux modes de pensée et de vie. Encore aujourd'hui, les régions côtières contrastent nettement avec le centre rural, obstinément traditionnel et toujours plus déserté. Cette "invasion" a au moins permis de tirer une partie de l'île de sa torpeur médiévale pour la propulser directement dans le XXIe siècle.

LA SARDAIGNE AUJOURD'HUI

Dans les années 1980, le Partito Sardo d'Azione, en sommeil depuis sa création dans les années 1920, revient sur le devant de la scène. Cette émergence correspond à un regain d'intérêt de la population sarde pour sa

1962	1985	1999
Karim Aga Khan IV établit son Consorzio della Costa Smeralda pour développer le littoral nord-est. Le tourisme de masse se développe sur l'île et attire la jet-set sur ses plages paradisiaques.	Francesco Cossiga, natif de Sassari, est élu président de la République italienne. En 1978, il était ministre de l'Intérieur lorsque les Brigades rouges enlevèrent et assassinèrent le Premier ministre Aldo Moro.	L'Union européenne identifie la Sardaigne comme l'une des régions européennes ayant un réel besoin d'investissements pour le "développement et l'ajustement structurel".

langue, sa culture et son histoire, et la redécouverte de la *sardità* (identité sarde). Le débat sur le statut politique de l'île s'intensifie, même si le rêve séparatiste d'une Sardaigne indépendante soit utopique.

La plupart des Sardes admettent que la situation de l'île a progressé depuis la fin de la guerre. Néanmoins, si la Sardaigne est envahie de touristes trois mois dans l'année, elle reste le reste du temps largement livrée à elle-même. En 1999, l'île a reçu de l'Union européenne une importante subvention pour améliorer ses infrastructures de base et investir dans des projets d'éducation et d'emploi. Le gouvernement n'a toutefois pas respecté ses objectifs de dépenses et, en 2004, une part de la somme restante a dû être restituée.

Selon le quotidien *La Nueva Sardegna*, le chef de l'État italien, Silvio Berlusconi, aurait payé 50 000 € de taxes sur sa résidence de Porto Rotondo après l'introduction en 2006 de la "taxe sur le luxe".

Les années Soru

En juin 2004, l'élection de Renato Soru à la présidence de la région a suscité des espoirs. Surnommé le Bill Gates sarde, ce milliardaire et "self-made-man" est au centre de l'histoire récente de l'île. Né en 1957 à Sanluri dans une famille modeste, il a fondé l'entreprise de télécommunications Tiscali en 1998, devenant l'un des hommes les plus riches d'Italie. Après avoir fait ses premières armes en politique en 2003, il est élu un an plus tard président de la région Sardaigne sous l'étiquette du parti de centre gauche Progetto Sardegna (Projet Sardaigne).

Soru n'a jamais eu peur de bousculer les conventions, s'attirant rapidement des critiques. Après avoir décrété une interdiction de développer le littoral, il a imposé une "taxe sur le luxe" pour les yachts, les avions privés, les résidences secondaires et les chambres d'hôtel. Son intention, affirma-t-il, était de protéger le paysage en limitant le nombre de touristes. Ses détracteurs affirmaient que cela ferait purement et simplement fuir les touristes.

L'un de ses plus grands succès est d'avoir obtenu, après 36 ans de présence, le retrait des forces nucléaires navales américaines du fragile Arcipelago della Maddalena. L'opinion locale n'en a pas moins été divisée : les environnementalistes et les partisans de Soru l'ont acclamé à grands cris, tandis que d'autres ont déploré le départ d'une clientèle de marins américains prêts à dépenser. Le manque à gagner aurait toutefois dû être compensé en juillet 2009, Soru ayant obtenu que l'Isola Maddalena accueille le G8. Toutefois, le président du Conseil, Silvio Berlusconi, demanda le transfert du sommet du G8 de La Maddalena à L'Aquila, ville des Abruzzes sinistrée par un séisme en avril 2009.

En 2003, le sous-marin nucléaire américain *USS Hartford* s'est échoué dans les eaux peu profondes de l'Arcipelago della Maddalena, près de sa base.

Le 26 février 2009, c'est Ugo Cappellacci, représentant du Popolo della Libertà (Le Peuple de la Liberté, parti politique de droite fondé et présidé par Silvio Berlusconi), qui a remporté les élections régionales.

2004	2008	2008
Renato Soru, fondateur du fournisseur d'accès Internet Tiscali, est élu président de Sardaigne. Son plan de protection de l'environnement suscite de vives controverses.	Après une présence de 36 ans, la marine américaine se retire de l'Arcipelago della Maddalena. Le départ de l'US Navy – et avec elle de marins aux portefeuilles bien remplis – partage l'opinion.	La Sardaigne devient la première région d'Italie à passer à la télévision numérique terrestre.

Culture et société

Les Sardes ne sont pas aussi volubiles que les autres Italiens ; ils n'ont ni leur souplesse ni leur insouciance. Contrairement à d'autres insulaires, ils ne regardent pas vers le large, en quête de nouveauté, mais vivent ancrés dans le passé, un peu repliés sur eux-mêmes. Cela ne les empêche nullement d'être aimables avec les visiteurs. Ils sont d'ailleurs réputés dans toute l'Italie pour leur générosité et réussissent même l'exploit de mettre les étrangers à l'aise sans jamais se départir de leur réserve.

Padre Padrone, autobiographie de Gavino Ledda adaptée au cinéma par les frères Taviani (Palme d'or à Cannes en 1977), brosse un portrait exact de la vie extrêmement pauvre des bergers sardes.

Au cours de leur histoire, les Sardes n'ont guère eu l'occasion de s'exprimer. Des siècles de colonisation ont engendré un sentiment d'injustice qui n'a fait qu'exacerber la fierté farouche qui les caractérise. La géographie de l'île n'est pas étrangère non plus à ce caractère. Les chaînons de montagnes disséminés ici et là ont longtemps entravé les échanges et engendré une mosaïque de communautés très distinctes les unes des autres. Si cet isolement a permis à l'île de préserver nombre de ses particularismes, il a aussi fait obstacle à la construction d'une identité commune. L'écart est énorme entre les villes très ouvertes sur la modernité, telles Alghero, Sassari, Olbia et Cagliari, et les villages où prévalent encore des modes de vie traditionnels. C'est pourquoi Giovanni Lilliu, un des plus grands spécialistes de la civilisation sarde, évoque une "nation incomplète", qu'il souhaiterait voir s'unifier et s'affirmer pleinement.

Les Sardes partagent néanmoins un fort sentiment fraternel, le sens de la tradition et l'amour qu'ils vouent à leur île. Ils sont également modestes et réfléchis, très enclins à débattre des questions politiques régionales. Et par-dessus tout, ils aiment la bonne chère et la *festa*. Vous trouverez parmi eux des poètes, des écrivains, des musiciens et des artistes talentueux, passionnés par leur cadre de vie.

IDENTITÉ RÉGIONALE
La langue

Le sardo (sarde) est la langue minoritaire la plus importante d'Italie et la première de l'île. Elle comprend trois familles distinctes : le logudorese (dans le Nord-Ouest), le nuorese (dans l'Est et le centre) et le campidanese (dans le sud, exception faite de Cagliari qui possède son propre dialecte). On considère le logudorese comme la plus vieille et la plus pure forme du sarde (proche du latin que les Romains ont introduit dans l'île).

Le sarde, langue native de l'île, comprend 67 dialectes.

La grammaire et le vocabulaire sont en grande partie issus de la langue latine, même si certains mots remontent à des temps plus anciens comme *nuraghe* (tour de pierre) et *giara* (sorte de plateau) – la plupart de ces mots

---

EN QUOI LES SARDES SONT-ILS DIFFÉRENTS ?

- La Sardaigne est une des cinq régions d'Italie qui disposent d'un statut spécial d'administration autonome
- À l'instar des Vénitiens, les Sardes ont été reconnus par le gouvernement italien comme un peuple distinct du peuple italien
- La langue sarde n'est pas un dialecte italien mais une vieille langue romane issue du latin
- De nombreux Sardes continuent de parler de l'Italie comme du *continente* (le continent) et de rêver à une improbable indépendance

désignant des réalités géologiques ou des animaux. De même, les noms de lieu qui comportent de nombreuses voyelles (comme Orgosolo, Ollolai et Orotelli) datent probablement de l'époque des bâtisseurs de nuraghi. L'espagnol et le catalan, qui ont été les langues officielles de l'île pendant 400 ans, ont eu également un impact. À Alghero, on parle aujourd'hui encore une variante du catalan et, sur l'île de San Pietro, une forme du génois datant du XVIᵉ siècle. Les dialectes gallura et gassari sont proches du corse.

Le sarde est un des éléments essentiels de l'identité sarde, qui se distingue ainsi du reste de l'Italie. Dans les années 1970, il a été demandé au gouvernement italien de le reconnaître comme langue officielle de l'île, ce que la multiplicité des dialectes a rendu impossible. Le problème est tel que tous les grands écrivains sardes ont choisi d'écrire en italien.

La langue italienne prédomine dans les médias et la jeune génération l'utilise dans les affaires. Cela n'empêche pas 80% des insulaires de continuer à parler le sarde chez eux. Mais personne n'a éprouvé le besoin de l'introduire dans les programmes scolaires, du moins pour le moment.

Mode de vie

La vie des Sardes est organisée autour de la famille et de la communauté, qui exercent une pression sur toutes les sphères de la société. Dans le passé, un code moral drastique avait force de loi coutumière. Dans ses romans, Grazia Deledda (voir p. 40) décrit une île traditionnelle, écartelée entre l'Église et le progrès, le devoir et le plaisir. Le Sarde se montre individualiste, soucieux de préserver sa vie privée. Mais dépassez cet obstacle et vous serez chaleureusement accueilli, et même nourri plus que de raison. D'ailleurs, Deledda trouvait que la poésie du bonheur familial et domestique résidait au cœur de la cuisine. Famille et amis continuent par exemple de se rassembler le dimanche autour d'un déjeuner traditionnel.

Jusque dans les années 1950, la Sardaigne restait une des régions les plus pauvres de l'Italie, fort mal représentée politiquement ; 22% de la population était illettrée (contre 4% aujourd'hui, soit le double de la moyenne nationale). Aujourd'hui, beaucoup de gens mènent encore une existence difficile ; et si l'on est riche, c'est sans excès. Le salaire mensuel moyen tourne autour de 1 000 € et 30% des insulaires travaillent encore dans l'agriculture. On comprendra dès lors que la vie sur l'île est simple et sans prétentions.

Compte tenu de ces réalités économiques, la plupart des jeunes Sardes demeurent chez leurs parents jusqu'à la fin de leurs études (28 ans environ) ou jusqu'à leur mariage. Conséquences : les familles et les communautés sont ainsi très soudées, mais le désir d'autonomie et l'esprit d'initiative s'en trouvent amoindris.

L'éducation, l'arrivée du tourisme et l'exode rural (près de la moitié de la population vit dans la zone de Cagliari) pallient peu à peu certains de ces problèmes sociaux. Mais, à l'intérieur des terres, et en particulier en Barbagia où les vieilles coutumes et une morale rigide prévalent, la vie demeure très traditionnelle.

Hommes et femmes

Comme dans la plupart des communautés rurales, le rôle de chacun est traditionnellement réparti en fonction du sexe. L'existence étant particulièrement difficile en Sardaigne – la campagne est très inhospitalière –, la division du travail est de mise. Pendant que les hommes font paître leurs troupeaux loin de chez eux, les femmes tiennent les maisons et élèvent les enfants.

Les femmes sardes ont toujours été très actives dans la vie communautaire, et c'est probablement ce qui a permis à deux d'entre elles, Eleonora d'Arborea

Le Jour du jugement, de Salvatore Satta confronte la Sardaigne moderne et traditionnelle : rivalités familiales exacerbées et politiques régionales face à une situation agricole difficile.

(voir p. 28) et Grazia Deledda, de devenir des emblèmes de l'histoire et de la culture sardes.

Néanmoins, en l'absence d'organisation féminine, il a fallu attendre jusque dans les années 1980 pour que les femmes bénéficient largement de l'évolution des mœurs et, encore maintenant, elles assument toujours un rôle traditionnel dans la société. Récemment le Progetto Marte, destiné à promouvoir l'*e-learning* dans les écoles, a essentiellement retenu l'attention des garçons. Or, c'est justement par le biais de telles initiatives que les filles pourraient s'ouvrir sur le reste du monde, et ainsi s'émanciper et s'affirmer dans la Sardaigne de demain.

Les zones rurales mises à part, la Sardaigne ne diffère pas du reste de l'Italie. Depuis les années 1960, l'éducation s'est efforcée de modifier la répartition des rôles entre hommes et femmes. Beaucoup de femmes aujourd'hui connaissent d'ailleurs une carrière professionnelle réussie, même si les hommes continuent d'occuper les plus hautes fonctions du secteur privé et dominent presque exclusivement la scène politique.

Population

La population sarde décroît car beaucoup d'insulaires ont émigré sur le continent ou à l'étranger, en particulier entre 1950 et 1980. Sur une population italienne totale de 58 millions d'habitants, on compte seulement 1 650 020 sardes.

La moitié d'entre eux se concentrent au Sud, dans la province de Cagliari (765 000) – qui connaît également le plus haut taux de chômage, surtout dans sa partie nord-ouest. Puis vient Sassari (460 700), suivie de Nuoro (264 000) et Oristano (153 400).

La densité de la population n'est que de 69 habitants par km^2, contre 192 dans l'ensemble de l'Italie et 425 en Campanie. Cela fait de la Sardaigne la région la moins densément peuplée du pays.

Avec un taux de natalité peu élevé, une faible immigration et le départ des jeunes vers le continent, la population insulaire semble condamnée à se réduire. L'Institut national de statistique (Istat) prédit même que la population de l'île pourrait chuter à 1 246 000 d'ici à 50 ans.

Religion

Les Sardes sont profondément chrétiens, encore qu'un bon nombre de leurs traditions et fêtes plongent leurs racines dans un passé païen. Tout comme dans les autres régions de l'Italie, ils sont essentiellement catholiques romains. Il n'y a pas si longtemps, la crainte du châtiment, à la fois humain et divin, pesait constamment sur la vie rurale, où toute atteinte à l'honneur engendrait une vendetta sans pitié. Ailleurs en Italie, la fréquentation des églises a baissé depuis la Seconde Guerre mondiale, mais en Sardaigne, elles sont régulièrement pleines à l'heure de la messe, même en semaine.

Le calendrier sarde est ponctué de fêtes religieuses, dont certaines rappellent les longs siècles de domination espagnole. C'est particulièrement évident lors de certaines célébrations pascales : Castelsardo, Iglesias et Tempio Pausania sont le théâtre de processions nocturnes conduites par des frères encapuchonnés d'ordres religieux plus hispaniques qu'italiens.

D'autres coutumes sont plus spécifiques à l'île. La Sardaigne, par exemple, est parsemée de *chiese novenari*, petites chapelles rurales où ont lieu, une ou plusieurs fois par an, des pèlerinages de neuf jours. Elles sont généralement entourées de *cumbessias* (aussi appelées *muristenes*), des petites hôtelleries destinées à accueillir les pèlerins venus vénérer le saint des lieux.

Folklore et traditions

Les touristes apprécient particulièrement les grandes fêtes de Sardaigne, mais celles-ci ne survivent pas simplement pour leur plaisir. De nombreuses manifestations, comme les *mamuthones* de Mamoiada (p. 208) sont si anciennes que les anthropologues les font remonter à l'époque préhistorique. Nulle part en Europe la tradition folklorique n'est si vivante. Contrairement à d'autres, le folklore sarde n'est pas seulement le produit d'une classe pauvre : il est considéré par tous comme un héritage culturel commun. À travers les siècles, il a permis aux Sardes d'affirmer leur identité.

Les fêtes vous permettront de comprendre qui est le peuple sarde. Les costumes éclatants et les bijoux des femmes donnent un bon exemple de la haute qualité de l'artisanat. Des épreuves telles que la course hippique, des jeux de combat comme la lutte, ou encore le Jocu de Sa Murra (voir encadré p. 206) donnent aux hommes l'occasion de prouver leur courage, leur audace et leurs compétences. Le contraste entre les sexes est clairement affiché.

Finalement, ces fêtes expriment le mieux l'âme sarde ; elles illustrent les habitudes culturelles de l'île et incarnent ses valeurs sociales profondément enracinées ainsi que ses craintes les plus sombres. Sans doute perdent-elles un peu de leur importance au fur et à mesure que la société s'éloigne de son passé rural. Il n'empêche qu'elles en disent long sur le caractère de l'île.

Chacun des 370 villages et villes de l'île possède son propre costume traditionnel.

ARTS

Pour appréhender l'art sarde, mieux vaut oublier la Renaissance italienne et ses trésors. Car la Sardaigne possède ses propres références, riches et variées. Ses traditions orales et artisanales multiséculaires ont survécu jusqu'à nos jours, phénomène quasi unique en Europe. La musique et la poésie y tiennent une place essentielle, et la littérature les a rejointes depuis le XIXe siècle. La création artistique contemporaine est également très prolifique, de même que l'artisanat particulièrement délicat, visible tout au long de l'année durant les nombreuses fêtes de l'île.

Musique

Protégées des influences extérieures, les traditions musicales sardes ne ressemblent à aucune autre et inspirent aujourd'hui de nombreux albums de world music. Cela ne contribue-t-il pas à altérer la culture de l'île ? Sans doute, mais cela attire surtout de nouveaux auditeurs, et participe ainsi à préserver une musique originale et de grande qualité.

Le launeddas *à trois chalumeaux est le plus vieil instrument de musique d'Europe. Il date du IXe siècle av. J.-C.*

Les deux principales traditions sont le *launeddas* (voir encadré ci-contre) dans le Sud, et la polyphonie de voix masculines dans les régions du centre et du Nord. Toutes deux, en déclin dans les années 1970, rencontrent depuis deux décennies un regain d'intérêt. Groupes et pratiques individuelles fleurissent un peu partout sur l'île.

Si vous voulez entendre de la vraie musique traditionnelle, rien de mieux que les fêtes des petits villages. Dans la région du Campidano, pas une procession n'a lieu sans son joueur de *launeddas*. Ceux qui ne peuvent y assister achèteront l'album légendaire d'Efisio Melis et Antonio Lara, *Launeddas*. Franco Melis, Luigi Lai, Andria Pisu et Franco Orlando Mascia sont d'autres grands joueurs de *launeddas* ; quant à Furias et Sonos Isolanos, ils font partie des meilleurs groupes de folklore.

Les enregistrements de Polyphonies de Sardaigne *(Le Chant du monde) et* Chants de passion *(Éditions du Cerf), ont été collectés par l'ethnomusicologue Bernard Lortat-Jacob.*

Les polyphonies masculines appartiennent à deux registres : l'*a tenore* profane et le *cuncordu* sacré. De nombreuses villes ont des chœurs de qualité, notamment, pour l'*a tenore*, Oniferi, Orune et Orgosolo. Les Tenores de Bitti sont les plus célèbres. Pour les *cuncordu,* il faut se rendre à Castelsardo, Orosei ou Santu Lussurgiu. Les voix polyphoniques de Gallura sont plus douces que les *a tenore* ; on peut les écouter sur le disque de Coro Gabriel, *Taxa* (1996).

Parmi les nombreuses et superbes voix féminines, la plus célèbre du XXe siècle est la légendaire Maria Carta. L'enclave catalane, Alghero, possède sa diva, Franca Masu, même si les accords folk d'Elena Ledda sont probablement plus connus. Les *launeddas* dans le Sud et les guitares dans le Nord accompagnent les solos, tandis que Ledda chante accompagnée du merveilleux Mauro Palmas à la mandoline. L'*organetto* (orgue de Barbarie) et la *fisarmonica* (l'accordéon) ont aussi une place de choix dans les traditions sardes.

Marino Derosas est un guitariste d'exception chez qui l'on sent encore les influences sardes malgré sa modernité. Ritmia a enregistré un chef-d'œuvre de jazz "méditerranéen", *Forse il Mare*. Le trompettiste Paolo Fresu et le superbe Trio Argia mêlent à leurs improvisations de jazz des sonorités sardes.

Le DVD *Talam Sardegna* (RTSI, 2005) donne un très bon aperçu de la musique sarde.

Poésie

Les *gare poetiche* (joutes poétiques) sont une curiosité remontant au moins au XIXe siècle, époque à laquelle les villageois se retrouvaient dans les fêtes pour s'affronter. Deux adversaires se lançaient des répliques rimées, sarcastiques, ironiques ou tout bonnement insultantes. Les auditeurs, qui adoraient ces jeux, se jetaient alors dans la joute avec leurs propres improvisations. Il existe peu de transcriptions de ces échanges, mais les duos classiques de Remundo Piras et Peppe Suzu datant du milieu du XXe siècle sont aujourd'hui disponibles en CD.

Les villages de montagne organisent encore des concours de poésie lyrique ; ceux d'Ozieri, Premio di Ozieri (p. 146), Seneghe (Settembre dei Poeti, p. 118), comptent parmi les plus importants.

Signalons aussi le célèbre poète Sebastiano Satta (1867-1914) dont les magnifiques *Versi Ribelli* et *Canti Barbaricini* vantent les beautés de l'île.

Dans les années 1930, les fascistes ont censuré les *cantadores* (poètes) sardes ; leurs attaques contre l'Église et l'État étaient considérées comme dangereuses et subversives.

Danse

La Sardaigne continue de pratiquer ses danses populaires traditionnelles, désignées par les termes génériques de *ballo sardo* (danse sarde) ou *su ballu tundu* (rondes). Très semblables aux autres danses méditerranéennes, elles

---

LE LAUNEDDAS *Barnaby Brown*

Bien que l'on retrouve ce curieux instrument à vent dans des gravures sur roche du Xe siècle en Irlande et Écosse, il ne survit qu'en Sardaigne. Ses trois cannes, de longueurs différentes, apportent avec elles un écho de l'âge du bronze.

Autrefois, jouer du *launeddas* était une profession à part entière qui exigeait détermination et pugnacité. Son enseignement était pour ainsi dire inexistant, si bien que les postulants devaient se rendre secrètement de fête en fête pour tenter de voler aux maîtres leur répertoire jalousement gardé. Et si la tradition est si vivace aujourd'hui, c'est grâce aux enregistrements effectués par un jeune anthropologiste danois de 1957 à 1962.

Jusque dans les années 1930, chaque village avait son propre joueur de *launeddas* et les jeunes garçons étaient prêts à débourser une coquette somme pour que les meilleurs interprètes restent fidèles au village. Car, le dimanche, les célibataires se rencontraient au son du *launeddas* au *ballu*, sur la place, coutume à laquelle Mussolini mit tristement fin.

Il existe huit types de *launeddas*, chacun avec son propre répertoire (*Mediana, Fiorassiu, Punt'e Organu*, etc.). Deux des cannes qui le composent possèdent quatre trous ; la troisième canne, la plus longue, en est dépourvue, ne pouvant produire qu'un seul son grave. Les notes, d'une canne à l'autre, se répondent et s'accompagnent, donnant l'illusion d'un staccato.

Barnaby Brown est un joueur de *launeddas*

se dansent en rond ou en couple ; dans ce dernier cas, les deux partenaires, qui se tiennent par la taille, regardent dans la même direction. Les pas se succèdent, rapides et variés, souvent accompagnés de mouvements alertes. Elles ne sont pas sans évoquer la sardane catalane pratiquée dans le Nord-Est de l'Espagne.

Littérature

Grazia Deledda (1871-1936), née à Nuoro, est la figure dominante de la littérature sarde. C'est même un des écrivains réalistes les plus importants du XXe siècle italien. À partir de 1900, elle s'installe à Rome et reçoit, en 1926, le prix Nobel. Mais toute son œuvre reste inspirée par ses années passées en Sardaigne. Plusieurs de ses romans ont été traduits en français comme *Les Tentations* (Petite Bibliothèque Ombres, 2006), *Dans l'ombre, la mère* (Autrement 2000), *Le Pays sous le vent* (Autrement, 2006) ou *Braise* (Autrement, 1999).

Impossible également de voyager sur l'île sans le roman de Salvatore Satta (1902-1975), *Il Giorno del giudizio*, 1975 (*Le Jour du jugement*, Folio Gallimard, 1990). Sa description des rivalités familiales, de la vie politique régionale, des conflits fonciers entre les propriétaires, la profondeur historique de son unique roman rappellent le grand classique sicilien de Giuseppe Tomasi di Lampedusa *Il Gattopardo*, 1958 (*Le Guépard*, Seuil, 2007).

Dans plusieurs de ses romans, Grazia Deledda donne un aperçu de la vie dans les campagnes sardes à la fin du XIXe siècle et au début du XXe siècle.

On connaît mieux le contemporain de Satta, Giuseppe Dessì (1909-1977), célèbre pour son réalisme implacable. *Il Disertore* (*Le Déserteur*, Julliard, 1964) met en scène un soldat tiraillé entre son sens du devoir et ses valeurs morales durant la Première Guerre mondiale. Deux auteurs de la même époque que Dessì sont également à retenir : Salvatore Cambosu (1895-1962) et le célèbre intellectuel et homme politique Emilio Lussu (1890-1975). Leurs œuvres ne sont pas disponibles en français

Après la Seconde Guerre mondiale, une nouvelle génération d'écrivains se fait remarquer. Paride Rombi (1921-1997) s'engage aux côtés des travailleurs du Sulcis, et Maria Giacobbe (née en 1928), dans son *Diario di una Maestrina*, 1957 (*Institutrice en Sardaigne*, Éditions ouvrières) décrit la vie d'une enseignante dans une petite ville.

La réputation de Gavino Ledda (né en 1938) dépasse largement les frontières de l'île. Son autobiographie, *Padre Padrone*, ne lui valut pas que des amis ; il y raconte sa dure vie de berger et son apprentissage de la lecture au sein de l'armée qui le sortira de sa condition miséreuse. En 1976, les frères Taviani en feront un film célèbre et tout aussi poignant.

Plus récemment, c'est la littérature policière qui prospère. Le célèbre Massimo Carlotto (né en 1956 ; voir encadré p. 74) a élu domicile à Cagliari ; Marcello Fois (né en 1960) et Flavio Soriga (né en 1975) s'inscrivent dans sa lignée. Le second a d'ailleurs reçu en 2000 le prix Italo Calvino pour son roman *Diavoli di Nuraiò*.

Mais l'auteur le plus important de la fin du XXe siècle est sûrement Sergio Atzeni (1952-1995). Comme Deledda, il montre dans ses romans une société qui ne se laisse pas réduire par des idées morales et politiques simplistes. *Il Figlio di Bakunin*, 1991 (Le Fils de Bakounine, La Fosse aux Ours, 2000) dépeint la vie difficile des habitants sardes dans l'après-guerre. Dans l'*Apologo del Giudice bandito*, 1986 (*La Fable du juge bandit*, La Fosse aux Ours, 2001), Atzeni évoque la Sardaigne sous l'occupation espagnole, au XVe siècle.

Peinture et sculpture
DERRIÈRE LES VOILES DU TEMPS

Dans les temps anciens, la Sardaigne fut sûrement très peuplée à en croire le nombre de menhirs et de nuraghi (tours de pierre) qui s'y trouvent.

ÉCRIRE SUR LES MURS

Issus des années 1970, les *murales* (peintures murales souvent de grande taille) sont devenus une forme contemporaine d'expression artistique. Ils ont vu le jour en 1968, lors des révoltes estudiantines et ouvrières. Ils exprimaient alors une prise de position politique, même s'ils pouvaient également manifester un attachement à la culture sarde. Sur l'île qui avait vu naître le grand philosophe marxiste Antonio Gramsci (1891-1937), cette forme d'art démocratique s'est imposée. Orgosolo (p. 207) compte plus de 150 de ces murs peints, réalisés pour la plupart par des étudiants. Ils traitent de problèmes sociaux locaux, comme la réforme agraire et le chômage, ou plus larges tels la famine, la guerre ou le terrorisme. Ceux de la ville de San Sperate, mitoyenne de Cagliari, méritent également un détour.

Très tôt, on y perçoit un sens artistique certain – des céramiques du IVe millénaire av. J.-C. montrent déjà des motifs gravés. À partir du IIIe millénaire, des symboles sont gravés sur les pierres tombales et, un millénaire plus tard, les mystérieux menhirs apparaissent.

Au fil des siècles, l'ornementation des céramiques devient de plus en plus sophistiquée, même s'il faut attendre la fin de l'âge du bronze (1000 av. J.-C. environ) pour assister à l'apparition des *bronzetti*. Ces figurines représentent une grande variété de personnages de la société des chefs de tribu et guerriers jusqu'aux lutteurs ou joueurs de *launeddas*. La collection du Museo Archeologico Nazionale de Cagliari (p. 63) offre un bon aperçu de cette période dynamique de l'histoire de la Méditerranée.

PHÉNICIENS, GRECS ET ROMAINS

La Sardaigne, comme la Sicile, conserve quelques vestiges de l'immense empire carthaginois, dont les premières colonies remontent au IXe siècle av. J.-C. Ces occupants, en même temps que les Grecs et les Mycéniens, introduisirent sur l'île les éléments les plus raffinés du quotidien : céramiques sophistiquées, bijoux, amulettes, verreries, sculptures et monnaies. Mais il s'agissait de commerçants avant tout, établis sur les côtes. Seuls les sites de Nora et de Tharros attestent de leur présence. Des citernes et des tombes ont été trouvées dans les sous-sols de la capitale, et les musées de Cagliari (p. 63), Sassari (p. 131) et Oristano (p. 109) possèdent de petites collections d'œuvres d'art de cette période. Les Romains, qui délogent les Carthaginois lors des guerres puniques, pénétreront plus en profondeur dans l'île. Le grand amphithéâtre de Cagliari est l'un des rares monuments d'importance survivant de cette époque.

LES MAÎTRES DU MOYEN ÂGE

L'occupation espagnole eut au moins une influence positive : l'épanouissement d'un art exceptionnel à la fin du Moyen Âge. Sous l'influence des mouvements catalans et espagnols, les artistes locaux, restés anonymes pour la plupart, produisirent toutes sortes de retables et de peintures sacrées.

La mode des *retabli* (retables) est importée de Barcelone où résidaient des artistes tels que Joan Mates (attesté de 1391 à 1431). L'un de ses *retabli* se trouve dans la collection la plus importante de Sardaigne conservée dans la Pinacoteca Nazionale de Cagliari (p. 64).

On ignore si le Maestro di Castelsardo (attesté fin XVe-début XVIe siècle) venait également de Barcelone. Ses œuvres aux couleurs vives, sur fonds dorés ou très sombres, décorent encore la cathédrale de Castelsardo (p. 149).

Parmi ses contemporains les plus notables, on trouve le Maestro di Sanluri (l'un des rares artistes sardes qui s'est inspiré de la Renaissance) et le Maestro di Olzai.

L'ÉCOLE DE STAMPACE

Si la Sardaigne connut un âge d'or, ce fut probablement au XVIe siècle. Dans les premières décennies, la *scuola di Stampace* (école de Stampace) dominait alors, animée par la famille Cavaro. Sa figure majeure, Pietro, avait été formé à Barcelone et à Naples. La Pinacoteca Nazionale de Cagliari (p. 64) renferme certaines de ses œuvres, dont un *SS Pietro e Paolo (Saint Pierre et Saint Paul)* particulièrement expressif, de même qu'elle conserve les œuvres de son père Lorenzo, de son fils Michele et de leur confrère Antioco Mainas. À cette époque, la péninsule Italienne vivait les dernières aventures glorieuses de la Renaissance alors que la Sardaigne, plus isolée, tenait ses artistes à l'écart des grands bouleversements artistiques. Leurs peintures gardent ainsi une rigidité toute gothique.

C'est le Maestro di Ozieri qui introduira une fluidité nouvelle dans l'art pictural. On ne sait pas grand-chose de lui sinon qu'il vécut à la fin du XVIe siècle. Son œuvre, qui porte l'empreinte du maniérisme souple d'un Michel-Ange ou d'un Raphaël, se montre influencée par les écoles napolitaine et hollandaise. On peut voir une de ses œuvres majeures, la *Deposizione di Cristo dalla Croce (Déposition de Croix)*, à la cathédrale d'Ozieri (p. 146).

UN VIDE CULTUREL

Les artistes des XVIIe et XVIIIe siècles ont laissé peu de traces. On citera toutefois deux peintres d'Alghero, Francesco Pinna et Bartolomeo Castagnola dont les œuvres marquent le début du XVIIe siècle.

Au XIXe siècle, Gaetano Cima (1805-1878) domine la scène architecturale tout comme Giovanni Marghinotti (1798-1865) la scène artistique. Son œuvre comprend des retables et des portraits royaux ainsi qu'une série représentant des scènes de la vie sarde aux époques romaine et médiévale.

LE XXe SIÈCLE

L'impressionnisme, qui sied mal à l'austérité sarde, eut peu d'impact sur l'île, même si Antonio Ballero (1864-1932) fut largement influencé par le mouvement. Giuseppe Biasi (1885-1945) a profondément marqué le XXe siècle, car ses peintures à l'huile saisissent à la perfection la condition sarde grâce à une approche directe, un trait précis et des tons sombres.

Les paysages et les scènes rurales domineront l'œuvre de ses successeurs directs tels que Stanis Dessy (1900-1986), Giovanni Ciusa-Romagna (1907-1958) et Cesare Cabras (1886-1965).

Dans la première moitié du XXe siècle, Francesco Ciusa (1883-1949), le sculpteur le plus important de son époque, se fera surtout connaître pour sa *Madre dell'Ucciso (Mère de l'homme tué)*, qui reçut le prix de la Biennale de Venise en 1907. Elle est aujourd'hui exposée à Rome.

On peut admirer de beaux bronzes et des statues en forme de menhirs de Costantino Nivola (1911-1988) à l'Orani Museum (voir p. 208), et davantage encore à Nuoro, au Museo d'Arte (p. 198).

Murales in Sardegna (www.muralesinsardegna. net) est un site totalement dédié aux peintures murales de l'île, avec des centaines de photographies. Yves Barnoux a également consacré un livre au sujet : *Murales de la Sardaigne*, Le Temps des Cerises, 2005.

ET MAINTENANT ?

Le début des années 1970 voit se développer partout sur l'île les *murales* (fresques), expression artistique populaire directement inspirée du courant marxiste. Avec les années 1990, les artistes sardes se sont lancés dans une période d'intense expérimentation avec l'abstraction et le multimédia. Leurs œuvres sont diversement accueillies. Primo Pantoli, Cipriano Mele et Luigi

Mazzarelli sont les artistes les plus reconnus et vous pourrez apprécier leurs œuvres à la Galleria Comunale d'Arte (p. 68) de Cagliari. Dans un esprit similaire, Caterina Lai réalise des sculptures multimédias.

Cette production un peu éclectique correspond à la période mouvementée que traversent les Sardes. Reste à citer l'étrange travail de jeunes artistes tels que Bob Marongiu (voir son site www.bobart.it), dont les œuvres s'arrachent dans les galeries de Cagliari.

ARCHITECTURE

La Sardaigne n'a pas de véritable tradition architecturale. Elle a toujours bâti sous influence étrangère, sans injecter son propre génie dans ces constructions.

L'âge du bronze

Il existe toutefois des constructions préhistoriques tout à fait spécifiques, comme les *domus de janas* (littéralement "maisons des fées" ; tombes creusées dans la roche), les menhirs et les pierres sacrées, ainsi que les *tombe di giganti* (littéralement "tombes des géants" ; sépultures collectives), appelées ainsi parce qu'une pierre centrale, de taille imposante, en indiquait l'*exedra* (entrée) symbolique.

Mais les témoignages architecturaux les plus marquants de ce passé lointain demeurent les nuraghi, dont certains remontent à 1800 av. J.-C. Ils comprennent d'ordinaire une tour centrale, dont certaines pouvaient atteindre 20 m de haut. Celle-ci était protégée par des murs et d'autres tours défensives à l'extérieur desquels on peut encore distinguer les restes de petits villages.

La plupart des 7 000 nuraghi sont aujourd'hui à l'état de ruines, mais certains ensembles, comme ceux du nuraghe Su Nuraxi (p. 105), du nuraghe Losa (p. 120) et du nuraghe Santu Antine (p. 147), sont restés presque intacts. Les tours les plus complexes comprennent une sorte de salle commune d'où partent les escaliers qui conduisent aux étages supérieurs.

Aux alentours de 1100-1000 av. J.-C., les bâtisseurs de nuraghi commencèrent à construire des *pozzi sacri* (puits sacrés), dont la structure au sol ressemble à une serrure. Au moment des solstices, les rayons illuminent l'eau en bas des escaliers.

La Sardaigne antique

Les deux sites les plus impressionnants de l'époque antique sont ceux de Nora (p. 101) dans le Sud-Ouest et de Tharros (p. 115) dans l'Ouest. Bien que ces ports fussent au départ des comptoirs phéniciens, les ruines actuelles datent de l'époque romaine, de même que le superbe théâtre de Cagliari, les ruines de Porto Torres (dans le Nord) et les bains de Fordongianus.

Du roman au baroque

Les charmantes églises de style roman pisan du XIIe siècle comptent parmi les grandes réussites architecturales du Nord de l'île. Elles ont en commun une structure simple (nef unique sans transept), un clocher de structure carrée et un appareillage de pierre polychrome.

Succédant aux Pisans, les Catalano-Aragonais puis les Espagnols laissèrent derrière eux un mélange de gothique et de tentatives baroques, souvent superposés. Les deux principales églises de Sassari, le Duomo (p. 132) et la Chiesa di Santa Maria di Betlem (p. 132) illustrent parfaitement ce type de syncrétisme, le Duomo étant le seul exemple notable de baroque sarde sur l'île.

Art, architecture, folklore, paysages... : découvrez la Sardaigne à travers les nombreuses images et vidéos, mais aussi les archives sonores, de la bibliothèque numérique en ligne de la région (www. sardegnadigitallibrary.it.).

Pour en savoir plus sur l'art roman en Sardaigne, consulter *Sardaigne romane*, ouvrage de Renata Serra (Zodiaque, 1991).

La cuisine sarde

Tellement unique et pourtant tellement italienne, la cuisine sarde est née d'un curieux mélange entre tradition et saveurs étrangères. La viande occupe une place de choix, surtout dans les terres : les habitants, encore récemment isolés des côtes, ont développé une gastronomie s'accordant aux besoins des bergers. Ainsi, le porc et l'agneau étaient cuits à la broche sur du feu de genièvre afin d'économiser les ressources ; le pain était léger, pour que les bergers en emportent avec eux ; et le fromage à pâte dure, le *pecorino*, était conçu pour se conserver longtemps. Habitués à la pauvreté, les insulaires faisaient en sorte de ne rien gâcher : saucisson d'âne, sandwichs aux tripes, *carpaccio* de cheval et boudin noir sont ainsi des spécialités régionales.

Mais la gastronomie sarde compte bien d'autres richesses que la viande, à commencer par ses merveilleux produits de la mer. Parmi les spécialités locales, citons le thon de l'Isola San Pietro ou la *bottarga* (poutargue, ou œufs de mulet) des marais de Cabras. L'*aragosta alla catalana* (langouste à la catalane) d'Alghero témoigne d'une inspiration nettement catalane : c'est un exemple typique de colonisation culinaire (la ville a été dominée par les Aragon et les Espagnols durant plusieurs siècles). Mais ce n'est pas le seul cas : le *cascà* servi sur l'Isola San Pietro est dérivé du couscous nord-africain, et la *farinata*, sorte de crêpe à base de farine de pois chiches, est d'origine génoise. Quant aux desserts, nombre d'entre eux s'inspirent de la cuisine arabe.

Qu'elle tire ses origines du sol sarde ou étranger, la gastronomie de la Sardaigne repose sur des produits de base d'une qualité incomparable : fruits, légumes, céréales et viande, tout est produit sur l'île et tout est succulent.

ANTIPASTI

Les *antipasti* (hors-d'œuvre) n'ont jamais été caractéristiques de la cuisine sarde, mais ils sont entrés dans les habitudes locales sous l'influence des

---

TOP DIX DE L'AGROTOURISME

Le meilleur moyen de s'essayer à l'authentique gastronomie sarde est de manger dans un *agriturismo* (établissement d'agrotourisme, dans une ferme). L'île en compte des centaines, mais voici nos préférés :

- **Arcuentu** (p. 89). Pour une pause-déjeuner en plein cœur de la Costa Verde.
- **Su Pranu** (p. 115). Dégustez à la belle étoile un *porceddu* fraîchement rôti dans la péninsule du Sinis.
- **Porticciolo** (p. 168). Une sympathique exploitation agricole près d'Alghero.
- **Rena** (p. 180). Échappez aux hordes de touristes de la Costa Smeralda en vous réfugiant dans ce coin de campagne.
- **Romanzesu** (p. 203). Un lieu isolé et authentique situé au nord de Bitti.
- **Guthiddai** (p. 205). Une délicieuse bâtisse blanchie à la chaux sur le granit du Supramonte.
- **Nuraghe Mannu** (p. 219). Une splendide terrasse surplombe la spectaculaire côte d'Orosei.
- **Li Licci** (p. 182). Caché derrière les chênes au cœur de la verdoyante Gallura.
- **Su Boschettu** (p. 104). Goûtez aux fromages frais au cœur de la Sardaigne agricole.
- **Tenuta Lochiri** (p. 194). Un élégant restaurant au calme.

autres cuisines italiennes. Un *antipasto di terra* réunira pain maison, viandes séchées, saucisson fumé, fromages, olives, champignons et tout un choix de légumes crus, cuits et marinés.

Sur le littoral, vous trouverez des *antipasti* de la mer, telles que la *bottarga* finement tranchée et arrosée d'un filet d'huile d'olive et la fameuse *burrida* (roussette marinée) de Cagliari. Signalons encore les *frittelle di zucchine,* une omelette aux courgettes, aux croûtons de pain et au fromage.

PAIN

Grâce à l'utilisation d'un blé dur d'excellente qualité et à des techniques de pétrissage ancestrales, les Sardes ont développé des centaines de types de pains, propres à chaque région, voire à chaque ville.

Le plus connu est le pain du berger, le *pane carasau,* également appelé *carta da musica* (papier à musique). Introduit par les Arabes au IXe siècle, c'est un pain salé, rond et extrêmement fin qui ressemble vaguement au *papadum* indien. Il se garde longtemps, ce qui était idéal pour les bergers qui partaient longtemps dans leurs pâturages. Le *pane carasau* est particulièrement répandu dans les régions de la Gallura, du Logudoro et de Nuoro.

Frotté à l'huile d'olive et saupoudré de sel, le *pane carasau* devient un en-cas goûteux : le *pane guttiau.* Variante plus riche souvent servie en entrée, le *pane frattau* consiste en un *pane carasau* couvert de sauce tomate, de *pecorino* râpé et d'un *uovo in camicia* (œuf mollet).

Originaire de la région du Campidano, mais très répandu, le *civraxiu* est une épaisse miche ronde à la croûte croustillante et à la mie blanche et moelleuse. Le *tundu* lui ressemble. Également courant, la *spianata* ou *spianada* ressemble un peu à la pita moyen-orientale. Dans les snack-bars de Sassari, vous découvrirez le *fainè,* un pain plat à la farine de pois chiche, importé il y a des siècles par les Ligures depuis le Nord-Ouest de l'Italie et qui est à la base de sortes de pizzas.

Les Espagnols ont introduit dans la cuisine sarde les *panadas,* de délicieuses petites tourtes salées qui peuvent être fourrées de mille façons, aussi bien au mouton ou au porc émincé qu'aux anguilles.

Le Recueil de la cuisine régionale italienne (Minerva, 2006) rassemble près de 2 000 recettes, dont quelques-unes des meilleures recettes traditionnelles sardes.

FROMAGE

La Sardaigne, île de bergers, produit du fromage depuis près de 5 000 ans. Pas étonnant que sa fabrication y soit devenue un grand art. L'île assure aujourd'hui environ 80% de la production du *pecorino* d'Italie. Les gourmets se délecteront devant la multitude de goûts et de textures, depuis le *pecorino sardo* dur et piquant jusqu'aux variétés fumées – en passant par les fromages de chèvre crémeux (tels que l'*ircano* et le *caprino*), la *ricotta* ou les spécialités fromagères comme le *canestrato,* au poivre en grain et aux herbes.

La *fiora sarda,* un fromage à la recette séculaire, se mange frais, fumé ou rôti, et ne manque pas de caractère. Elle se fabrique traditionnellement avec du lait de brebis, mais les variétés telles que la *fresa* et la *peretta* sont faites avec du lait de vache. Le *caprino* est le plus populaire des fromages de chèvre tandis que la moelleuse *crema del Gerrei* associe lait de vache et *ricotta.*

Seul les plus audacieux auront envie de goûter au *casu marzu* ou *formaggio marcio,* un fromage littéralement "pourri", grouillant d'asticots !

SOUPES

Plus que toute autre région de l'Italie, la Sardaigne est spécialisée dans les soupes et les bouillons à base de viande. C'est dans ces plats que les légumes et les céréales de l'île se montrent à leur plus grand avantage, particulièrement lorsqu'ils sont combinés avec au moins une saveur dominante telle que les bulbes de fenouil, les fèves, les pois chiches ou les épinards. La différence entre la *suppa* (ou *zuppa*) et la *minestra* vient de la présence dans cette dernière de petites pâtes plutôt que de pain.

Les soupes sardes sont généralement copieuses et constituent souvent à elles seules un repas substantiel, comme la gargantuesque *pecora in cappotto* que l'on fait en Barbagia, un bouillon de mouton avec des pommes de terre, des oignons et des tomates séchées. En Gallura, la *suppa cuata* consiste en couches de pain et de fromage superposés, mouillées avec un savoureux bouillon de viande, le tout gratiné au four.

La *minestra* peut se faire à la *gallina* (poule), aux *piselli con ricotta* (petits pois et ricotta), aux *ceci* (pois chiches) ou aux *lenticchie* (lentilles). D'autres soupes encore sont à base de fenouil ou d'endives.

PÂTES

Pour les pâtes comme pour le reste, les Sardes ont une manière bien à eux de faire les choses.

Les *malloreddus*, parfois appelés *gnocchetti sardi*, sont des pâtes denses à base de semoule, en forme de coquillage, parfumées au safran et généralement servies avec une *salsa alla campidanese* (sauce à la tomate et à la saucisse). Autre création exclusivement sarde, la *fregola*, petits grains de pâtes semblables au couscous, souvent servie dans des soupes ou des bouillons.

Autres pâtes populaires, les *culurgiones* (il y existe plusieurs orthographes) sont un type de raviolis, généralement fourrés à la ricotta ou au *pecorino* et nappés d'une sauce à la tomate et aux herbes. Les *culurgiones de l'Ogliastra*, tels qu'on les prépare dans la province de Nuoro, sont fourrés à la purée de pommes de terre et parfois à la viande et aux oignons. On y ajoute un peu de *pecorino*, d'huile d'olive, d'ail et de menthe et on les sert habituellement accompagnés d'une sauce tomate.

Les *maccarones furriaos* sont des bandes de pâtes repliées et surmontées d'une sauce (souvent à base de tomate) et aussi de fromage fondu. Les *maccarones de busa*, qui sont aussi tout simplement appelées *busa*, sont façonnés en enroulant la pâte autour d'aiguilles à tricoter.

Parmi les autres pâtes, vous trouverez aussi des *pillus*, sortes de petits rubans, et des *filindeu*, des nouilles fines comme des fils généralement servies dans les soupes.

VIANDES

En Sardaigne, les amateurs de viande trouveront leur compte en goûtant aux trois grandes spécialités de l'île : le *porceddu* (cochon de lait), l'*agnello* (agneau) et le *capretto* (chevreau), tous trois parfumés aux herbes de Méditerranée et cuits à la broche.

Le plus fameux de ce trio culinaire reste le *porceddu* (parfois écrit *porcheddu*). Il est lentement rôti jusqu'à ce que sa peau se craquelle, avant d'être déposé sur un lit de feuilles de myrte.

L'*agnello* est particulièrement populaire en décembre même si on le cuisine toute l'année. Un mode de préparation traditionnel est la *carne a carrarglu* ("viande dans un trou"), qui consiste à faire cuire la viande, recouverte de myrte, entre deux couches de pierres chaudes dans un trou creusé dans la terre. Certains paysans continueraient de préparer l'agneau de la sorte, mais c'est rare.

Le *capretto* figure rarement sur les menus, mais on en mange couramment dans les montagnes où il est parfumé au thym.

Les Sardes ont également un faible pour le gibier à plumes, le lapin et le sanglier. Une merveilleuse sauce locale *al mirto* accompagne tout plat de viande. Faite avec des myrtes rouges, elle ajoute du piquant.

Pour masquer toute trace de leur forfait, les voleurs de cochons faisaient rôtir leur viande enterrée sous un grand feu de joie. Cette technique est connue sous le nom de *carraxiu*.

OSEREZ-VOUS GOÛTER CES METS...

- *Cordula* – Tripes d'agneaux grillées, frites ou en ragoût avec des petits pois
- *Granelle* – Tranches de testicules de veau légèrement frites
- Viande de cheval et saucisson d'âne
- *Tataliu* ou *trattalia* – Un mélange de rognons, de foie et d'intestins cuit en ragoût ou grillé à la broche. Un mets qui se prépare avec du veau, de l'agneau, du chevreau ou du cochon de lait.
- *Zimino russo* – Une sélection d'abats rôtis, généralement de veau, incluant le cœur, le diaphragme, le foie, les rognons et d'autres abats rouges
- *Zurrette* – Un boudin noir à base de sang de mouton, d'herbes et de fenouil, cuit dans de la panse de brebis

Il existe également un impressionnant éventail de recettes à base d'abats, cependant bien rares sont les restaurants qui en proposent aux touristes (voir encadré ci-dessus).

POISSONS ET FRUITS DE MER

Comme ils se plaisent à le rappeler, les Sardes sont par tradition *"pastori, non pescatori"* ("des bergers, pas des pêcheurs"). S'il existe une certaine tradition de poissons et de fruits de mer à Cagliari, à Alghero et dans d'autres villes du littoral, la consommation qu'on peut en faire ailleurs résulte d'influences extérieures.

La grande – et haut de gamme – spécialité locale est le homard, dont la saison légale s'étend de mars à août. À Alghero, il est servi avec des tomates et de l'oignon sous le nom d'*astice alla catalana*.

Le muggine (mulet) reste le poisson le plus populaire sur la côte d'Oristano, tandis que le *tonno* (thon) abonde autour de l'Isola di San Pietro. La *cassola* est une savoureuse soupe de poisson dont la *zuppa alla castellanese*, spécialité de Castelsardo, ne diffère que par l'usage de la tomate.

Cagliari possède aussi une longue tradition de préparation des poissons qui va de la brème au loup même si la recette la plus fameuse concerne un poisson local : le *gattucio di mare* (roussette ou chien de mer). Palourdes, coques, poulpe et crabe figurent également aux menus, de même que les anguilles autour des marais de Cabras. Vous pourrez également déguster des *orziadas*, des tentacules d'anémones de mer roulés dans de la semoule puis frits.

DESSERTS ET FRIANDISES

À la différence de la Sicile, où les gâteaux crémeux et autres douceurs sont prisés, le chariot de desserts de la Sardaigne s'est toujours limité aux produits naturels que l'on trouve sur l'île. La recette des *amaretti* (biscuits aux amandes), par exemple, est toute simple et ne nécessite que trois ingrédients : des amandes, du sucre et des œufs. Pourtant ces biscuits sont délicieusement légers et moelleux. La recette des *mustazzolus* de Quartu Sant'Elena est un peu plus complexe car elle inclut aussi de la vanille et de la farine.

D'autres gâteaux et friandises ne se préparent que pour certaines occasions. Les *ossus de mortu* (os de mort) sont servis le jour de la Toussaint, en novembre, tandis que les *pardulas* (des biscuits fourrés à la *ricotta* et parfumés au safran) sont une recette traditionnelle de Pâques. Après les vendanges, on commence à voir des *papassinos de Vitzi* (biscuits aux amandes et aux raisins de Smyrne) et les riches *pabassinas cun saba*, petits grains de raisins

Le miel le plus recherché de Sardaigne provient du pollen du *corbezzolo* (arbousier), un arbrisseau donnant des baies automnales.

À CHAQUE VILLE SON DESSERT

Douceurs, tartes, gâteaux, biscuits : la carte des desserts sardes est riche et variée. Aux côtés des classiques de l'île, la liste des spécialités locales semble ne jamais finir.

"Chaque ville possède ses propres recettes", explique Maria Antonietta Goddi. Avec ses trois sœurs et sa mère, la formidable Signora Maurizia, elle dirige le Durke, une pâtisserie traditionnelle dans le quartier de la Marina, à Cagliari. "Par exemple, le *papassino* (de *papassa*, raisin sec) est un dessert préparé dans toute la Sardaigne. Mais il en existe de nombreuses variantes, à Torralba, Benetutti, Bitti et Selargius dans la province de Cagliari. La recette de Selargius utilise de la cannelle et du *vino cotto* (vin cuit)."

Ces variantes reflètent l'histoire d'une région qui a su s'approprier les influences étrangères et les incorporer à ses plats traditionnels. "Dans le Centre et le Sud de l'île, l'influence arabe est très présente : on utilise beaucoup de fleur d'oranger, de cannelle et de vanille. Au nord, on préfère le *vino cotto* et le *vino selvatico* (alcool d'herbes sauvages). Au Centre, on utilise également le *pecorino* pour préparer des *casatinas*, dont le goût est bien plus fort. Ici, à Cagliari, nous utilisons beaucoup de *ricotta* à laquelle nous ajoutons du safran."

"Et puis il y a le *torrone* (nougat), qui est également confectionné en Sicile. Mais en Sardaigne, il n'y a pas de sucre ajouté : que du miel, des blancs d'œufs, des amandes et des noix."

Pour plus de détails sur le Durke, reportez-vous p. 75.

Le site www.winecountry.it (en italien et en anglais) donne une présentation détaillée de tous les vins du pays, sardes compris.

de Smyrne mélangés avec des amandes, du miel et des fruits confits et moulés ensemble avec du moût de raisin. Délicieuses friandises, les *coffetture* sont de minuscules paniers de fines écorces d'orange et d'amandes trempés dans du miel. On les sert généralement lors des mariages.

Le dessert le plus célèbre de l'île reste toutefois le *seadas* (ou *sebadas*). Cette pâtisserie légère et délicieuse (qui ressemble vaguement à un chausson) est fourrée de son, d'écorce d'orange et de *ricotta* ou de fromage aigre, puis trempée dans du *miele amaro* (miel amer). Le seul autre dessert couramment servi est la *crema catalana* (une version locale de la crème brûlée).

Une autre manière de terminer un repas consiste à déguster un plateau de fromages sardes arrosé d'un verre de liqueur locale.

VINS

S'il relève d'une tradition millénaire, le vin sarde est relativement inconnu en dehors de l'Italie. Une tendance que les viticulteurs cherchent à faire évoluer en proposant des vins de meilleure qualité : ce n'est que récemment qu'ils ont appris à maîtriser la forte teneur en alcool des crus et proposent aujourd'hui des blancs légers et secs ainsi que des rouges sophistiqués.

Le cépage le plus connu et le plus apprécié de Sardaigne est sans doute le Vermentino blanc, implanté surtout dans le Nord-Est, ainsi que les Monica, Carignano et Cannonau rouges.

De manière générale, le prix des vins sardes est très raisonnable, avec des bouteilles de qualité entre 10 € et 15 €. Vous pouvez vous procurer votre vin directement chez les producteurs ou auprès des *cantine sociali* (coopératives de vignerons) ; la plupart proposent des dégustations. Les *agriturismi* produisent également leur propre vin, qui se révèle souvent étonnamment bon.

Au restaurant, le prix d'une bouteille de vin correcte dépendra de la région : ne comptez pas moins de 15 € dans les régions les plus chères (Alghero, Costa Smeralda), et autour de 10 € dans les régions plus abordables. Un litre de *vino della casa* (vin de la maison) coûte entre 5 € et 8 €.

Comme tous les vins italiens, les crus sardes sont soumis par les autorités à une classification exigeante. Il existe quatre appellations principales : DOCG (*denominazione di origine controllata e garantita* ; produits dans une région spécifique en accord à des spécifications prédéfinies et testés par des inspecteurs avant l'embouteillage), DOC (*denominazione di origine controllata* ; produits dans une région spécifique en accord à des spécifications prédéfinies), IGT (*indicazione geografica typica* ; produits dans une région spécifique) et *vino da tavola* (vin de table). Chaque appellation doit clairement figurer sur l'étiquette. Les viticulteurs sardes produisent actuellement une seule DOCG (le Vermentino di Gallura) et 19 DOC.

Le Vermentino, cépage blanc par excellence

Introduit sur l'île au XVIIIe siècle, le cépage Vermentino s'épanouit sur les sols granitiques et sableux du Nord-Est. Le meilleur est le Vermentino di Gallura, l'unique vin de Sardaigne ayant obtenu l'appellation DOCG. C'est un vin aromatique rafraîchissant, avec un léger arrière-goût d'amande, qui se boit jeune en apéritif ou pour accompagner du poisson.

Mais le Vermentino n'est pas cantonné à la DOCG de Gallura : le Vermentino di Sardegna, produit dans d'autres parties de l'île, porte l'appellation DOC. Vous pourrez goûter d'excellents crus de ce vin à la Cantina del Vermentino (p. 194), producteur installé dans le petit village de Monti, à mi-chemin entre Olbia et Tempio Pausania. Autre cave de Vermentino primée, les Cantine Argiolas (p. 77) produisent en outre d'excellents Nuragus di Cagliari sous le nom de Selegas. Cet ancien blanc sec, qui aurait été introduit par les Phéniciens, est l'un des breuvages préférés de l'île.

Italian Wines, publié par Gambero Rosso et Slow Food Editore, est le guide annuel (en anglais) des vins italiens. Les producteurs et les appellations sont décortiqués jusque dans leurs moindres détails.

Pour voir la vie en rouge

Les rouges les plus renommés de l'île sont issus du cépage Cannonau (proche du grenache). Cultivé partout sur l'île, il est plus particulièrement présent sur les montagnes autour d'Oliena (p. 203) et de Jerzu (p. 223). Il donne un vin riche et puissant, particulièrement bon avec des viandes grillées, et que les Sardes apprécient depuis des siècles. Des études ont montré que le Cannonau est particulièrement riche en procyanidines, un composé chimique présent dans le vin rouge et qui aurait des effets bénéfiques sur le cœur.

La cave de Jerzu, l'Antichi Poderi (p. 223), est idéale pour découvrir le Nepente di Oliena, un rouge puissant (14,5%) qu'appréciait le poète Gabriele D'Annunzio. Le Dule est une version plus légère et moderne.

Intense et corsé, le Turriga du domaine d'Argiolas est l'un des vins issus du cépage Cannonau les plus réputés et primés. Le doux et soyeux Perdera Monica, ainsi que le Costera, plus épicé, sont d'autres excellents rouges produits par ce domaine.

Pour éviter les taxes, les Sardes fabriquaient illégalement leur propre *acquavita*, baptisée *filu'e e ferru*. Ce nom curieux possède une origine simple : pour ceux qui souhaitaient en acheter, un fil de fer (le *filu e ferru*) signalait les fermes qui en vendaient.

En plein cœur de la région du Sulcis, dans le Sud-Ouest, la Cantina Santadi (p. 93) produit de puissants Carignagno. Le Roccia Rubia et le Grotta

---

ON PASSE AUX CHOSES SÉRIEUSES ?

Liqueur sucrée et puissante à base de myrte distillé, le *mirto* est la boisson sarde par excellence. En général, c'est un alcool rouge-violet, bien qu'on trouve parfois du *mirto* incolore.

Mais le *mirto* n'est que la partie immergée de l'iceberg : les Sardes ont développé différentes eaux-de-vie locales à partir d'ingrédients tels que le *corbezzolo* (l'arbouse), la figue de Barbarie ou le basilic. On trouve même une version locale du *limoncello*, cette fameuse liqueur sucrée à base de citron originaire de la côte amalfitaine.

Derrière le nom étrange du *filu e ferru* (fil de fer) se cache un alcool très puissant. Similaire à la *grappa*, il est fait à partir de peaux de raisin distillées et brûle agréablement la gorge. Le *filu e ferru* affiche quelque 40% d'alcool et certaines moutures montent même jusqu'à 60%.

La marque Zedda Piras vend du *mirto* et du *filu e ferru* très convenables.

UNE JOURNÉE À TABLE

Comme la plupart des Italiens, les Sardes prennent rarement le temps de s'asseoir pour la *colazione* (petit-déjeuner) et préfèrent prendre leur cappuccino accompagné d'un *cornetto* (croissant) au bar. En pleine campagne, les bergers entament leur journée avec un bon morceau de pain et une tranche de fromage.

Le *pranzo* (déjeuner) demeure un rituel pratiqué par la majorité des Sardes. Même si les employés ne peuvent pas toujours rentrer chez eux pour déjeuner, la plupart des commerces ferment durant trois ou quatre heures en milieu de journée pour laisser le temps de prendre un repas et de digérer. Un repas complet se compose d'un *antipasto* (entrée), suivi d'un *primo piatto* – en général il s'agit d'une soupe, d'un plat de pâtes ou de risotto – puis d'un *secondo piatto*, c'est-à-dire de la viande ou du poisson. Les insulaires préféreront toujours la viande, servie rôtie ou dans d'épais ragoûts. Pour conclure *alla sarda*, prenez un morceau de fromage et un *digestivo*, comme un verre de grappa. Mais le café-dessert est désormais entré dans les habitudes.

La *cena* (dîner) était auparavant un repas plus simple. Mais les habitudes évoluent, et de plus en plus de personnes mangent désormais au restaurant. Le dîner est progressivement devenu le repas principal.

Rossa sont des valeurs sûres que vous trouverez chez ce producteur. Ils se dégustent avec de bons plats de viande.

Sella e Mosca (p. 166), près d'Alghero, est sans conteste le plus grand viticulteur de l'île. Il produit une gamme impressionnante de vins, comme le renommé Marchese di Villamarina ou le Capocaccia, fruité et savoureux. Le Torbato Terre Bianche, un vin blanc fruité, est également intéressant.

Enfin, n'hésitez pas à goûter les vins issus du cépage Nebbiolo, introduit par les Piémontais au XVIIIᵉ siècle.

Douceurs en dessert

Produit depuis l'Empire romain sur les plaines alluviales d'Oristano, le Vernaccio est l'un des vins sardes les plus connus. Sous sa robe d'ambre, il se déguste généralement à l'apéritif ou en dessert, pour accompagner des douceurs comme le *mustazzolus*. On dénombre 9 Vernaccia, du blanc sec au vin plus âgé et doux. Pour les comparer, rendez-vous à la Cantina Sociale della Vernaccia (p. 112), producteur situé à la sortie d'Oristano.

Autre vin excellent, la Malvasia (malvoisie) est souvent associée à Bosa et aux collines de Planaragia, son lieu de production, mais elle est également produite autour de Cagliari (Malvasia di Cagliari). Le Malvasia di Bosa est un délicieux vin doux, couleur miel, que l'on trouve facilement dans la région de Bosa.

JUSQU'AU BOUT DE LA NUIT

Peu leur en faut pour faire la fête : les Sardes ont traversé les siècles dans la pauvreté et l'isolement rural, portant les traditions locales au rang de véritables fiertés. Ces traditions donnent aujourd'hui lieu à des cérémonies extravagantes et des *sagre*, des fêtes dédiées à un produit culinaire en particulier. Ces fêtes étaient autrefois liées au calendrier agricole ; c'étaient là de rares occasions de rencontre entre les habitants des villages qui se paraient alors de leurs plus beaux costumes et préparaient leurs meilleures recettes. Aujourd'hui, les *sagre* sont des événements joyeux où l'on déguste des spécialités et des boissons locales au son de la musique traditionnelle.

Les fêtes sardes s'égrènent tout au long de l'année, mais les plus importantes se tiennent autour du *Carnevale* (qui précède le mercredi des Cendres, premier jour du Carême), de *Pasqua* (Pâques) et de *Natale* (Noël).

Les amateurs de produits de la mer commenceront l'année en beauté avec la Sagra del Bogamarì (p. 159), qui célèbre le délicieux *riccio* (oursin) entre fin janvier et début février. Deux manifestations sont consacrées au thon : le Girotonno de Carloforte (p. 95) fin mai et la Sagra del Tonno (foire au thon), à Portoscuso (p. 92) en juin.

Côté sucré, le nougat est l'honneur à Tonara, dans la région de la Barbagia di Belvi, lors de la Sagra del Torrone qui a lieu tous les ans en mars depuis 1979.

Toujours en Barbagia, la ville montagnarde d'Aritzo (p. 210) a fourni durant des siècles de la glace à toute la Sardaigne. Pour célébrer son fameux sorbet au citron, rendez-vous à la Festa de San Carapigna, qui a lieu mi-août. Plus tard dans l'année, le dernier dimanche d'octobre, on se rue dans la ville pour ramasser des châtaignes lors de la Sagra delle Castagne (fête des châtaignes).

Le vin tient, quant à lui, le haut de l'affiche à la Rassegna del Vino Novella (fête du vin nouveau) : la plus importante manifestation vinicole de l'île se tient à Milis (p. 117) en novembre.

COURS DE CUISINE

La Sardaigne n'est pas aussi bien servie en écoles de cuisine que les autres régions italiennes mais plusieurs lieux proposent toutefois des cours. C'est le cas de la Cooperativa Gorropu (p. 216) dans les plateaux autour de Dorgali, de la charmante chambre d'hôtes Lu Aldareddu (p. 171), près d'Olbia, et de l'Hotel Lucrezia (p. 117), sur les plaines au nord d'Oristano.

Pour découvrir les subtilités de la cuisine sarde, consultez www. mondosardegna.net, qui donne un excellent aperçu des spécialités de chaque région.

LES MOTS À LA BOUCHE

Vous voulez connaître la différence entre *cavallo* et *capretto* ? Faites un tour derrière les fourneaux en vous familiarisant avec l'italien. Pour plus de détails sur la prononciation, voir le chapitre sur la langue.

Quelques expressions utiles

Je voudrais réserver une table.
Vorrei riservare una tavola. vo-*réi* ri-zèr-*va*-ré oun *ta*-vo-lo
Je voudrais la carte, s'il vous plaît.
Vorrei il menù, per favore. vo-*réi* il mé-*nou* pèr fa-*vo*-ré
Avez-vous une carte en français ?
Avete un menù (scritto) in francese ? a-*vé*-té oun mé-*nou* (*skri*-to) in fran-*tché*-sé
Que recommandez-vous ?
Cosa mi consiglia ? *co*-za mi con-*si*-lia
Je voudrais une spécialité locale.
Vorrei una specialità di questa regione. vo-*réi* oun-a spé-tcha-li-*ta* di *koués*-ta ré-*djo*-né
Pouvez-vous m'apporter l'addition, s'il vous plaît ?
Mi porti il conto, per favore ? mi *por*-ta il *con*-to pèr fa-*vo*-ré
Le service est-il inclus dans l'addition ?
Il servizio è compreso nel conto ? il sér-*vi*-tsio é com-*prés*-so nél *con*-to
Je suis végétarien(ne).
Sono vegetariano/a. *so*-no vé-djé-ta-*ria*-no/a (m/f)
Je suis végétalien(ne).
Sono vegetaliano/a. *so*-no vé-djé-ta-*lia*-no/a (m/f)

Glossaire de la table

acciughe	a.*tchou*.gé	anchois
aceto	a.*tché*.to	vinaigre
acqua	*a*.kwa	eau
acqua minerale	*a*.kwa mi.né.*ra*.lè	eau minérale

aglio	*a*.lyo	ail
agnello	a.*nyié*.lo	agneau
alimentari	a.li.men.*ta*.ri	magasin d'alimentation
animelle	a.ni.*mel*.le	ris de veau
aragosta	a.ra.*go*.sta	homard
arancia	a.*ran*.tcha	orange
arrosto/a	a.*ro*.sto/a	rôti
asparagi	as.*pa*.ra.ji	asperges
birra	*bi*.ra	bière
bistecca	bis.*té*.ka	bifteck
bollito/a	bo.*li*.to/a	bouilli
bottarga	bo.*tar*.ga	œufs de mulet, poutargue
brioche	bri.*osh*	brioche, viennoiserie
burrida	bou.*ri*.da	chien de mer avec des pignons, du persil et de l'ail
burro	*bou*.ro	beurre
calamari	ca.la.*ma*.ri	calamars
capretto	ca.*pré*.to	chevreau
carciofi	car.*tchio*;fi	artichauts
carota	ca.*ro*.ta	carotte
carta di musica	*car*.ta.di.*mou*.si.ca	pain plat croustillant
cassouela	ka.so.*oue*.la	ragoût d'hiver au porc
cavallo	ca.*va*.lo	cheval
cavolo	*ca*.vo.lo	chou
ceci	*tché*.tchi	pois chiches
cefalo ou **muggine**	*tché*.fa.lo, mou.*dji*.né	mulet
coccoi di sautizzu	co.*koy* di saou.ti.*tsou*	assiette de viande séchée
coniglio	co.*ni*.lyo	lapin
cordulas	cor.*dou*.las	tripes cuites à la broche
cornetto	kor.*né*.to	croissant
cotto/a	*co*.to/a	cuit/e
cozze	*co*.tsé	moules
culurgiones (ou culorzones)	kou.lour.*djo*.nez	raviolis au fromage et/ou aux pommes de terre
fagiano	fa.*dja*.no	faisan
fagiolini	fa.djo.*li*.ni	haricots verts
fegato	*fé*.ga.to	foie
finocchio	fi.*no*.kyo	fenouil
formaggio	for.*ma*.djo	fromage
forno a legna	*for*.no a *len*.ia	four à bois
fragola	*fra*.go.la	fraise
frittata	fri.*ta*.ta	omelette
fritto/a	*fri*.to/a	frit/e
frutti di mare	*frou*.ti di *ma*.ré	fruits de mer
funghi	*foun*.gui	champignons
gamberoni	gam.bé.*ro*.ni	crevettes
gelateria	djé·la·té·*ri*·a	glacier
granchio	gran.kyo	crabe
(alla) griglia	(a.la) *gri*.lya	grillé
insalata	in.sa.*la*.ta	salade
latte	*la*.té	lait
lenticchie	lén.*ti*.kyé	lentilles
limone	li.*mo*.né	citron
malloreddus	ma.lo.*ré*.dous	pâtes à base de semoule
manzo	*man*.dzo	bœuf

mela	*mé*.la	pomme
melanzane	mé.lan.*dza*.né	aubergines
melone	mé.*lo*.né	melon
merluzzo	mer.*lou*.tso	cabillaud
miele	*myé*.lé	miel
mirto	*mir*.to	baies de myrte
muggine	*mou*.dji.né	mulet
olio	*o*.lyo	huile
olive	o.*li*.va	olives
panadas	*pa*.na.das	tourte
pane	*pa*.né	pain
panino	pa·*ni*·no	sandwich
panna	*pan*.na	crème
pasticceria	pa.sti.tché.*ri*.a	pâtisserie
patate	pa.*ta*.té	pommes de terre
pepe	*pé*.pé	poivre
peperone	pé.pé.*ro*.né	poivron
pera	*pé*.ra	poire
pesca	*pé*.ska	pêche
piselli	pi.*zé*.li	petits pois
pizza al taglio	pi.tsa al *tal*.io	part de pizza
pollo	*pol*.lo	poulet
polpo	*pol*.po	poulpe
pomodori	po.mo.*do*.ri	tomates
porceddu	por.*tché*.dou	cochon de lait
prosciutto	pro.*chou*.to	jambon cru
riso	*ri*.zo	riz
ristorante	ris.to.*rah*.nté	restaurant
rosticceria	ros.titch.é.*ri*.ia	rôtisserie
rucola	*rou*.ko.la	roquette
sale	*sa*.lé	sel
salsiccia	sal.*si*.tcha	saucisse
sebadas	sé.*ba*.das	pâtisserie à la *ricotta* frite
sedano	*sé*.da.no	céleri
seppia	*sé*.pya	seiche
spinaci	spi.*na*.tchi	épinards
spuntino	spoun.*ti*.no	en-cas
tonno	*ton*.no	thon
tramezzino	trahmèt.*si*.no	sandwich au pain de mie
triglia	*tri*.lya	rouget
trippa	*tri*.pa	tripes
uovo/uova	*ouo*.vo/*ouo*.va	œuf/œufs
uva	*ou*.va	raisin
vino (rosso/bianco)	*vi*.no (*ros*.so/*byan*.ko)	vin (rouge/blanc)
vitello	vi.*té*.lo	veau
vongole	*von*.go.lé	palourdes
zucchero	*dzou*.ké.ro	sucre
zuppa (ou suppa)	*dzou*.pa	soupe

Environnement

Avec ses 24 000 km², la Sardaigne est la plus grande île de la Méditerranée après la Sicile. Formant une mosaïque de massifs entaillés par quatre puissantes rivières – le Tirso, le Flumendosa, le Coghinas et le Mannu –, les montagnes couvrent 68% de la surface de l'île. Sculptées dans le granit et le basalte, elles sont plus anciennes que les Apennins et les Alpes.

Dans le film *Padre Padrone* (1977), les prises de vue des frères Taviani restituent bien le caractère des paysages montagneux de l'intérieur de l'île.

À l'est se dresse le massif du Gennargentu, aujourd'hui principal parc national de Sardaigne, un massif découpé de profonds canyons et percé d'innombrables grottes culminant à la Punta La Marmora, à 1 834 m. Ses basses vallées sont boisées de chênes verts et d'érables auxquels succèdent genévriers, houx et ifs à mesure que l'on s'élève vers les sommets.

Les forêts constituent l'une des plus belles caractéristiques de l'île. Certaines sont exceptionnelles, comme les forêts de chênes-lièges qui entourent Tempio Pausania. La forêt de 3 600 hectares du Monte Arcosu, au sud-ouest de Cagliari, est la plus grande forêt de chênes verts et de chênes-lièges subsistant en Méditerranée.

Entre plaines infinies et denses forêts, les paysages intérieurs de Sardaigne offrent une diversité surprenante. La vaste plaine du Campidano, entre Cagliari et Oristano, fournit la majeure partie du blé de l'île. Autre type de relief, la *giara* est un vaste plateau basaltique constamment balayé par le *maestrale* (mistral) où s'ébattent des chevaux petits comme des poneys appelés *achettas* en dialecte sarde (*cavallini* en italien). Les plus remarquables sont les *giare* de Siddi, Serri et surtout de Gesturi.

Les 1 849 kilomètres de littoral de la Sardaigne comptent parmi les mieux préservés de la Méditerranée et sont extrêmement variés. Les hautes falaises de la côte orientale n'ont rien à voir avec les vastes dunes sculptées par le vent de la côte ouest. Des réseaux de lagunes, de marécages et de marais salants ponctuent le rivage au sud et à l'ouest. Les plus vastes sont celui de Santa Gilla, à l'ouest de Cagliari, ainsi que le Stagno di Cabras et le Stagno di Sale Porcus sur la péninsule du Sinis, qui abritent à eux deux quelque 10 000 flamants roses. Ces lagunes comptent 12 000 hectares de zones humides protégées, soit près de la moitié des zones humides de toute l'Italie.

FAUNE ET FLORE

Délaissée par les grands axes commerciaux maritimes, la Sardaigne a conservé une flore et une faune endémiques importantes (de nombreuses espèces ne se trouvent qu'ici ou en Corse). L'érosion et le déboisement ont certes eu un impact sur l'île, de même que la chasse qui reste un passe-temps courant, mais ils n'ont pas eu d'effets dévastateurs.

Animaux

Les montagnes sardes abritent une foule d'espèces indigènes, tel le *cervo sardo* (cerf de Sardaigne), présent dans les forêts du Gennargentu, du Monte Arcosu et du Monte Sette Fratelli. Dans les années 1960, cette espèce de cerf trapu était au bord de l'extinction. Grâce à la vigilance du **WWF** (World Wild Fund), sa population a repris vigueur et atteint quelque 700 têtes aujourd'hui.

Les reptiles prospèrent sur l'île, mais aucun des serpents n'est venimeux.

Parmi les autres grands mammifères figure le *cinghiale sardo* (sanglier de Sardaigne), plus petit que la plupart de ses congénères, et qui vit dans les bois de noisetiers et autres forêts des contreforts montagneux. La chasse ayant réduit sa population au fil des ans, un sanglier plus gros a été importé de la péninsule Italienne pour relancer le peuplement. Leur croisement

---

TIRER LES LEÇONS DU LITTORAL

Qu'il demeure typique et discret : voilà le secret pour que l'intérieur de la Sardaigne, trop longtemps négligé, s'ouvre au tourisme. C'est en tout cas l'opinion de Simone Scalas, qui est à l'origine du site **Sardinia Hike & Bike** (www.sardiniahikeandbike.com). Ce tour-opérateur écologiste appelle à la découverte des grandes étendues sardes encore inexplorées.

"Contrairement au littoral, qui ne vit vraiment qu'en été, l'intérieur de la Sardaigne s'apprécie tout au long de l'année", explique Simone.

Mais revitaliser le centre de l'île implique de devoir résoudre quelques problèmes profondément ancrés, à commencer par l'émigration : les jeunes insulaires quittent leur village pour travailler sur les plages en été et dans les stations de ski alpines en hiver. Selon Simone, pour avancer, il va falloir tirer des leçons de l'expérience côtière.

Prenant l'exemple du Forte Village (un gigantesque ensemble hôtelier sur le littoral, près de Pula), il explique : "Il y a dix ans, près de 90% des employés du Forte Village venaient de Pula. Puis les habitants proches ont commencé à ouvrir leurs propres restaurants, leurs chambres d'hôte et même leurs hôtels. Aujourd'hui, très peu sont encore obligés de quitter cette région pour trouver du travail."

"Le principe de l'*albergo diffuso* est une excellente initiative pour revitaliser les centres historiques de nos villes : des hôtels ont été installés dans plusieurs bâtisses anciennes complètement rénovées. Il se peut donc que la réception se trouve dans un bâtiment et votre chambre dans un autre, à 300 m de là."

"Le paysage est notre richesse. La plupart des Sardes ne le comprennent pas ; ils croient encore que le développement passe par des constructions sans fin."

---

a entraîné l'apparition d'une nouvelle espèce, plus grosse, si bien que le sanglier de Sardaigne s'est raréfié.

Sur le haut plateau de la Giara di Gesturi, les *achettas* vivent à l'état sauvage. Des ânes blancs sauvages peuplent le Parco Nazionale dell'Asinara, dans le Nord-Ouest de l'île. L'Isola Asinara abrite 500 mouflons qui comptent parmi les plus anciens occupants de l'île. Très recherchés par les Sardes pour leurs superbes cornes incurvées – traditionnellement utilisées pour faire des manches de couteau –, ils ont failli disparaître, mais ils sont à nouveau nombreux à arpenter les escarpements de l'intérieur de l'île.

Parmi les petits animaux figurent martres, chats sauvages, renards et lièvres, ainsi que les tortues qui viennent pondre leurs œufs sur les plages arides de la côte sud-ouest.

www.sardegnaturismo.it, site officiel du tourisme en Sardaigne (en anglais et en italien), est une excellente source d'information sur la géographie, la faune et la flore de l'île.

Oiseaux

Située sur la principale route de migration entre l'Europe, l'Asie et l'Afrique, la Sardaigne est le paradis des ornithologues. De septembre à mars, des milliers de flamants roses fréquentent l'île et nichent dans les *stagni* (lagunes) proches d'Oristano et de Cagliari.

Outre les flamants, les zones humides de la Sardaigne attirent une foule d'oiseaux : hérons, grues, spatules et de nombreux autres échassiers, cormorans, sternes, canards – et bien d'autres encore. Quelque 200 espèces d'oiseaux (un tiers du nombre total d'espèces en Europe) font escale sur l'île lors de leurs migrations du printemps et de l'automne.

L'intérieur des terres est le domaine de nombreux oiseaux de proie (eux aussi souvent migrateurs). Au printemps et à l'automne, l'aigle royal et l'aigle de Bonelli patrouillent haut dans le ciel, de même que le vautour moine, le gypaète barbu et le faucon pèlerin. Sur l'Isola di San Pietro habite une colonie semi-permanente de faucons d'Éléonore, espèce rare qui doit son nom à la reine Eleonora d'Arborea qui, en 1400, déclara l'oiseau "espèce protégée". Une colonie de vautours fauves se maintient sur le littoral, dans l'Ouest de l'île, entre Alghero et Bosa.

Plantes

C'est au printemps que l'on peut découvrir la splendeur des fleurs sauvages de Sardaigne, avril étant a priori le meilleur mois.

Dans les hautes terres boisées du Centre et du Nord-Est dominent différents types de chênes, dont le chêne-liège (voir encadré ci-dessous).

Les fleurs des hautes terres, telle que la rare pivoine ou "rose du Gennargentu", ponctuent d'éclats de couleur les pics dénudés, en particulier autour de Bruncu Spina et de Punta La Marmora. À plus basse altitude, le maquis (*macchia*) méditerranéen domine. Cette végétation dense et basse se compose de toute une gamme d'arbustes et de buissons, dont le genièvre, l'arbousier, la bruyère, l'ajonc, le genêt ou encore le *mirto* (myrte), la plus connue des plantes de la *macchia* de Sardaigne. Parmi les nombreuses fleurs figurent la lavande, les violettes, les pervenches bleues, les iris aux multiples couleurs et de nombreuses espèces d'orchidées.

Plusieurs plages des côtes ouest et sud sont bordées de belles pinèdes formant d'agréables ombrages aux heures les plus chaudes. Les palmiers sont rares, le plus souvent importés, à l'exception du palmier nain dont les feuilles servent à fabriquer des paniers tressés.

Les Grecs croyaient qu'une certaine plante sarde pouvait provoquer des convulsions semblables au rire et à la mort. C'est de là que vient le terme sardonique.

PARCS NATIONAUX

La Sardaigne possède trois parcs nationaux, deux parcs régionaux et une série de réserves, principalement marines, qui ne couvrent que 4% du territoire.

Le plus vaste des parcs nationaux, le Parco Nazionale del Golfo di Orosei e del Gennargentu, s'étend sur une grande portion de la province centrale de Nuoro, qui englobe une partie de la Barbagia (p. 205), le Supramonte (p. 203) et le sublime Golfo di Orosei (p. 213).

Au nord-ouest, le Parco Nazionale dell'Arcipelago della Maddalena (p. 184) englobe toutes les îles de cet archipel. L'Isola di Caprera, reliée à l'Isola Maddalena par une chaussée surélevée, possède un statut spécifique de réserve naturelle.

Le dernier en date, le Parco Nazionale dell'Asinara (p. 153) englobe une île qui accueillait jusqu'en 1998 une prison.

Une des plus importantes réserves naturelles est la Riserva Naturale Foresta di Monte Arcosu (p. 103), au sud-ouest de Cagliari ; sa protection est assurée par le WWF.

Le nuraghe Su Nuraxi (p.105) est l'unique site de Sardaigne inscrit au Patrimoine mondial de l'Unesco.

LE LIÈGE SARDE EN CRISE

Participez à la protection de la Sardaigne : achetez du vin avec un bouchon naturel. Le commerce du liège est très porteur sur l'île, mais avec l'essor des bouchons synthétiques, c'est toute une industrie qui est en péril.

Selon un rapport du WWF en 2006, l'usage de plus en plus répandu des bouchons en plastique pourrait entraîner la disparition de près des trois quarts des forêts méditerranéennes de chêne-liège d'ici à 10 ans.

Les conséquences seraient catastrophiques pour la Sardaigne : l'île fournit 80% de la production italienne de liège, et l'industrie emploie de nombreuses personnes dans les villes septentrionales de Calangianus et de Tempio Pausania. Tous les ans, près de 120 tonnes de liège sont écorcées. La plupart sont ensuite vendues à des producteurs de bouchons.

Outre l'aspect économique, l'aspect écologique doit également être pris en compte. L'écorçage du liège ne nuit en rien aux arbres ; les cueilleurs se contentent de soulever l'écorce de l'arbre. Mais un suivi attentif est essentiel. Si les producteurs de bouchons ne protègent pas les forêts sardes de chênes-lièges (et il y a peu de chance qu'ils s'y engagent sans intérêt économique), qui le fera ?

BATAILLE POUR LA CÔTE

Le développement côtier est le sujet sensible du moment. L'ancien président de la région, Renato Soru, s'est mis à dos une partie de l'opinion en proposant deux mesures visant à protéger le littoral et à recentrer les investissements à l'intérieur des terres, souvent négligé.

La première, introduite en 2004, interdit toute construction à moins de 2 km de la côte. La loi Salvacoste ("sauver la côte") a sans surprise provoquée l'ire des promoteurs et des politiciens de droite, qui s'inquiétaient du manque à gagner pour l'île.

La question est revenue à l'ordre du jour en octobre 2008 avec l'organisation d'un référendum visant à abroger la Salvacoste. Mais la faible participation, n'atteignant pas le quorum requis, a rendu nul le référendum et la loi est toujours en vigueur actuellement.

La "taxe sur le luxe", applicable aux résidences secondaires détenues par des non-Sardes, aux yachts et aux avions privés, a été tout aussi controversée, sinon plus, lors de son introduction en 2006. La révolte a été notamment menée par Flavio Briatore, magnat de la Formule1 bien connu sur la Costa Smeralda. Des poursuites juridiques ont été engagées et continuent encore aujourd'hui.

Le président de la région nouvellement élu, Ugo Cappellacci, a d'ores et déjà indiqué qu'il tentera d'amender la législation introduite par Soru.

Parmi les zones protégées par le statut de réserves marines figurent le Capo Carbonara, dans le Sud-Est ; la péninsule de Sinis et l'Isola Mal di Ventre ; l'Isola Tavolara et le Capo Coda Cavallo dans le Nord-Est ; enfin l'Isola Budelli, dans le Parco Nazionale dell'Arcipelago della Maddalena.

ÉCOLOGIE

Aujourd'hui, le mot d'ordre en Sardaigne est "développement durable". Le tourisme en particulier est au cœur des préoccupations depuis que les autorités reconnaissent la nécessité de protéger le littoral et de promouvoir des modèles viables de développement.

Depuis que le prince Karim Aga Khan IV a établi son empire touristique sur la Costa Smeralda dans les années 1960, le tourisme sarde s'est concentré sur le littoral. Les hôtels se sont multipliés sur les côtes nord-est et sud, défigurant le paysage. Aujourd'hui, des mesures sont prises pour limiter le développement du littoral et déplacer les investissements vers l'intérieur des terres, mais elles sont souvent controversées et ne font pas l'unanimité (voir l'encadré ci-dessus).

Avant les années 1960, la Sardaigne n'avait guère été confrontée à de réels problèmes écologiques. Les seules difficultés auxquelles devaient faire face les habitants étaient les pénuries d'eau chroniques, la déforestation et les effets inévitables de l'érosion éolienne causée par le *maestrale*. Toutes ces préoccupations demeurent (la gestion de l'eau est une question particulièrement sensible), mais de nouveaux défis sont venus s'ajouter.

L'industrialisation rapide et la transition de l'agriculture à une économie de services font profondément sentir leurs effets. L'établissement dans les années 1960 d'usines pétrochimiques et d'autres industries lourdes (notamment à Porto Torres, Portovesme, Sarroch, Arbatax et au sud d'Oristano) entraîna l'exode de la population des petits villages ruraux vers les villes. Cette politique visant à créer des pôles industriels dans des régions rurales en crise a peu contribué à l'essor économique, mais elle a généré des poches de pollution de l'air et de l'eau. Les usines sont toujours opérationnelles mais la crise pétrolière des années 1970 et la fin de l'exploitation minière dans l'Iglesiente ont provoqué leur déclin, au point de n'en faire que de vilaines carcasses qui sont autant de gouffres financiers.

Sur le site www.blueflag.org, vous trouverez la liste des plages de Sardaigne dotées du label Pavillon bleu, qui garantit la qualité des eaux de baignade.

Cagliari et le Sarrabus

Capitale depuis plus de 2 000 ans, Cagliari arbore avec fierté son histoire. Grandes avenues, immeubles néogothiques, cafés Art nouveau lui confèrent une certaine prestance, tandis que le château de pierre semble veiller sur la ville depuis son promontoire.

Mais au-delà de l'aspect historique et cosmopolite, Cagliari demeure telle qu'elle a toujours été : un port débordant d'activité qui contribue à l'ambiance pragmatique et animée qui règne dans la cité. Cagliari n'est pas une ville-musée destinée au tourisme de masse, et c'est ce qui fait tout son intérêt.

Fondée par les Phéniciens au VIIIᵉ siècle av. J.-C., Cagliari s'est développée sous l'égide de Rome, qui y construisit un amphithéâtre sur les collines et transforma la cité en grand port méditerranéen. Plus tard, les Pisans offrirent un lifting médiéval à la ville, en y ajoutant des forteresses impénétrables à la hauteur de ses ambitions territoriales. Le résultat, impressionnant, est encore visible aujourd'hui.

Les habitants de Cagliari aiment leur ville et n'hésitent pas à faire preuve d'une amabilité bien différente de la réserve sarde si répandue dans les villages de l'île. Restaurants et *trattorie* accueillent autant d'habitants que de touristes, et les cafés s'emplissent rapidement dès le début de soirée. La population estudiantine assure l'animation sur les *piazze* du centre-ville.

Vous n'aurez pas à aller bien loin de la ville pour changer radicalement de monde : la splendide région du Sarrabus est un territoire vierge et paisible, tandis que les magnifiques plages de sable blanc de Villasimius et de Costa Rei sont des plus calmes, une fois l'ouragan touristique passé.

À NE PAS MANQUER

- La découverte des ruelles médiévales et des musées du Castello (p. 61), la forteresse de **Cagliari**, avant de prendre un *aperitivo* sur le Bastione San Remy (p. 63)

- Un festin de fruits de mer dans l'un des bons restaurants de la Marina (p. 66), à **Cagliari**

- Les nuits endiablées sur la **plage de Poetto** (p. 68), le terrain de jeu estival de Cagliari

- Les plages de sable fin de la **Costa Rei** (p. 78) et une sortie en mer sur les eaux translucides au large de **Capo Carbonara** (p. 77)

- Une excursion dans le silence des pinèdes du **Monte dei Sette Fratelli** (p. 79)

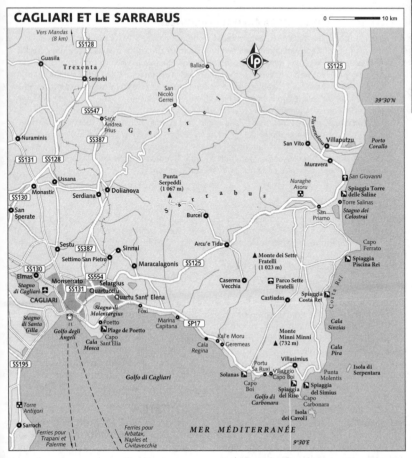

CAGLIARI ET LE SARRABUS

0 ——— 10 km

CAGLIARI

159 300 habitants

Oubliez l'avion : le meilleur moyen d'approcher Cagliari est par la mer. Alors que le ferry pénètre dans le port, la cité tout entière se dresse devant vous, tel un ensemble désordonné de *palazzi* dorés, de dômes et de façades, jusqu'à sa pièce maîtresse, le Castello. Cette citadelle fortifiée veille sur la ville depuis le Moyen Âge. Sur le front de mer, les voitures longent des immeubles alors que les écoliers attendent aux passages piétons que le policier arrête les scooters à pleine vitesse. Aucun doute : Cagliari est un port méditerranéen bien vivant.

Les quelque 2 000 ans d'histoire de Cagliari ont laissé des traces à travers la ville : ruines archéologiques, superbes églises et plusieurs beaux musées parsèment la ville. À l'est, la plage de Poetto représente le cœur du tourisme estival, avec ses bars de plage animés et ses eaux d'un bleu limpide.

HISTOIRE

Les Phéniciens s'établirent dans les environs au cours du VIIIe siècle av. J.-C., mais la ville prit réellement son essor avec les Carthaginois qui s'emparèrent de celle qu'on appelait alors Karel ou Karalis (la "terre rocailleuse") vers 520 av. J.-C. Plus tard, les Romains lui attachèrent une importance particulière et Jules César lui accorda le

LES GRANDS PROJETS DE LA CAPITALE RÉGIONALE

Emilio Floris, le maire de Cagliari, a de grandes ambitions pour sa ville. La pièce maîtresse de son grand plan de réfection urbaine est la création d'un musée futuriste destiné à devenir, pour lui et le président de la région Renato Soru, le nouvel emblème de la ville. Imaginé par l'architecte anglo-irakienne Zaha Hadid, le Museo mediterraneo dell'Arte Nuragica e dell'Arte Contemporanea (Musée méditerranéen d'art nuragique et contemporain) fera très certainement forte impression. S'il voit le jour, car son design imposant en forme de vague, juste en face de la mer, était encore largement critiqué au moment de la rédaction de ce guide.

Le projet de 40 millions d'euros de Zaha Hadid est l'une des nombreuses idées que la mairie cherche à réaliser. L'architecte hollandais Rem Koolhaas s'est vu confier la conception d'une nouvelle zone résidentielle dans le quartier industriel de Sant'Elia, tandis que le Brésilien Paulo Mendes da Rocha doit imaginer un nouveau campus universitaire. Au nord du centre-ville, la construction du tout nouveau Parco della Musica se poursuit près du Teatro Lirico.

statut de cité romaine en 46 av. J.-C. Pendant des siècles, le port prospéra grâce au commerce du grain avec le continent, mais la chute de Rome entraîna une certaine instabilité.

Les Vandales, qui avaient envahi l'Afrique du Nord, s'emparèrent de la cité en 455, avant d'en être chassés par les Byzantins en 533. Cagliari devint alors la capitale de l'un des quatre districts qui se transformèrent plus tard en *giudicati* (provinces). À partir du XIe siècle, l'Empire byzantin s'affaiblit et les raids arabes se multiplièrent. Cagliari et les autres *giudicati* acquirent alors une relative autonomie.

Gênes et Pise, dont la puissance maritime ne cessait de croître, ne tardèrent pas à s'intéresser à la ville. En 1258, les Pisans s'en rendirent finalement maîtres (les fortifications datent de cette époque). Ils furent supplantés en 1326 par les Catalano-Aragonais. Les décennies suivantes furent marquées par plusieurs épidémies de peste dont la première se déclencha en 1348.

Avec la formation de l'unité de l'Espagne à la fin du XVe siècle, les Catalans furent à leur tour remplacés par les Espagnols. Cagliari sut mieux que les autres villes sardes tirer partie de l'inertie du pouvoir espagnol. L'université ouvrit ses portes en 1620.

Les ducs de Savoie (qui prirent le titre de rois de Sardaigne en 1720) suivirent l'exemple de leurs prédécesseurs et choisirent Cagliari pour y établir la vice-royauté, mais ils subirent quelques revers comme la révolte de 1795. De 1799 à 1814, la famille royale, chassée du Piémont par Napoléon, se réfugia dans la ville sous la protection de la marine britannique.

Cagliari continua à se développer lentement tout au long des XIXe et XXe siècles. Une partie des fortifications fut détruite pour permettre à la ville de s'étendre. Durement touchée par les bombardements pendant la Seconde Guerre mondiale, elle fut récompensée pour sa bravoure en recevant en 1950 la Medaglia d'oro al Valore Militare.

La reconstruction, qui débuta dès la fin du conflit, était quasiment achevée lorsque la ville fut désignée, en 1949, capitale de la région semi-autonome de Sardaigne dans la nouvelle République italienne. Une industrie moderne et dynamique, notamment pétrochimique, s'implanta près des lagunes et sur le littoral jusqu'à Sarroch, au sud-ouest de Cagliari.

ORIENTATION

Le port principal, les gares ferroviaires et routières, ainsi que l'office du tourisme sont situés sur la Piazza Matteotti ou à proximité. La Via Roma, qui traverse cette dernière, fait partie de l'axe qui, à l'est, conduit vers Poetto et Villasimius et, à l'ouest, vers Pula et la côte sud.

Depuis Piazza Matteotti, le magasin La Rinascente, en bord de mer, est un bon point de repère. C'est ici que commence le Largo Carlo Felice, la grande avenue qui arrive Piazza Yenne, la place centrale de la ville. À l'est du Largo Carlo Felice se trouve le quartier de la Marina, où vous trouverez une majorité d'hôtels et de restaurants. À l'opposé du Largo, le quartier Stampace s'étend jusqu'au pied de l'amphithéâtre romain.

Le quartier du Castello, ancien cœur médiéval, domine l'horizon de Cagliari. On peut y accéder par un ascenseur au nord de la Piazza Yenne : c'est là que vous aurez la plus belle vue sur la ville et trouverez les musées principaux. Au nord-est se trouve le quartier moderne de Villanova.

La ville s'étend à l'est vers les *saline* (salines) et la plage de Poetto ; à l'ouest les habitations bordent la rive nord de l'immense Stagno (étang) di Santa Gilla.

RENSEIGNEMENTS
Accès Internet
Intermedia Point (carte p. 70 ; Via Eleonora d'Arborea 4 ; 3 €/h ; ☽ 10h-13h et 15h30-19h30 lun-ven)
Lamarù (carte p. 70 ; ☎ 070 66 84 07 ; Via Napoli 43 ; 3 €/h ; ☽ 9h-20h lun-sam)

Agences de voyages
CTS (carte p. 62 ; ☎ 070 48 82 60 ; Via Cesare Balbo 12). Branche de l'agence de voyages nationale pour les jeunes.
Viaggi Orrù (carte p. 70 ; ☎ 070 65 98 58 ; www. viaggiorru.it ; Via Bayle 111 ; ☽ 9h-13h et 16h15-19h45 lun-ven, 9h30-13h sam). Agence de voyages efficace où vous pouvez réserver des billets de ferries ou d'avions. Elle organise également des excursions.

Argent
Banco San Paolo (carte p. 70 ; Via Sassari). Dispose d'un DAB, de même que dans la gare.
Mail Boxes Etc (☎ 070 67 37 04 ; Viale Trieste 65/b ; ☽ 9h-13h lun-sam et 16h-19h30 lun-ven). Agent Western Union.

Laverie
Lavanderia Ghilbi (carte p. 70 ; Via Sicilia 20 ; 4 € par charge de 6 kg ; ☽ 8h-22h)

Librairie
Ubik (carte p. 70 ; ☎ 070 65 02 56 ; Via Roma 63 ; ☽ 9h-20h30 lun-sam, 10h-13h et 16h30-20h30 dim). Bon choix de cartes de la ville et de l'île.

Office du tourisme
Office du tourisme (carte p. 70 ; ☎ 070 66 92 55 ; Piazza Matteotti ; ☽ 8h30-13h30 et 14h-20h). L'unique office du tourisme de la ville.

Poste
Poste principale (carte p. 70 ; ☎ 070 605 41 23 ; Piazza del Carmine 28 ; ☽ 8h-18h50 mar-ven, 8h-13h15 sam)

Services médicaux
Farmacia Dr Spano (carte p. 70 ; ☎ 070 65 56 83 ; Via Roma 99 ; ☽ 9h30-13h et 16h30-19h50 lun-ven, 9h-13h sam)
Guardia Medica (☎ 070 609 52 02). Pour les urgences à domicile.

Ospedale Brotzu (☎ 070 53 91 ; Via Peretti 21). Hôpital situé au nord-ouest du centre-ville. S'il ne s'agit pas d'une urgence, prendre le bus 1 Via Roma.

Urgence
Police (carte p. 62 ; Questura ; ☎ 070 6 02 71 ; Via Amat Luigi 9)

DÉSAGRÉMENTS ET DANGERS
Cagliari est une ville sûre mais, la nuit, certains quartiers méritent d'être évités. Les escaliers qui montent au Bastione San Remy, par exemple, ou le petit parc au bout du Viale Regina Margherita attirent des toxicomanes ou des personnes fortement alcoolisées. De plus, les pickpockets visent en premier lieu les touristes. Prenez les précautions d'usage et ne laissez notamment aucun objet de valeur dans votre véhicule.

À VOIR
Les principaux centres d'intérêt de Cagliari sont concentrés dans les quartiers Castello, Stampace, Marina et Villanova. Le point de départ s'impose de lui-même : le secteur du Castello offre un somptueux panorama sur la ville et accueille les plus beaux musées. À l'ouest, en haut de la colline de Stampace, l'imposant amphithéâtre est l'un des rares vestiges de l'histoire romaine à Cagliari. La plupart des bâtiments anciens que l'on voit aujourd'hui datent de la domination pisane, mais les Espagnols ajoutèrent le quartier coloré de Stampace. Au XIXe siècle, sous l'influence des Piémontais, Cagliari s'étendit vers l'est, à Villanova qu'ils dotèrent de larges artères et de vastes places.

Il Castello
Édifiée par les Pisans et les Aragonais, la citadelle médiévale de Cagliari domine la ville. Les hauts remparts en pierre blanche renferment ce qui était autrefois le quartier des aristocrates et des autorités religieuses, Su Casteddu (le terme désigne également l'ensemble de la ville). Les murs sont encore plus impressionnants vus de loin, notamment depuis l'amphithéâtre romain.

TOURS ET REMPARTS
Il ne reste que deux des tours de l'époque pisane. La **Torre dell'Elefante** (carte p. 70 ; Via Università ; adulte/enfant 4/2,50 € ; ☽ 9h-13h et 15h30-19h30 tlj sauf lun avr-oct, 9h-16h30 nov-mars), a été construite en 1307 pour se défendre des Aragonais. Elle

CAGLIARI

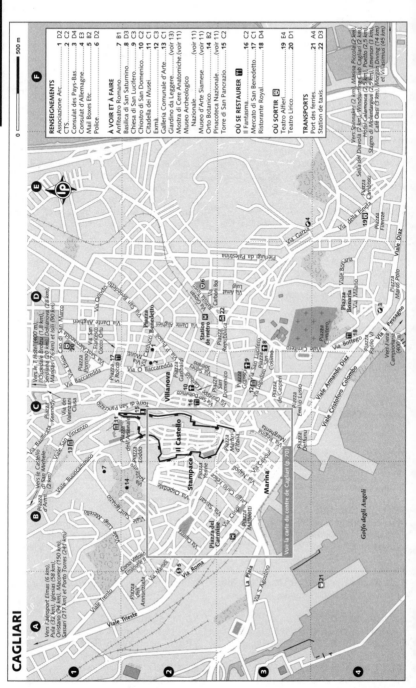

tire son nom d'un éléphant sculpté près de la herse et fut le théâtre de bien des horreurs. Les Espagnols décapitèrent ici le Marchese di Cea (marquis de Cea) et laissèrent sa tête sur place pendant… 17 années ! Ils "décoraient" aussi volontiers les grilles d'entrée avec les têtes des prisonniers exécutés. L'étage crénelé fut ajouté en 1852 et servit de prison politique. En grimpant au sommet, vous apprécierez la vue alors offerte aux détenus. De quoi maudire davantage encore sa captivité !

Près de la porte nord-est de la citadelle se trouve la **Torre di San Pancrazio** (carte p. 62 ; Piazza Indipendenza ; tarif plein/tarif réduit 4/2,50 € ; ☉ 9h-13h et 15h30-19h30 tlj sauf lun avr-oct, 9h-16h30 nov-mars), haute de 36 m. Achevée 2 ans avant sa sœur jumelle, elle a été construite sur le point le plus élevé de la ville et domine le golfe de Cagliari.

À l'intérieur des murailles s'étend la ville médiévale, autrefois lieu de résidence des aristocrates. L'université, la cathédrale, les musées et les palais pisans émergent d'un entrelacs de ruelles étroites où foisonnent les cordes à linge, tandis que les maisons aux portes ouvertes invitent aux coups d'œil indiscrets. Ces dernières années, de nombreux magasins, bars et cafés se sont installés dans ce quartier, assurant un flot continu d'étudiants et de jeunes branchés.

La citadelle est accessible de différentes façons, mais l'accès le plus impressionnant est l'escalier monumental qui part de Piazza Costituzione jusqu'au **Bastione San Remy** (carte p. 70), jadis élément essentiel des fortifications, reconverti aujourd'hui en belvédère. Vous pouvez également monter les marches des **Scalette di Santa Chiara** (carte p. 70), derrière Piazza Yenne ou, mieux encore, prendre l'ascenseur au pied des escaliers.

GHETTO DEGLI EBREI

Le quartier au nord de la Torre dell'Elefante, entre Via Santa Croce et Via Stretta, était autrefois le **Ghetto degli Ebrei**, c'est-à-dire le ghetto juif. La communauté juive fut expulsée en 1492 par les Espagnols, et il n'en reste aujourd'hui pas d'autre trace que le nom apposé sur l'ancienne **caserne San Carlo** (carte p. 70 ; ☎ 070 640 21 15 ; Via Santa Croce 18). Cette dernière a été transformée en lieu d'exposition, mais était fermée pour restauration au moment de notre visite. L'actuelle **Chiesa di Santa Croce** (carte p. 70 ; ☎ 334 178 54 33 ; Piazzetta Santa Croce ; ☉ visites guidées 10h30-12h dim) occupe l'emplacement de l'ancienne synagogue.

Cette partie du Castello est la plus animée et la plus plaisante. Sur la Via Santa Croce, les cafés jouissent d'une belle vue et les rues étroites semblent tout droit sorties du Moyen Âge. Prenez le temps d'y flâner et de jeter un œil, dans l'université, au magnifique vestibule voûté de l'**Istituto di Architettura e Disegno** (Institut d'architecture et de dessin ; carte p. 70 ; Via Corte d'Appello 87).

CITADELLA DEI MUSEI

La partie nord du Castello réunit un ensemble de quatre grands musées, ingénieusement intégrés aux ruines de l'ancien arsenal de la ville. Des rampes d'accès pour fauteuils roulants ont été aménagées.

Museo Archeologico Nazionale

Des quatre musées, le **Museo Archeologico Nazionale** (carte p. 62 ; ☎ 070 68 40 00 ; Piazza dell'Arsenale ; tarif plein/tarif réduit 4/2 €, billet couplé avec la Pinacoteca Nazionale 5/2,50 € ; ☉ 9h-20h tlj sauf lun) est sans conteste le plus intéressant. Le plus grand musée archéologique de Sardaigne présente des objets illustrant les milliers d'années d'histoire de l'île, dont une superbe collection de *bronzetti* (figurines en bronze) nuragiques au rez-de-chaussée.

Aucune trace écrite n'ayant été retrouvée, ces bronzes constituent une source d'information essentielle sur la mystérieuse tradition des nuraghi sardes (tours de pierre construites entre 1800 et 500 av. J.-C. environ). Près de 400 bronzes ont été retrouvés sur différents sites religieux, menant les chercheurs à penser qu'ils étaient probablement utilisés comme offrandes. Les figurines, simples et efficaces, représentent des chefs tribaux, des guerriers, des chasseurs, des mères et des animaux. Des modèles réduits de nuraghi ont même été retrouvés.

Le rez-de-chaussée est organisé de façon chronologique. L'exposition commence par les époques antérieures aux nuraghi, caractérisées par les outils en silex, les poteries rudimentaires et d'étranges déesses de la fertilité. Elle couvre ensuite les âges du bronze et du fer puis la période nuragique. Viennent enfin les pièces consacrées aux époques phénicienne et romaine avec un *tophet* (sépulture phénicienne sacrée de bébés et d'enfants), et les restes délicats de vases en terre cuite, de vaisselle en verre et de bijoux trouvés dans les antiques Karalis (Cagliari), Sulcis, Tharros et Nora.

Les premier et deuxième étages couvrent à peu près les mêmes époques. Parmi les pièces du 1er étage, on trouve notamment une mosaïque romaine du Ier ou du IIe siècle, une collection de statues et de bustes également romains provenant de Karalis, ainsi que des pièces de monnaie.

Pinacoteca Nazionale

Au-dessus et derrière le musée archéologique, la **Pinacoteca Nazionale** (carte p. 62 ; ☎ 070 68 40 00 ; Piazza dell'Arsenale ; tarif plein/tarif réduit 2/1 €, billet couplé avec le Museo Archeologico Nazionale 5/2,50 € ; ☼ 9h-20h tlj sauf lun) présente des collections de tableaux remontant aux XVe, XVIe et XVIIe siècles. Les œuvres principales sont pour la plupart des retables de style espagnol peints par des artistes catalans et génois pour les églises de la région.

Parmi ceux attribués à des peintres sardes, citons quatre tableaux de Pietro Cavaro – père de l'école dite de Stampace et sans doute le plus grand artiste de Sardaigne – la *Deposizione (Descente de Croix)* et les portraits de saint Pierre, saint Paul et saint Augustin. Vous pourrez aussi voir des œuvres de son père, Lorenzo, et de son fils, Michele. La *Pala di Sant'Orsola* (retable de sainte Ursule) est signée d'un autre peintre important, Francesco Pina. Tous ces tableaux attestent des influences espagnole et italienne. Quelques peintres du XIXe et du début du XXe siècle comme Giovanni Marghinotti et Giuseppe Sciuti témoignent plus clairement de leurs origines sardes.

Mostra di Cere Anatomiche

Équivalent morbide du musée Grévin, la **Mostra di Cere Anatomiche** (carte p. 62 ; Piazza dell'Arsenale ; entrée 1,55 € ; ☼ 9h-13h et 16h-19h tlj sauf lun) présente 23 modèles de cires anatomiques. Le Florentin Clemente Susini produisit cette série d'écorchés entre 1802 et 1805 : très détaillés, certains modèles ont la peau du crâne relevée pour laisser apparaître le cerveau, et la coupe d'une femme enceinte révèle son utérus et le fœtus qu'elle porte.

Museo d'Arte Siamese

On ne s'attend pas à trouver un musée d'art asiatique en plein centre médiéval de Cagliari. C'est pourtant ce que présente le **Museo d'Arte Siamese** (carte p. 62 ; ☎ 070 65 18 88 ; Piazza dell'Arsenale ; tarif plein/tarif réduit 4/2 € ; ☼ 9h-13h et 16h-20h tlj sauf lun juin-sept, 9h-13h et 15h30-19h30 tlj

sauf lun oct-mai). Un ingénieur local, Stefano Cardu, passa de nombreuses années au Siam (ancien nom de la Thaïlande) et fit don de ce qu'il y réunit. Le résultat est très éclectique : aux côtés des porcelaines Ming et Qing figurent des peintures sur soie, des statuettes japonaises et quelques armes thaïlandaises effrayantes.

CATTEDRALE DI SANTA MARIA ET SES ENVIRONS

Au cœur du quartier, les voitures se garent désormais sur la **Piazza Palazzo** baignée de soleil, où résidaient les autorités religieuses de la ville. Cette place est surplombée par la **Cattedrale di Santa Maria** (carte p. 70 ; ☎ 070 66 38 37 ; www.duomodicagliari.it ; Piazza Palazzo 4 ; ☼ 8h-12h30 et 16h30-20h lun-ven, 8h30-13h et 16h-20h sam et dim), impressionnante bâtisse du XIIIe siècle. Seule la base du clocher subsiste de la construction gothique originale : l'intérieur fut largement remodelé dans le style baroque au XVIIe siècle, tandis que la façade romano-pisane est une imitation ajoutée entre 1933 et 1938.

À l'intérieur, toute trace de gothique a disparu sous la profusion ornementale du décor baroque. Des fresques rutilantes décorent les plafonds et des volutes sculptées jaillissent des trois chapelles latérales. La troisième chapelle à droite, la Cappella di San Michele, est un summum de décoration baroque : saint Michel semble se trouver dans l'œil d'un cyclone et, imperturbable, il jette les démons aux enfers.

Des éléments plus discrets du décor se repèrent moins facilement, comme les deux chaires en pierre de chaque côté de la porte centrale, sculptées par Guglielmo da Pisa entre 1158 et 1162. Elles formaient à l'origine un magnifique ensemble qui se tenait à l'entrée du Duomo de Pise, avant que la ville ne l'offre à Cagliari en 1312. Ce fut Domenico Spotorno, déjà à l'origine de la rénovation baroque, qui les sépara et retira les deux lions de pierre qui leur servaient de base. Ces sculptures ornent aujourd'hui l'autel. À droite, on remarquera le *Trittico di Clemente VII (Triptyque de Clément VII)* attribué par certains à l'école flamande de Rogier Van der Weyden.

De l'autre côté de l'autel se trouve l'entrée de l'**Aula Capitolare**, où sont conservées de nombreuses sépultures des Savoie. Taillée dans la pierre, cette crypte voûtée impressionne par sa grande richesse sculpturale et ses décorations complexes.

D'autres trésors sont précieusement gardés au **Museo del Duomo** (carte p. 70 ; ☎ 070 65 24 98 ; Via del Fossario 5 ; entrée 4 € ; ⏰ 10h-13h et 16h30-19h), dont les pièces maîtresses sont le *Trittico di Clemente VII*, une œuvre du XVᵉ siècle attribuée au Flamand Rogier Van der Weyden, et le *Retablo dei Beneficiati*, sorti de l'école de Pietro Cavaro.

À côté de la cathédrale se trouve la résidence de l'archevêque, le **Palazzo Arcivescovile**, suivie de la façade claire du **Palazzo Viceregio** (carte p. 70 ; Palais royal ; ☎ 070 409 20 00 ; ⏰ 8h30-14h et 15-19h). Ce dernier servit de résidence aux vice-rois espagnols et savoyards, avant d'accueillir le Parlement de la province. L'été, on peut y assister à des concerts et, le reste de l'année, à des expositions.

Stampace

Stampace fut le quartier médiéval populaire, où les Sardes vivaient à l'ombre de l'imposante citadelle. Au XIVᵉ siècle, sous l'occupation aragonaise, l'entrée de cette dernière était interdite aux habitants après la tombée de la nuit. Ceux qui enfreignaient la loi étaient jetés par-dessus les remparts, non sans recevoir la bénédiction *stai in pace* (repose en paix), d'où le nom Stampace.

Le point central du quartier, la **Piazza Yenne**, est aussi celui de la ville. Ce petit espace piéton décoré de la **statue** du roi Carlo Felice marque le début de la voie rapide qui porte son nom (la SS131) et qui est d'ailleurs le meilleur souvenir qu'il ait laissé sur l'île. Les soirs d'été, la Piazza Yenne s'anime grâce à une population jeune venue se divertir dans les bars et les cafés. Le quartier abrite également plusieurs églises importantes, un jardin botanique, et l'amphithéâtre romain s'y tient en haut de la colline.

CHIESA DI SANT'EFISIO

Malgré sa façade et son intérieur baroque modestes, la **Chiesa di Sant'Efisio** (carte p. 70 ; Via Sant'Efisio ; ⏰ 9h-13h et 15h30-19h30 tlj sauf lun) est l'église la plus importante du quartier. Non pour des raisons architecturales ou artistiques, mais par ses liens avec Éphise, saint patron de Cagliari. Ce soldat romain, converti au christianisme, fut décapité pour avoir refusé d'abjurer sa foi. Saint Éphise est célébré dans toute la ville lors des festivités du 1ᵉʳ mai (p. 17). Une effigie du saint, installée dans la deuxième chapelle à droite, est ce jour-là transportée à travers la ville dans

un superbe carrosse magnifiquement orné, également conservée dans l'église (pour le voir, demandez au gardien).

On attribue au saint plusieurs miracles, dont celui d'avoir sauvé les habitants de la peste en 1652. En 1793, il aurait déclenché une tempête qui mit la flotte de Napoléon en déroute après qu'un boulet de canon français eut frappé l'église, au-dessous d'un tableau le représentant (l'impact est encore visible).

Sur le côté de l'église se trouve l'entrée de la crypte où saint Éphise aurait été retenu avant son exécution à Nora (près de Pula). Une inscription en pierre indique *Carcer Sancti Erphyssi M* (prison du martyr saint Éphise) et l'on peut voir la colonne à laquelle Éphise fut attaché pendant son incarcération.

CRIPTA DI SANTA RESTITUTA

Dans la même rue, la **Cripta di Santa Restituta** (carte p. 70 ; ☎ 070 640 21 15 ; Via Sant'Efisio ; ⏰ 10h-13h tlj sauf lun) est une immense grotte naturelle dans laquelle on entend goutter l'eau. Lieu de culte païen à l'origine, elle servit au Vᵉ siècle de refuge à la future martyre Restituta et devint un point de repère pour les premiers chrétiens de Cagliari. Puis les orthodoxes investirent les lieux jusqu'au XIIIᵉ siècle, laissant sur les murs de belles fresques. Elle servit ensuite d'abri pendant la Seconde Guerre mondiale, mais elle ne put protéger les nombreux habitants qui moururent ici lors des bombardements de février 1943.

CHIESA DI SAN MICHELE

Consacrée dès 1538, la **Chiesa di San Michele** (carte p. 70 ; ☎ 070 65 86 26 ; Via Ospedale 2 ; ⏰ 8h-11h et 18h-21h lun-sam, 7h30-12h et 19h-21h dim) est surtout connue pour sa fastueuse décoration du XVIIIᵉ siècle, plus bel exemple de rococo en Sardaigne. Le spectacle commence avec l'exubérante façade baroque à trois arches et continue dans le vaste atrium à colonnades jusqu'à l'intérieur majestueux. Avant d'entrer, prenez un instant pour admirer la chaire à quatre colonnes dans l'atrium : elle fut construite en l'honneur de Charles Quint, qui y aurait exalté les foules avant de lancer une vaine campagne contre les Arabes de Tunisie. L'intérieur, de forme octogonale avec six chapelles abondamment décorées rayonnant depuis le centre, est majestueusement ponctué par le dôme orné de fresques. Ne manquez pas la sacristie, accessible depuis la dernière chapelle à gauche, pour ses fresques de couleurs vives et sa marqueterie ouvragée.

CHIESA DI SANT'ANNA

La plus grande, mais peut-être la moins intéressante des églises de Cagliari, est la **Chiesa di Sant'Anna** (carte p. 70 ; Piazza Santa Restituta ; 🕑 7h30-10h et 17h-20h et tlj sauf lun). Elle semble surgir de nulle part avec sa façade couleur de sable qui domine la petite place Santa Restituta. En grande partie détruite pendant la Seconde Guerre mondiale, elle fut minutieusement reconstruite par la suite, conservant pour l'essentiel son style baroque. Vous remarquerez toutefois les colonnes ioniques qui donnent à la façade un style néoclassique un aspect quelque peu sévère.

ANFITEATRO ROMANO

Le vestige romain le plus étonnant est l'**Anfiteatro Romano** (amphithéâtre romain ; carte p. 62 ; ☎ 070 65 29 56 ; www.anfiteatroromano.it ; Viale Sant'Ignazio ; tarif plein/étudiant/enfant 0-6 ans 4,30/2,80 €/ gratuit ; 🕑 9h-13h30 tlj sauf lun et 15h30-17h30 dim avr-oct, 9h30-13h30 mar-sam et 10h-13h dim nov-mars). Taillé à flanc de la colline Buon Cammino au IIe siècle, il trône près de l'entrée nord du Castello. Une grande partie a été pillée au cours des siècles pour fournir des matériaux de construction, mais les ruines restantes donnent une bonne idée du monument d'origine. À son apogée, l'amphithéâtre pouvait accueillir jusqu'à 10 000 personnes – presque toute la population de Cagliari de l'époque – qui venaient s'amuser des joutes entre des gladiateurs et des fauves. En été, l'amphithéâtre retrouve quelque peu sa vocation première en accueillant des concerts. Il vous sera peut-être alors impossible de le visiter. Si le monument est fermé, vous pourrez toutefois le voir depuis la route.

ORTO BOTANICO

En contrebas de l'amphithéâtre, l'**Orto Botanico** (www.ccb-sardegna.it/hbk/hbk.htm ; Viale Sant'Ignazio ; carte p. 62 ; entrée 2 € ; 🕑 8h30-19h30 lun-sam et 8h30-13h30 dim avr-oct, 9h-16h lun-sam nov-mars) est l'un des plus fameux jardins botaniques d'Italie. Établis en 1858 sur plus de 5 hectares, les jardins regroupent près de 3 000 espèces de plantes, dont 500 spécimens tropicaux et 16 types de palmiers. Des espèces d'Asie, d'Australie, d'Afrique et du continent américain côtoient les caroubiers et les chênes de la région. Les jardins sont harmonieusement parsemés de grottes et de vestiges antiques.

PALAZZO CIVICO

Dominant la Piazza Matteotti, l'imposant **Palazzo Civico** (hôtel de ville ; carte p. 70 ; ☎ 070 677 70 49 ; Via Roma), ou Municipio, abrite la mairie de Cagliari. Bâti entre 1899 et 1912 dans le style gothique catalan, le *palazzo* a été fidèlement reconstruit après les bombardements de 1943. Les salles à l'étage contiennent quelques œuvres réalisées par des artistes sardes tels que Pietro Cavaro. Visite sur réservation uniquement.

Marina

Bordée par le Largo Carlo Felice à l'ouest et, sur le front de mer, par la Via Roma, la marina est un quartier agréable à explorer. Son cachet réside avant tout dans l'atmosphère authentique de ses rues étroites, bordées de boutiques d'artisans, de cafés et de restaurants de toutes sortes. Il est facile de s'y repérer, les rues rectilignes étant inspirées des modèles romains.

Au cœur du quartier, le **Museo del Tesoro e Area Archeologica di Sant'Eulalia** (MUTSEU ; carte p. 70 ; ☎ 070 66 37 24 ; Vico del Collegio 2 ; entrée 4 € ; 🕑 10h-13h et 17h-20h tlj sauf lun) présente une importante collection d'art religieux ainsi qu'une zone archéologique qui s'étend sur 200 m² derrière l'église adjacente, la **Chiesa di Sant' Eulalia**. L'attrait principal de cette dernière est l'ancienne voie romaine longue de 13 m (construite entre le Ie et le IIe siècles) qui, selon les archéologues, menait au port. Les fouilles se poursuivent et révéleront sans doute d'autres secrets.

En montant les escaliers, vous atteindrez le trésor, une riche collection d'objets sacrés dont des vêtements sacerdotaux, des manuscrits du Moyen Âge et d'autres précieux documents. Le trésor renferme également de nombreuses et belles sculptures raffinées ainsi qu'un *Ecce homo* que l'on attribue à un artiste flamand du XVIIe siècle.

À une courte distance sur la colline, la **Chiesa di Santo Sepolcro** (carte p. 70 ; ☎ 070 66 37 24 ; Piazza del Santo Sepolcro 5 ; 🕑 9h-13h et 17h-20h) mérite une visite pour son immense retable en bois doré du XVIIe siècle sur lequel est représentée la Vierge.

Villanova

Quartier historique le moins plaisant du centre-ville, Villanova commence à l'est du

Castello. Ancien faubourg d'artisans, il a été envahi par la circulation et le développement urbain. Même s'il n'y a pas grand-chose à y voir, il est toujours agréable de se promener dans les ruelles du quartier d'origine, coincées entre le côté est du château et la Piazza San Domenico. Le **Chiostro di San Domenico** (carte p. 62 ; ☎ 070 66 28 37 ; Via XXIV Maggio 5), dont l'arrière donne sur la place, est l'un des nombreux cloîtres qui parsemaient autrefois le quartier religieux. Visite sur demande uniquement. Si vous vous intéressez aux églises, continuez vers l'est le long de Via San Lucifero jusqu'au Parco delle Remembranze ; vous trouverez, juste derrière, l'une des plus anciennes églises de la ville : la Basilica di San Saturnino.

S'élevant au-dessus de Villanova, un grand jardin public couvre les pentes du Monte Urpinu. De l'autre côté de la colline, les marais salants **Stagno di Molentargius** permettent d'observer les oiseaux.

À l'est du centre

Dans le quartier qui se trouve immédiatement à l'est de Villanova se trouvent deux des plus importants sites religieux de Cagliari.

BASILICA DI SAN SATURNINO ET CHIESA DI SAN LUCIFERO

L'une des plus vieilles églises de Sardaigne, la **Basilica di San Saturnino** (carte p. 62 ; ☎ 070 65 98 69 ; Piazza San Cosimo ; ☽ 9h-13h lun-sam) est un exemple parfait de l'architecture paléochrétienne. Adoptant un plan en croix grecque, la basilique et sa coupole ont été construites sur une nécropole romaine au Ve siècle, à l'endroit où est enterré Saturnin, un martyr vénéré localement. Selon la légende, Saturnin fut décapité en 304, victime de la campagne de Dioclétien contre les chrétiens.

Au VIe siècle, Saint Fulgence de Ruspe, un évêque exilé de Tunisie, construisit un monastère à cet emplacement. En 1098, le monument fut transformé en église romane par un groupe de moines victorins venus de Marseille. Depuis lors, la basilique a connu bien des rénovations, notamment après avoir été pillée en 1662 pour construire la Cattedrale di Santa Maria, et, plus récemment, après les bombardements de la Seconde Guerre mondiale.

En traversant la place ombragée et moderne de San Cosimo, vous remarquerez la **Chiesa di San Lucifero** (carte p. 62 ; Via San Lucifero 78), de style baroque. Sous l'église, dans une crypte du VIe siècle, repose la tombe d'un ancien archevêque de Cagliari, saint Lucifer. Cette église occupe l'emplacement d'une ancienne nécropole romaine. L'église n'est pas ouverte au public, mais son austère façade du XVIIe siècle mérite au moins un rapide coup d'œil.

EXMÀ

Le centre culturel **Exmà** (carte p. 62 ; ☎ 070 66 63 99 ; Via San Lucifero 71 ; expositions 3 € ; ☽ 10h-13h et 17h-22h tlj sauf lun juin-sept, 9h-13h et 16h-20h tlj sauf lun oct-mai) a ouvert ses portes dans les locaux du *mattatoio*, les anciens abattoirs de Cagliari datant du XVIIIe siècle. Une exposition permanente montre les détails de la restauration des abattoirs, mais la visite vaut surtout pour les installations d'art contemporain, les expositions de photo et les concerts en plein air.

SANTUARIO ET BASILICA DI NOSTRA SIGNORA DI BONARIA

Du haut de la colline Bonaria, à l'est du centre, le **Santuario di Nostra Signora di Bonaria** (carte p. 62 ; ☎ 070 30 17 47 ; Piazza Bonaria 2 ; dons souhaités ; ☽ 6h30-11h45 et 16h-18h45 lun-sam, 6h30-12h45 et 16h-19h45 dim) est un lieu de pèlerinage très fréquenté. Les fidèles viennent du monde entier révérer Notre-Dame de Bonaria, une statue de la Vierge conservée dans une niche derrière l'autel (voir l'encadré page suivante). La statue aurait sauvé un navire espagnol d'une tempête au XIVe siècle. Aujourd'hui, les marins prient toujours la Madone pour obtenir sa protection en mer. Au-dessus de l'autel, un petit navire en ivoire du XVe siècle est suspendu : on dit que son balancement indique la direction du vent dans le Golfo degli Angeli.

Des maquettes de bateau, d'autres ex-voto et une couronne d'or ayant appartenu à Charles-Emmanuel Ier de Savoie sont exposés dans le **Museo del Santuario** (☎ 9h-11h30 et 17h-18h30), accessible en traversant le petit cloître. On peut aussi y voir les corps momifiés de quatre nobles catalano-aragonais morts de la peste, retrouvés miraculeusement conservés dans l'église.

Ce sanctuaire faisait autrefois partie d'une forteresse bien plus grande construite par les Catalano-Aragonais en 1323. Il ne reste pas grand-chose de l'édifice d'origine, si ce n'est une partie du clocher qui servait de tour de guet, et le portail gothique.

À droite du sanctuaire se trouve la grande **basilique**, qui sert toujours de repère aux marins

---

DE BONARIA À BUENOS AIRES

Lorsque les Catalano-Aragonais approchèrent de Cagliari en 1323, ils comprirent assez rapidement que la place ne serait pas facile à prendre. Ils dressèrent leur camp sur les douces pentes du Montixeddu, qui prit alors le nom de Bonaria (*buon'aria,* ou "bon air"). Pendant la durée du siège, le camp devint une forteresse dotée de sa propre église.

Après avoir enfin chassé les Pisans, les Aragonais se rendirent maîtres de Cagliari en 1326 et invitèrent les moines de Barcelone, les Mercedari, à venir s'installer dans l'église de Bonaria, qu'ils n'ont pas quittée depuis.

Pendant des siècles, les moines de Bonaria rachetèrent aux pirates musulmans leurs esclaves chrétiens. Ils sont également réputés pour avoir sauvé les Génois de Tabarka, en Tunisie, qu'ils ramenèrent sur l'Isola di San Pietro. Mais la renommée internationale du pèlerinage de Bonaria tient avant tout à une simple statue en bois, une Vierge à l'Enfant conservée aujourd'hui au Santuario di Nostra Signora di Bonaria (voir page précédente).

La légende veut que, au XIVᵉ siècle, la statue embarquée sur un navire espagnol soit passée par-dessus bord lors d'une tempête. Non seulement les moines la retrouvèrent sur leur plage dans un état impeccable, mais surtout elle tenait une bougie allumée dans la main.

Au fil des ans, les marins chrétiens adorèrent tout spécialement Nostra Signora di Bonaria, lui attribuant toutes sortes de miracles. En son honneur, les conquistadors espagnols nommèrent la future capitale de l'Argentine Buenos Aires.

---

rentrants au port. La construction démarra en 1704, mais les fonds manquèrent, si bien qu'elle ne fut achevée qu'en 1926. En 1943, une bombe des Alliés endommagea ses magnifiques décorations qui firent l'objet d'une restauration méticuleuse, achevée seulement en 1998.

Au nord-ouest du centre
GALLERIA COMUNALE D'ARTE
Si l'art moderne sarde vous intéresse, ne manquez pas la **Galleria Comunale d'Arte** (carte p. 62 ; ☎070 49 07 27 ; Viale San Vincenzo ; tarif plein/étudiant/enfant 0-6 ans 6/2,60 €/gratuit ; ☼ 9h-13h et 17h-20h mer-lun avr-oct, 9h-13h et 15h30-19h30 nov-mars) et sa très belle collection d'œuvres d'artistes locaux. Les *Contrasti* (Contrastes) de Tarquinio Sinni (1891-1943), œuvres humoristiques montrant des jeunes filles sardes très sophistiquées à côté de gens du peuple, traduisent les tensions entre la société traditionnelle et les mœurs nouvelles qui déferlent sur l'île au début du XXᵉ siècle. L'œuvre de Giuseppe Biasi (1885-1945) présente aussi un grand intérêt : il décrit la vie sarde dans un style associant le large trait de Gauguin à l'atmosphère délicate de Degas.

La galerie, située dans un grand bâtiment néoclassique au nord du Castello, possède également une excellente collection d'œuvres contemporaines, ainsi que la Collezione Ingrao riche de quelque 650 pièces d'art italien du milieu du XIXᵉ siècle à la fin du XXᵉ siècle. Des expositions temporaires sont fréquemment organisées pour présenter des artistes contemporains.

À l'extérieur de la galerie, le **Giardino da Leggere** (Jardin de lecture ; ☼ 9h30-16h lun-sam, jusqu'à 13h dim) est un jardin reposant, parfait pour se détendre.

CASTELLO DI SAN MICHELE
Forteresse espagnole à trois tours, le **Castello di San Michele** (3-10 € ; ☼ 10h-13h et 17h-19h mar-dim d'avr à oct, 10h-13h et 15h-18h mar-dim de nov à mars) culmine, telle la statue du commandeur, au nord-ouest du centre-ville. Édifié au Xᵉ siècle pour protéger Santa Igia, capitale du *Giudicato* de Cagliari, le Castello est plus connu pour avoir été la résidence de luxe de la famille Carroz au XIVᵉ siècle. Ce château fait désormais office de centre d'exposition et de conférence. Le prix d'entrée varie selon la programmation. Les environs verdoyants sont l'occasion d'une escapade paisible à l'écart de la ville.

On s'y rend par le bus n°5 qui s'arrête au pied de la colline sur la Via Bacu Abis. Une rue pavée conduit au château, 800 m plus loin. Aux heures d'ouverture du musée, une navette achemine les visiteurs du parking au château, tous les quarts d'heure.

Poetto et la Sella del Diavola
À quelques minutes du centre-ville en bus, **Poetto**, la splendide plage de Cagliari, est

l'une des plus longues d'Italie. Derrière le Promontorio di Sant'Elia, les 6 km de plage font partie intégrante de la vie de la ville, notamment en été, lorsque la jeunesse de Cagliari vient passer la journée les pieds dans l'eau et la nuit sur les pistes de danse. Forains, restaurants, bars et discothèques ponctuent la plage. Beaucoup se doublent de *stabilimenti balneari* (plages privées) qui louent des parasols et des chaises longues et mettent à disposition des douches et des cabines. Les prix commencent à 15 € pour un parasol et deux transats.

L'extrémité sud de la plage, la plus prisée, abrite la pittoresque **Marina Piccola**, avec son port de plaisance et une aire de cinéma de plein air (juillet et août uniquement). Surplombant la marina, le Promontorio di Sant'Elia est plus connu sous le nom de **Sella del Diavolo** ("Selle du diable"). Une légende locale veut que le site ait été la scène d'une bataille épique entre Lucifer et l'archange Michel. Satan fut projeté de son cheval : sa selle tomba à la mer et fut pétrifiée sur ce qui devint le promontoire. Si celui-ci est aujourd'hui sous contrôle militaire et en grande partie fermé au public, il reste possible d'y faire quelques belles promenades.

Pour rejoindre la plage de Poetto, vous pouvez prendre les bus PF, PN ou PQ depuis Piazza Matteotti.

À FAIRE

Les sports aquatiques occupent une grand place à Poetto, où les plagistes louent des canoës. Installé à la Marina Piccola, le **Windsurfing Club Cagliari** (☎ 070 37 26 94 ; Viale Marina Piccola ; www.windsurfingclubcagliari.it) propose divers cours. Une session pour débutant (6 cours de 1 heure) revient à 150 €, mais comptez 200 € pour des leçons de freestyle.

Le **Golfo di Cagliari** se prête idéalement à la plongée car il est jonché d'épaves datant de la Seconde Guerre mondiale. **Morgan Diving** (☎ 070 80 50 59 ; www.morgandiving.com) organise des sorties dans la plupart des sites (de 35 € à 80 €) et peut vous emmener dans la réserve sous-marine de Villasimius (p. 77). Vous le trouverez sur la Marina Capitana, à 14 km à l'est de Cagliari, mais vous pouvez aussi réserver par téléphone.

EXCURSIONS

Mariposas (☎ 333 590 90 24 ; www.mariposas.it) organise toutes sortes d'excursions qui vont de la visite archéologique aux séances de shopping ou de dégustation gastronomique. L'agence se charge également d'expéditions vers Nora, de plongée à Villasimius ou de journées dans les mines de l'Iglesiente.

CTM Open (☎ 348 090 92 40 ; adulte/enfant 4-12 ans/ enfant 0-4 ans 10/5 €/gratuit) gère le bus touristique de Cagliari. Le départ se fait Piazza Yenne toutes les 30 minutes entre 10h et 13h puis entre 16h et 19h30 en été, et une fois par heure en avril, mai, juin et fin septembre. Commentaires en anglais et billets (à acheter à bord) valables toute la journée.

FÊTES

L'événement majeur de Cagliari est la **Festa di Sant'Efisio**, du 1er au 4 mai. Le premier jour, les habitants de Cagliari affluent dans les rues pour saluer l'effigie du saint patron de la ville, saint Éphise, promenée dans un char tiré par des bœufs. Tandis que la procession en costumes se disperse, une escorte de fidèles suit la statue pendant 40 km, jusqu'à Nora. Autour de la Piazza Matteotti et le long du Largo Carlo Felice, des tribunes sont dressées pour l'occasion. Vous pouvez acheter des places (de 5 à 15 €) aux **guichets** (p. 74).

Le **Carnevale**, en février, est très animé. La **Semaine sainte**, avec son défilé costumé entre la Chiesa di Sant'Efisio et la cathédrale au sommet du Castello, est un moment fort.

OÙ SE LOGER

Pour une capitale régionale et un port animé, les hébergements de Cagliari sont décevants. La majorité des hôtels centraux sont implantés dans le quartier de la Marina ou près du Largo Carlo Felice. Si vous n'êtes pas convaincus par les hôtels, essayez une chambre d'hôte, de plus en plus nombreuses et d'un excellent rapport qualité/prix. L'association **Domus Karalitanae** (www.domuskaralitanae.it) recense de nombreux B&B sur son site.

Petits budgets

Albergo La Perla (carte p. 70 ; ☎ 070 66 94 46 ; laperla1@ virgilio.it ; Via Sardegna 18 ; s 40-45 €, d 50-55 €, tr 75-81 € ; ⊠). Récemment rénové, ce modeste hôtel 1 étoile offre des chambres simples et aérées au cœur de la Marina. La réception se trouve dans la cuisine du propriétaire, au premier étage, mais il faudra hisser vos sacs jusqu'au 2e ou 3e étage pour accéder aux chambres propres, toutes équipées de clim, TV sat et sdb. Aucune carte de crédit n'est acceptée.

CENTRE DE CAGLIARI

0 ⸻ 200 m

Albergo Aurora (carte p. 70 ; ☎ 070 65 86 25 ; www.hotelcagliariaurora.it ; Salita Santa Chiara 19 ; s 32-37 €, d 48-55 € avec sdb s 41-46 €, d 60-68 € ; ✖). Petit hôtel accueillant tout proche de la Piazza Yenne. Quoique vétustes, les chambres sont claires, spacieuses et bon marché. Les bars voisins sont toutefois très bruyants. Supplément de 8 € pour la clim.

La Terrazza sul Porto (carte p. 70 ; ☎ 070 65 89 97 ; www.laterrazzasulporto.com ; Largo Carlo Felice 36 ; 25-35 €/pers ; ✖ ▢). Près du port, un B&B excentrique et gay-friendly. Franco, le propriétaire, a divisé son immense appartement du dernier étage en trois chambres d'hôte très accueillantes, avec cuisine équipée et toit-terrasse baigné de soleil. La déco est joyeusement décalée et l'immense salle de bain commune est dotée d'un chandelier et d'un petit lavabo de designer. Le plus : le petit-déjeuner est servi à toute heure.

B&B La Marina (carte p. 70 ; ☎ 070 67 00 65 ; www.la-marina.it ; Via Porcile 23 ; s 40 €, d 70-75 € ; ✖). Bon B&B, bien entretenu, dans l'agréable quartier de la Marina. Les quatre chambres, avec poutres apparentes, sont impeccables. Salles communes pour le petit-déjeuner munies de frigos à usage des clients.

Sardinia Domus (carte p. 70 ; ☎ 070 65 97 83 ; www.sardiniadomus.it ; Largo Carlo Felice 26 ; s 45-55 €, d 70-85 €, tr 108-120 €, qua 130-144 € ; ✖ ▢). Dans un grand *palazzo* du Largo Carlo Felice, ce B&B parfaitement tenu compte six chambres accueillantes meublées façon Art nouveau. Le bruit est assez dérangeant. Les mêmes gérants possèdent six chambres supplémentaires au Cagliari Domus, un autre B&B situé au même étage.

Hotel A&R Bundes Jack (carte p. 70 ; ☎/fax 070 66 79 70 ; www.hotelbjvittoria.it ; Via Roma 75 ; s 48-58 €, d 76-88 € ; 🐾). Une pension familiale à l'ancienne et le meilleur choix bon marché en bord de mer. Belle hauteur sous plafond dans les chambres spacieuses, décorées de meubles familiaux robustes et de chandeliers en verre de Murano. Aucune carte de crédit n'est acceptée.

Catégorie moyenne

Hotel Quattro Mori (carte p. 70 ; ☎ 070 66 85 35 ; www.hotel4mori.it ; Via Angioi 27 ; s/d 75/85 € ; P 🐾). Cet hôtel 3 étoiles donne une bonne première impression, qui s'arrête toutefois à l'entrée : les couloirs d'hôpitaux et les chambres ternes déçoivent. En revanche, le parking coûte 8 € seulement, bien moins que sur n'importe quelle place de stationnement public.

Old Caralis B&B (carte p. 70 ; ☎ 349 29 12 853 ; www.oldcaralis.it ; Via Porcile 11 ; s 40-70 €, d 60-90 € ; 🐾 💻). Chambre d'hôte cosy à quelques minutes à pied du port et de la gare. Dans un immeuble du XIXᵉ siècle, elle propose deux chambres joliment décorées avec des lits confortables.

Affitacamere Arcobaleno (carte p. 70 ; ☎ 070 684 83 25 ; Via Sardegna 38 ; s 60-70 €, d 80-90 € ; 🐾). Dans une rue animée où s'alignent trattorie et restaurants, cette pension toute simple

offre un bon rapport qualité/prix. Personnel agréable et Wi-Fi disponible.

Residenza Kastrum (carte p. 70 ; ☎ 349 522 03 15 ; www.karel-bedandbreakfast.it ; Via Canelles 78 ; s/d/tr 70/90/100 €, suite 90-130 € ; 🐾). Ce B&B raffiné situé dans le haut du Castello jouit d'une vue splendide. Les quatre chambres et la suite de deux pièces ont été restaurées avec goût. Une belle montée vous attend depuis la mer, mais avec les bars et cafés à proximité, vous n'aurez pas à aller bien loin pour vous amuser.

Hotel Calamosca (☎ 070 37 16 28 ; Viale Calamosca 50 ; s 54-60 €, d 84-95 €, tr 101-111 € ; P 🐾). À quelque 2 km du centre-ville, en surplomb d'une petite baie, voici le seul hôtel de Cagliari donnant sur la mer. Les chambres sont lumineuses et vastes, et pour 10 € de plus, vous aurez vue sur la mer ; sinon, montez sur la terrasse panoramique pour en profiter. Prenez le bus PF ou PQ de Piazza Matteotti jusqu'au stade de football, puis le bus n°11.

Catégorie supérieure

Hotel Regina Margherita (carte p. 70 ; ☎ 070 67 03 42 ; www.hotelreginamargherita.com ; Viale Regina Margherita 44 ; s 135-148 €, d 180-370 € ; P 🐾 💻). Vu de l'extérieur, rien ne laisse présager qu'il s'agit d'un des hôtels les plus chics de la ville. Le service est courtois et efficace, et les chambres disposent de tout le confort moderne.

T Hotel (carte p. 62 ; ☎ 070 474 00 ; www.thotel.it ; Via dei Giudicati ; ch 99-410 € ; 🛜). Touche de modernité au cœur de Cagliari, le T a pris ses quartiers dans une tour de verre et d'acier impossible à manquer. Le grand hall d'entrée rappelle un aéroport et dispose d'un bar, de fauteuils en cuir et d'une fontaine. Les chambres au look dépouillé et contemporain sont pourvues de meubles modernes, de salle de bain en mosaïque et de tout le confort moderne.

OÙ SE RESTAURER

Les habitants de la ville aiment aller au restaurant : c'est pourquoi on trouve tant d'excellentes adresses, du simple kebab à emporter au restaurant de luxe, en passant par les trattorie de quartier. Il est toujours plus prudent de réserver. Le service commence à s'animer vers 21h30 et, l'été, il peut durer jusque très tard.

La plupart des restaurants ferment au moins une partie du mois d'août.

Restaurants
MARINA

Les rues étroites de la Marina débordent de restaurants, trattorie, bar et snacks. Certaines adresses sont clairement touristiques, mais beaucoup sont restées authentiques, et les habitants ne s'y trompent pas.

Trattoria Gennargentu (carte p. 70 ; ☎ 070 67 20 21 ; Via Sardegna 60 ; repas 20 € environ). Cette trattoria simple sert d'excellents plats et se remplit rapidement. Grand choix de pâtes et de viandes, et les fruits de mer sont vraiment délicieux. Essayez le *tonno alla carlofortina*, du thon froid dans une sauce tomate aux oignons.

Il Buongustaio (carte p. 70 ; ☎ 070 66 81 24 ; Via Concezione 7 ; repas 25 € environ ; 🕐 fermé lundi soir, mardi et en août). Non seulement cette trattoria courue sert de délicieux fruits de mer et d'excellents plats de viande, mais elle est également bon marché. Le menu change selon la saison, mais certains plats restent toujours à la carte, comme les *spaghetti alla bottarga* (aux œufs de mulet).

Da Lillicu (carte p. 70 ; ☎ 070 65 29 70 ; Via Sardegna 78 ; repas 28 € environ ; 🕐 lun-sam, fermé fin août). L'une des adresses les plus célèbres de Cagliari affiche presque toujours complet. Si vous obtenez une table, vous aurez l'occasion de goûter aux spécialités de la mer les plus traditionnelles de l'île, comme la *burrida* (du loup de mer mariné au vinaigre de vin blanc servi avec des noix).

Ristorante Italia (carte p. 70 ; ☎ 070 65 79 87 ; Via Sardegna 30 ; repas 30 € environ ; 🕐 lun-ven et sam soir, fermé mi-août). L'adresse est appréciée des habitants. Certes, pas pour son décor vieillot, mais pour ses plats de la mer simples et bien préparés, comme le *fritto misto del golfo* (poisson du golfe de Cagliari frit).

Antica Hostaria (carte p. 70 ; ☎ 070 66 58 60 ; Via Cavour 60 ; repas 40 € environ ; 🕐 lun-sam, fermé en août). Fréquenté par la bourgeoisie locale, ce restaurant accueillant prépare des plats italiens classiques dans une ambiance chaleureuse et cosy. Plats traditionnels de viandes et poissons. Prenez des *pennette con tonno fresco e gamberi* (pâtes au thon frais et aux crevettes) suivies d'un succulent steak.

Dal Corsaro (carte p. 70 ; ☎ 070 66 43 18 ; Viale Regina Margherita 28 ; menus 50-55 € ; 🕐 lun-sam, fermé en août). Une véritable institution, où d'élégants couples viennent savourer de succulents plats autour de tables parfaitement dressées. Les ingrédients sardes sont mis en valeur dans des recettes créatives telles que la *raviola di cipolla e pecorino semi stagionato* (ravioli aux oignons et au parmesan semi-affiné).

STAMPACE

Au départ de la Piazza Yenne, le Corso Vittorio Emanuele est ponctué de bars et de restaurants étonnamment animés en hiver. De bons restaurants sont aussi cachés dans les dédales de rues adjacentes.

❂ Monica e Ahmed (carte p. 70 ; ☎ 070 640 20 45 ; Corso Vittorio Emanuele 119 ; repas 25 € environ ; 🕐 fermé dim soir). Une adresse de choix pour déguster des fruits de mer à prix abordable. Laissez-vous séduire par un *antipasto* (hors-d'œuvre) de seiche, *ricci* (oursins), moules et homard vinaigrette, et continuez avec les *spaghetti ai frutti di mare* (aux moules, palourdes et chapelure). Si vous avez encore de la place, les langoustines grillées semblent excellentes.

❂ L'Osteria (carte p. 70 ; ☎ 070 311 01 68 ; Via Azuni 56 ; repas 27 € environ ; 🕐 fermé dim soir). Ambiance familiale, service sympathique et plats authentiques : cette petite trattoria a tout pour plaire. Les *fettucine con pesce spada, carciofo e menta* (pâtes à l'espadon, artichaut et menthe) sont succulentes. En dessert, la meringue avec crème et framboises est une douceur excellente et sans prétention.

Crackers (carte p. 70 ; ☎ 070 65 39 12 ; Corso Vittorio Emanuele 193 ; repas 30 € environ ; 🕐 jeu-mar, fermé fin août). Petit coin de Piémont en Sardaigne, le

Crackers est spécialisé dans les plats typiques du Nord de l'Italie, comme le *brasato al Barolo* (ragoût au vin de Barolo) et des viandes cuites à l'eau et servies avec de la moutarde. Grand choix de risottos, quelques excellents *antipasti* aux légumes et une longue carte des vins.

Ristorante Quattro Mori (carte p. 70 ; ☎ 070 65 02 69 ; Via Angioi 93 ; repas 35 € environ ; ☺ mar-sam, fermé fin août). Ce restaurant typiquement sarde est l'un des bastions culinaires de la ville. Il est souvent rempli de clients se régalant des antipasti abondants et des fruits de mer aussi frais que possible. Réservation indispensable.

La Vecchia Trattoria (carte p. 70 ; ☎ 070 65 25 15 ; Via Azuni 55 ; repas 40 € environ ; ☺ déj tlj sauf lun). Bien situé, ce restaurant à la déco quelconque propose une cuisine typique de Cagliari et combine les saveurs de *terra e mare* (terre et mer). Prenez une table à l'intérieur ou préférez la terrasse.

HORS DU CENTRE

🔵 **Il Fantasma** (carte p. 62 ; ☎ 070 65 67 49 ; Via San Domenico 94 ; pizzas 6,50 € ; ☺ lun-sam). À l'écart des sentiers battus, cette pizzeria animée prépare les meilleures pizzas de Cagliari. Les serveurs souriants naviguent adroitement parmi la foule en portant de grandes pizzas tout droit sorties du four à bois. Pensez à réserver pour éviter d'attendre.

Ristorante Royal (carte p. 62 ; ☎ 070 34 13 13 ; Via Bottego 24 ; repas 30 € environ ; ☺ fermé dim à partir de 12h et lun). Dans une petite rue résidentielle à l'est du centre, ce restaurant toscan est le lieu de rendez-vous des habitants en quête d'un steak florentin ou d'une tranche de viande juteuse. Peu de poisson, mais un grand choix de *contorni* (accompagnements de légumes) et quelques excellents desserts.

POETTO

La plage de Cagliari est bordée de *chioschi* (kiosques) accueillant buvettes, snack-bars et restaurants. De novembre à mars (la saison des mollusques), des cabanons installés le long de la route servent à longueur de journée des oursins ou des moules. L'addition est calculée en fonction du nombre de coquilles qui jonchent votre table.

Spinnaker (☎ 070 37 02 95 ; Via Marina Piccola ; repas 45 € environ ; ☺ tlj sauf lun mai-sept). Situé dans la Marina Piccola, c'est la résidence d'été du très chic Dal Corsaro. Son emplacement sur la côte explique qu'on y trouve tant de produits de la mer de qualité, bien que des pizzas soient aussi servies en bas.

Faire son marché

Pour vous régaler d'un repas sur le pouce, entrez dans une *salumeria* (traiteur) du quartier de la Marina et demandez un morceau de *pecorino sardo* et une tranche ou deux de jambon fumé dans un *panino* sorti du four. **I Sapori dell'Isola** (carte p. 70 ; ☎ 070 65 23 62 ; Via Sardegna 50) est une bonne adresse pour commencer. Sinon, essayez **Disizos** (carte p. 70 ; Via Napoli 72), qui prépare des pâtes maison et d'excellentes *seadas* (pâtisseries).

Le **Mercato di San Benedetto** (carte p. 62 ; Via San Francesco Cocco Ortu ; ☺ lun-sam matin), marché alimentaire historique de Cagliari, vend toutes sortes d'aliments succulents.

Les amateurs de glaces s'empresseront de s'ajouter à la longue file de gourmands devant l'**Isola del Gelato** (carte p. 70 ; ☎ 070 65 98 24 ; Piazza Yenne 35 ; ☺ 9h-2h tlj sauf lun). Ce glacier très couru propose un incroyable choix de glaces traditionnelles, allégées, au soja, au yaourt et du *semi-freddo* (sorte de mousse à moitié glacée).

OÙ PRENDRE UN VERRE

Le centre-ville compte de très bons cafés, notamment en front de mer ou au Castello. Du bistrot classique en bois et laiton aux bars contemporains, tous s'animent à l'heure du déjeuner – on y sert des repas légers et des en-cas – puis en début de soirée.

Les bars se concentrent autour de la Piazza Yenne et du Corso Vittorio Emanuele. En été, tout se passe à Poetto.

Centre-ville

Antico Caffè (carte p. 70 ; ☎ 070 65 82 06 ; www.antico-caffe1855.it ; Piazza Costituzione ; pâtes 10 € ; ☺ 7h-2h). Le plus ancien café de Cagliari se trouve sur un carrefour. Cela n'empêche pas les Sardes d'y manger une salade ou une assiette de pâtes, ou de simplement bavarder autour d'un café. Installez-vous à l'intérieur, décoré de bois et de laiton, ou en terrasse.

Caffè Svizzero (carte p. 70 ; ☎ 070 65 37 84 ; Largo Carlo Felice 6 ; ☺ tlj sauf lun). Au bout du Largo Carlo Felice, cet établissement de style Art nouveau est une institution de Cagliari depuis le début du XXe siècle. On y sert de tout, du thé aux cocktails, sous des fresques peintes à l'intérieur.

Caffè Librarium Nostrum (carte p. 70 ; ☎ 070 65 09 43 ; Via Santa Croce 33 ; ☺ 7h30-2h tlj sauf lun). Ce bar moderne de Castello possède une terrasse avec vue panoramiques depuis les remparts

L'ALLIGATOR

La vie de Massimo Carlotto se lit comme un roman policier. Et pour cause, il s'en est inspiré pour écrire l'un de ses livres.

En 1976, à 19 ans, pendant "les années de plomb", ce militant du mouvement d'extrême gauche Lotta Continua fut témoin du meurtre de Margherita Magello, une étudiante de 25 ans poignardée à 59 reprises. Les événements qui s'ensuivirent ont été relatés dans le roman *Il Fuggiasco* (*En fuite*, Lignes noires, 2000). Couvert du sang de la jeune fille, car il avait tenté de la ranimer, il courut dénoncer le meurtre à la police, qui l'accusa. Condamné à 18 ans de prison, il suivit les conseils de son avocat et s'enfuit en France, puis au Mexique, recueilli par des activistes politiques pendant six ans ; mais il fut trahi et extradé en Italie où il fut emprisonné. En 1993, à la suite d'une campagne internationale, le président italien le gracia.

En prison, Massimo Carlotto puisa le matériau de ses futurs polars. Sa série la plus connue, "L'Alligator", s'inspire toujours de faits réels. Le protagoniste ressemble étrangement à Carlotto. Il conduit l'ancienne Skoda de ce dernier et tous deux ont le même cocktail favori – sept mesures de Calvados et trois de Drambuie, glace pilée et tranche de pomme – mis au point par un barman de Cagliari (voir Caffè Librarium Nostrum, page précédente), où vit maintenant Carlotto. La réputation du cocktail a depuis atteint les bars de Rome, Milan et Naples. On dit que personne ne peut en boire plus de quatre.

Les romans de Carlotto sont traduits en français et publiés notamment par Gallimard et les éditions Anne-Marie Métailié.

de la cité médiévale. Essayez l'Alligator, un cocktail créé en l'honneur du héros de Massimo Carlotto (voir l'encadré ci-dessus). Concerts occasionnels.

Caffè degli Spiriti (carte p. 70 ; Bastione San Remy ; grillades 17 €, pizzas 6,50 € ; ⏰ 9h-2h). Installez-vous dans un hamac et profitez de l'ambiance de ce lounge-bar du Bastione San Remy. Dedans, tout est noir et brique ; dehors, les clients s'installent dans des poufs en cuir pour boire leur cocktail accompagné d'une tranche de pizza à l'ombre de l'auvent.

Il Merlo Parlante (carte p. 70 ; ☎ 070 65 39 81 ; Via Porto Scalas 69 ; ⏰ 19h-3h tlj sauf lun). Coincé dans une étroite ruelle vers le Corso Vittorio Emanuele, cet établissement est ce qui ressemble le plus à un pub étudiant à Cagliari, avec bière pression, rock et une clientèle jeune et internationale.

Poetto

Emerson (☎ 070 37 51 94 ; Viale Poetto ; ⏰ 9h-18h hiver, 8h-2h été). Proche du 4ᵉ arrêt de bus, cet établissement est l'un des plus appréciés des kiosques du front de mer. À la fois lounge-bar et restaurant, il propose des pâtes, des aperitivi, de la musique live et même des transats.

Café Oasi (☎ 070 338 08 48 ; Viale Poetto, 4ᵉ arrêt ; ⏰ 9h-23h lun-ven, jusqu'à 2h sam et dim). Installé dans un canapé, avec une boisson fraîche et la brise marine dans les cheveux, vous tenez la promesse d'une soirée réussie. Lui aussi

près du 4ᵉ arrêt, ce café chic sert également à déjeuner et à dîner (35 € environ).

OÙ SORTIR

Pour savoir ce qu'il se passe en ville, renseignez-vous à l'office du tourisme ou procurez-vous *L'Unione Sarda* du jour. Sur Internet, les évènements sont signalés sur www.sardegnaconcerti.com et www.boxofficesardegna.it, tous deux en italien. Les billets s'achètent auprès de la **billetterie** (carte p. 70 ; ☎ 070 65 74 28 ; www.boxofficesardegna.it ; Viale Regina Margherita 43 ; ⏰ 10h-13h lun-sam, et 17h-20h lun-ven).

Concerts

Les grands concerts de Cagliari ont lieu en été. Parmi les scènes mythiques, l'**Anfiteatro Romano** (p. 66) accueille des spectacles de comédie et de danse ainsi que des concerts. Les billets varient entre 10 € et 70 € à la billetterie (ci-dessus).

La **Fiera Campionaria** (Viale Diaz 221), lieu d'exposition à l'est de la ville, accueille en plein air les grands concerts de rock internationaux ou italiens. Les places commencent généralement à 20 €.

Théâtre, musique classique et danse

Le spectacle vivant est dynamique à Cagliari, notamment la musique classique, la danse, l'opéra et le théâtre. La saison s'étend d'octobre à mai, mais certains lieux proposent une programmation estivale.

Teatro Lirico (Teatro Comunale ; carte p. 62 ; ☎ 070 408 22 30 ; www.teatroliricodicagliari.it ; Via Sant'Alenixedda ; 🕙 billetterie 8h-14h mar-sam et 18h-20h mar-ven). La saison des concerts classiques à l'opéra s'étend d'octobre à mai. Des opéras et des ballets sont proposés entre avril et décembre. La programmation est traditionnelle mais toujours de qualité, et les concerts rencontrent un franc succès.

Teatro Alfieri (carte p. 62 ; ☎ 070 30 22 99 ; Via della Pineta 29). C'est ici que se jouent les principales pièces de théâtre : vous pourrez y voir des tragédies grecques ou les dernières compositions contemporaines, interprétées en italien uniquement. Billets entre 10 et 20 €.

Exmà (carte p. 62 ; ☎ 070 66 63 99 ; Via San Lucifero 71). Toute l'année, de petits concerts, principalement de jazz ou de musique de chambre, sont organisés dans ce centre culturel. En hiver, les spectacles ont lieu dans la salle de conférence aux poutres apparentes, et en été, dans le jardin.

ACHATS

Les opportunités de shopping à Cagliari sont assez restreintes. Il n'existe que peu de magasins de souvenirs touristiques, et les enseignes de marques sont bien moins nombreuses que dans d'autres villes italiennes comparables. Vous trouverez quelques boutiques d'artisans cachées dans les ruelles de la ville, en particulier dans le quartier de la Marina.

Durke (carte p. 70 ; ☎ 070 66 67 82 ; www.durke.com ; Via Napoli 66). Véritable caverne d'Ali Baba dédiée aux friandises et douceurs sardes, le Durke est l'adresse idéale pour un cadeau de dernière minute. Les pâtisseries sont préparées selon des recettes ancestrales très particulières et ne contiennent aucun conservateur ni additif artificiel. Les meilleures friandises ne contiennent d'ailleurs rien de plus que du sucre, des œufs et des amandes.

Sapori di Sardegna (carte p. 70 ; ☎ 070 684 87 47 ; Vico dei Mille 1). Faites le plein de fromage, vin et *dolci* (douceurs) chez ce grand magasin près de la mer. Si vous n'avez plus de place dans votre valise, vos achats peuvent être expédiés n'importe où dans le monde.

Antica Enoteca Cagliaritana (carte p. 70 ; ☎ 070 66 93 86 ; Scalette Santa Chiara 21). Les amateurs de vin seront ravis d'explorer les rayons de cette cave à vin proche de la Piazza Yenne. Outre les crus sardes et italiens, vous trouverez des crus d'Australie, du Chili et d'Argentine. Vos achats peuvent être expédiés partout dans le monde, sauf aux États-Unis (en raison de problèmes de douane, visiblement).

Loredana Mandas (carte p. 70 ; ☎ 070 66 76 48 ; Via Sicilia 31). Vous trouverez forcément quelque chose d'original chez ce bijoutier artisanal, notamment les filigranes d'or qui ont fait les grandes heures de la Sardaigne. Une paire de boucle d'oreille vous coûtera de 160 € à 1 000 €.

Si vous aimez les marchés, vous aimerez les dimanches à Cagliari. Le premier dimanche de chaque mois est consacré aux antiquités et aux collectionneurs sur la **Piazza del Carmine** (carte p. 70). La semaine suivante, les antiquaires se retrouvent en haut de la colline, sur **Piazza Carlo Alberto** (carte p. 70), où ils reviennent le dernier dimanche du mois. À Castello, un marché aux puces occupe le **Bastione San Remy** (carte p. 70) tous les dimanches matins, sauf en août.

DEPUIS/VERS CAGLIARI
Avion

L'**aéroport** Elmas (CAG ; ☎ 070 211 211 ; www.sogaer. it) de Cagliari est à 6 km au nord-ouest du centre-ville. Des vols relient Cagliari à toutes les grandes villes italiennes : Rome, Milan, Bergame, Bologne, Florence, Naples, Turin et Venise, ainsi que Palerme en Sicile. Le reste de l'Europe est également desservi : Barcelone, Bruxelles, Londres, Paris et Stuttgart. En été, des vols charters sont programmés.

Les compagnies principales qui desservent l'aéroport Elmas sont :

Air One (AP ; ☎ 199 207 080 ; www.flyairone.it)

Alitalia (AZ ; ☎ 06 22 22 ; www.alitalia.it)

British Airways (BA ; ☎ 199 712 266 ; www.britishairways.com)

easyJet (U2 ; ☎ 899 234 589 ; www.easyjet.com)

Lufthansa (LH ; ☎ 199 400 044 ; www.lufthansa.com)

Meridiana (IG ; ☎ 89 29 28 ; www.meridiana.it)

Ryanair (FR ; ☎ 899 678 910 ; www.ryanair.com)

Bateau

Le terminal des ferries se trouve à proximité de Via Roma. **Tirrenia** (carte p. 70 ; ☎ 892 123 ; www.tirrenia. it ; Via Riva di Ponente 1 ; 🕙 8h30-12h20 et 15h30-18h50 lun-sam), la compagnie la plus importante, dessert toute l'année Civitavecchia (48 €, 16 heures 30) et Naples (45 €, 16 heures 15) sur le continent, Palerme (50 €, 14 heures 30) et Trapani (50 €, 11 heures) en Sicile. Réservations au port ou dans les agences de voyages.

Voir p. 243 pour plus de détails.

LE TRENINO VERDE

Si vous n'êtes pas pressé, le meilleur moyen d'explorer les terres sardes est de monter à bord du **trenino verde** (www.treninoverde.com), géré par les Ferrovie della Sardegna (FdS) et qui circule de mi-juin à début septembre. Ce petit train au diesel, qui progresse à faible allure sur d'étroits rails, traverse quelques-uns des lieux les moins hospitaliers de l'île en s'arrêtant dans les petits villages. Il existe quatre lignes touristiques : de Mandas à Arbatax, d'Isili à Sorgono, de Macomer à Bosa et de Nulvi à Palau. D'autres lignes font office de transports en commun, comme la liaison métro Cagliari-Mandas-Isili.

Des quatre itinéraires touristiques, la route sinueuse entre Mandas et Arbatax est la plus spectaculaire : elle traverse notamment le Parco Nazionale del Golfo di Orosei e del Gennargentu.

Depuis la station Piazza Repubblica à Cagliari, un métro roule jusqu'à Monserrato, où vous pourrez embarquer sur un train vers Mandas. De Mandas, il y a deux départs par jour pour Arbatax, sur la côte est.

Bus

Depuis la gare routière de Piazza Matteotti, **ARST** (Azienda Regionale Sarda Trasporti ; carte p. 70 ; ☎ 800 865 042 ; www.arst.sardegna.it) assure des services de bus pour Pula (2,50 €, 50 minutes, toutes les heures) et Villasimius (3 €, 1 heure 30, 6/j du lundi au samedi, 2/j le dimanche), ainsi qu'Oristano (6,50 €, 1 heure 35, 2/j) et Nuoro (14,50 €, 2 heures 30 à 5 heures, 2/j). Les billets s'achètent à l'intérieur du McDonald's, sur la place.

FMS (☎ 800 04 45 53 ; www.ferroviemeridionalisarde.it) assure des liaisons avec Iglesias (4 €, 1 heure à 1 heure 30, 7/j), Carbonia (5,50 €, 1 heure 30, 7/j), Portovesme (5,50 €, 2 heures, 1/j) et la région de Sulcis. Les bus partent de la Piazza Matteotti. Les billets s'achètent au café à l'intérieur de la gare.

Les bus **FdS** (Ferrovie della Sardegna ; ☎ 070 34 31 12 ; www.ferroviesardegna.it) partent également de Piazza Matteotti en direction de Sassari (17 €, 3 heures 15, 3/j) ; les billets sont disponibles à l'arrêt de bus. **Turmo Travel** (☎ 0789 214 87 ; www.gruppoturmotravel.com) part une fois par jour pour Olbia (18 €, 4 heures 15), et les billets s'achètent dans le McDonald's.

Voiture et moto

La voie rapide SS131 Carlo Felice relie la capitale à Porto Torres via Oristano et Sassari. La SS130, va jusqu'à Iglesias, à l'est.

Les routes du littoral qui vont vers l'est et l'ouest sont saturées à la haute saison.

Train

Vous trouverez la gare principale **Trenitalia** (carte p. 70 ; www.trenitalia.it) sur la Piazza Matteotti. Les trains desservent Iglesias (3,30 €, 1 heure,

8/j) et Carbonia (3,75 €, 1 heure, 6/j), Sassari (13,65 €, 4 heures, 5/j) et Porto Torres (14,60 €, 4 heures 30, 2/j) via Oristano (5,15 €, de 1 à 2 heures, toutes les heures). À partir de Chilivani, un embranchement conduit à Olbia (14,60 €, 4 heures 15, 4/j) et Golfo Aranci (15,80 €, 5 à 7 heures, 5/j) via Oristano ou Chilivani.

FdS (☎ 070 34 31 12 ; www.ferroviesardegna.it) gère le métro entre Piazza Repubblica et Monserrato, d'où vous pouvez prendre un train pour Dolianova, Mandas et Isili.

COMMENT CIRCULER

Le centre de Cagliari peut facilement se parcourir à pied. La montée jusqu'au Castello est ardue, mais un ascenseur se trouve aux pieds des Scalette di Santa Chiara, derrière la Piazza Yenne.

Depuis/vers l'aéroport

Les bus ARST circulent entre Piazza Matteotti et l'aéroport Elmas (2 €, 10 minutes, 32/j) de 5h20 à 22h30. Entre 9h et 22h30, des départs sont prévus toutes les heures à la demie.

Une course en taxi revient à 25 € environ. Pour se garer à l'aéroport, il faut payer 1 € pour 1 heure, 2,50 € pour 2 heures et 9 € ou 18 € par 24h selon le parking.

Bus

Les bus **CTM** (Consorzio Trasporti e Mobilità ; ☎ 070 209 12 10 ; www.ctmcagliari.it) desservent la ville et ses environs, si bien que vous pourrez les utiliser même pour visiter des lieux reculés. Les lignes qui vont à Cala Mosca et à la plage de Poetto sont très pratiques. Le ticket de 1 € reste valide pendant 90 minutes et un forfait journalier coûte 2,30 €.

Les lignes les plus pratiques sont :

Bus 7 Bus circulaire de Piazza Matteotti qui passe par Castello.

Bus 10 De Viale Trento à Piazza Garibaldi via Corso Vittorio Emanuele.

Bus 30 ou 31 Le long de la mer jusqu'au sanctuaire de Bonaria.

Bus PF, PN ou PQ De Piazza Matteotti à la plage de Poetto.

Taxi

Vous trouverez des stations sur la Piazza Matteotti, la Piazza della Repubblica et le Largo Carlo Felice. Vous pouvez aussi appeler les entreprises suivantes :

Quattro Mori (☎ 070 400 101 ; 🕑 24h/24)

Rossoblù (☎ 070 66 55 ; 🕑 5h30/2h30)

Taxiamico (☎ 070 826 060 ; 🕑 24h/24)

Voiture et moto

Dans le centre-ville, les parkings sont payants ; les parcmètres en zone bleue coûtent 1 € l'heure. Un grand parking se trouve à côté de la gare ferroviaire : il coûte 1 € par heure ou 10 € pour 24 heures, sans limitation de durée.

Conduire dans Cagliari n'est pas une sinécure, mais compte tenu du relief, la location d'un deux-roues pour un jour ou deux est une option à envisager. **CIA Rent a Car** (carte p. 70 ; ☎ 070 65 65 03 ; www.ciarent.it ; Via S Agostino 13 ; 🕑 8h30-13h et 15h30-20h ts les jours en été, lun-sam en hiver) loue des vélos, des scooters et des voitures pour 10/30/39 € par jour respectivement. Une agence **Hertz** (carte p. 70 ; ☎ 070 65 10 78 ; Piazza Matteotti 8 ; www.hertz.it ; 🕑 8h30-13h et 15h30-19h30) est installée sur la Piazza Matteotti et d'autres loueurs sont à l'aéroport.

LE SARRABUS

À l'est et au nord de Cagliari s'étend le Sarrabus, une des zones les moins peuplées et urbanisées de l'île. En son centre se dressent les sommets verdoyants du Monte dei Sette Fratelli, arrière-pays miraculeusement sauvage où les derniers cerfs de Sardaigne peuvent gambader en paix.

Le long du littoral, la SP7 joue les montagnes russes, offrant des points de vue spectaculaires sur une mer aux mille reflets et sur de jolies criques comme la Cala Regina, Kal'e Moru et Solanas. Quelques kilomètres avant Villasinius, une route vire au sud le

---

ESCAPADE À SERDIANA

À environ 20 km au nord de Cagliari, la ville agricole de **Serdiana** abrite l'un des producteurs de vin le plus connu et reconnu de toute la Sardaigne, la **Cantine Argiolas** (☎ 070 74 06 06 ; www.argiolas.it ; Via Roma 28-30 ; 🕑 visites 9h-13h et 15h-17h lun-ven). On peut visiter la cave en réservant par téléphone.

De Cagliari, prenez la SS554 vers le nord. Après environ 10 km, suivez la SS387 vers Dolianova. Encore 10 km plus loin, prenez l'intersection pour Serdiana.

---

long de la péninsule jusqu'à Capo Carbonara, le point le plus méridional de l'Est de la Sardaigne.

CAPO CARBONARA

Le bout du cap Carbonara est une zone militaire interdite aux visiteurs, mais les eaux alentour constituent une **réserve sous-marine** (www.ampcapocarbonara.it) accessible aux plongeurs accompagnés par une école agréée. La réserve inclut l'Isola dei Cavoli, la Secca dei Berni et l'Isola di Serpentara, juste au large de la côte de Villasimius. **Morgan Diving** (☎ 070 80 50 59 ; www.morgandiving.com), basé dans le Porto Turistico de la commune de Quartu Sant'Elena, est agréé pour organiser des sorties, de même qu'**Air Sub** (☎ 070 879 20 33 ; www.airsub.com ; Via Roma 121) à Villasimius. Ces deux organismes permettent de découvrir des sites locaux tels que la **Secca di Santa Caterina**, une étonnante montagne sous-marine. Comptez entre 35 € et 90 € pour une plongée, selon le lieu et la difficulté.

Du côté ouest de la péninsule, on découvre la nouvelle marina et les ruines d'une tour espagnole signalée comme la **Fortezza Vecchia**. Au sud de cette tour, vous trouverez quelques petites bandes de sable, ainsi que la plage principale : la **Spiaggia del Riso**. Sur la côte est, la lagune de **Stagno Notteri** s'étend jusqu'à Villasimius et accueille en hiver des flamants roses. Côté mer, la **Spiaggia del Simius** rappelle les eaux turquoise de la Polynésie.

VILLASIMIUS

3 300 habitants

Cet ancien petit village de pêcheurs est devenu l'une des stations balnéaires les plus prisées de Sardaigne. Il fait bon séjourner l'été dans cet endroit charmant qui, l'hiver, se vide presque entièrement.

À deux pas de la Piazza Gramsci, la place centrale, l'**office du tourisme** (☎ 070 793 02 71 ; www.villasimiusweb.com ; Piazza Giovanni XXIII ; ☻ 10h-13h et 15h30-18h30 lun et jeu, 10h-13h mar et mer, 10h-13h et 16h-19h ven) vous renseignera sur les sorties en ville.

On vient à Villasimius principalement pour flâner dans les boutiques de souvenirs et profiter de l'ambiance de vacances. La seule activité culturelle est le petit **Museo Archeologico** (Musée archéologique ; ☎ 070 793 02 90 ; Via Frau ; plein tarif/tarif réduit 3/1 € ; ☻ 10h-12h30 et 21h-minuit tlj sauf lun mi-juin à mi-sept, 10h-13h mar-jeu et 10h-13h/17h-19h ven-dim le reste de l'année) qui expose une collection d'objets archéologiques romains et phéniciens ainsi que différents objets provenant d'une épave espagnole du XVᵉ siècle.

Sur le Porto Turistico, à quelque 3 km du centre-ville, vous pourrez organiser une sortie en bateau (65 € par personne, déjeuner inclus), des plongées (à partir de 36 €) et des croisières (de 1 600 € à 5 000 € par semaine) avec **Harry Tours** (☎ 338 377 40 51 ; www.harrystours.com).

La **Festa della Madonna del Naufrago** se tient le deuxième dimanche de juillet. Une étonnante procession d'embarcations richement pavoisées s'éloigne de la côte pour rendre hommage aux marins naufragés juste au-dessus de l'endroit où repose, par le fond, une statue de la Vierge.

Où se loger

Spiaggia del Riso (☎ 070 79 10 52 ; www.villaggiospiaggiadelriso.it ; Località Campulongu ; adulte/enfant 8-16 €/5-9 € par jour, emplacement tente/caravane 4-6 €/16-38 € par jour, voiture 4 €/jour, bungalow 4 pers 60-150 €/jour ; ☻ mai-oct ; **P**). Dans une pinède près du Porto Turistico, ce grand camping en bord de plage propose des emplacements, des bungalows, un supermarché et une aire de jeu. En été, la réservation est impérative.

Albergo Stella d'Oro (☎ 070 79 12 55 ; fax 070 79 26 32 ; Via Vittorio Emanuele 25 ; s/d 50/105 €, demi-pension 82 €/pers ; **P** ✖). Cette pensione chaleureuse à l'atmosphère décontractée est l'une des rares adresses ouvertes toute l'année en ville. Si les chambres sont modestes, elle dispose d'un excellent restaurant de fruits de mer (entre 25 et 30 € pour un repas) et jouit d'un emplacement avantageux, à une petite cinquantaine de mètres de la Piazza Gramsci.

Stella Maris (☎ 070 79 71 00 ; www.stella-maris. com ; Località Campulongu ; demi-pension 155-255 €/pers ;

☻ mi-avr à nov ; **P** ✖ ✖). Sur la route du Porto Turistico, ce très bel ensemble hôtelier a pris ses quartiers au cœur d'une pinède, sur la plage. Les chambres chics sont décorées de tissus sardes et de meubles élégants, et le service est impeccable.

Où se restaurer

Ristorante La Lanterna (☎ 070 79 16 59 ; Via Roma 62 ; repas 30 € environ ; ☻ fermé lundi midi). Ce restaurant cordial sert surtout des produits de la mer. La spécialité de la maison est la *spigola alla vernaccia* (du bar au vin Vernaccia), mais le risotto aux fruits de mer est un classique incontournable. En été, il est possible de dîner dans le petit jardin.

Ristorante Carbonara (☎ 070 79 12 70 ; Via Umberto I 60 ; repas 30 € environ ; ☻ jeu-mar). Environ 150 m séparent l'office du tourisme de cet établissement apprécié de longue date. Des plats de viande figurent à la carte, mais ce sont les fruits de mer qui sont les plus savoureux, notamment dans les *spaghetti con aragosta* (au homard) et les *gamberoni grillés* (gambas).

Depuis/vers Villasimius

Tous les jours, 6 bus ARST (2 le dimanche) circulent entre Villasimius et Cagliari (3 €, 1 heure 30). Entre la mi-juin et la mi-septembre, il peut y avoir jusqu'à 7 bus.

Si vous préférez rouler en toute indépendance (idéal pour profiter des plages à l'écart de la ville), **Edilrent Simius** (☎ 070 792 80 37 ; Via Roma 77) loue vélos (de 6,50 € à 10 €/jour), scooters (30 à 55 €) et voitures (63 à 80 €).

COSTA REI

Le long du littoral sud-est de la Sardaigne, la Costa Rei est une longue suite de plages de sable fin et de grands ensembles hôteliers.

Depuis Villasimius, prenez la route SP17 qui longe la côte vers le nord. Elle s'enfonce à quelques centaines de mètres dans les terres, mais vous pouvez rejoindre les plages (indiquées par des panneaux) en suivant les chemins de terre depuis la route principale. Des eaux cristallines et quelques bars à cocktails vous y attendent.

À 25 km de Villasimius environ, vous atteindrez **Cala Sinzias**, une belle plage de sable bordée de deux terrains de camping. Six kilomètres plus loin, le Costa Rei est un village-vacances avec d'innombrables villas, magasins, bars, boîtes et restaurants plus ou moins quelconques. La **Spiaggia Costa Rei**, tout

---

UNE JOURNÉE AU VERT

À mille lieues de l'agitation urbaine de Cagliari, le **Monte dei Sette Fratelli** (1 023 m) est le point culminant de la région du Sarrabus, et l'un des trois derniers habitats du *cervo sardo* (cerf sarde). Accessible par la SS125, on peut y faire de splendides randonnées, qu'il s'agisse de promenades dans la forêt ou d'une longue ascension de 12 km jusqu'à la **Punta Sa Ceraxa** (1 016 m).

Procurez-vous des cartes auprès de la Caserma Forestale Campu Omu, la caserne des gardes forestiers près de l'embranchement de Burcei, sur la SS125. Sinon, contactez la **Coop Monte dei Sette Fratelli** (☎ 070 994 72 00 or 070 860 76 12; www.montesettefratelli.com, en italien ; via Centrale) à Castiadas, à quelques kilomètres de la Costa Rei sous les terres.

Depuis Burcei, une route tranquille grimpe sur 8 km jusqu'à la **Punta Serpeddi** (1 067 m), d'où vous pourrez contempler tout le Sarrabus jusqu'à Cagliari et la mer.

---

comme les plages environnantes au nord ou au sud, est une longue et superbe bande de sable baignée par une eau turquoise.

Dans le Costa Rei, **Butterfly Service** (☎ 070 99 10 91 ; Via Colombo ; www.butterflyservice.it ; ☺ 9h-13h et 16h-19h30 lun-sam, 10h-13h et 16h30-19h30 dim) est une agence qui propose un accès à Internet (8 €/heure), des locations de véhicules (vélo/scooter/voiture 15/35/75 €/jour) et des excursions sur la côte et dans le **Parco Sette Fratelli** (de 20 € à 90 €).

Plus au nord, la **Spiaggia Piscina Rei** offre le même sable et la même eau digne des Caraïbes, avec un camping juste derrière. Jusqu'à **Capo Ferrato**, vous trouverez d'autres plages, mais pour continuer au-delà, vers le nord, vous devrez emprunter des pistes carrossables.

L'hébergement n'a rien d'exceptionnel dans ce village-vacances, mais l'**Albaruja Hotel** (☎ 070 99 15 57 ; www.albaruja.it ; Via Colombo ; d 98-198 €, demi-pension 65-119 €/pers ; ☺ mi-avr à mi-oct ; **P**) loue des chambres carrelées dans des résidences confortables. Vers l'entrée sud, le **Camping Capo Ferrato** (☎ 070 99 10 12 ; www.campingcapoferrato. it ; adulte/enfant 5-12€/3-9€ par jour, emplacement 4-17€ par jour, bungalow 4 pers 43-95 € ; ☺ mars-oct) est un terrain de camping accueillant avec accès direct à la plage.

Les bus ARST qui vont de Cagliari à Villasimius continuent ensuite pendant une demi-heure jusqu'à la Costa Rei.

NURAGHE ASORU

Accessible en continuant vers le nord par la côte, le nuraghe Asoru présente un intérêt archéologique certes mineur mais il est le seul de cette taille dans le Sud-Est de la Sardaigne. À 5 km à l'ouest de San Priamo, il se dresse juste au nord de la voie rapide SS125. Il ne reste de la tour que les murs

extérieurs, qui n'impressionneront pas outre mesure ceux qui ont visité d'autres nuraghi plus importants sur l'île.

MURAVERA ET TORRE SALINAS

5 100 habitants

Dans la plaine alluviale du Fiume (fleuve) Flumendosa, Muravera n'a rien d'exceptionnel, et rien n'invite à s'y attarder. Cette ville agricole est surtout connue pour ses agrumes, fêtés le second dimanche précédant Pâques lors de la **Sagra degli Agrumi** (foire aux agrumes).

Au sud de la ville, les lagunes et les plages de Torre Salinas s'étendent magnifiquement au pied d'un mirador espagnol. Cette jolie région immaculée, concentrée autour du **Stagno dei Colostrai**, abrite des flamants roses en hiver. De l'autre côté de la lagune, la **Spiaggia Torre delle Saline** est la première d'une série de plages splendides courant jusqu'à l'embouchure du Flumendosa, vers le nord.

En pleine végétation, le **Cosi in Mare... Come in Cielo** (☎ 070 99 91 23 ; www.torresalinas.com ; Via del Mare, Località Torre Salinas ; ch 80-130 €) est une charmante chambre d'hôtes près de la plage Torre delle Saline. Décorée d'antiquités, elle propose 4 chambres, une cuisine pour les clients et une grande véranda face à la mer.

À Muravera, vous pourrez vous restaurer au **Ristorante Pizzeria Su Nuraxi** (☎ 070 993 09 91 ; Via Roma 257 ; pizzas à partir de 5 €, repas 28 € environ), sur la route principale, qui prépare de robustes plats de viande et de bonnes pizzas.

Trois bus ARST par semaine circulent entre Cagliari et Muravera (5,50 €, 3 heures) via Villasimius. Un autre bus emprunte la route intérieure, plus rapide (5,50 €, 1 heure 40, 5/jour du lundi au samedi, 2/jour le dimanche).

Sud-Ouest

Les splendides plages du Sud-Ouest sont les véritables stars de l'île. Les plages de sable encore sauvages de la Costa Verde, les eaux tropicales de la Costa del Sud et les baies photogéniques d'Iglesiente sont des points de passages obligés. Et ce ne sont pas les seuls.

Le Sud-Ouest de la Sardaigne se compose de différentes régions au caractère bien contrasté. Iglesias formait jadis le cœur minier de l'île, mais si les mines ont été abandonnées depuis bien longtemps, leurs fantômes hantent toujours les collines. Pour tenter d'exorciser ces souvenirs d'un autre temps, les mines désaffectées se sont transformées en attractions touristiques.

Au large, les îles jumelles de San Pietro et de Sant'Antioco brillent de leurs charmes respectifs pour conquérir les foules : la première, animée, séduit instantanément par son ambiance, tandis que la seconde mise sur son terroir et son héritage archéologique. Colonisée par les Phéniciens puis conquise par les Romains, l'Isola di Sant'Antioco fut un grand comptoir commercial, à l'image de Nora dont les ruines dominent encore la côte sud.

Au cœur de la région de la Marmilla, le nuraghe Su Nuraxi est la plus grande de ces tours de pierre datant de l'âge de bronze qui parsèment l'île. Le site, inscrit au patrimoine mondial de l'Unesco, est l'un des plus visités de Sardaigne. S'il est un peu moins impressionnant, le nuraghe voisin Genna Maria est également un site archéologique majeur.

Si l'on s'éloigne de la côte, on se rend compte que le développement semble avoir oublié l'intérieur de l'île, où les infrastructures touristiques sont limitées. Les charmes du littoral n'ont en revanche pas échappé aux promoteurs : en termes d'hôtellerie, la côte sud rivalise désormais avec la Costa Smeralda.

À NE PAS MANQUER

- La route en direction des plages sauvages, balayées par le vent, de la **Costa Verde** (p. 89)
- Une descente parmi les morts dans la **necropoli di Montessu** (p. 93), un cimetière préhistorique au centre d'un amphithéâtre rocheux
- Une rencontre fortuite avec les chevaux sauvages sur la **Giara di Gesturi** (p. 105), un plateau d'altitude
- L'atmosphère impressionnante des processions encagoulées lors de la Settimana Santa (p. 84) à **Iglesias**
- Les faucons d'Éléonore à la **Cala Fico** (p. 96), une crique photogénique sur la ravissante Isola di San Pietro

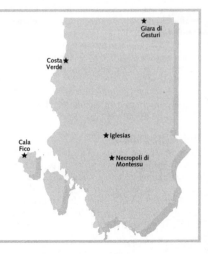

SUD-OUEST DE LA SARDAIGNE

0 _____ 20 km

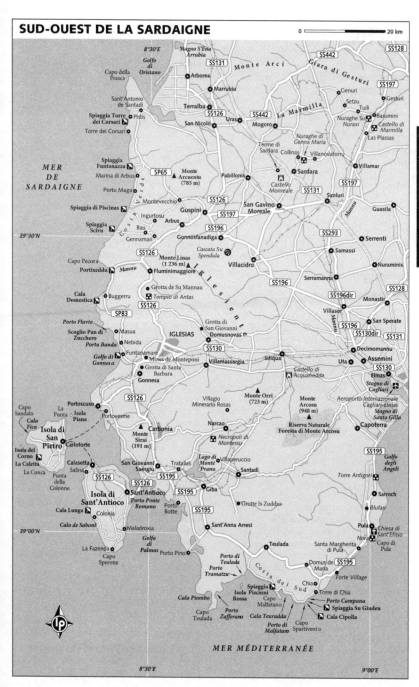

MER DE SARDAIGNE

MER MÉDITERRANÉE

IGLESIAS

27 800 habitants

Entourée par les collines du Monte Linas et les vestiges du prestigieux passé minier de la Sardaigne, Iglesias est un centre urbain animé. Dans les années 1970, la fin de l'industrie minière a durement touché la région, mais Iglesias a su vaincre la tempête. Son centre historique, où se rassemblent les habitants lors des chaudes soirées d'été, est un charmant ensemble de places animées, de bâtiments blanchis par le soleil et de balcons en fer forgé de style aragonais. Le nom de la ville, qui est le mot espagnol signifiant "églises", illustre parfaitement l'atmosphère à la fois sarde et espagnole qui y règne : à Pâques, lors des processions de la Semaine sainte, on se croirait presque à Séville.

HISTOIRE

Depuis l'Antiquité, l'exploitation minière a été la principale activité du site. Les Romains appelaient d'ailleurs leur ville Metalla, en référence aux précieux métaux qu'ils exploitaient sur le Monte Linas. Mais ils ne furent pas les premiers à exploiter les mines, comme l'a révélé la découverte d'équipements remontant aux Carthaginois lorsqu'elles furent rouvertes au XIXe siècle. Peuplée par des esclaves et des immigrants, la communauté se développa, chaque groupe d'habitants construisant sa propre église. Ces édifices valurent à la ville naissante l'un de ses premiers noms : Villa di Chiesa (ville d'église).

Des siècles plus tard, en 1257, les Pisans s'emparèrent du Giudicato di Cagliari (province de Cagliari) et octroyèrent la future Iglesias à Ugolino della Gherardesca, un de leur capitaine pisan membre des gibelins, le parti en faveur du pape. Avec son sens des affaires, celui-ci organisa la ville sur le modèle des *comuni* (cités-États) toscans, la dotant de ses propres lois et de sa propre monnaie. Il institua même un ensemble de lois et de règlements écrits connu sous le nom de *Breve di Villa Chiesa*, véritable code révolutionnaire qui garantissait certains avantages aux mineurs. L'exemplaire d'origine peut se consulter, sur demande, à l'Archivio Storico de la ville (p. 84).

Cependant Ugolino della Gherardesca, impliqué dans les luttes pour le pouvoir à Pise, fut arrêté en 1288 et jeté en prison dans la tour de Gualandi avec deux de ses fils et

petits-fils. Une légende, reprise par Dante, raconte qu'il les tua pour les manger avant de mourir lui-même de faim. Ses fils Guelfo et Lotto quittèrent Villa di Chiesa pour fuir vers le nord. Lotto fut capturé et Guelfo mourut dans l'hôpital des chevaliers de Jérusalem à San Leonardo de Siete Fuentes, en 1295.

En 1323, les Catalano-Aragonais débarquèrent à Portovesme avant de s'emparer, l'année suivante, de la ville, qu'ils rebaptisèrent Iglesias. Peu intéressés par les mines, ils délaissèrent les puits, qui restèrent à l'abandon durant les cinq siècles suivants jusqu'à ce que des entrepreneurs privés, comme Quintino Sella (dont la place principale porte le nom), leur redonnent vie. Nouveau centre de l'industrie lourde dans une Italie renaissante et sur le point d'être unifiée, Iglesias devint une ville importante jusqu'à la Seconde Guerre mondiale, et jusqu'à ce que l'économie moderne sonne le glas des mines dans les années 1970.

ORIENTATION

Pour vous repérer à Iglesias, prenez comme référence la Piazza Quintino Sella, au sud-est du centre historique. À partir de là, prenez le Corso Matteotti qui traverse le *centro storico* et dessert une série de petites places : Piazza La Marmora, Piazza Collegio et Piazza del Municipio. La vieille ville peut facilement se parcourir à pied. Elle est délimitée par la Via Roma, la Via Gramsci, la Via Eleonora d'Arborea et la Via Campidano. Seule cette dernière est encore bordée par les vestiges de l'enceinte médiévale qui, ailleurs, n'est plus qu'un souvenir.

Le principal arrêt de bus est à une courte distance à pied au sud-est de la Piazza Quintino Sella, près des *Giardini Pubblici* (jardins publics).

RENSEIGNEMENTS

Banco Nazionale del Lavoro (Via Roma 29). DAB.
Libreria Mondadori (☎ 0781 2 37 77 ; Piazza La Marmora ; ☉ 9h-13h et 17h-20h15). Petite librairie proposant des cartes et des guides.
Poste (Via Mercato Vecchio ; ☉ 8h-13h15 lun-sam)
Office du tourisme (☎ 0781 25 25 39 ; Via Verdi 2 ; ☉ 10h-13h et 18h-20h lun-ven). Attention, ces horaires ne sont pas toujours respectés.

À VOIR
Piazza Quintino Sella et ses environs

Quand au XIXe siècle de nouvelles lois permirent à un consortium de la péninsule

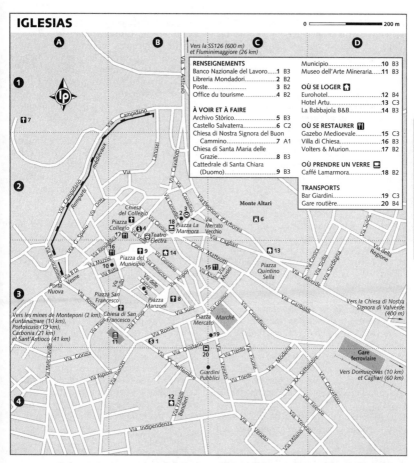

Italienne d'acheter les mines et de les rouvrir, Iglesias connut sa dernière grande époque de prospérité – une grande partie de la ville actuelle date d'ailleurs de cette période. Pour annoncer cette ère moderne et euphorique, la majeure partie de l'enceinte médiévale fut démolie. Construite à l'emplacement d'un ancien champ, au-delà des anciens remparts, la spacieuse Piazza Quintino Sella devint aussitôt le principal lieu de rendez-vous de la ville. La place s'anime aujourd'hui encore tous les soirs lorsque les foules se pressent pour la rituelle *passeggiata* (promenade). La statue qui se dresse en son centre rend hommage à Quintino Sella (1827-1884), homme d'État, ingénieur des mines piémontais et ardent promoteur de la renaissance de l'industrie minière.

À quelques mètres de la place, un escalier sale et délabré conduit à une imposante tour : c'est tout ce qu'il reste du **Castello Salvaterra**, l'ancienne puissante forteresse pisane d'Ugolino della Gherardesca. Pour vous faire une idée de son aspect avant la destruction des remparts, suivez la Via Campidano où subsiste un tronçon de l'enceinte construite au XIVᵉ siècle par les Catalano-Aragonais : les tours ont encore fière allure.

Centro Storico

La partie la plus agréable d'Iglesias est son petit centre médiéval. Vous ne trouverez pas de site immanquable, mais les étroites ruelles piétonnes et les places pittoresques sont très appréciées des habitants qui viennent y

SUD-OUEST

faire les boutiques et profiter des bars. C'est également dans ce quartier que se situent la plupart des églises qui ont donné son nom à la ville.

La **cattedrale di Santa Chiara** (cathédrale ; Piazza del Municipio ; ☺ fermé pour rénovation), dont la façade affiche un net caractère pisan, s'élève sur le côté oriental de la Piazza del Municipio. Le clocher, au bel appareillage de pierre, fut construit en 1337 et remanié au XVIe siècle par des architectes catalans auxquels l'édifice doit sa riche décoration intérieure. On admirera le retable doré qui abritait autrefois les reliques de saint Antioche et qui provient de l'Isola di Sant'Antioco, d'où il fut déplacé au XVIIe siècle pour échapper à la menace des pirates. Au XIXe siècle, le curé dut restituer les reliques à la cathédrale de Sant'Antioco, mais il réussit à conserver le retable.

Face au Duomo se tient le palais épiscopal et, sur le côté ouest de la place, le **Municipio** (hôtel de ville), un imposant édifice de style néoclassique. Aucun de ces édifices n'est ouvert au public.

Depuis la Piazza del Municipio, la Via Pullo mène à la **Chiesa di San Francesco** (☎ 0781 2 42 26 ; Piazza San Francesco ; ☺ 8h-12h et 17h-20h), une église dans le plus pur style gothique catalan bâtie dans une pierre rosée. Construite entre 1300 et 1500, la nef unique est flanquée de chapelles coincées entre les contreforts. Plus ancienne d'un siècle, la **Chiesa di Santa Maria delle Grazie** (☎ 0781 2 25 04 ; Piazza Manzoni ; ☺ 7h30-12h et 17h30-20h) présente une façade du XIIIe siècle, dont la partie supérieure a été remaniée aux XVIIe et XVIIIe siècles.

Des archives historiques retraçant le passé d'Iglesias sont conservées à l'**Archivio Storico** (☎ 078 12 48 50 ; Via delle Carceri ; ☺ 9h-13h et 15h45-18h15 lun-ven). L'ouvrage le plus remarquable est le Breve di Villa di Chiesa de 1327, qui établit les statuts de la ville médiévale.

Hors du centre

À quelques pas du *centro storico*, sur la rue principale menant au centre-ville, se trouve le plus grand musée de la ville : le **Museo dell'Arte Mineraria** (☎ 0781 35 00 37 ; www.museoarte-mineraria.it ; Via Roma 47 ; entrée libre ; ☺ 19h-21h ven-dim juil-sept, 18h-20h sam et dim avr-juin, sur rdv oct-mars). Consacré à l'histoire minière d'Iglesias, il présente quelque 70 appareils d'extraction ainsi que des outils et de saisissantes photos en noir et blanc. Pour expérimenter les conditions de travail des mineurs et l'at-

mosphère confinée des mines, plongez-vous dans les reconstitutions des galeries. Taillées par des apprentis mineurs, elles étaient utilisées pour former les ouvriers jusqu'à la Seconde Guerre mondiale, durant laquelle elles servirent d'abris antiaériens. À l'étage, vous trouverez une collection de quelque 8 000 pierres et minerais soigneusement étiquetés, provenant de Sardaigne et du monde entier.

Deux églises sont particulièrement dignes d'intérêt. Au nord-ouest du centre, la **Chiesa di Nostra Signora del Buon Cammino**, entièrement blanche, est perchée sur une colline surplombant la ville. La vue y est magnifique.

À l'autre bout de la ville, à environ 15 minutes à pied de Piazza Quintino Sella, la **Chiesa di Nostra Signora di Valverde** est une autre église historique d'Iglesias. Il reste peu de chose de la construction originelle du XIIIe siècle, si ce n'est son élégante façade, semblable à celle de la cathédrale avec deux séries d'arcs aveugles de style pisan.

FÊTES ET FESTIVALS

La semaine précédant Pâques est l'époque idéale pour se rendre à Iglesias. Lors de la **Settimana Santa** (Semaine sainte), la ville célèbre ses origines espagnoles et ses traditions religieuses par une série de processions spectaculaires. Tous les soirs, du mardi au vendredi saint, des frères en robes de bure, tête encagoulée, cierges et crucifix à la main, portent les effigies de la Vierge Marie et du Christ à travers la ville au rythme lugubre et lancinant des tambours.

Plus joyeux, l'**Estate Medievale Iglesiente** (l'Été médiéval d'Iglesias) est marqué par une série de manifestations à thèmes, où déguisements et drapeaux sont de rigueur. Les points d'orgue sont le tournoi de tir à l'arc sur deux jours et l'énorme procession déguisée du 13 août.

OÙ SE LOGER

Iglesias, qui n'est ni une grande ville touristique ni un centre commercial important, n'offre pas beaucoup de possibilités d'hébergement.

La Babbajola B&B (☎ 347 614 46 21 ; www.lababbajola.com ; Via Giordano 13 ; 25-27,50 €/pers). Chambre d'hôte familiale et sans prétentions installée dans le *centro storico*. On y dort dans un petit appartement ou dans l'une de trois grandes chambres doubles, toutes décorées de couleurs claires et franches et pourvue de meubles élégants. Cuisine et salle TV sont à disposition des clients, mais seul l'appartement dispose d'une salle de bain privative.

Hotel Artu (☎ 078 12 24 92 ; www.hotelartuiglesias.it ; Piazza Quintino Sella 15 ; s 46-60 €, d 78-90 €, demi-pension 60-70 €/pers ; P X). Cette adresse de catégorie moyenne située en plein cœur de la ville est très pratique. Les chambres sont modernes et confortables, le restaurant est prisé et l'accueil chaleureux. Le parking, à seulement 3,50 €, est intéressant vu les difficultés pour se garer en centre-ville.

Eurohotel (☎ 078 12 26 43 ; www.eurohoteliglesias.it, en italien ; Via Fratelli Bandieri 34 ; s 60-80 €, d 80-110 € ; P X). Imitation kitsch d'une villa pompéienne, l'Eurohotel est ne passe pas inaperçu au milieu des immeubles modernes qui l'encerclent. L'intérieur est de la même veine : dans les chambres, les chaises sont décorées de fausses dorures, les lustres sont en imitation Murano et des peintures à l'huile aux teintes sombres sont accrochées aux murs.

OÙ SE RESTAURER ET PRENDRE UN VERRE

Volters & Murion (☎ 078 13 37 88 ; Piazza Collegio 1 ; déj/ menu terre/mer 11/25/33 € ; repas 20 € environ ; X mar-ven). Joyeuse adresse proche de la cathédrale au menu varié, du hamburger-frites aux pâtes à la sauce tomate épicée en passant par les fruits de mer. Agréable pour un repas ou pour un simple verre.

Gazebo Medioevale (☎ 078 13 08 71 ; Via Musio 21 ; menu déjeuner 13 €, repas 25 € environ ; X lun-sam). Excellente adresse où sont préparées de bonnes viandes grillées, dans un cadre agréable avec un emplacement idéal. La maison n'accepte pas les cartes bancaires.

Villa di Chiesa (☎ 078 12 31 24 ; Piazza del Municipio 8 ; menu 15 €, repas 25 € environ ; X tlj sauf lun). Installez-vous à une table sur la Piazza del Municipio et dégustez les excellents plats de pâtes maison de ce restaurant très couru. Les valeurs sûres de la carte sont notamment les *culurgiones*, pâtes farcies à la *ricotta*, aux épinards et au safran, ainsi que les *sebadas*, feuilletés garnis de fromage et recouverts de miel. Pizzas servies en soirée.

Caffè Lamarmora (Piazza La Marmora 6 ; X 6h-13h et 15h-21h30). Cette institution du centre historique sert d'excellents cafés serrés. Le café est installé dans un grand bâtiment couvert d'affiches des années 1930. Il ferme ses portes à l'heure du déjeuner.

DEPUIS/VERS IGLESIAS
Bus

Tous les bus interurbains s'arrêtent, dans un sens comme dans l'autre, aux Giardini Pubblici, côté Via Oristano. Pour les horaires et les billets, adressez-vous au **Bar Giardini** (Via Oristano 8 ; X 5h30-14h30 et 15h30-21h lun-sam), face aux arrêts. Les bus rallient Cagliari (4 €, 1 heure à 1 heure 30, 7/ jour), Carbonia (2 €, 45 minutes, 8/jour) et Funtanamare (1 €, 20 minutes, 11/jour).

Voiture et moto

À l'exception de la route SS130, la quatre-voies venant de Cagliari (moins d'une heure), les autres routes menant à Iglesias ne permettent pas une conduite rapide. Depuis le sud, la route côtière SS195 en provenance de Cagliari rejoint la SS126 qui part de l'Isola di Sant'Antioco, et passe par Carbonia avant d'arriver à Iglesias. Depuis le nord, la route la plus directe est la SS126 qui vient de la province d'Oristano ; elle passe par Guspini puis continue à travers les montagnes via Arbus et Fluminimaggiore.

Train

Jusqu'à 10 trains par jour relient Iglesias à Cagliari (3,30 €, 1 heure).

ENVIRONS D'IGLESIAS

MINES DE MONTEPONI

Si l'histoire industrielle d'Iglesias vous intéresse, vous vous passionnerez pour l'énorme centre minier de Monteponi, à environ 2 km à l'ouest d'Iglesias. Cette vaste zone aujourd'hui abandonnée était autrefois le cœur de l'industrie minière de l'Iglesiente et l'une des grandes régions de l'île productrices de plomb, de zinc et d'argent. Entreprises en 1324, les extractions se sont poursuivies de façon épisodique jusqu'en 1992, année où l'activité fut transférée de l'autre côté de la vallée, à Campo Pisano.

Aujourd'hui, on peut visiter la Galleria Villamarina, un tunnel creusé en 1852 pour relier les deux puits principaux de la mine. Pour organiser une visite, vous devrez contacter **Cooperativa IGEA** (☎ 0781 49 13 00 ; www.igeaspa.it, en italien ; adulte/moins de 12 ans 8/4,50 € ; X 8h30-17h lun-ven).

Si vous n'êtes pas motorisé, le site est desservi par le bus local qui part de la Via Oristano à Iglesias (0,70 €, 20 minutes).

GROTTA DI SANTA BARBARA

Quelques kilomètres plus loin sur la route de Carbonia, on atteint les mines abandonnées de San Giovanni. Dans les années 1950, des fouilles ont mis au jour la **Grotta di Santa Barbara** (☎ 0781 49 13 00 ; www.igeaspa.it, en italien ; adulte/enfant 12/6 € ; ☺ 8h30-17h lun-ven), un réseau souterrain qui était alors totalement inconnu. Les murs de son unique et gigantesque salle sont entièrement couverts de cristaux brun foncé, tandis que les stalactites et stalagmites donnent l'impression de pénétrer dans une forêt souterraine sinistre. Visite sur réservation uniquement.

FUNTANAMARE

La plage la plus proche d'Iglesias est Funtanamare (ou Fontanamare). Cette longue bande de sable doré, surplombée par les dunes et les terres agricoles fertiles, est rarement bondée. Les vents puissants, dont le *maestrale* (mistral), font le bonheur des surfeurs.

Jusqu'à 11 bus quotidiens mènent à la plage (1 €, 20 minutes) et les places de parking ne manquent pas. Cinq autres bus s'arrêtent un peu plus au sud sur la même grève, au niveau de **Plage Mesu**.

DOMUSNOVAS

À environ 10 km à l'est d'Iglesias, sur la route SS130 en direction de Cagliari, la petite ville de Domusnovas se trouve au cœur de l'une des zones d'escalade les plus excitantes de toute la Sardaigne. La campagne environnante est ponctuée de roches calcaires, de falaises et de grottes idéales pour ce sport. Les 440 itinéraires s'adressent aux grimpeurs de tous niveaux, du simple mur aux surplombs les plus ardus. Les experts indiquent que les meilleures conditions climatiques et rocheuses sont réunies entre le début de l'automne et la fin du printemps. Pour plus de détails techniques, visitez les sites www.climb-europe.com et www.sardiniaclimb.com.

Quatre kilomètres au nord de Domusnovas, des panneaux sur la route principale indiquent le chemin de la **Grotta di San Giovanni** (☺ éclairée 9h-21h). Jusqu'en 2000, les 850 m de cette grotte naturelle étaient ouverts à la circulation, car il était en effet possible de la traverser en voiture. Si vous avez un petit creux, un bar-restaurant se trouve près du parking, à l'entrée.

Tous les jours, 8 bus font la liaison entre Iglesias et Domusnovas (1 €, 15 minutes).

L'IGLESIENTE

Au nord et à l'ouest d'Iglesias, le pittoresque paysage montagneux a quelque chose de fantomatique. Une végétation sauvage et verdoyante tapisse les reliefs silencieux où des demeures abandonnées évoquent de manière poignante les communautés minières d'autrefois. La côte, spectaculaire, offre des paysages magnifiques avec la mer en toile de fond.

Tous les bourgs de la région avaient partie liée avec l'exploitation minière. On peut parcourir les anciennes galeries lors de visites guidées organisées par la **Cooperativa IGEA** (☎ 078 149 13 00, 348 154 95 56 ; www.igeaspa.it). Cet organisme local, qui se bat pour que la région ne tombe pas dans l'oubli, emmène les visiteurs dans des lieux qui, sans cela, seraient abandonnés depuis longtemps. En juillet-août, il est parfois possible de s'inscrire pour une visite au dernier moment, mais il vaut toujours mieux réserver pour être reçu, car sur ces routes les trajets prennent du temps.

LA CÔTE
Nebida

Depuis Funtanamare en direction du nord, la route côtière SP83 traverse à coups de virages en épingle et de montées des paysages spectaculaires. Après 5,5 km, l'ancien village minier quelque peu terne de Nebida s'étend le long de la route, au-dessus de la mer. On s'y attarde principalement pour contempler les paysages à couper le souffle depuis le **belvédère**, accessible par une corniche bordée d'un garde-fou. Le *Scoglio Pan di Zucchero* (le rocher pain de sucre) domine le paysage du haut de ses 133 m : c'est le plus grand des *faglioni* (pitons rocheux) qui émergent des eaux turquoise sur fond de falaises abruptes et escarpées. Derrière, on peut voir la **Laveria La Marmora**, un bâtiment qui servait à laver et séparer les minerais à l'époque où les mines de Nebida étaient encore actives. Un chemin de terre descend en serpentant depuis la route principale jusqu'au site.

Environ 500 m plus loin, vers le nord, une route mène à **Portu Banda** et à sa petite plage de galets.

Pour découvrir les secrets de cette mer dans d'excellentes conditions, contactez **Marco Salerni** (☎ 329 792 00 93), qui organise des plongées dans les eaux de Nebida à partir de

25 € par personne (la location de l'équipement non comprise).

Près de l'entrée sud du village, le **Pan di Zucchero** (☎ 0781 4 71 14 ; www.hotelpandizucchero.it ; Via Centrale 365 ; s 40-45 €, d 50-55 €) est un hôtel familial et accueillant qui dispose de chambres propres, modestement meublées. Le restaurant sert de copieuses portions de produits de la mer. Juste à côté de l'hôtel, un étroit sentier conduit à une charmante petite crique de sable.

Les bus locaux qui relient Iglesias à Masua s'arrêtent à Nebida (1,50 €, 30 minutes, 11/j).

Masua

Quelques kilomètres plus au nord se trouve Masua, un autre ancien centre minier. S'il semble peu attirant lorsque l'approche de haut par la route, le village n'est pourtant pas complètement dénué d'intérêt.

La route passe devant des installations minières abandonnées puis descend ensuite vers une plage qui, s'il ne s'agit pas de la plus belle de Sardaigne, jouit cependant d'un emplacement unique face au Scoglio Pan di Zucchero.

Le principal attrait de cette localité consiste en la visite du port minier. Jusque dans les années 1920, la majeure partie du minerai extrait dans l'Iglesiente était transporté jusqu'aux bateaux à voiles qui étaient halés sur les plages voisines. Puis ces bateaux cinglaient vers Carloforte (sur l'Isola di San Pietro) pour transférer leur chargement sur des cargos. Ce système prit fin en 1924 lorsqu'un double tunnel de 600 m de long fut creusé dans la falaise de Masua. Dans le tunnel inférieur, un ingénieux "bras" mobile faisait tomber le zinc et le plomb sur un tapis roulant qui les acheminait jusque dans les navires amarrés sous la falaise. Le tunnel supérieur transportait les minerais jusqu'aux entrepôts souterrains. Les visites guidées de **Porto Flavia** (☎ 0781 49 13 00 ; www.igeaspa.it, en italien ; adulte/enfant 8/4,50 € ; 9h, 10h30 et 12h en août, sur réservation le reste de l'année) dure une heure environ. Pour trouver l'entrée, descendez en direction de la plage, puis prenez le chemin de terre qui remonte sur la colline et longe la côte pendant 2,5 km.

Le même chemin mène à un point de vue ombragé sur le Scoglio Pan di Zucchero.

Cala Domestica

Après Masua, la route grimpe rapidement en lacets le long du Monte Guardianu. Arrivée au sommet, elle redescend vers Buggerru.

Les amateurs de plage emprunteront l'embranchement indiqué 5 km avant Buggerru pour atteindre la Cala Domestica. Suivez la route menant au parking et vous trouverez une longue plage de sable encadrée par des falaises escarpées. L'eau y est belle quoique parfois agitée. Un sentier rocheux, qui part sur la droite de la plage, mène à une autre grève plus petite mais plus abritée.

Garer sa voiture près de la plage coûte 4 € pour la journée en été (le reste de l'année, le parking est gratuit car il n'y a personne). Un stand qui vend des en-cas derrière la plage permet de se restaurer au besoin.

Buggerru et Portixeddu
1 100 habitants

Destination touristique prisée, avec son petit port et ses appartements de vacances, Buggerru est le plus grand village de cette partie du littoral. Niché à même les parois rocheuses d'une vallée escarpée, il fut construit en 1860. Au début du XXᵉ siècle, il était devenu un important centre minier habité par 12 000 personnes. Pendant longtemps, le village ne fut accessible que par la mer, ce qui l'obligea à être totalement autosuffisant : avant même Cagliari et Sassari, Buggerru disposait de sa propre source d'électricité, ainsi que d'un hôpital, de services de santé et d'un petit théâtre. Pourtant, tout n'était pas rose : en 1904, les ouvriers de Buggerru déposèrent leurs outils pour se mettre en grève, la toute première jamais organisée en Sardaigne.

Des informations sur le village et ses environs sont disponibles auprès de l'**office du tourisme** (☎ 0781 5 40 93 ; 10h-12h et 18h-20h), situé sur la route côtière SP83.

Si vous en avez assez du farniente sur la plage où se pressent les surfeurs, vous pouvez louer un bateau auprès de la **Società Mormora** (☎ 328 883 33 40), près du Porto Turistico (port touristique) et visiter la mine désaffectée de Buggerru, la **Galleria Henry** (☎ 0781 49 13 00 ; www.igeaspa.it, en italien ; adulte/enfant 8/4,50 € ; 9h, 10h30, 12h, 14h, 15h30, 16h30 et 17h30 en août, sur réservation le reste de l'année). Le principal attrait de ce circuit, long d'un kilomètre (1 heure), est la vue qu'il offre sur la mer.

En sortant de Buggerru, la route grimpe le long de la falaise pendant quelques kilomètres jusqu'à déboucher sur la longue bande de sable de **Spiaggia Portixeddu**. Cette plage, l'une des plus belles de la région, s'étend sur 3 km jusqu'au Rio Mannu, la rivière qui marque la fin de la côte de l'Iglesiente.

Les hébergements dans la région sont plutôt épars. Au nord de la plage, à environ 1 km de l'embranchement de Capo Pecora, le **Camping Ortus de Mari** (☎ /fax 0781 5 49 64 ; par adulte/tente 8/11,50 € ; ☺ fin mai-sept) dispose de services très sommaires.

Autre possibilité à 1 km vers la plage de Portixeddu avec l'**Hotel Golfo del Leone** (☎ 0781 5 49 52 ; www.golfodelleone.it ; Localita Caburu de Figu ; s/d 55/85 €, demi-pension 66,50-80 €/pers). Tout de rose paré, il possède des chambres lumineuses face à la mer. Le personnel peut vous aider à organiser des excursions à cheval. Le restaurant adjacent sert des plats locaux très corrects pour 25 € par personne.

L'INTÉRIEUR DES TERRES
Fluminimaggiore
3 000 habitants

La route SS126, belle mais très sinueuse, conduit en 26 km d'Iglesias à Fluminimaggiore, bourgade quelconque dotée de quelques musées et restaurants. Beaucoup d'habitants l'ont désertée. Comme Orgosolo dans le centre de l'île, les murs se couvrent de fresques où s'expriment l'inquiétude et la nostalgie de l'âge d'or des mines.

La ville elle-même ne présente guère d'intérêt, mais ses environs abritent un temple romain, le Tempio di Antas, et l'impressionnante Grotta di Su Mannau.

Jusqu'à 10 bus circulent chaque jour entre Iglesias et Fluminimaggiore (2 €, 45 minutes). Pour rejoindre les sites suivants, demandez au conducteur de vous déposer sur la route principale puis marchez sur les quelques kilomètres restants.

GROTTA DE SU MANNAU

À quelques kilomètres au sud de la ville depuis la SS126, un panneau indique l'embranchement pour la **Grotta de Su Mannau** (☎ 0781 58 04 11 ; www.sumannau.it ; tarif plein/tarif réduit 8/4,50 € ; ☺ 9h30-18h, Pâques-oct, réservation obligatoire reste de l'année), la plus grande excavation naturelle découverte à ce jour dans l'Iglesiente. La visite normale dure 50 minutes et vous fait découvrir une partie des beautés de la grotte en passant par plusieurs lacs souterrains et la salle archéologique – ainsi nommée en raison des vestiges qui attestaient à cet endroit d'un culte de l'eau. Finalement, on atteint le *Pozzo Rodriguez* (puits Rodriguez),

où une impressionnante colonne haute de 8 m résulte de la fusion entre une stalactite et une stalagmite.

Pour les amateurs de spéléologie, débutants compris, des visites passionnantes sont également possibles. Elles permettent d'explorer des lieux spectaculaires, comme la salle blanche ou le lac suspendu aux eaux opalescentes. Une visite de 6 à 8 heures vous mène jusqu'au joyaux de la grotte, la salle de la Vierge où l'on peut voir de sublimes cristaux d'aragonite et de grands pans neigeux de calcium solidifié. La dernière visite, la plus ardue, nécessite une combinaison et traverse divers goulets et siphons.

Ces visites doivent être organisées à l'avance en s'adressant au bureau de la grotte. Leur coût varie selon la durée de la visite et le nombre de participants.

Si vous cherchez un hébergement, l'**Ostello Su Mannau** (☎ 347 009 53 67 ; www.ostellosumannau.com ; ch 50-70 €), sur la route de la Grotta de Su Mannau, est une paisible auberge trois étoiles à quelque 200 m du parking de la grotte. Les chambres sont claires et propres, et l'emplacement dans les bois et la verdure, idyllique.

TEMPIO DI ANTAS

Sur un joli site boisé, à 9 km au sud de Fluminimaggiore, le **Tempio di Antas** (☎ 0781 58 09 90 ; www.startuno.it, en italien ; adulte/enfant €3/2 ; ☺ 9h30-18h30 tlj mai-oct, 9h30-15h ven, sam et dim nov-avr) se dresse, solitaire, depuis le IIIe siècle. Il fut construit par l'empereur romain Caracalla sur l'emplacement d'un sanctuaire punique du VIe siècle av. J.-C., lui-même bâti sur un nuraghe plus ancien encore. Le temple romain était dédié à Sardus Pater, une divinité locale vénérée par le peuple des Nuraghi sous le nom de Babai et par les Puniques en tant que Sid, dieu des guerriers et des chasseurs.

Après des siècles d'abandon, le temple a été fortement restauré entre 1967 et 1976. Les colonnes ioniques, notamment, ont été relevées. À leur pied, on peut observer les vestiges d'un temple plus ancien construit par les Carthaginois et pillé par les Romains pour ériger le leur.

Entre la billetterie et le temple, un panneau indique un *sentiero romano* (sentier romain) qui débouche après 5 minutes de marche sur les maigres vestiges du nuraghe d'origine. En principe, si vous suivez ce sentier à pied pendant environ 1 heure 30, vous devriez parvenir à la Grotta de Su Mannau – mais nous n'avons pu le vérifier.

Depuis la route principale, comptez environ 30 minutes à pied pour accéder au site principal.

COSTA VERDE

Entre Capo Pecora et la station balnéaire de Torre dei Corsari s'étend l'un des joyaux encore préservé du littoral sarde. La Costa Verde (la côte Verte) doit son nom à la *macchia* (maquis) qui recouvre la majeure partie de l'arrière-pays montagneux, d'une beauté sauvage et bordé de plages spectaculaires. Les plus belles, dépourvues de tout développement urbain, ne sont accessibles que par des chemins de terre difficilement praticables avec des voitures de location. Mais elles comptent parmi les plus sauvages et les mieux préservées de toute l'île.

Aucune route ne longe complètement la Costa Verde. Si vous roulez vers le nord depuis Portixxedu (la meilleure solution pour profiter de la région), vous devrez circuler à l'intérieur des terres sur la SS126 vers Arbus et Guspini.

VILLACIDRO

14 600 habitants

Environ 9 km au sud-est d'Arbus, une petite route mène à Gonnosfanadiga, un village qui mérite un détour rien que pour son nom digne de Tolkien. Six kilomètres plus loin, toujours sur la SS196, part l'un des deux embranchements en direction de Villacidro, bourgade agricole connue pour sa liqueur jaune à base de safran. Si vous suivez cette petite route de campagne sinueuse, 2,5 km avant Villacidro, vous verrez un panneau indiquant vers l'ouest la **Cascata Su Spendula**. Un court sentier conduit à cette cascade, nichée entre d'imposantes parois rocheuses et un épais rideau d'arbres, mais malheureusement souvent à sec en plein été. Le poète italien Gabriele d'Annunzio, qui écrivit des vers enthousiastes sur ce lieu, avait dû s'y rendre en hiver !

ARBUS

6 800 habitants

Niché sur les pentes du Monte Linas, Arbus abrite l'un des musées les plus originaux de Sardaigne. Dans la vieille ville en granit, à quelques pas de la Piazza Mercato, le **Museo del Coltello Sardo** (☎ 070 975 92 20 ; www.museodelcoltello.it, en italien ; Via Roma 15 ; entrée libre ; ☺ 9h-12h et 16h-20h lun-ven) rend hommage à l'art ancestral des couteliers sardes. Le musée a été fondé par Paolo Pusceddu, dont les *s'arburesi* (couteaux d'Arbus, voir l'encadré p. 135) sont parmi les plus prisés de l'île. Au rez-de-chaussée, on admire la collection historique du Signor Pusceddu et quelques-unes de ses plus belles créations.

Sur la route principale à l'entrée est de la ville, l'**Hotel Meridiana** (☎ 070 975 82 83 ; www.wels.it/ hotelmeridiana ; Via della Repubblica 172 ; s 35-41 €, d 65-77 € ; Ⓟ 🐾 🔊) est un établissement sympathique d'un bon rapport qualité/prix, possédant 26 chambres modernes dont certaines avec vue sur toute la ville. Le restaurant du rez-de-chaussée sert de bonnes pizzas.

À l'autre bout d'Arbus, le **Ristorante Sa Lolla** (☎ 070 975 40 04 ; Via Libertà 225 ; repas 25 € environ ; ☺ jeu-mar) jouit d'une bonne réputation locale. Plats à base d'agneau et copieuses assiettes de pâtes.

Les bus ARST rejoignent Arbus depuis Cagliari (4,50 €, 2 heures, 6/jour du lundi au samedi, deux le dimanche), mais le trajet est assez long.

MONTEVECCHIO

Encerclées par les vallons boisés et les pics de granit, les **Miniere di Montevecchio**, classées au patrimoine de l'humanité par l'Unesco, furent jadis les plus grandes mines de plomb et de zinc en Sardaigne. Ce vaste complexe à l'abandon fut actif jusqu'en 1991, et si la plupart des ouvriers sont partis, il reste encore une poignée d'habitants dans la petite cité minière attenante.

Pour visiter les mines, vous devrez réserver auprès de la **Cooperativa IGEA** (☎ 0781 49 13 00 ; www.igeaspa.it, en italien ; adulte/moins de 12 ans 6/3 € ; ☺ 8h30-17h lun-ven) ou de la **Cooperativa Fulgheri** (☎ 070 934 60 00 ; www.coopfulgheri.it, en italien ; visite 8 € ; ☺ 10h et 11h sam et dim), qui organise également des excursions dans la région boisée du **Monte Arcuentu** (785 m), l'une des dernières réserves où vit encore le *cervo sardo* (cerf sarde).

Depuis Montevecchio, la SP65 serpente dans la végétation en direction de Torre dei Corsari. Vous croiserez deux excellents *agriturismi* sur le chemin.

💟 **Agriturismo Arcuentu** (☎ 070 975 81 68 ; Localita Monte Arcuentu ; repas 25 € environ) se trouve à 6 km

LES PLAGES DE LA COSTA VERDE

Du Capo Pecora, retournez à Portixeddu, puis prenez la SS126 vers le nord-est jusqu'à l'embranchement pour **Gennamari**, **Bau** et **Spiaggia Scivu**. Si vous venez du nord-est, vous verrez les panneaux sur la droite, 13 km après Arbus. Suivez cette étroite route de montagne qui grimpe sur les hauteurs balayées par le vent et couvertes de maquis jusqu'à environ 450 m d'altitude, et profitez du point de vue sur la mer à l'horizon. Cinq kilomètres avant la plage, vous verrez Spiaggia Scivu indiquée sur la gauche. Continuer tout droit vous mènerait au pénitencier local, dont la présence a contribué à maintenir Scivu à l'écart des projets d'aménagement durant bien des années.

Vous arrivez sur l'aire de parking, où l'on trouve, en été seulement, un kiosque et des douches froides. Si vous le pouvez, emportez un parasol car il n'y a aucun équipement sur place et il n'y a pas de zone ombragée. Par le chemin de la grève, vous atteindrez le sommet de dunes hautes de 70 m d'où vous pourrez contempler une immense étendue de sable.

L'autre fameuse plage de la Costa Verde est la **Spiaggia di Piscinas**. On y accède aussi par la SS126, en continuant sur 3,7 km vers le nord-est au-delà de l'embranchement pour la Spiaggia Scivu, puis par la sortie Ingortosu. La route elle-même mérite déjà le détour, car elle plonge dans une vallée bordée par les bâtiments, les équipements et les maisons d'une ancienne cité minière du XIXe siècle à l'abandon.

Après 9 km de route de terre, vous atteindrez une fourche. Prenez à gauche et, après encore 20 minutes de piste, vous arriverez à la Spiaggia di Piscinas. Derrière la large plage se dressent des dunes hautes de 30 m. Leur appellation de "désert de Sardaigne" est excessive, mais il est vrai qu'elles sont impressionnantes. L'été, un ou deux bars agrémentent la plage et proposent douches, parasols et chaises longues.

de Montevecchio, juste à la sortie de la SP65. Cette authentique ferme en activité est une splendide adresse pour un vrai festin sarde. Pour 25 €, vous aurez droit à des *antipasti*, le choix entre deux plats de pâtes, deux plats de résistance, des légumes, des fruits, un dessert, du café et un *amaro* (un digestif amer et sucré). Au moment de nos recherches, il n'y avait pas encore de chambres d'hôte. Mais d'après le propriétaire, il devrait y en avoir cinq à l'heure où vous lirez ces lignes. Réservation indispensable.

Agriturismo L'Aquila (☎ 347 822 24 26 ; www. aglaquila.com ; Localita Is Gennas Arbus ; ch/pers 30 €, demi-pension 42-55 €/pers) est un établissement similaire à l'Arcuentu, avec en outre quelques chambres rustiques et confortables. Prenez la sortie (indiquée) sur la SP65 et suivez le chemin de terre sur 2,5 km environ.

TORRE DEI CORSARI

Le point le plus septentrional de la Costa Verde est une petite station balnéaire en pleine expansion. En soi, Torre dei Corsari n'a rien d'exceptionnel, avec ses bâtiments modernes et sa hideuse place bétonnée. Toutefois, la plage qui s'étend sur 1,5 km est agréable : cette large bande de sable doré est nichée entre une mer vert émeraude et

des hautes dunes qui s'élèvent jusque dans le maquis. Dominant l'extrémité sud de la plage, une tour de guet en ruine a donné son nom à la ville. À l'autre bout, la plage s'étend jusqu'à **Pistis**, accessible par une longue marche ou par une route de 8 km via **Sant'Antonio di Santadi**. Parking payant aux deux extrémités de la plage.

Torre dei Corsari est une station d'été : l'hiver, il est bien difficile de s'y loger ou de trouver un restaurant ouvert.

Brezza Marina (☎ 338 367 68 86 ; www.brezza-marina.it ; Viale della Torre ; s 30-60 €, d 45-110 €). Cet établissement ouvert toute l'année dispose d'appartements et de chambres un peu partout en ville. La taille et la qualité des hébergements varient, mais les chambres sont pour la plupart simples, avec du carrelage blanc, du mobilier d'été et des services sommaires. Petit-déjeuner pour 2,50 €.

Verdemare (☎ 070 97 72 72 ; www.verdemare. com ; Via Colombo ; ch 70-158 € ; ☺ Pâques-nov ; ☒). Adresse agréable, immergée dans un jardin luxuriant, avec sa grande terrasse donnant sur la mer au loin. Chambres claires et fraîches. Ajoutez 3 € pour la climatisation, mais il vous reviendra moins cher d'ouvrir la fenêtre et de placer la moustiquaire au-dessus de votre lit.

SUD-OUEST

Hotel Caletta (☎ 070 97 71 33 ; www.lacaletta.it ; d 90-148 €, demi-pension 78-106 €/pers ; ☯ fin avr-sept ; ⓟ ☒ ☒). Ce grand hôtel trois étoiles domine la mer depuis son emplacement sur les rochers. Les chambres sont toutes équipées de la climatisation, et l'hôtel possède une piscine et une discothèque. Durant la période de Ferragosto (vacances d'août), un séjour minimum de 15 nuits est requis.

Il est possible de faire ses courses au **supermarché** (☎ 070 97 72 45 ; Piazza Stella Maris ; ☯ 9h-13h et 17h-20h), sur la place centrale, près de la tour de guet.

En juillet et août, un bus ARST circule tous les jours depuis la gare routière d'Oristano jusqu'à Torre dei Corsari (4 €, 1 heure 30).

CARBONIA ET SES ENVIRONS

Au sud d'Iglesias, la SS126 conduit à Carbonia, deuxième plus grande ville du Sud, en traversant des paysages plats et plus tristes. Véritable monument aux ambitions déçues du fascisme, cette ville présente peu d'intérêts pour les visiteurs, à l'exception de quelques modestes musées et d'une place à l'architecture mussolinienne. Le Monte Sirai, tout proche, offre un aperçu du passé antique de la ville.

À l'ouest, Portovesme, exemple de développement industriel réussi, est le point d'embarquement des ferries pour l'Isola di San Pietro.

CARBONIA
30 300 habitants

À moins d'être intéressé par l'architecture fasciste ou l'histoire industrielle, il y a peu de raisons de s'attarder à Carbonia. Cette ville moderne fut construite par Mussolini entre 1936 et 1938 pour héberger les ouvriers des mines de charbon voisines de Sirai-Serbariu – le nom de la ville dérive d'ailleurs de l'italien *carbone*. Les grandes fortunes de la ville ont toujours été étroitement liées à l'industrie du charbon. En 1972, lorsque l'exploitation minière fut abandonnée, la ville fut durement affectée. Depuis, elle doit faire face au marasme économique qui l'envahit, luttant contre le chômage et s'appuyant uniquement sur les petites entreprises pour rester à flot.

Le point central de Carbonia est la Piazza Roma, une place typique de l'ère fasciste dominée par l'imposant **Municipio** et la terne **Chiesa di San Ponziano**, avec son clocher en trachyte (roche volcanique) rouge, construite sur le modèle de la cathédrale d'Aquilea, dans le Nord de l'Italie.

À quelques pas de là se tient le principal musée de la ville, récemment rénové. Le **Museo Archeologico Villa Sulcis** (☎ 0781 66 50 37 ; Via Napoli 1 ; adulte/enfant 3/2 €, avec le Museo di Paleontologia e Speleologia et le Monte Sirai 5/3 € ; ☯ 10h-20h mer-dim avr-sept, 9h-14h tlj sauf lun oct-mars) occupe l'ancienne résidence du directeur de la mine. On peut y voir une modeste collection d'objets archéologiques venant pour la plupart du Monte Sirai.

À côté, le **Museo di Paleontologia e Speleologia** (☎ 0781 69 10 06 ; Piazza Garibaldi ; adulte/enfant 3/2 €, avec le Museo Archeologico Villa Sulcis et le Monte Sirai 5/3 € ; ☯ 10h-20h mer-dim avr-sept, 9h-14h tlj sauf lun oct-mars) est l'unique musée de Sardaigne dédié à la spéléologie. Des fossiles, minerais et toutes sortes de curiosités géologiques en provenance des grottes de toute la Sardaigne sont exposés.

Plus intéressants que ces musées, les vestiges du fort phénicien du **Monte Sirai** (☎ 0781 66 50 37 ; adulte/enfant avec le Museo Archeologico Villa Sulcis et le Monte Sirai 5/3 € ; ☯ 10h-20h mer-dim avr-sept, 9h-14h tlj sauf lun oct-mars) se trouvent à environ 4 km au nord-ouest de Carbonia, de l'autre côté de la SS126. Ce site, construit par les Phéniciens de Sulci (l'actuelle île Sant'Antioco) en 650 av. J.-C., a été par la suite occupé par les Carthaginois. Il ne reste pas grand-chose du fort original, mais il est encore possible de distinguer l'emplacement de l'acropole carthaginoise, des tours de défense, d'une nécropole et d'un *tophet* (un site funéraire sacré où étaient enterrés bébés et enfants au temps des Phéniciens et des Carthaginois). La vue sur la région est magnifique.

À Carbonia, des bus circulent depuis/ vers les portiques de Via Manno. Les billets s'achètent au Bar Balia, Viale Gramsci 4. Ces bus desservent Iglesias (2 €, 45 minutes, 8 par jour) et Cagliari (5,50 €, 1 heure 30, 7 par jour), ainsi que plusieurs villes locales.

PORTOSCUSO ET PORTOVESME
5 400 habitants

À la vue des énormes cheminées du vaste complexe thermoélectrique qui dominent le paysage plat, l'arrivée par la route laisse présager le pire. Ces images affligeantes de pollution industrielle proviennent de Portovesme, bourg situé quelques kilomètres à l'est de Portoscuso. Surmonté d'une tour datant de l'ère espagnole, ce dernier est un charmant petit port sillonné par un minuscule dédale d'agréables ruelles. Portovesme est le point de départ des ferries en direction de l'Isola di San Pietro.

Vous trouverez toutes les informations nécessaires auprès de l'**office du tourisme** (☎ 0781 50 95 04 ; Via Vespucci 16 ; ☺ 10h-12h et 18h-20h30 lun-sam en été, 18h-20h30 lun-ven en hiver) de Portoscuso, près de la mer.

Il y a peu à faire en ville à part flâner et apprécier l'atmosphère détendue. Vous pourrez aussi profiter de la belle **plage** de sable et des vues imprenables depuis la **tour de guet** (entrée libre ; ☺ 18h-20h30 tlj juin-sept) du XVIe siècle.

Si vous venez début juin, vous découvrirez une ville débordante d'activité à l'occasion de la **Sagra del Tonno** (foire au thon), durant laquelle habitants comme touristes dégustent toutes sortes de plats à base de thon. Portoscuso est l'un des rares lieux de Sardaigne où ce poisson est encore pêché selon les méthodes traditionnelles.

Hotel Mistral (☎ 0781 51 20 63 ; www.hotelmistral.191. it ; Via De Gasperi 1 ; s 42-54 €, d 60-77 € ; 🖵). Ce trois-étoiles aéré dispose de 8 chambres au-dessus d'un bar fréquenté. Spacieuses et meublées avec goût, elles sont dotées de salle de bain et de TV satellite.

La Ghinghetta (☎ 0781 50 81 43 ; laghinghetta@tiscali. it ; Via Cavour 26 ; s 130-135 €, d 130-140 €, demi-pension 130-175 € ; ☺ mai-oct). Cet établissement qui allie charme, confort et gastronomie, possède des chambres aux thèmes marins installées dans plusieurs maisons de pêcheurs blanchies à la chaux. Le restaurant, très couru, est spécialisé dans les plats de la mer, avec des menus à partir de 65 €.

Ciccittu Pizzeria (☎ 0781 51 20 01 ; Via Amerigo Vespucci 6 ; pizzas 6 €, repas 20 € environ ; ☺ mer-lun). Cet endroit sert des pizzas, des pâtes et des produits de la mer. Le thon local est mis en valeur dans différents *antipasti* et plats.

Des bus FMS desservent Portoscuso et Portovesme depuis Iglesias (2 €, 30 minutes, toutes les heures) et Carbonia (1,50 €, 35 minutes, 14 par jour). Vous pourrez acheter vos billets auprès du marchand de journaux au bout de Largo Matteotti.

Saremar (☎ 0781 50 90 65 ; www.saremar.it, en italien) propose jusqu'à 15 traversées par jour de Portovesme à Carloforte (sur l'Isola di San Pietro) entre 5h et 21h10 (en été, départ supplémentaire à 23h10). La traversée dure environ 30 minutes et coûte 2,60/7,60 € par personne/voiture. L'été, mieux vaut vous préparer à de longues files d'attente.

TRATALIAS

Aujourd'hui village paisible, Tratalias fut autrefois la capitale religieuse du Sulcis. Lorsque Sant'Antioco fut abandonné au XIIIe siècle, l'archidiocèse du Sulcis fut transféré dans ce bourg de l'intérieur où l'on éleva la **Chiesa di Santa Maria**. Cette curieuse construction romane domine le peu qui subsiste du *vecchio borgo* (vieux bourg), abandonné depuis que l'eau du lac voisin, le Lago di Monte Pranu, a commencé à s'infiltrer dans le sous-sol dans les années 1950. Au moment de nos recherches, des travaux visaient à transformer le *vecchio borgo* en centre d'artisanat, avec un musée et un petit hôtel.

La voiture reste le moyen le plus facile d'accéder à Tratalias, 4 km à l'est de la SS195, non loin de la route.

NARCAO

À environ 15 km au nord-est de Tratalias, ce village mérite un rapide détour pour ses *murales* (peintures murales) représentant la vie dans les mines locales. Son autre attrait est le **Festival Narcao Blues** (☎ 800 88 11 88 ; www. narcaoblues.it), l'une des plus grandes manifestations musicales de Sardaigne, qui a lieu le dernier week-end de juillet depuis 18 ans.

ESCAPADE AU VILLAGGIO MINERARIO ROSAS

Indiqué depuis la route principale qui mène à Narcao, le **Villaggio Minerario Rosas** est le site de l'ancienne mine Rosas, une importante source de plomb, cuivre et zinc jusqu'à sa fermeture en 1978. Ce lieu étonnant arbore des machines minières rouillées et d'importantes structures en bois. De manière surprenante, le musée est souvent fermé et on croise rarement âme qui vive. Mais ne vous laissez pas rebuter : l'endroit est splendide et il est toujours possible de circuler entre les bâtiments de pierre, le long des sentiers silencieux qui s'enfoncent dans les reliefs rocheux.

On vient y écouter du blues, du funk, de la soul et du gospel interprétés par les meilleurs musiciens américains.

Si vous souhaitez passer une nuit à Narcao, l'**Agriturismo Santa Croce** (☎ 349 879 11 39 ; www.agriturismosantacroce.net ; Localita Santa Croce ; s 22-30 €, d 42-56 €), à la sortie de la ville, possède quelques chambres dans un bungalow rose en bordure de route. L'excellent restaurant (menus entre 10 € et 22 € ; dîner sur réservation seulement) propose de bons plats locaux, comme les filets d'agneau et de porc élevés sur la propriété.

MONTESSU

L'un des plus grands et importants sites archéologiques de Sardaigne, la **Necropoli di Montessu** (adulte/enfant 5/3 € ; ☉ 9h-20h juin-sept, jusqu'à 18h mai, jusqu'à 17h oct-avr), se cache dans la végétation près de Villaperuccio. Dans un amphithéâtre rocheux naturel, le site, qui remonte à la période Ozieri (environ 3 000 ans av. J.-C.), abrite 35 tombes primitives connues sous le nom de *domus de janas* (littéralement "maison de fées"). Nombre d'entre elles sont de simples trous dans les murs, mais certaines arborent de magnifiques sculptures. La **Tomba delle Spirali** permet de voir très clairement des spirales et des taureaux symboliques en relief.

Depuis la billetterie, il faut monter 500 m à pied jusqu'au site principal. Tout de suite sur la droite, on voit une **Tomba Santuario**, un vestibule rectangulaire percé de trois ouvertures donnant sur un tombeau semi-circulaire. En suivant le sentier sur la droite, on arrive à un groupe de tombes puis à la Tomba delle Spirali.

Pour venir depuis Villaperuccio, prenez la route pour Narcao, puis suivez les signes indiquant la direction sur la gauche. Poursuivez sur environ 2,5 km

SANTADI

Les amateurs de vin pourront goûter les cépages locaux à Santadi, un centre agricole animé à quelques kilomètres à l'est de Villaperuccio. S'y étend le plus grand vignoble du Sud-Ouest de l'île, la **Cantina Santadi** (☎ 0781 95 01 27 ; Via Cagliari 78 ; www.cantinadisantadi.it ; ☉ sur rdv), dont les rouges – comme le Roccia Rubia et le Grotta Rossa – sont particulièrement appréciés.

Pour avoir une idée du mode de vie des villageois d'autrefois, le **Museo Etnografico 'Sa Domu Antiga'** (☎ 078 195 59 55 ; Via Mazzini 37 ; entrée 2,60 € ; ☉ 9h-13h et 15h-17h tlj sauf lun) reconstitue un village typique du début du siècle dernier.

Comme beaucoup de villages ruraux, Santadi célèbre ses traditions en grande pompe. Le premier dimanche d'août est consacré au **Matrimonio Maureddino**, reconstitution en costume traditionnel d'un mariage maure. Les époux sont transportés jusqu'à la place principale sur un *traccas*, un chariot tiré par des taureaux roux.

Cinq kilomètres au sud de Santadi, la **Grotta Is Zuddas** (☎ 0781 95 57 41 ; www.grotteiszuddas.com en italien ; adulte/enfant 8/5 € ; ☉ 9h30-12h et 14h30-18h avr-sept, 12h-16h lun-sam, 9h30-12h et 14h30-18h dim et jours fériés oct-mars) est un autre impressionnant réseau de grottes. Notez en particulier les concrétions de la salle principale, d'une singulière beauté. Personne ne sait vraiment comment se sont créées ces formations aux silhouettes étranges, même si une théorie suggère qu'elles résultent de l'action du vent sur les gouttes qui tombent des stalactites.

LES ÎLES

Les deux îles au large de la côte sud-ouest, l'Isola di Sant'Antioco et l'Isola di San Pietro, affichent deux visages radicalement différents. L'Isola Sant'Antioco, la plus grande et la plus développée, n'arbore pas vraiment le charme des îles méditerranéennes et semble moins touristique. À 30 minutes à peine, l'Isola di San Pietro présente une image plus pittoresque, avec ses maisons pastel et ses bateaux de pêche aux couleurs vives.

ISOLA DI SAN PIETRO

Avec sa jolie ville et ses splendides paysages côtiers, San Pietro est une destination estivale très courue. C'est une île montagneuse constituée de trachyte de 15 km de long sur 11 km. Elle tient son nom de l'apôtre Pierre qui y aurait trouvé refuge lors d'une tempête alors qu'il se rendait à Karalis (actuelle Cagliari). Les Romains l'avaient auparavant appelée Accipitrum, du nom latin de l'épervier, qui niche dans les parages. Comme à Sant'Antioco, on y découvre sans cesse de nouvelles pièces archéologiques, amphores ou tombes romaines.

L'ambiance très particulière de San Pietro tient sans doute à ses habitants, anciens esclaves d'origine génoise arrivés sur cette île en 1736. Pêcheurs de corail professionnels, ils

LE THON, NOUVELLE POMME DE DISCORDE

Les habitants de l'Isola di San Pietro ont la pêche dans le sang. Depuis des siècles, l'abattage annuel du thon, la *mattanza*, a lieu fin mai-début juin, lorsque les bancs de thons passent entre l'Isola Piana et l'Isola di San Pietro pour atteindre leur zone de reproduction. L'objectif de cette pêche traditionnelle consiste à les piéger par un ingénieux système de filets qui dirige les poissons dans différents enclos jusqu'à la *camera della morte* (la chambre de la mort). Lorsqu'une quantité suffisante de thon est emprisonnée, les pêcheurs ferment la chambre et la *mattanza* peut commencer (le terme vient de l'espagnol qui signifie "tuerie"). La scène est très sanglante : jusqu'à huit pêcheurs lancent d'énormes crochets au milieu des poissons effrayés. Aujourd'hui encore, la *mattanza* est au cœur de la grande fête annuelle du Girotonno. Mais cette pratique fait désormais l'objet d'une attention sans précédent alors que les stocks de thon semblent diminuer considérablement.

La demande en thon rouge ne cesse de s'accroître pour satisfaire l'appétit des Japonais, friands de *sushis* et *sashimis* (les Japonais achètent jusqu'à 80% du thon rouge pêché en Méditerranée), et l'industrie du thon représente aujourd'hui un commerce de plusieurs millions de dollars. On estime que 300 bateaux de pêche sillonnent les eaux méditerranéennes en quête du précieux poisson, la plupart pouvant pêcher jusqu'à 3 000 thons par prise. L'utilisation d'avions pour repérer les bancs a été interdite par la Commission internationale pour la conservation des thonidés de l'Atlantique (ICCAT), mais la pêche illégale est encore trop répandue à ce jour.

La quantité de thon pêchée lors de la *mattanza* de Carloforte ne représente toutefois qu'une goutte d'eau dans l'océan : en 2008, seules 160 tonnes ont été prélevées sur le quota méditerranéen de 22 000 tonnes autorisées par l'ICCAT. Mais la cruauté et la violence des scènes – le bleu de la mer devenant rouge de sang – fournissent aux défenseurs du thon méditerranéen toutes les armes pour défendre leur cause. Des groupes de protection et des organisations environnementales ont fait part de leur profonde inquiétude quant aux conséquences de la pêche industrielle sur les stocks de thon dans la région, et appellent à diminuer les quotas de pêche. Mais le lobby industriel est tout aussi déterminé à faire rejeter de telles mesures. Le problème n'est pas prêt d'être réglé.

avaient été auparavant envoyés à Tabarka, au nord de la Tunisie, pour récolter la précieuse matière pour la famille Lomellini de Gênes. Mais ils furent abandonnés à leur sort et réduits en esclavage par le bey de Tunis, jusqu'à ce que Carlo Emanuele III leur accordât refuge sur l'île de San Pietro. Essentiellement par dépit, des pirates nord-africains revinrent en 1798 et firent 1 000 prisonniers. Cinq années furent nécessaires pour que la maison de Savoie rachète leur liberté. Aujourd'hui encore, les habitants de l'île de San Pietro parlent le *tabarkino,* une version du génois datant du XVIe siècle.

Carloforte
6 400 habitants

Illustration de l'élégance méditerranéenne, Carloforte est le point d'entrée de cette petite île. Les *palazzi* gracieux, les terrasses animées et le front de mer planté de palmiers ont pour arrière-plan de majestueuses demeures en arc de cercle sur fond de colline verdoyante. Vous ne trouverez aucun site à proprement parler, mais pourrez savourer le plaisir de flâner dans les plaisantes rues pavées en prélude à un apéritif au bord de l'eau et à un fin repas dans l'un des bons restaurants de la ville.

RENSEIGNEMENTS
L'efficace **office du tourisme** (☎ 0781 85 40 09 ; www.prolococarloforte.it, en italien ; Piazza Carlo Emanuele III 19 ; ⏰ 9h30-12h30 et 16h30-19h30 lun-sam et dim matin mai-sept, 10h-13h et 17h-20h lun-sam et dim matin oct-avr), où l'on parle plusieurs langues, saura répondre à toutes vos questions. Autre service d'informations utile, le site www.carloforte.net, qui pour l'heure est uniquement en italien.

À VOIR ET À FAIRE
En surplomb du front de mer, le modeste **Museo Civico** (☎ 0781 85 58 80 ; Via Cisterna del Re ; adulte/enfant 2/1 € ; ⏰ 9h-13h mar et sam, 10h-13h et 15h-18h mer, 15h-19h jeu et ven, 10h-13h dim) occupe un petit fort du XVIIIe siècle, l'un des premiers bâtiments construits sur l'île. On peut y voir la *tonnara* (système de filets servant à pêcher le thon), particulièrement intéressante pour comprendre cette technique traditionnelle (et sanglante) de pêche, ainsi qu'une collection de coquillages et de bric-à-brac marin.

En dehors de ce musée et des distractions proposées en ville, l'essentiel se passe côté mer, le long du littoral magnifiquement préservé.

Installé sur le *lungomare* (front de mer), le stand **Cartur Dea** (☎ 0781 85 43 31 ; molo Tagliafico) est l'un des différents organismes qui proposent des excursions en bateau. Pour 20 € par personne, vous ferez le tour des falaises côtières, des grottes et des rochers qui se dressent au milieu de l'eau.

Pour découvrir la mer par vous-même, **Carloforte Sail Charter** (☎ 347 273 32 68 ; www.carlofortesailcharter.it ; Via Danero 52) possède une flotte de bateaux à louer avec ou sans pilote, à partir de 1 500 € par semaine. Les plongeurs disposent de plusieurs solutions comme **Isla Diving** (☎ 0781 85 56 34 ; Viale dei Cantieri), sur le front de mer, et **Carloforte Tonnare Diving Center** (☎ 349 690 49 69 ; Localita La Punta), qui permet de plonger parmi les bancs de thon à partir de 65 €.

FÊTES ET FESTIVALS

Le **Girotonno** (www.girotonno.org) est la grande manifestation annuelle de l'île. Tous les ans pendant 4 jours, entre fin mai et début juin, les habitants célèbrent le thon lors de la *mattanza* (voir l'encadré ci-contre). Concours de cuisine, dégustations, séminaires, concerts, etc. sur le thème de la mer sont alors organisés. En 2008, le tout premier **festival de musique de rue** a été intégré au *girotonno*.

La musique est également à l'honneur lors du **Creuza de Mà**, une fête de trois jours en septembre consacrée à la musique de cinéma. Renseignez-vous auprès de l'office du tourisme.

OÙ SE LOGER

Hotel California (☎ 078 185 44 70 ; www.hotelcalifornia-carloforte.it ; Via Cavallera 15 ; s 32-50 €, d 44-90 €). Cette *pensione* sympathique se trouve dans une rue résidentielle proche du front de mer. L'endroit est modeste mais spacieux, lumineux et l'emplacement garantit une bonne nuit de sommeil.

🅞 **Hotel Riviera** (☎ 0781 85 41 01 ; www.hotelriviera-carloforte.com ; Corso Battellieri 26 ; s 75-120 €, d 120-190 €, ste 250-370 € ; 🐾). Sur le front de mer, ce quatre-étoiles fait dans le chic urbain. Chambres modernes avec mobilier linéaire, teintes claires et salles de bains en marbre. Certaines ont un balcon avec vue sur la mer pour un supplément de 30 €.

Hotel Hieracon (☎ 0781 85 40 28 ; www.hotelhieracon.com ; Corso Cavour 63 ; d avec vue 140-220 €, sans vue 90-160 € ; 🐾). Récemment rénovée, cette demeure Art nouveau en bord de mer est dotée d'un mobilier d'époque. Vous pourrez même profiter du jardin pour faire une sieste sous les palmiers. Comptez au moins 30 € pour manger au restaurant.

OÙ SE RESTAURER

Le thon est le roi de la cuisine *tabarkina*, du nom de la tradition culinaire de l'île. Vous trouverez également de bons *cascàs* (une variante du couscous nord-africain) et des *zuppe di pesce* (soupe de poisson). Si les fruits de mer ne sont pas votre fort, la *farinata* génoise (sorte de pain plat fait avec de la farine de pois chiche et des olives) et le *pesto* s'invitent régulièrement sur les cartes locales.

Ristorante Pizzeria Al Castello (☎ 0781 85 62 83 ; Via Castello 5 ; pizzas 6 € ; repas 25 € environ ; 🕑 lun-sam). En haut de la ville, près du Museo Civico, l'adresse préférée des habitants qui viennent y chercher leurs pizzas. Menu très complet proposant également une sélection de pâtes et de plats au thon. Une adresse qui mérite l'effort requis pour y accéder.

Osteria della Tonnara (☎ 078 185 57 34 ; Corso Battellieri 36 ; repas 35 € environ ; 🕑 juin-sept). Situé à l'extrémité sud du front de mer de San Pietro, ce petit restaurant est géré par la coopérative de thon de l'île : au menu, lasagnes au pesto et au thon, ou l'omniprésent mais non moins savoureux *tonno alla carlofortina* (thon rôti à la sauce tomate). Réservation recommandée. Cartes bancaires non acceptées.

Tonno di Corsa (☎ 0781 85 51 06 ; Via Marconi 47 ; repas 45 € environ ; 🕑 tlj sauf lun). Ce restaurant raffiné sert du thon à toutes les sauces : en ragoût, fumé, et même en tripes. Ces dernières, connues sous le nom de *belu*, sont mijotées avec des pommes de terre et des oignons.

Da Nicolo (☎ 0781 85 40 48 ; Corso Cavour 32 ; repas 55 € environ ; 🕑 tlj sauf lun). Institution culinaire de San Pietro, le Da Nicolo occupe un magnifique emplacement face à la mer. On vient de loin pour y goûter le savoureux thon et le couscous local léger.

OÙ PRENDRE UN VERRE ET SORTIR

Le *lungomare* est l'endroit où tout se passe. Tout près du front de mer, le **Barone Rosso** (Via XX Settembre 26 ; 🕑 12h-15h et 19h-2h tlj sauf lun mars-oct, soirée seulement déc-mars) est un bar fré-

SUD-OUEST

CROISADE POUR SAUVER L'ÂNE

Tres cosas sunt reversas in su mundu: s' arveghe, s' ainu, e i sa femmina : "il y a trois choses têtues dans ce monde : les moutons, les ânes et les femmes". Ce proverbe dit à sa façon l'attachement des Sardes pour l'*asinello sardo* (âne sarde), travailleur affectueux et fiable, introduit d'Égypte sur l'île au 3e millénaire av. J.-C. et souvent au centre de l'imagerie populaire.

Mais l'*asinello* peut également figurer au menu des Sardes. Et la pauvre bête étant régulièrement victime des accidents de la route, le nombre d'ânes sardes ne cesse de diminuer.

Il n'en fallait pas plus pour que Giorgio Mazzucchetti raccroche sa veste de consultant industriel à Milan et vienne à la rescousse de l'adorable animal. Tombé amoureux de l'île, et après y avoir fait de nombreux séjours, Giorgio a acquis une ferme près de Cala Fico, sur la côte ouest, et a commencé un élevage d'ânes. Il possédait 10 animaux en 1999 ; ils sont 80 aujourd'hui.

Giorgio Mazzucchetti ne reçoit aucune aide de l'État, son activité ne dépendant que des contributions volontaires et de l'argent qu'il obtient de ventes occasionnelles. Vous lui rendrez service en visitant sa **Fattoria degli Asinelli** (☎ 333 144 29 93 ; Localita Cala Fico ; ☺ tous les après-midi jusqu'à la tombée de la nuit) près de Faro, à Cala Fico, et en lui laissant une petite contribution.

---

quenté, à la déco kitsch et avec quelques tables en terrasse. Une autre adresse dans la même veine est **L'Oblò** (☎ 0781 85 70 40 ; Via Garibaldi 23 ; ☺ 19h30-23h mer-lun mi-mai à mi-sept).

La seule discothèque de la ville, **Disco Marlin** (☎ 0781 85 01 21 ; ☺ 22h-4h sam et dim juil, tous les soirs en août) est à l'extérieur de Carloforte, près de la *tonnara* en direction de Punta. Vous aurez besoin d'une voiture pour y aller.

L'été, on va aussi danser et s'amuser, souvent jusqu'à l'aube, sur la Caletta, une plage fréquentée.

DEPUIS/VERS CALOFORTE
Saremar (☎ 0781 85 40 05 ; www.saremar.it, en italien ; Piazza Carlo Emanuele III 29) dispose d'une billetterie sur le *lungomare*. Des ferries desservent régulièrement Portovesme (2,60/7,60 € par personne/voiture, 30 min, 15/j) et Calasetta (2,30/6 € par personne/voiture, 7/j) sur l'île voisine de Sant'Antioco.

Delcomar (☎ 078 185 71 23 ; www.delcomar.it, en italien) assure jusqu'à 14 liaisons de nuit avec Calasetta. Sa billetterie se trouve juste en face de l'embarcadère des ferries. La traversée coûte 5/15 € par personne/voiture.

Entre juillet et septembre, les bus FMS relient Carloforte à La Punta (12 min, 2/j), La Caletta (15 min, 9/j) et Capo Sandalo (18 min, 2/j). L'aller comme l'aller-retour coûtent 1 €.

À travers l'île
À 5,5 km au nord de Caloforte, La Punta est un site désolé et balayé par le vent d'où l'on peut contempler l'Isola Piana. En mai et juin, c'est ici que se déroule l'effervescente

mattanza (pêche au thon traditionnelle), face à la *tonnara*. Cet agencement d'anciens bâtiments en pierre où s'amoncellent ancres et filets de pêche odorants, autrefois usine de traitement du thon, abrite désormais le Carloforte Tonnare Diving Center (voir p. 95) qui organise des plongées et des visites de la vieille usine. Contactez-le pour réserver une visite.

Les meilleures plages se trouvent pour la plupart dans le Sud de l'île. La **Spiaggia La Bobba** fait face à deux grandes colonnes rocheuses qui émergent de la mer et qui donnent son nom à l'extrémité sud de l'île : la **Punta delle Colonne**. En continuant vers l'ouest, on arrive à la plage la plus populaire de l'île, **La Caletta** (ou Spiaggia Spalmatore), un arc de sable relativement modeste au pied des falaises. Plus au sud, un détour vous permet de contempler le spectaculaire littoral de **La Conca**.

Le **Capo Sandalo**, le point le plus à l'ouest de l'île, propose de belles balades. Depuis le parking près du phare, une série d'itinéraires balisés s'enfonce dans le maquis piqueté de rouge qui couvre les falaises. Loin d'être difficiles, ces chemins sont toutefois plus agréables avec une bonne paire de chaussures de marche.

En direction de Capo Sandalo (à peine 20 min de route de Carloforte), arrêtez-vous à la crique rocheuse de **Cala Fico**, l'un des sites les plus photographiés de l'île avec l'**Isola del Corno**, qui abrite une colonie de faucons d'Éléonore.

Les hébergements sont assez rares en dehors de Carloforte, mais l'office du tourisme peut vous donner une liste complète des chambres d'hôte de l'île.

Indiqué par des panneaux sur la route de Capo Sandalo, au bout d'une longue route de terre, l'**Hotel La Valle** (☎ 078 185 70 01 ; www. hotellavalle.com ; Localita Commende ; s 40-100 €, d 60-150 € ; P ⊠ ⊒), un joli ensemble hôtelier, forme une tache rose saumon sur le verdoiement de la végétation. Avec son court de tennis, sa piscine et ses chambres lumineuses, c'est un site magnifique pour s'isoler.

Que vous disposiez ou non d'une voiture, le vélo est le meilleur moyen de découvrir l'île. Les distances ne sont pas énormes, et les quelques collines n'ont rien d'insurmontable. Entre juin et septembre, il est possible de louer des vélos et des scooters à Carloforte, chez le **marchand de journaux** (☎ 0781 85 41 23), Piazza Repubblica 4. Un vélo coûte 10 € par jour et un scooter de 21 € à 37 €.

ISOLA DI SANT'ANTIOCO

Plus grande et moins pittoresque que l'Isola di San Pietro, Sant'Antioco est la quatrième île d'Italie par sa taille (après la Sicile, la Sardaigne et l'île d'Elbe). Contrairement à la plupart des îles de la Méditerranée, Sant'Antioco n'est pas exceptionnellement belle. Un pont la relie à la Sardaigne dont elle se rapproche par son aspect et son caractère. La ville principale est un port en activité, tandis que l'arrière-pays, vert et escarpé, rappelle fortement le Sud de la Sardaigne.

À l'époque romaine, l'île était déjà reliée à la Sardaigne par un pont, dont on voit encore les vestiges à droite du pont moderne.

On peut accéder à l'île de deux façons. La plus simple, depuis Iglesias ou Carbonia, consiste à suivre vers le sud la SS126 qui traverse le pont jusqu'à Sant'Antioco. Il est néanmoins plus romantique de traverser par le ferry qui relie Carloforte (Isola di San Pietro) au village de Calasetta.

Sant'Antioco

12 000 habitants

L'île est habitée depuis la préhistoire mais la ville de Sant'Antioco ne fut fondée qu'au VIIIe siècle av. J.-C. par les Phéniciens. Connue sous le nom de Sulci, elle était la capitale industrielle de la Sardaigne et son plus grand port jusqu'à la chute de l'Empire romain, un millénaire plus tard. Son nom provient de saint Antioche, un esclave romain exilé sur l'île qui apporta avec lui le christianisme au IIe siècle.

Il n'est pas difficile de voir les vestiges de l'ancienne ville : le centre historique, en hauteur, abrite de nombreuses nécropoles phéniciennes et d'intéressants vestiges archéologiques.

ORIENTATION

Sant'Antioco est une ville étonnamment étendue. Quand on arrive par la route, on accède dans le centre en suivant la Via Nazionale, qui devient la Via Roma à la hauteur de la Piazza Repubblica. Elle y change à nouveau de nom pour devenir le Corso Vittorio Emanuele, artère principale de Sant'Antioco. Ce boulevard central, jalonné de bars et de restaurants, est en été le cœur de la vie nocturne. Il se termine sur la Piazza Umberto I, que rejoint aussi la Via Garibaldi en provenance du front de mer. Depuis la Piazza Umberto I, la Via Garibaldi mène au front de mer – le Lungomare Cristoforo Colombo – tandis que la Via Regina Margherita grimpe jusqu'au cœur de la vieille ville.

RENSEIGNEMENTS

L'**office du tourisme** (☎ 0781 82 03 1 ; www.santantioco. com ; Piazza Repubblica 31a ; 10h-13h et 17h-21h lun-ven) pourra vous fournir des renseignements. Des DAB se trouvent sur la Piazza Italia et la Piazza Umberto I.

À VOIR ET À FAIRE

Derrière sa modeste façade baroque, la **Basilica di Sant'Antioco Martire** (☎ 078 18 30 44 ; Piazza Parrocchia 22 ; 9h-12h et 15h-18h lun-ven, 10h-11h et 15h-18h sam-dim) vous transporte au Ve siècle.

À la droite de l'autel, une effigie en bois de saint Antioche rappelle ses origines nord-africaines par son teint sombre. Refusant de renier sa foi, Antioche fut emmené comme esclave par les Romains pour travailler dans les mines de l'Iglesiente. Après s'être échappé, caché dans un baril de goudron, Antioche trouva refuge auprès d'un groupe de chrétiens clandestins qui le cachèrent dans les vastes **catacombes** (2,50 € ; 9h-12h et 15h-18h lun-ven, 10h-11h et 15h-18h sam-dim).

La visite (exclusivement guidée) des catacombes vous fait découvrir les différentes chambres funéraires dont certaines remontent à l'époque punique qu'utilisaient les chrétiens entre les IIe et VIIe siècles. Les plus fortunés

SUD-OUEST

SUD-OUEST

étaient enterrés dans des caveaux creusés dans le mur et richement ornés de fresques, dont il subsiste quelques fragments. Les défunts des classes moyennes étaient placés dans des excavations dépourvues d'ornements et le commun des mortels dans des fosses à même le sol. Quelques squelettes gisant *in situ* contribuent au caractère du lieu.

S'élevant depuis la basilique, Via Castello tire son nom du fort piémontais du XIXe siècle, **Forte Su Pisu** (entrée 2,50 € ; 9h-20h avr-sept, 9h30-13h et 15h-18h oct-mars), point culminant de la ville. Un peu plus loin en contrebas, les tombes de la **nécropole** (fermée au public) s'étendent sur la colline. Encore 500 m plus bas, le **tophet** (entrée avec le Museo Archeologico 7 € ; 9h-19h mer-dim avr-sept, 9h30-13h et 15h-18h oct-mars mer-dim), du VIIIe siècle av. J.-C. est un sanctuaire où les Phéniciens et les Carthaginois enterraient les enfants mort-nés.

À côté du *tophet*, le **Museo Archeologico** (0781 80 05 96 ; www.archeotur.it, en italien ; entrée 6/2 € ; 9h-19h mer-dim avr-sept, 9h30-13h et 15h-18h oct-mars mer-dim), récemment rénové, contient une belle collection de trouvailles archéologiques ainsi qu'un modèle réduit de la ville du IVe siècle av. J.-C. Muni d'un document explicatif très pratique, vous découvrirez notamment que les deux impressionnants lions de pierre qui ornent le couloir principal gardaient autrefois les portes de la ville, comme il était d'usage dans les villes phéniciennes. Notez également la mosaïque illustrant une panthère, au bout de la section principale : elle décorait autrefois un *triclinium* romain (salle à manger).

Dans le centre historique, le **Museo Etnografico** (Via Necropoli 24a ; 3 € ; 9h-20h avr-sept, 9h30-13h et 15h-18h oct-mars) présente les coutumes ancestrales au travers de matériel agricole et d'objets domestiques traditionnels. Le **Villaggio Ipogeo** (entrée 2,50 €) est une série de tombes puniques où vivaient autrefois les pauvres de la ville.

Pour explorer le reste de l'île, **Euromoto** (0781 84 09 07 ; Via Nazionale 57 ; 9h-13h et 16h-20h) loue des vélos et des scooters pour 8 € et 30 € respectivement, et propose des excursions guidées à vélo. Organisées par des volontaires, ces activités n'ont pas de prix prédéterminé, mais les pourboires sont bienvenus.

FÊTE

La **Festa di Sant'Antioco**, qui se déroule durant quatre jours autour du deuxième dimanche après Pâques, célèbre le saint patron de la ville au travers de processions, musique et danse traditionnelles, ainsi que feux d'artifice et concerts. Remontant à 1519, c'est l'une des plus anciennes fêtes patronales de l'île.

OÙ SE LOGER ET SE RESTAURER

Hotel La Matta (0781 82 81 02 ; Via Nazionale 125 ; s 40-75 €, d 70-120 € ;). Proche de l'entrée de la ville, ce petit hôtel familial dispose de chambres propres et confortables aux salles de bains modernes. Si possible, demandez une chambre qui ne donne pas sur la rue, le bruit étant parfois gênant.

Hotel del Corso (0781 80 02 65 ; www.hoteldelcorso.it ; Corso Vittorio Emanuele 32 ; s 44-60 €, d 69-100 € ;). En plein cœur de l'action, ce trois-étoiles impeccable est installé au-dessus du Café del Corso, l'une des adresses les plus chics et fréquentées de la ville. Les chambres bien équipées manquent toutefois de cachet.

Hotel Eden (078 184 07 68 ; www.albergoleden.com ; Piazza Parrocchia 15 ; s 45-50 €, d 65-80 € ;). Un hôtel qui possède ses catacombes privées : voilà une adresse unique en son genre ! Demandez au propriétaire de vous faire visiter les sous-sols, et il vous montrera fièrement les crânes et autres morceaux de squelettes qui traînent dans les grottes humides. Les chambres, parfois petites, commencent à montrer des signes de fatigue.

Des pizzerias, restaurants et autres snacks sont présents un peu partout en ville.

Tamarindo Blu (0781 80 20 96 ; Via Azuni 28 ; repas 25 € environ ; jeu-mar). Succulents fruits de mer aux portions généreuses. Tous les plats sont très bons, mais le meilleur choix reste l'antipasto varié et le poisson grillé.

Sur l'artère principale, **Pizzeria Biancaneve** (0781 80 04 67 ; Corso Vittorio Emanuele 110 ; pizzas 7,50 €) fait recette en proposant ses pizzas aux passants.

OÙ SORTIR

Pour être au cœur de l'animation, restez sur le Corso Vittorio Emanuele ou sur le Lungomare Cristoforo Colombo, en front de mer.

Pierre (078 180 04 55 ; Corso Vittorio Emanuele 86 ; 20h-tard mer-lun). Des bancs en bois et de la bière à la pression : c'est ce qui donne cet air de pub à ce lieu très couru. Les soirs d'été, l'ambiance y est toujours bonne.

Bar Colombo (Lungomare Cristoforo Colombo 94 ; tlj sauf lun). C'est ici que les pêcheurs viennent prendre leur café matinal, ce qui explique pourquoi il ouvre ses portes dès 4h du matin. En été, les clients occupent généreusement le trottoir.

En été également, des concerts gratuits sont fréquemment donnés sur la Piazza Umberto I, allant de la musique pop locale aux airs traditionnels sardes.

DEPUIS/VERS SANT'ANTIOCO

Des ferries relient Calasetta et Carloforte sur l'Isola di San Pietro (p. 96).

Sept bus par jour relient Calasetta, Sant'Antioco (Piazza Repubblica), Carbonia (1 €, 50 minutes) et Iglesias (4 €, 1 heure 45).

À travers l'île

Les plus belles plages de l'île se trouvent au sud de Sant'Antioco. Après 5 km, prenez l'embranchement pour **Maladroxia**, petit havre touristique comportant un port, une plage agréable et quelques hôtels. À l'écart de la grande route qui descend vers le port, l'**Hotel Scala Longa** (☎ 078 181 72 02 ; s/d 45/65 €, demi-pension/pers 50-65 € ; ☷ mi-avr à mi-sept) est plutôt agréable avec ses chambres simples situées dans une jolie villa.

De retour sur la grande route, dirigez-vous vers l'intérieur des terres jusqu'à un important rond-point. En prenant à gauche (est), vous rejoindrez la Spiaggia Coa Quaddus, une plage sauvage qui s'étend à 3 km du **Capo Sperone**, la pointe sud de l'île, ou poursuivez à droite vers la côte sud-ouest venteuse. Les meilleures plages de l'île se trouvent à **Cala Lunga**, au bout de la route. Avant d'atteindre la mer, vous devrez traverser le **Campeggio Tonnara** (☎ 078 180 90 58 ; tonnaracamping@tiscali.it ; Localita Cala Saboni ; par pers/tente 11,30/19 €, bungalows 4 pers 30-55 € ; ☷ avr-sept), un terrain de camping bien équipé et agréablement isolé.

Deuxième ville de l'île, **Calasetta** se situe à 10 km au nord-ouest de Sant'Antioco. Elle fut fondée en 1769 par des familles ligures de Tabarka. La ville ne réserve guère de surprises, mais plusieurs plages vous attendent quelques kilomètres au sud, le long de la côte nord-ouest.

Pour ne pas s'éloigner de l'agréable plage **Le Saline** (Salina), les campeurs plantent leur tente au **Camping Le Saline** (☎ 0781 8 86 15 ; www.campinglesaline.com, en italien ; par pers/tente/voiture 11/10/2,50 €, bungalow 2 pers 60-90 €), établissement correct qui dispose d'une pizzeria, d'un terrain de jeu pour les enfants et d'un court de tennis.

À quelques kilomètres seulement de Calasetta, l'**Hotel Luci del Faro** (☎ 0781 81 00 89 ; www.hotellucidelfaro.com ; Localita Mangiabarche ; s 62-140 €, d 92-210 €, demi-pension 66-128 €/pers ; ☷ ☷ ☷ ☷), bien indiqué, trône sur une vaste plaine près de la **Spiaggia Grande**, la plage la plus célèbre de l'île. Apprécié des cyclistes, cet établissement trois étoiles est idéal pour les familles et dispose de chambres simples, ensoleillées, avec vue et ambiance détendue.

CÔTE SUD

Injustement oublié par les publicistes sardes, le littoral sud de l'île est absolument magnifique. La portion centrale, la Costa del Sud, présente sur 20 km le spectacle de la route serpentant sur des falaises déchiquetées qui plongent dans une mer d'un bleu intense.

DE PORTO BOTTE À PORTO DI TEULADA

S'étendant sur 15 km le long de la pointe sud de la Sardaigne, cette partie du littoral est un ensemble de forêts de pins, de lagunes et de plages. La plus belle, et la plus fréquentée, est la fabuleuse **Spiaggia Porto Pino**, dans la station éponyme près de Sant'Anna Arresi. Le week-end, la plage est bondée de Sardes qui viennent profiter du sable clair et d'une mer peu profonde, idéale pour les enfants et les nageurs timides. Près du vaste parking, plusieurs pizzerias bon marché attendent les vacanciers.

Une autre plage, **Spiaggia Sabbie Bianche**, juste au sud de Porto Pino et accessible à pied, est réputée pour ses dunes soyeuses. Elle se situe toutefois sur un terrain militaire et n'est accessible qu'en juillet et août.

Juste à la sortie de la route principale menant à Porto Pino, le **Camping Sardegna** (☎/fax 0781 96 70 13 ; par pers/tente 6,50/10,40 €, bungalow 4 pers 50-65 € ; ☷ mi-mai à sept) possède des installations sommaires dans une pinède près de la plage. Tout près, l'**Hotel Cala dei Pini** (☎ 0781 50 87 ; www.caladeipini.com ; Localita Porto Pino ; B&B 40-50 €/pers, pension complète 400-990 €/pers et semaine ; ☷ ☷ ☷) est un grand établissement moderne apprécié des tour-opérateurs. C'est une bonne solution hors saison, mais entre juin et septembre, la durée minimum de séjour est de 7 nuits.

Depuis Porto Pino, vous n'avez pas d'autre choix que de vous enfoncer dans les terres vers Sant'Anna Arresi. D'ici, la SS195 se dirige vers le sud et passe près d'une colline, Capo di Teulada, le point le plus méridional de la Sardaigne. Comme une grande partie de la région, le site est occupé par une base de l'OTAN très controversée, généralement interdite au public. Après 10 km, bifurquez vers le sud (en vous éloignant donc de Capo), vers Porto di Teulada.

Plusieurs plages jalonnent cette partie de la côte, notamment **Cala Piombo** et **Porto Zafferano**, accessibles uniquement en juillet et août, et seulement par la mer. Des bateaux sont en location à la petite marina de **Porto di Teulada** près de la plage de **Porto Tramatzu**.

Les campeurs peuvent poser leur tente au **Portu Tramatzu Camping Comunale** (☎ 070 928 30 27 ; Localita Porto Tramatzu ; par pers/tente/voiture 10/9/5 € ; ☙ semaine précédant Pâques-oct). Les services sont modestes, mais il y a un centre de plongée près de Porto di Teulada.

COSTA DEL SUD

La Costa del Sud commence à l'est de Porto di Teulada. Simple prélude, le premier tronçon passe devant plusieurs criques avant de s'élever progressivement vers les hauteurs du **Capo Malfatano**. À mesure que la route serpente en direction du cap, on découvre sans cesse de nouveaux merveilleux panoramas de la côte vers l'est, chaque pointe, ou presque, étant surmontée d'une tour de guet datant de l'époque espagnole. Sur le chemin, la **Spiaggia Piscinni** est idéale pour un plongeon. Ce n'est pas la plus belle plage en matière de sable (elle est envahie d'algues séchées), mais l'eau y est d'une couleur incroyable.

Après avoir contourné la baie et passé la pointe suivante, vous pouvez marquer une halte à la **Cala Teuradda** pour contempler ses eaux d'un vert émeraude intense. C'est une plage fréquentée qui se trouve juste en face d'un arrêt de bus ARST. L'été, des snack-bars sont installés à proximité.

À partir de là, la route grimpe vers l'intérieur en s'éloignant de la mer. Pour admirer la côte, on peut emprunter une route étroite qui part en direction du sud à la hauteur de Porto Campana ; elle se transforme bientôt en piste de terre mais permet de rejoindre le phare du **Capo Spartivento**. De retour sur la route, guettez les indications des pistes de terre qui conduisent jusqu'à une série de plages qui jalonnent le littoral en direction du nord : la **Cala Cipolla** bordée de pins et de genévriers, la **Spiaggia Su Giudeu** et **Porto Campana**.

Au bout de ce tronçon, vous découvrirez une autre tour de guet espagnole qui surplombe **Chia**, destination touristique très fréquentée en été. Depuis la tour, la vue de la côte sud et des deux ravissantes plages de Chia (à l'ouest, la longue **Spiaggia Sa Colonia** ; à l'est, la plus petite **Spiaggia Su Portu**) est splendide. Paradis du surf, de la planche à voile et du kite-surf, ces plages accueillent chaque première quinzaine d'avril le Chia Classic, compétitions de surf et de planche à voile.

Pour passer la nuit, essayez le **Campeggio Torre Chia** (☎ 070 923 00 54 ; www.campeggiotorrechia.it ; par pers/tente/voiture 8,50/10,50/5 €, villas 4 pers 80-120 €), à quelques centaines de mètres en retrait de Spiaggia Su Portu. Ce camping est bondé en août.

Autrement, dirigez-vous vers **Il Gabbiano** (☎ 070 923 01 60 ; www.hotelilgabbiano.net ; Localita Is Tramazzeddus ; s 70-120 €, d 90-180 € ; ☙ Pâques-oct ; P ✗), qui propose de jolis petits bungalows disséminés dans un jardin.

La plus belle vue est celle depuis le luxueux **Hotel Laguna** (☎ 070 9 23 91 ; www.chialagunaresort. com ; Localita Chia ; s 195-1040 €, d 280-1040 € ; ☙ avr-oct ; P ✗ ☚).

De Cagliari, jusqu'à 10 bus ARST circulent chaque jour depuis/vers Chia (3 €, 1 heure 15). Entre la mi-juin et la mi-sept, deux bus quotidiens desservent la Costa del Sud en reliant Chia et Spiaggia Teulada (Porto di Teulada ; 2 €, 35 minutes).

DE CHIA À SANTA MARGHERITA DI PULA

À moins de séjourner dans l'un des nombreux ensembles hôteliers qui envahissent cette partie de la côte, vous aurez bien du mal à apercevoir la mer par ici. Et c'est fort dommage, car les 9 km de côte entre Chia et Santa Margherita di Pula constituent la plus belle portion du littoral du Sud-Ouest. Elle est bordée d'un chapelet de plages magnifiques, baignées par des eaux cristallines et adossées à des pinèdes odorantes. C'est ici, dans un bosquet à l'écart de la SS195, que vous trouverez l'extraordinaire **Forte Village** (☎ 070 92 15 16 ; www.fortevillage.com ; s 290-1 910 €, d 380-2 158 €, demi-pension 220-1 110 €/pers ; Santa Margherita di Pula ; P ✗ ☚ ☙), le premier de tous les ensembles hôteliers sardes. Protégé du monde extérieur par de grandes portes, ce site de 25 000 hectares est le bastion du luxe – avec pas moins de 7 hôtels, 10 piscines, des centres commerciaux, des pistes de bowling, des discothèques et un kilomètre de plage.

Heureusement, la région n'a pas été complètement envahie, et il est toujours possible de trouver un hébergement local à bon marché.

Des installations décentes sont mises à disposition dans le **Camping Flumendosa** (☎ 070 920 83 64 ; www.campingflumendosa.it ; SS195, km 33, Santa Margherita di Pula ; par pers/tente/voiture 8,50/8,50/2,50 €), à environ 50 m de la plage.

⚓ B&B Solivariu (☎ 339 367 40 88 ; SS195 33ᵉ km, Santa Margherita di Pula ; par pers 30-50 € ; 🔧). Cette ferme sans prétention accueille ses hôtes dans trois chambres aérées et quatre studios colorés au milieu des vergers – en hiver, vous n'avez qu'à tendre le bras pour cueillir les oranges – à 500 m de la plage. On y vient principalement pour profiter de l'accueil sarde authentique et des petits-déjeuners bien copieux (à base de *pecorino* et de fruits).

En face du camping se trouve l'un des hôtels de Santa Margherita di Pula aux tarifs les plus raisonnables : l'**Hotel Mare Pineta** (☎ 070 920 83 61 ; www.hotelflamingo.it ; SS195, km 33, Santa Margherita di Pula ; demi-pension par pers 63/115 € ; 🔧 fin-mai à fin-sept ; 🅿 🔧 🔧), une dépendance du nettement plus onéreux Hotel Flamingo. Si l'extérieur ne paye pas de mine, les chambres sont correctes et le jardin tropical, au bord de la plage, est des plus agréables.

Les bus ARST relient Santa Margherita di Pula à Cagliari (3 €, 1 heure, 9/j).

PULA

7 100 habitants

À quelque 27 km de Cagliari, Pula est un village agricole actif, connu surtout pour sa proximité avec le site phénicien de Nora. Excepté son petit musée archéologique, rien ne vous retiendra à Pula, mais sachez que la vie du village se concentre autour des cafés animés de la Piazza del Popolo.

L'**office du tourisme** (☎ 070 924 60 57 ; www. prolocopula.it, en italien ; c/o Centro Culturale Casa Frau, Piazza del Popolo ; 🔧 9h30-12h30 et 15h-18h lun-ven), sur la place principale, peut vous fournir des renseignements sur la région proche. Vous pourrez consulter vos e-mails à **L'Isola del Viaggio** (☎ 070 920 83 73 ; angle Via Nora et Via Conte Corinaldi ; 4 €/h ; 🔧 9h-13h et 16h30-20h lun-sam).

À voir

PULA

Si vous prévoyez de visiter Nora, ce qui est probablement le cas si vous passez par Pula, le **Museo Archeologico** (☎ 070 920 96 10 ; Corso Vittorio Emanuele 67 ; billet combiné avec le site de Nora 5,50 € ; 🔧 9h-20h tlj sauf lun mai-sept, 10h-13h et 15h-18h30 mer-dim oct-avr) vous plantera le décor. Il expose des céramiques retrouvées dans les tombes puniques et romaines, quelques bijoux en or et en os, des verreries romaines et une maquette du site. Les notices explicatives, fort claires, sont rédigées en italien et en anglais.

NORA

À 4 km au sud de Pula, la zone archéologique de Nora est le principal attrait de la région. Mais avant d'y arriver, prenez le temps de vous arrêter dans la petite **Chiesa di Sant'Efisio** (☎ 340 485 18 60 ; 🔧 16h-19h30 sam, 10h-12h et 16h-21h30 dim), sur votre gauche lorsque vous roulez en direction de Nora. Cette église romane du XIIᵉ siècle a été construite à l'endroit où le commandant en chef romain Éphise fut exécuté en 303 pour s'être converti au christianisme. Malgré sa petite taille, l'église accueille les festivités de la Festa di Sant'Efisio (1ᵉʳ mai), lorsque les pèlerins y transportent depuis Cagliari l'effigie du saint (voir p. 17).

À l'époque d'Éphise, **Nora** (billet combiné avec le Museo Archeologico de Pula adulte/enfant 5,50/2,50 € ; 🔧 9h-19h) était le siège du gouverneur romain et l'une des cités les plus importantes de l'île, en liaison avec Karalis (l'actuelle Cagliari) à l'est et Bythia à l'ouest. Le site était toutefois un important comptoir bien avant que les Romains n'arrivent. Fondée au XIᵉ siècle av. J.-C. par les Phéniciens en provenance d'Espagne, la ville est ensuite passée aux mains des Carthaginois, puis des Romains au IIIᵉ siècle. Difficile à protéger, la cité fut cependant abandonnée dès le Moyen Âge, les temples pillés par les pirates arabes et les colonnes de marbre brisées.

Seule subsiste aujourd'hui une fraction de l'antique cité impériale (une grande partie est engloutie sous l'eau), et ce n'est qu'en atteignant les contours rocheux du promontoire qu'on en aperçoit les vestiges.

Après l'entrée, une **colonne solitaire rappelle la présence** de l'ancien temple de Tanit, la Vénus carthaginoise. Une grande partie des éléments en verre exposés au musée de Pula ayant été retrouvés à proximité, certains historiens avancent que l'ensemble du temple pouvait être décoré dans ce matériau. Au-delà, face à la mer, s'étend un petit **théâtre** romain joliment préservé. Vers l'ouest se trouvent les vestiges assez imposants des **Terme al Mare** (thermes

SUD-OUEST

près de la mer). Un tétrastyle – ensemble de quatre colonnes – se dresse au cœur de ce qui était une villa patricienne dont subsistent les parterres de mosaïques des pièces voisines. D'autres vestiges de mosaïques sont visibles dans un temple situé près de l'extrémité du promontoire.

Pour explorer les ruines submergées par la mer, adressez-vous au **Conan Diving** (☎ 338 610 82 34 ; www.conandiving.com ; SS195, km 25), sur la route principale entre Pula et Santa Margherita di Pula.

Jusqu'à 16 bus par jour font la navette entre Pula et Nora.

LAGUNA DI NORA

La plaisante **Spiaggia di Nora** et, un peu plus loin, la **Spiaggia Su Guventeddu**, plus grande, se trouvent juste avant l'entrée du site antique de Nora. Notez toutefois qu'il est interdit de pénétrer sur le site en maillot de bain.

Sur le versant ouest du promontoire de Nora, on peut souvent voir des flamants roses se promener sur la lagune. Pour en savoir plus sur le système des lagunes et la faune aquatique, rendez-vous au **centre didactique Laguna di Nora** (☎ 070 920 95 44 ; www.lagunadinora.it, en italien ; ☼ juin-sept), qui possède un petit aquarium (adulte/enfant 7/4 €) et organise des excursions en été, comme de la plongée au tuba (adulte/enfant 25/12 €) et des sorties en canoë (adulte/enfant 20/12 €).

Où se loger et se restaurer

Dans l'ensemble, les hébergements à Pula ne sont pas exceptionnels, mais vous trouverez quelques hôtels agréables sur la route de Nora.

Nora Club Hotel (☎ 070 924 22 ; www.noraclubhotel.it ; Viale Nora ; s 85-130 €, d 125-160 € ; P ⊠ ⚑). Cet hôtel impeccable, l'un des rares ouverts toute l'année à Nora, respire la tranquillité et le raffinement. Déco rustique moderne, écrans TV plasma et accès Internet. La piscine est située dans un jardin luxuriant.

Hotel Baia di Nora (☎ 070 924 55 51 ; www.hotelbaia-dinora.com ; Localita Su Guventeddu ; demi-pension 95-205 €/pers ; ☼ avr-oct ; P ⊠ ⚑). Élégant quatre-étoiles tout confort que vous ne voudrez plus quitter. Tout au plus arriverez-vous à passer du jardin parfaitement tenu au bar de la piscine, ou peut-être même jusqu'à la plage privée.

À Pula, la solution la plus économique est le **Quattro Mori** (☎ 070 920 91 24 ; Via Cagliari 10 ; s 30 €, s/d sans sdb 20/40 €). Cet établissement une étoile

possède des chambres simples au-dessus d'un bar près de l'entrée par la route de Cagliari.

Zio Dino (☎ 070 920 91 59 ; Viale Segni 14 ; pizzas 5 €, repas 30 € environ ; ☼ lun-sam). Impossible de ne pas repérer de ce restaurant-pizzeria très apprécié : son nom est inscrit en graffiti haut sur le mur. L'ambiance laisse un peu à désirer, mais les plats sont bons et le service rapide.

Crazy Art Gelateria (Corso Vittorio Emanuele 4 ; gelati 2,70 € ; ☼ 16h-minuit lun-sam, 12h-minuit dim). C'est ici que vous pourrez porter le plus bel accessoire italien : la crème glacée ! À vous d'avoir l'air cool en le dégustant sur la Piazza del Popolo.

Depuis/vers Pula

Il est très aisé de se rendre à Pula en transports en commun : 20 bus ARST circulent tous les jours depuis Cagliari (2 €, 50 minutes).

CAMPIDANO

Le Campidano, l'une des plus importantes régions agricoles de la Sardaigne, est une immense plaine qui s'étend au nord-ouest de Cagliari. Le paysage jaune et poussiéreux est peu accueillant, notamment en été, lorsque la chaleur torride enveloppe la région d'une épaisse brume de chaleur. Certains endroits méritent cependant un détour.

UTA, CASTELLO DI ACQUAFREDDA ET SAN SPERATE

L'un des plus beaux exemples d'église romane du Sud de la Sardaigne se dresse en lisière d'**Uta**, une ville agricole très étendue, à 20 km au nord-ouest de Cagliari. Construite vers 1140 par des moines de Marseille, la **Chiesa di Santa Maria** (suivre le fléchage en brun indiquant le Santuario di Santa Maria) est surtout remarquable pour la richesse des modillons sculptés qui courent le long de la corniche.

Si vous allez vers l'ouest sur la voie rapide, la SS131, songez à faire un petit détour vers le sud au carrefour de Siliqua, 14 km à l'ouest d'Uta. Environ 5 km plus au sud, un château en ruine couronnant un mont incroyablement escarpé surgit tout à coup de la plaine. En approchant, vous constaterez qu'il ne subsiste guère plus que les murs à demi ruinés du **Castello di Acquafredda**, qui servit de refuge temporaire à Guelfo della Gherardesca lorsque son père Ugolino fut emprisonné à Pise et que sa famille fut bannie.

Au sud du *castello*, la **Riserva Naturale Foresta di Monte Arcosu** est une réserve du WWF gérée par la **Cooperativa Il Caprifoglio** (☎ 070 96 87 14 ; www.ilcaprifoglio.it ; 5 € ; 🕑 9h-17h sam et dim) et l'un des derniers habitats du *cervo sardo* (cerf sarde). Au sommet du Monte Arcosu (948 m), la réserve abrite également ours, martres, chats sauvages, belettes et de nombreux rapaces.

À environ 12 km d'Uta, San Sperate est connu pour ses fameux *murales* (peintures murales) qui égayent les murs de pierre du bourg. Contrairement aux fresques d'Orgosolo, elles n'expriment pas des sentiments d'injustice mais donnent plutôt une image de la vie traditionnelle à la campagne, comme la *Storia di San Sperate* sur Via Sassari. L'initiative de ces peintures murales revient à Pinuccio Sciola (né en 1942), un sculpteur local influencé par l'artiste mexicain Diego Rivera (1886-1957).

Les bus ARST permettent de faire l'excursion à Uta depuis Cagliari (1,50 €, 45 minutes, 10/j en semaine, 3/j dimanche), mais sachez que l'église se trouve à environ une demi-heure de marche du centre. Pour San Sperate, les bus partent de Cagliari toutes les heures (3 €, 30 minutes). Pour aller à Castello di Acquafredda, il faut nécessairement être motorisé.

SANLURI
8 600 habitants

Sanluri, l'une des plus grandes localités de la province du Medio Campidano, est un centre agricole très vivant. Au XIVᵉ siècle, la reine Eleonora d'Arborea y vécut quelque temps pour asseoir son opposition à l'expansion catalano-aragonaise. En 1409, la résistance insulaire fut finalement jugulée lors de la bataille de Sanluri, laissant la place à plusieurs siècles de domination espagnole. Malheureusement, il ne reste que très peu de traces visibles de la gloire passée de Sanluri si ce n'est le château, trapu et maussade, d'Eleonora.

À deux pas de la rue principale Carlo Felice, le château accueille aujourd'hui le **Museo Risorgimentale Duca d'Aosta** (☎ 070 930 71 05 ; Via Generale Nino Villa Santa 1 ; tarif plein/tarif réduit 6/4 € ; 🕑 16h30-21h mar-lun, 16h30-21h et 16h30-21h dim juil à mi-sept, 9h45-13h et 15h-19h dim mi-sept à juin) et sa collection éclectique d'objets militaires. Une catapulte médiévale, une torpille et

des mortiers sont disséminés dans le jardin, tandis que l'intérieur abrite un extraordinaire éventail d'objets allant du mobilier d'époque jusqu'aux souvenirs militaires provenant de divers conflits plus récents.

Un peu plus loin, de l'autre côté de la Via Carlo Felice, suivez la Via San Rocco sur une centaine de mètres puis tournez à gauche vers le monastère franciscain, tout en haut de la côte : vous arriverez au **Museo Etnografico Cappuccino** (☎ 070 930 71 07 ; Via San Rocco 6 ; 3 € ; 🕑 sur rdv uniquement). Les objets exposés sont tout aussi variés : pointes de flèche en obsidienne, pièces romaines, outils agricoles, horloges, art religieux, etc.

Sanluri est bien desservie par les bus ARST depuis/vers Cagliari (3 €, 1 heure).

SARDARA
4 300 habitants

À 8 km au nord-ouest de Sanluri par la SS131, Sardara, un village paisible construit à même la roche. Dominant le cœur du bourg, la **Chiesa di San Gregorio** (Piazza San Gregorio) est une ravissante église construite entre 1300 et 1325. Bel exemple de transition entre le roman et le gothique, la façade sombre tout en hauteur est éclairée par une jolie rosace.

Un peu plus haut, le **Civico Museo Archeologico Villa Abbas** (☎ 070 938 61 83 ; Piazza Liberta 7 ; 2,60 €, avec la Chiesa di Sant'Anastasia 4,50 € ; 🕑 9h-13h et 17h-20h tlj sauf lun juin-sept, 9h-13h et 16h-19h oct-mai) possède une collection de pièces archéologiques retrouvées dans la région. Les objets les plus admirables sont les deux statuettes de bronze trouvées en lisière de Sardara en 1913 et qui remonteraient au VIIIᵉ siècle av. J.-C. À l'arrière du musée, des fouilles ont été menées sur l'ancien site de Sa Costa.

Une centaine de mètres plus loin, l'**Area Archeologica et la Chiesa di Sant'Anastasia** (☎ 070 938 61 83 ; Piazza Sant'Anastasia ; billet combiné avec le Civico Museo 4,50 € ; 🕑 9h-13h et 17h-20h tlj sauf lun juin-sept, 9h-13h et 16h-19h oct-mai) présente également un intérêt archéologique. La petite église gothique se dresse au milieu de ce qui fut le site d'un temple nuragique. Le cœur de ce complexe était le puits sacré connu sous le nom de *Sa funtana de is dolus* (fontaine de la douleur), sous l'église (l'accès est à gauche quand on fait face à l'église).

Quelques kilomètres à l'ouest du bourg (de l'autre côté de la SS131), **Santa Maria de Is Acquas** occupe le site d'anciens thermes romains. Environ 4 km au sud, une route de terre conduit au **Castello Monreale** dont ne subsistent plus que les murs. Érigé par le gouverneur d'Arborea, ce château servit un temps de refuge aux troupes de Brancaleone Doria vaincues à la bataille de Sanluri. Après avoir été transformé en garnison en 1478 par les Catalano-Aragonais, il fut laissé peu après à l'abandon. Quelques céramiques médiévales colorées et d'autres objets retrouvés lors des fouilles du château sont exposés dans le musée de Sardara.

Les hébergements n'ont rien de spécial à Sardara, et la ville est facilement accessible depuis Cagliari. Des bus ARST font la liaison avec la capitale (4 €, 1 heure 15, 12/j en semaine, 4/j dimanche).

LA MARMILLA

Au nord-est de Sardara, le paysage change radicalement d'aspect : les plaines du Campidano cèdent la place aux vertes collines de la Marmilla, dont le nom dérive justement de ces reliefs (*marmilla*, dérivé de *mammellare* signifie "en forme de sein"). La Marmilla est une région bucolique rythmée par une vie agricole paisible. C'est également l'une des régions les plus riches de Sardaigne sur le plan archéologique. C'est ici, à l'ombre du haut plateau de la Giara di Gesturi, que vous trouverez le site nuragique le plus connu de l'île, inscrit au patrimoine mondial de l'Unesco : le nuraghe Su Nuraxi.

VILLANOVAFORRU ET NURAGHE GENNA MARIA
700 habitants

À la lisière sud de la Marmilla, Villanovaforru est un petit village très coquet dont les sites archéologiques attirent des hordes de visiteurs. Le village lui-même abrite un musée intéressant, alors que le grand village nuragique de Genna Maria se trouve à un saut de puce à l'ouest.

Installé dans un beau *palazzo* du XIXᵉ siècle au centre du village, le **Museo Archeologico** (☎ 070 930 00 50 ; Piazza Costituzione 4 ; 3,50 €, billet combiné avec le nuraghe 5 € ; ☺ 9h30-13h et 15h30-19h tlj sauf lun avr-sept, jusqu'à 18h oct-mars) donne une bonne idée de la vie préhistorique dans la région, avec sa collection d'objets trouvés dans des sites comme Su Nuraxi et Genna Maria, notamment d'énormes amphores, des lampes à huile, des bijoux et des pièces.

Adjacente au musée, la **Sala delle Mostre** (1,50 € ; ☺ 9h30-13h et 15h30-19h tlj sauf lun avr-sept, 9h30-13h et 15h30-18h tlj sauf lun oct-mar) accueille souvent des expositions temporaires axées sur la vie et l'histoire locales.

Pour visiter le site du **nuraghe Genna Maria** (☎ 070 930 00 50 ; 2,50 €, billet combiné avec le Museo Archeologico 5 € ; ☺ 9h30-13h et 15h30-19h tlj sauf lun avr-sept, 9h30-13h et 15h30-18h tlj sauf lun oct-mar), indiqué Parco Archeologico, suivez sur 1 km la route en direction de Collinas. Le nuraghe, dont ne subsistent que des ruines, est l'un des plus importants de l'île sur le plan archéologique. Il consiste en une tour centrale autour de laquelle furent par la suite érigées trois tours d'angle. Beaucoup plus tard, à l'âge du fer, un rempart fut construit pour protéger un village dont il ne reste plus grand-chose aujourd'hui.

Vers le nord-est du village, indiqué depuis la route de Lunamatrona, le **Museo del Territorio Sa Corona Arrùbia** (☎ 070 934 10 09 ; www.museosacoronarrubia.it ; Localita Lunamatrona ; 6 €, avec télésiège 8 € ; ☺ 9h-13h et 15h-19h mar-ven, 9h-19h sam et dim) présente des reconstitutions de la faune et de la flore à travers la reconstitution de 4 écosystèmes de la Marmilla. Mieux encore, il possède un télésiège s'élevant jusqu'à un belvédère : le point de vue sur la Giara di Siddi, un plateau basaltique, y est superbe.

☺ **Agriturismo Su Boschettu** (☎ 070 93 96 95, 3334797401 ; www.suboschettu.it ; Localita Pranu Laccu ; B&B 30 €/pers, repas 20-25 € environ). Ce charmant établissement d'agrotourisme est niché au milieu des oliveraies et des vergers. Les chambres sont modestes mais le cadre est des plus relaxants et la nourriture locale, excellente.

La **residence Funtana Noa** (☎ 070 933 10 19 ; www.residencefuntananoa.it ; Via Vittorio Emanuele III 66-68 ; s/d 42/65 € , demi-pension 50 €/pers ; ☺) offre un hébergement trois étoiles dans un grand *palazzo* au cadre rustique, juste à côté du centre du village.

ARST assure deux services de bus par jour en semaine depuis Cagliari (4 €, 1 heure 30). Il est également possible de circuler depuis/vers Sardara (1 €, 15 minutes, 5/j en semaine) et Sanluri (1 €, 15 minutes, 3/j en semaine).

LAS PLASSAS

En suivant les zigzags de la route au nord-est de Villanovaforru, vous vous retrouverez dans la direction de Barumini. Bien avant d'atteindre cette localité, vous verrez les ruines du **Castello di Marmilla**, un château fort du XIIᵉ siècle perché en haut d'une colline conique, à côté du hameau de Las Plassas. Ce château faisait partie de la ligne de fortifications construites par les souverains médiévaux d'Arborea sur la frontière avec la province de Cagliari.

Pour y accéder, prenez sur la gauche (vers Tuili) à la fourche située à l'entrée de Las Plassas. Sur votre gauche, un sentier monte en serpentant au sommet de cette colline.

BARUMINI

1 400 habitants

Depuis Las Plassas, la route conduit à travers des paysages généreux à Barumini, un village rural typique où les maisons de pierre grise bordent des ruelles tranquilles. Au centre du village, la petite **Chiesa di Santa Tecla** du XVIIe siècle surveille le carrefour du haut de son adorable rosace.

Juste à côté, le **Polo Museale Casa Zapata** (☎ 070 936 81 28 ; Piazza Giovanni XXIII ; 7 € ; billet combiné avec le nuraghe Su Nuraxi 10 € ; ☉ 10h-13h30 et 15h-19h30) est un beau musée installé dans l'ancienne demeure de la famille espagnole Zapata, qui régna sur la Marmilla au XVIe siècle. La villa, blanchie à la chaux, est construite sur un site nuragique datant du 1er millénaire av. J.-C., adroitement intégré à la collection du musée. Vous pourrez y voir des objets retrouvés à Su Nuraxi ainsi qu'une section consacrée à la dynastie Zapata, et une petite collection d'outils agricoles.

Un kilomètre à l'ouest du village, le **Parco Sardegna in Miniatura** (☎ 070 936 10 04 ; www.sardegnainminiatura.it, en italien ; adulte/enfant 12/10 € ; ☉ 9h-17h lun-sam, jusqu'à 18h dim) est une reconstitution miniature de l'île. Les enfants apprécieront, d'autant qu'il y a un grand terrain de jeu et de nombreuses tables de pique-nique.

L'hôtel le plus agréable de Barumini est l'**Albergo Sa Lolla** (☎ 070 936 84 19 ; www.wels.it/salolla/ ; Via Cavour 49 s 42-47 €, d 55-65 €, demi-pension 55-60 €/pers ; P ☎), un *agriturismo* remis au goût du jour avec sept chambres aérées et un excellent restaurant (repas 25 €, petit-déj 6 €). Réservation indispensable en juillet et août.

NURAGHE SU NURAXI

Seul site sarde inscrit par l'Unesco sur la liste du patrimoine de l'humanité, le **nuraghe Su Nuraxi** (tarif plein/tarif réduit 7/5 € ; billet combiné avec Polo Museale Cas Zapata 10/8 € ; ☉ visites guidées ttes les 30 min 9h-13h et 14h-19h) se situe à environ 1 kilomètre à l'ouest de Barumini sur la route de Tuili. Notez que les visites sont obligatoirement guidées, généralement en italien, et que des notices explicatives sont disponibles en anglais. En été, il y a souvent une file d'attente en plein soleil.

L'attrait principal est la tour Nuraxi, qui se dressait autrefois sur 3 étages jusqu'à 20 m de haut. Lors de son édification vers 1500 av. J.-C., elle se tenait seule au milieu du site, mais quatre tours ont été rajoutées plus tard, ainsi qu'un mur d'enceinte autour de l'ensemble vers 1000 av. J.-C.

Autour de la tour Nuraxi s'étendent les vestiges d'un ancien village nuragique. Il est formé d'un agglomérat de pièces circulaires qui, telles une ruche, s'étendent sur la colline. Le premier de ces bâtiments fut érigé à l'âge de fer, autour du VIIIe siècle av. J.-C. Quand le village se développa, un mur d'enceinte plus complexe fut construit autour de la partie centrale, composée de neuf tours percées de meurtrières. Des boulets de pierre massifs, servant sans doute d'armes, ont été retrouvés lors des fouilles.

Au VIIe siècle av. J.-C., le site fut en partie détruit par les Carthaginois sans être pour autant abandonné. Il continua même d'être habité et de se développer à l'époque romaine. Des vestiges d'égouts et de canalisations rudimentaires ont ainsi été identifiés.

Le site fut redécouvert par Giovanni Lilliu (le plus célèbre archéologue de Sardaigne) en 1949, après que des pluies torrentielles eurent érodé la terre compacte recouvrant le nuraghe, que rien ne distinguait auparavant des autres monticules de la Marmilla. Les fouilles se poursuivirent durant 6 ans, et le site est aujourd'hui le seul nuraghe entièrement mis au jour en Sardaigne. On peut se faire une idée du travail nécessaire en regardant le nombre de briques qui ont été incorporées à la construction : elles y furent délibérément posées pour permettre de facilement distinguer le basalte d'origine.

GIARA DI GESTURI

Cinq kilomètres à l'ouest de Barumini, la ville de Tuili jouxte l'étrange **Giara di Gesturi**, un haut plateau basaltique qui surplombe la campagne environnante. Cette remarquable formation tabulaire de 4 500 hectares, piquetée de maquis et de chênes-lièges rabougris, est le domaine des *buoi rossi* (taureaux rouges à longues cornes) propres à la Sardaigne ainsi que des *cavallini* (petits chevaux) sauvages, une espèce indigène.

Les endroits les plus propices pour voir ces chevaux, tôt le matin ou en fin d'après-midi, sont les lacs saisonniers, appelés *pauli* (tel le Pauli Maiori). L'hiver, ces lacs sont couverts d'une eau verte peu profonde, dont la plus grande partie s'évapore quand viennent les fortes chaleurs. Dans certains cas, comme au Pauli S'Ala de Mengianu, l'eau piégée en sous-sol dans le basalte sourd au niveau des *pauli*, et c'est là que les chevaux viennent étancher leur soif.

Le plateau jouit d'un microclimat qui favorise l'épanouissement d'une multitude de plantes rares, particulièrement au printemps quand le sol est tapissé de bruyères et d'orchidées (15 variétés) en fleurs. C'est un endroit très intéressant pour se promener à pied, d'autant que le plateau est sillonné de sentiers. Quelques rares pistes en terre permettent aussi d'y circuler avec un véhicule. On peut encore y voir à l'occasion une *pinedda* (cabane de berger traditionnelle à toit de chaume).

Renseignez-vous auprès de l'**office du tourisme** (☎ 070 936 30 23 ; www.prolocotuili.it ; Via Amsicora 3 ; ☻ 9h-19h) de Tuilli, où vous trouverez aussi de nombreuses agences qui organisent des excursions, comme **Jara Escursioni** (☻ 070 936 42 77, 3482924983 ; www.parcodellagiara.it ; Via Tuveri 16). Près de Barumini, **Sa Jara Manna** (☎ 070 936 81 70 ; www.sajaramanna.it ; SS197 km 44) propose des excursions guidées à pied (46 € la demi-journée pour un groupe de 25 maxi) et en 4x4 (115 € la demi-journée). Il loue aussi des VTT (9 € la demi-journée). La journée ou la demi-journée d'excursion incluent un "déjeuner du berger" sur le plateau, dans une *pinedda*.

Avant de pénétrer dans la Giara, arrêtez-vous à la **Chiesa di San Pietro** de Tuilli, qui recèle quelques belles œuvres d'art, en particulier un grand retable exécuté en 1500 par le fameux Maestro di Castelsardo. Pour la visiter, adressez-vous à l'office du tourisme.

Vous pouvez accéder à la Giara depuis Setzu et, à l'est, par Gesturi. Si vous venez de **Setzu**, tournez à droite juste au nord de la localité. La route serpente durant 3 km au-dessus de mornes plaines ; à la borne indiquant 2 km, vous verrez sur la gauche la *tomba di giganti* ("tombeau des géants", une ancienne sépulture collective) appelée Sa Domu de S'Orcu. À l'entrée du Parco della Giara, l'asphalte cède la place à la terre, mais on peut continuer sur cette piste cahoteuse (lentement) avec une voiture de tourisme et traverser le plateau jusqu'à Gesturi, côté est.

À l'extrémité est de la Giara, à 5 kilomètres de Barumini, Gesturi est dominée par une grande église baroque du XVIIe siècle, la **Chiesa di Santa Teresa d'Avila**. Elle attire chaque année une foule de pèlerins qui viennent célébrer la mémoire du plus illustre enfant du pays, Fra Nicola "Silenzio" (1882-1958). La béatification en 1999 de ce frère franciscain, admiré pour sa dévotion, sa sagesse ainsi que pour la simplicité de sa vie, fut une source d'immense fierté pour tous les citoyens de Gesturi. Ils ornèrent alors leur ville de peintures murales et de grands portraits de cet homme qu'ils avaient connu sous le nom de Frère Silence.

Deux bus ARST relient du lundi au vendredi Cagliari à Tuili (4,50 €, 1 heure 30). Sinon, il faut être motorisé pour accéder au plateau.

Oristano et l'Ouest

S'élevant depuis les zones humides et plates du littoral jusqu'aux monts solitaires balayés par les vents, la région présente de surprenants contrastes. Des stations balnéaires très fréquentées côtoient des villages de pêcheurs quasi désertés ; des vols de flamants roses survolent des lagunes scintillantes tandis que des cerfs vagabondent dans les forêts des hautes terres. De très anciens nuraghi et des ruines romaines sont les gardiennes silencieuses d'une campagne verdoyante.

Au cœur de ces paysages divers trône Oristano, un important marché et l'une des grandes cités médiévales de Sardaigne. Capitale du Giudicato (province) d'Arborea au XIVe siècle, elle arbora vaillamment le pavillon de l'indépendance sarde, et s'il reste peu de témoignages de son ancienne gloire, la ville conserve son attrait et son animation. Un peu à l'ouest, la cité romaine de Tharros offre une vision très photogénique avec ses ruines couleur sable qui se détachent sur les eaux bleues du golfe d'Oristano.

Les gourmets adoreront la région. Oristano est célèbre pour son vin de Vernaccia. Les bourgs qui émaillent les flancs du massif du Montiferru possèdent presque tous leur spécialité, comme Seneghe réputé pour son huile d'olive et son steak *bue rosso* (bœuf rouge) et Milis pour ses oranges. Sur la péninsule du Sinis, les habitants de Cabras se targuent de se nourrir exclusivement de la pêche des lagunes locales : mulet, anguilles, *bottarga* (œufs de mulet) et palourdes.

Une foule d'activités attend les amateurs de plein air : surf au large du Capo Mannu, descente en canoë du petit fleuve Temo, qui traverse Bosa, ou observation des nombreux oiseaux de la région. Les chevaux jouent depuis des siècles un rôle essentiel dans la région, et vous pourrez pratiquer l'équitation dans les basses plaines autour d'Arborea ou assister à des cavalcades endiablées lors des fêtes de Sa Sartiglia, à Oristano, ou de S'Ardia, à Sedilo.

ORISTANO ET L'OUEST

À NE PAS MANQUER

- La vue époustouflante depuis le **Montiferru** (p. 117) suivi d'un repas royal à base de bœuf à **Seneghe** (p. 117)

- L'antique **Tharros** (p. 115) balayée par les vents et l'étrange ambiance du village de **San Salvatore**, oscillant entre ferveur religieuse et western (p. 115)

- La folie du carnaval durant la Sartiglia (p. 111) d'**Oristano** et la fête de S'Ardia (p. 120) à **Sedilo**

- Une balade en canoë depuis **Bosa** (p. 122) pour remonter le Temo, seule rivière navigable de Sardaigne

- Une remontée dans le temps au cœur de l'impressionnant **nuraghe Losa** (p. 120)

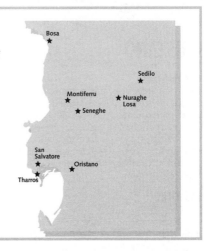

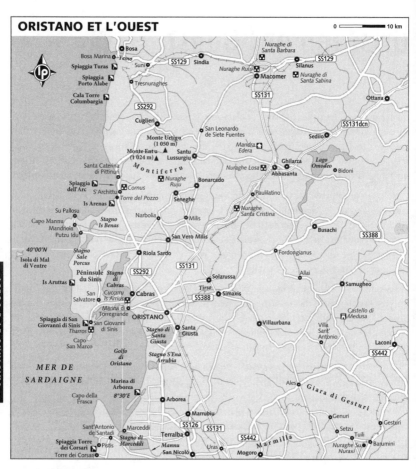

ORISTANO ET L'OUEST

0 ⊏⊐ 10 km

ORISTANO

33 000 habitants

Passés ses faubourgs sans charme, le centre d'Oristano surprend agréablement avec ses belles rues commerçantes, ses jolies places et ses cafés animés. Hormis quelques églises et un intéressant musée archéologique, il n'y a pas grand-chose à y voir, mais l'endroit est plaisant et constitue une bonne base pour explorer la région.

HISTOIRE

La plaine fertile autour d'Oristano fut un important centre nuragique. Dans la seconde moitié du VIIIᵉ siècle, les Phéniciens y fondèrent la ville de Tharros, cité qui allait prospérer sous les Romains et devenir de facto la capitale de l'ouest de la Sardaigne.

Tharros fut finalement abandonnée en 1070, quand, épuisés par les raids sarrasins, ses habitants partirent se réfugier à Aristianis (l'actuelle Oristano), site de l'intérieur plus facile à défendre. Cette nouvelle cité devint la capitale du Giudicato d'Arborea, l'une des quatre provinces indépendantes de Sardaigne, et servit de base d'opérations à Eleonora d'Arborea (vers 1340-1404). Héroïne régionale de la stature de Jeanne d'Arc, Eleonora organisa la guerre du XIVᵉ siècle contre les Espagnols et rédigea la *Carta de Logu* (code des lois ; p. 28) avant de mourir de la peste. À sa mort, l'opposition anti-hispanique s'essouffla, laissant Oristano, comme le reste de la Sardaigne, passer sous domination aragonaise. La ville connut alors une période terrible. Le commerce s'effondra, la peste et la famine firent des ravages.

La construction de la route Cagliari-Porto Torres dans les années 1820 et les programmes de bonification des terres instaurés par Mussolini donnèrent à Oristano le nouvel essor dont elle avait besoin.

ORIENTATION

Ville moyenne, Oristano se parcourt facilement à pied. Le petit centre historique est limité à l'ouest par un grand axe nord-sud, la Via Cagliari. La partie la plus animée est la bourdonnante Piazza Roma, d'où le Corso Umberto I, piétonnier, part vers le sud en direction de la Piazza Eleonora d'Arborea et, au-delà, vers la cathédrale.

RENSEIGNEMENTS

Accès Internet

Genius Point (Via Pietro Riccio 4 ; 4 €/h ; 🕑 8h30-13h et 16h-20h lun-ven)

Argent

Il y a quelques banques dotées de DAB autour de la Piazza Roma, dont la Banca Nazionale del Lavoro.

Offices du tourisme

Office du tourisme provincial (☎ 0783 3 68 31 ; turismo@provincia.or.it ; Piazza Eleonora d'Arborea 19 ; 🕑 9h-13h et 16h-18h30 lun-ven). Propose de nombreuses brochures sur la ville et la province.

Office du tourisme local (☎ 0783 7 06 21 ; Via Ciutadella di Menorca 14 ; 🕑 9h-12h et 16h30-19h30 lun-ven). Renseignements sur la ville.

Poste

Bureau de poste (☎ 0783 7 06 21 ; Via Mariano IV d'Arborea ; 🕑 8h15-18h15 lun-ven, 8h15-12h sam)

Services médicaux

Farmacia San Carlo (☎ 0783 7 11 23 ; Piazza Eleonora d'Arborea 10/11). Pharmacie centrale.

Guardia Medica (☎ 0783 30 33 73 ; Via Carducci 33). Garde médicale avec visites à domicile.

Hôpital San Martino (☎ 0783 31 71 ; Piazza San Martino). Au sud du centre-ville.

À VOIR

Les principaux sites d'Oristano se trouvent dans le joli centre historique aux maisons de pierre, aux places ensoleillées et aux rues baroques. De la ville médiévale ceinturée de remparts, il ne reste guère plus que la **Torre di Mariano II**, une tour du XIIIe siècle, sur la Piazza Roma. Appelée aussi Torre di Cristoforo, c'était la porte nord de la ville, très importante pour sa défense. La cloche est un ajout du XVe siècle.

Une deuxième tour, la **Portixedda** (🕑 10h-12h et 16h-18h tlj sauf lun), un peu à l'est de la Via Giuseppe Mazzini, faisait également partie des remparts, qui furent en grande partie abattus au XIXe siècle. Cette tour accueille aujourd'hui des expositions temporaires.

Duomo et chiesa di San Francesco

Couvert de carreaux de faïence, le bulbe du clocher du **Duomo** (cattedrale di Santa Maria Assunta ; ☎ 0783 7 83 99 ; Piazza Duomo ; 🕑 7h-12h et 16h-19h lun-sam, 8h-13h dim) domine la ligne d'horizon d'Oristano. Ce *campanile* est l'un des rares vestiges de la cathédrale du XIVe siècle, elle-même résultant du remaniement d'une église plus ancienne ravagée par le feu à la fin du XIIe siècle. Mais, pour le reste, le Duomo présente essentiellement un visage baroque, typique du XVIIIe siècle.

Les absides et la Cappella del Rimedio comptent parmi les quelques éléments gothiques subsistant à l'intérieur. Cette dernière abrite une sculpture en bois attribuée au sculpteur toscan Nino Pisano, l'*Annunziata* ou *Madonna del Rimedio*.

À côté du Duomo, la **Chiesa di San Francesco** (Via Sant'Antonio ; 🕑 8h-12h et 17h-19h lun-sam, 8h-12h dim), de style néoclassique, mérite une courte visite pour son *Crocifisso di Nicodemo*, superbe sculpture en bois du XIVe siècle, l'une des plus précieuses de l'île.

Museo Antiquarium Arborense

Installé dans un élégant palais, le **musée archéologique** (☎ 0783 79 12 62 ; Piazzetta Corrias ; adulte/enfant 3/1 € ; 🕑 9h-13h30 et 15h-20h), unique musée de la ville, conserve l'une des collections les plus importantes de Sardaigne.

L'exposition permanente, qui comprend une maquette du Tharros du IVe siècle, se trouve au dernier étage. Elle débute par les vestiges préhistoriques de la péninsule du Sinis : pointes de lance et haches en silex et en obsidienne, ossements ainsi que quelques bijoux. Les pièces carthaginoises et romaines trouvées à Tharros sont bien plus

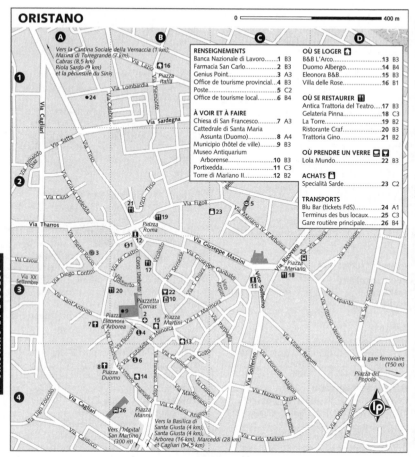

ORISTANO

0 _____ 400 m

RENSEIGNEMENTS
Banca Nazionale di Lavoro......1 B3
Farmacia San Carlo................2 B3
Genius Point.........................3 A3
Office de tourisme provincial...4 B3
Poste...................................5 C2
Office de tourisme local..........6 B4

À VOIR ET À FAIRE
Chiesa di San Francesco.........7 A3
Cattedrale di Santa Maria
    Assunta (Duomo)..............8 A4
Municipio (hôtel de ville)........9 B3
Museo Antiquarium
    Arborense.......................10 B3
Portixedda...........................11 C3
Torre di Mariano II...............12 B2

OÙ SE LOGER
B&B L'Arco...........................13 B3
Duomo Albergo....................14 B4
Eleonora B&B.......................15 B3
Villa delle Rose.....................16 B1

OÙ SE RESTAURER
Antica Trattoria del Teatro.....17 B3
Gelateria Pinna.....................18 C3
La Torre...............................19 B2
Ristorante Craf.....................20 B3
Trattoria Gino.......................21 B2

OÙ PRENDRE UN VERRE
Lola Mundo..........................22 B3

ACHATS
Specialità Sarde....................23 C2

TRANSPORTS
Blu Bar (tickets FdS).............24 A1
Terminus des bus locaux........25 C3
Gare routière principale.........26 B4

intéressantes. Les céramiques dominent, par exemple sous forme de ravissantes figurines ou d'un masque en terre cuite du Ve siècle av. J.-C. Sont aussi exposés des objets en verre, des lampes à huile, des amphores, et toute une collection de pots, d'assiettes et de tasses.

À côté de la salle principale, une petite salle renferme une collection de retables et une maquette d'Oristano au début du XIIIe siècle.

Le *Retablo del Santo Cristo* (1533), réalisé dans l'atelier de Pietro Cavaro, représente un groupe de saints à l'air béat. En y regardant de plus près, on s'aperçoit que tous ont la tête, le cœur ou la nuque transpercés par les instruments de leur martyre.

Piazza Eleonora d'Arborea

Sorte d'élégant salon en plein air, la Piazza Eleonora d'Arborea s'ouvre à l'extrémité sud du Corso Umberto I, une voie piétonnière. Aménagée au XIXe siècle pour être la place principale de la ville, cette imposante esplanade rectangulaire est bordée de grands et fiers bâtiments, dont le **Municipio** (hôtel de ville) de style néoclassique. Au centre, la **statue d'Eleonora d'Arborea** (XIXe siècle), le doigt levé, semble réclamer le silence pour débuter un discours politique. Les soirs d'été, la place s'anime quand les habitants s'y retrouvent pour bavarder et que les enfants lancent leurs ballons de foot contre les murs des *palazzi*. Le premier samedi du mois, elle accueille un intéressant marché aux antiquités.

MARDI GRAS

La Sartiglia est sans conteste le carnaval le plus bigarré et le plus savamment orchestré de Sardaigne. Ses origines sont incertaines : rituel païen tenant aussi de la représentation théâtrale où les personnages portent un masque blanc, il a pour personnage central Su Cumpoidori, une sorte de divinité. Joutes et costumes sont, eux, d'origine espagnole et ont probablement été introduits sur l'île par les *giudici* (gouverneurs de province), qui avaient été formés à la cour d'Aragon. Le mot *sartiglia* vient du castillan *sortija*, qui signifie "anneau". L'événement majeur de la fête est une joute médiévale au cours de laquelle Su Cumpoidori, roi de la Sartiglia, doit transpercer une étoile (l'anneau) suspendue en hauteur. L'aspect androgyne de Su Cumpoidori, qui doit être habillé par de jeunes vierges, ainsi que le lancer de grains, sont les réminiscences de rituels ancestraux ayant trait à la fertilité et annonçant le printemps.

Cette manifestation se déroule sur deux jours, le dimanche et le *martedi grasso* (Mardi gras). À midi, Su Cumpoidori "naît". Tandis qu'il est assis sur une table (l'autel), les *massaieddas* (jeunes vierges) l'habillent et le masquent. À partir de là, il ne peut plus toucher le sol. On le transporte donc jusqu'à sa monture, ornée avec le plus grand soin. Le masque blanc de Su Cumpoidori est couvert d'une mantille par-dessus laquelle il coiffe un chapeau haut-de-forme noir. Su Cumpoidori porte un sceptre décoré de violettes et de pervenches dont il se sert pour bénir la foule. C'est à lui de donner le coup d'envoi de la Sartiglia, la course à l'étoile, qu'il engage en compagnie de deux autres chevaliers, son *segundu* (second) et son *terzu* (troisième), tous trois essayant de transpercer l'étoile. Plus ils la touchent, plus l'année à venir sera fructueuse. Lors du dernier rituel baptisé la Sa Remada, Su Cumpoidori fait une course au galop sur son cheval, allongé sur le dos. Les courses sont ensuite ouvertes à d'autres cavaliers qui effectuent de véritables prouesses acrobatiques.

FÊTE

La **Sartiglia**, au mois de février, est sans conteste le carnaval le plus animé de l'île. Des centaines de personnes costumées viennent y participer. Au programme des festivités : joutes médiévales, course de chevaux et incroyables figures acrobatiques (voir encadré ci-dessus).

OÙ SE LOGER

B&B L'Arco (☎ 0783 7 28 49 ; www.arcobedandbreakfast. it ; Vico Ammirato 12 ; d sans sdb 60 €). Au calme, dans une impasse proche de la Piazza Martini, ces deux chambres d'hôte spacieuses sont décorées avec goût. Des arcades en brique du XIII° siècle donnent à toute la maison un certain cachet historique.

◗ **Eleonora B&B** (☎ 0783 70435 ; www.eleonora-bed-and-breakfast.com ; Piazza Eleonora d'Arborea 12 ; s 35 €, d 60-70 € ; ❄). Merveilleusement situées sur la place centrale d'Oristano, ces chambres d'hôte se trouvent dans un appartement biscornu, dont certaines parties datent du Moyen Âge. La déco est chaleureuse avec parquet au sol, mobilier rustique et une touche de couleur moderne. Wi-Fi.

Villa delle Rose (☎ /fax 0783 31 01 01 ; Piazza Italia 5 ; s/d 50/80 €). Sur une place quelconque d'un quartier résidentiel, ce trois-étoiles sans caractère est toutefois fonctionnel et confortable. Pour

85 €, on peut bénéficier d'une chambre avec kitchenette.

Duomo Albergo (☎ 0783 77 80 61 ; www.hotelduomo. net ; Via Vittorio Emanuele II 34 ; s 70-80 €, d 108-130 € ; ❄ 🖳). D'une élégance discrète et raffinée, ce quatre-étoiles est le meilleur hôtel d'Oristano. Ses chambres dévoilent une déco douce, jouant avec les teintes pastel, les tissus légers et un mobilier discret.

OÙ SE RESTAURER

C'est un bonheur d'aller au restaurant à Oristano, surtout si l'on aime le poisson. Un bon choix de tables à prix raisonnables servent des poissons fraîchement pêchés dans le Golfo di Oristano et le Stagno di Cabras, un étang tout proche. Le mulet (*muggine*) est si répandu qu'on l'appelle aussi *pesce di Oristano* (poisson d'Oristano). La *mrecca*, mulet bouilli qu'on enveloppe dans des herbes des marais avant de le saler et de le faire sécher, est la spécialité locale. On apprécie aussi l'anguille grillée ainsi que les patelles.

Gelateria Pinna (☎ 0783 7 00 32 ; Piazza Mariano 38 ; ☺ lun-sam). Un peu à l'est du centre-ville, cette *gelateria* sans prétentions est très fréquentée. Outre les parfums classiques, elle en propose de plus inédits, comme la glace au vin.

La Torre (☎ 0783 30 14 94 ; Piazza Roma 52 ; pizzas 6,50 €, repas env 25 € ; ☺ tlj sauf lun). Les pizzas sont les meilleures de la ville. Il y a aussi un menu complet à base de pâtes et de grillades.

Trattoria Gino (☎ 0783 7 14 28 ; Via Tirso 13 ; repas env 27 € ; ☺ lun-sam). Cette trattoria de quartier à l'ancienne sert une cuisine savoureuse depuis les années 1930. Le menu comporte des plats de base, la grande spécialité étant les produits de la mer. Commencez avec un *antipasto di mare* (assortiment de fruits de mer) avant d'attaquer la *seppia* (seiche) grillée.

Ristorante Craf (☎ 0783 7 06 69 ; Via de Castro 34 ; repas env 35 € ; ☺ lun-sam). Installé dans un ancien grenier à blé du XVIIᵉ siècle, ce restaurant propose une solide cuisine campagnarde telle que le *panne frattau* (soupe au pain sarde), des pâtes aux légumes et des viandes grillées, avec notamment de la viande d'*asinello* (âne).

Antica Trattoria del Teatro (☎ 0783 7 16 72 ; Via Parpaglia 11 ; repas env 40 € ; ☺ lun-sam). Raffiné et intime, ce restaurant du centre historique propose des mets originaux, comme la *panada di anguille*, sorte de tourte d'anguille servie avec du *casizolu* (un fromage) râpé. Bel assortiment de fromages et vaste choix de bières.

OÙ PRENDRE UN VERRE

Bars et cafés abondent dans le centre historique. L'un des plus courus, **Lola Mundo** (Piazzetta Corrias 14 ; ☺ lun-sam) est un bar stylé, sur une jolie place pavée. Avec du jazz en fond sonore, c'est l'endroit idéal pour traîner autour d'un apéritif en soirée.

ACHATS

Specialità Sarde (☎ 0783 7 27 25 ; Via Figoli 41 ; ☺ lun-sam). Bonne adresse pour les spécialités gourmandes sardes. Outre des vins et des fromages, vous y trouverez tout un éventail de conserves appétissantes dans de jolis pots.

Cantina Sociale della Vernaccia (☎ 0783 3 31 55 ; Via Oristano 149, Rimedio) Oristano est renommée pour le Vernaccia, un vin blanc liquoreux. L'acheter dans cette coopérative, où la plupart des producteurs locaux viennent faire presser leurs raisins, c'est l'assurance de son authenticité.

DEPUIS/VERS ORISTANO
Bus

Depuis la principale gare routière sur la Via Cagliari les bus ARST desservent plusieurs destinations, dont Santa Giusta (1 €, 15 min, toutes les demi-heures) et Cagliari (6,50 €, 2 heures, 2/j).

Des bus FdS partent devant le **Blu Bar** (Via Lombardia 30 ; ☺ 6h-22h lun-sam), où s'achètent les billets pour les villes du Nord, notamment Sassari (7,50 €, 2 heures, 3/j) et Nuoro (7,50 €, 2 heures 30, 6/j).

Voiture et moto

Oristano est située à proximité de la SS131, qui relie Cagliari à Sassari et Porto Torres. Au nord-est d'Oristano, un embranchement de la SS131 oblique vers Nuoro et Olbia.

Train

La principale gare ferroviaire Trenitalia se trouve sur la Piazza Ungheria, à l'est du centre-ville.

Jusqu'à 12 trains, nécessitant parfois de prendre une correspondance en chemin, relient Oristano et Cagliari (5,65 €, 1 à 2 heures). Seuls quelques-uns assurent la liaison Oristano-Sassari (9,65 €, 2 heures 30, 4/j). À destination d'Olbia, il n'y a que 2 trains directs (10,95 €, 2 heures 45) ; sinon, le changement s'effectue à Oziere-Chilivani ou Macomer.

COMMENT CIRCULER
Bus

Le centre-ville se parcourt aisément à pied. Si vous partez de la gare ferroviaire, il est préférable de prendre le bus. Les lignes *rossa* (rouge) et *verde* (verte) marquent un arrêt à la gare et ont la Piazza Mariano pour terminus.

Les bus de la ligne *azzurra* (bleue) partent depuis divers arrêts situés sur la Via Cagliari en direction de la Marina di Torregrande (0,70 € dans un tabac ou à la gare routière de Cagliari, 1,10 € à bord du bus, 15 minutes).

Voiture et moto

Il est assez facile de garer sa voiture en dehors du centre-ville. Les emplacements de parking (0,60 €/h ; 8h30-13h et 16h-19h30 lun-sam) sont indiqués par un marquage bleu dans le centre.

Taxi

Les taxis se regroupent surtout près de la gare ferroviaire et autour de la Piazza Roma. Vous pouvez aussi appeler un taxi (☎ 0783 7 02 80 ou ☎ 0783 7 43 28).

ENVIRONS D'ORISTANO

La principale plage d'Oristano est la longue bande de sable de la petite station balnéaire de **Marina di Torregrande**, 7 km à l'ouest de la ville. Derrière la plage, le village présente un visage typique de bord de mer italien avec son *lungomare* (front de mer) bordé de palmiers où les habitants au teint hâlé se promènent nonchalamment au son des derniers tubes locaux qui s'échappent des bars. Hors saison, la plupart des restaurants et des maisons de vacances sont fermés.

Le seul édifice un tant soit peu historique est l'imposante tour de guet aragonaise à laquelle la station doit son nom. Il n'y a pas grand-chose d'autre à voir que la plage où l'on peut louer transats et parasols (env. 16,50 €/j). **Eolo** (☎ 329 613 64 61 ; www.eolowindsurf.com ; Lungomare Eleonora d'Arborea) propose des cours de voile, de planche à voile et loue du matériel (planche à voile à partir de 13 €/h).

Vaste terrain de camping ombragé à l'extrémité sud du bourg, le **Spinnaker** (☎ 0783 2 20 74 ; www.spinnakervacanze.com ; Marina di Torregrande ; par pers/voiture 20 €/4 €, bungalows à partir de 42 € ; 🕮 🏊) dispose d'une plage privée, de bungalows et de 100 emplacements de tentes. Plus modeste, le camping de **Torre Grande** (☎ 0783 2 22 28 ; campeggiotorregrande@libero. it ; Via Stella Maris 8 ; par pers/tente 6/9,50 € ; 🗓 mai-sept) se situe à quelques centaines de mètres en retrait de la plage.

En dépit de son emplacement quelconque à la sortie du bourg, au bord de la grand-route, **Da Giovanni** (☎ 0783 2 20 51 ; Via Colombo 8 ; repas env 40 €, menu touristique 23 € ; 🗓 tlj sauf lun) est le meilleur restaurant de la station. Goûtez ses *ravioli di pesce in salsa di gamberi* (raviolis de poissons à la sauce aux crevettes) et le *muggine locale* (mulet local).

Parmi les restaurants du front de mer, le **Maestrale** (☎ 0783 2 21 21 ; Lungomare Torregrande ; pizzas 8 € , repas env 35 € ; 🗓 tlj sauf lun) est parfait pour une pizza ou une assiette de pâtes aux fruits de mer.

L'été, la plage est jalonnée de bars et de buvettes. À quelques kilomètres à l'intérieur des terres sur la route de Cabras, vous trouverez le **BNN Fashion Club** (☎ 338 235 75 40 ; SP 94, km 1,8), un bar-discothèque très fréquenté qui programme tubes italiens, house et pop internationale.

Depuis Oristano, les bus urbains de la ligne *azzurra* circulent entre la Via Cagliari (ils s'arrêtent à différents endroits, notamment à la principale gare routière) et Marina di Torregrande (0,70 € ou 1,10 € si l'on paie à bord, 20 min).

SUD D'ORISTANO

Au sud d'Oristano s'étend un patchwork de vastes champs ouverts, traversés par des canaux, des lagunes et parfois une pinède. Ce paysage extrêmement plat, parfois étrange, est émaillé de villages assoupis et de bourgs agricoles. Il n'en a pas toujours été ainsi. La région était en grande partie couverte de marais, source de paludisme, et de denses forêts de chênes-lièges jusqu'à ce que Mussolini lance l'ambitieux programme de drainage et de bonification des terres dans les années 1920.

SANTA GIUSTA
4 800 habitants

Bourgade agricole animée, Santa Giusta s'étend en bordure du Stagno di Santa Giusta, le troisième plus grand étang de Sardaigne. Elle occupe le site de l'ancienne ville punique d'Othoca, mais elle est surtout connue pour son extraordinaire basilique, l'un des premiers et des plus beaux exemples du style romano-pisan en Sardaigne.

Construite entre 1135 et 1145, la **Basilica di Santa Giusta** (☎ 0783 35 92 05 ; 🗓 visite guidée gratuite 9h-13h et 14h-18h lun-ven) a des allures de galion échoué sur la lagune. Le bâtiment, bas et tout en longueur, est rythmé par des arcatures. Au centre de sa sobre façade lombarde s'ouvre le portail, typiquement toscan. À l'intérieur, les trois nefs sont séparées par des colonnes de marbre et de granit provenant des antiques cités de Tharros et d'Othoca. Une belle voûte aux poutres apparentes coiffe cette architecture dépouillée.

Aux alentours du 14 mai, la basilique se retrouve au cœur des célébrations de la **Festa di Santa Giusta**, la fête patronale de la ville qui dure 4 jours.

Six kilomètres au sud, le **Stagno S'Ena Arrubia** fait le bonheur des ornithologues amateurs. Ils peuvent y observer régulièrement flamants, hérons, foulques et balbuzards.

Vous pourrez loger au **Camping S'Ena Arrubia** (☎ 0783 80 90 11 ; www.campeggio-sardegna. com ; Strada 29 ; par pers/tente/voiture 13/5/3 €). Bien équipé, il se situe du côté sud-ouest de l'étang (suivez les panneaux depuis la route principale Santa Giusta-Arborea).

À la principale gare routière d'Oristano, des bus partent toutes les demi-heures pour Santa Giusta (1 €, 15 min).

ARBOREA
4 000 habitants

Fondée par Mussolini en 1928, Arborea conserve dans son urbanisme des marques de ses origines fascistes : quadrillage de rues, place centrale immaculée et palette de curiosités architecturales.

L'élément central est la **Piazza Maria Ausiliatrice**, joliment entretenue qui ne déparerait pas dans un village suisse. Elle est dominée par la façade et le campanile de style tyrolien de la **Chiesa del Cristo Redentore** (☪ messe 7h30, 9h et 19h). De l'autre côté de la rue, le **Municipio**, de style Art nouveau tardif, abrite le **musée archéologique** (☎ 0783 8 03 31 ; Viale Omodeo ; entrée libre ; ☪ 10h-13h lun-ven), qui présente une petite collection d'objets découverts dans la région.

La **Locanda del Gallo Blanco** (☎ 0783 80 02 41 ; www.locandadelgallobianco.it ; Piazza Maria Ausiliatrice 10 ; s/d 28/52 €, sans sdb 26/48 €) est un établissement à l'ancienne avec 8 chambres modestes et un restaurant acceptable (repas env. 30 €).

Marina di Arborea

Cachée derrière une dense pinède, à 2 km au nord-ouest d'Arborea, Marina di Arborea fait face à une longue plage de sable. Le site se réduit à un hôtel en front de mer et un parking, progressivement submergé par le **Horse Country Resort** (☎ 0783 80 51 73 ; www.horse-country.it ; Strada a Mare 24 ; demi-pension/pers 71-128 € ; P ⊠ ▯), un vaste complexe hôtelier qui compte 1 000 lits, deux piscines et offre d'excellentes possibilités sportives. C'est aussi le plus grand centre équestre de Sardaigne et l'un des plus importants d'Italie. Il possède des chevaux sardes, arabes et andalous, et propose des cours d'équitation ainsi que des randonnées d'une journée à Marceddi, à Tharros et sur la Costa Verde.

MARCEDDI

Ce minuscule village de pêcheurs à l'embouchure du **Stagno di Marceddi** semble vraiment au bout du monde. Une grande partie de l'année, les seuls signes de vie moderne se limitent à quelques voitures délabrées et aux lignes électriques qui pendouillent au-dessus des routes de terre. L'étang qui sépare les plaines d'Arborea de la Costa Verde abrite une riche avifaune, avec entre autres des flamants roses, des cormorans et des hérons.

Sur place, vous pourrez faire un excellent déjeuner de poisson au bord de l'eau au **Da Lucio**

(☎ 0783 86 71 30 ; Via Sardus Pater 34 ; repas env 35 € ; ☪ déj ven-mer sept-juin, déj et dîner tlj juil-août). S'il est fermé, il faudra vous contenter d'un *panino* au **bar** (Via Sardus Pater 46 ; ☪ 8h-21h) dans la même rue.

PÉNINSULE DU SINIS

S'avançant en pointe dans le Golfo di Oristano, la péninsule du Sinis semble un monde à part. Ses lagunes aux eaux limpides – Stagno di Cabras, Stagno Sale Porcus et Stagno Is Benas – et ses plages d'un blanc immaculé lui donnent un petit air tropical, tandis que la plate campagne verdoyante semble vierge de toute activité humaine. En réalité, la région est habitée depuis le Ve siècle av. J.-C. Des *nuraghi* émaillent le paysage et le site punico-romain de Tharros témoigne de l'importance historique de la région.

Si l'été semble la période évidente pour la visite, l'hiver (octobre à mars) ne manque pas de charme non plus, avec l'afflux d'oiseaux migrateurs attirés par ces eaux peu profondes. Le clou du spectacle étant les magnifiques colonies de flamants roses.

Les sportifs apprécieront les possibilités offertes pour le surf, la planche à voile et quelques belles plongées.

CABRAS
8 700 habitants

S'étendant sur la rive sud du Stagno di Cabras, Cabras est la capitale sarde de la pêche au mulet ; la *bottarga* locale est très recherchée et mérite vraiment qu'on y goûte. La ville n'a pas de charme particulier, mais on est certain de bien y manger et son musée archéologique mérite une visite rapide.

À voir

Le petit **Museo Civico** (☎ 0783 29 06 36 ; www.penisoladel-sinis.it, en italien ; Via Tharros 121 ; 2 €, billet combiné avec Tharros 5 € ; ☪ 9h-13h et 16h-20h juin-sept, 9h-13h et 15h-19h oct-mai) est situé à l'extrémité sud de la ville. Il expose des objets découverts sur le site préhistorique de **Cuccuru Is Arrius** à 3 km au sud-ouest, et à Tharros. Remarquez en particulier la série d'outils en silex et en obsidienne qui remontent, pense-t-on, aux cultures néolithiques de Bonu Ighinu et d'Ozieri.

Fêtes

Le premier dimanche de septembre, à l'occasion de la **Festa di San Salvatore**, plusieurs centaines de jeunes hommes vêtus de blanc participent pieds nus à la **Corsa degli Scalzi** ("course des déchaussés") couvrant un itinéraire de 8 km menant au sanctuaire de San Salvatore. Ils emmènent avec eux une représentation du saint, commémorant ainsi un épisode historique remontant à 1506 : les habitants s'étaient alors précipités au sanctuaire afin de protéger la statue du saint contre des pirates maures. Le lendemain, la course s'effectue dans le sens inverse.

Où se loger et se restaurer

Sa Pedrera (☎0783 37 00 40 ; www.sapedrera.it ; Strada Provincial Cabras ; d 66-140 €, qua 120-252 €, demi-pension/pers 50-91 € ; P 🔀). À 7,5 km du bourg, sur la route principale vers San Giovanni di Sinis, ce trois-étoiles décontracté dispose de chambres simples donnant sur un luxuriant jardin. Pierre apparente et grande cheminée confèrent aux lieux un caractère rustique et authentique.

Il Caminetto (☎ 0783 39 11 39 ; Via Cesare Battisti 8 ; repas env 35 € ; 🕒 tlj sauf lun). L'un des restaurants les plus réputés de la région, notamment pour ses plats de poisson, dont les grandes spécialités locales : le *muggine affumicato* (mulet fumé) et l'*aguidda incasada* (anguille au *pecorino*).

L'Oliveto (☎ 0783 39 26 16 ; Via Tirso 23 ; repas 30-35 € ; 🕒 mer-lun). Niché dans une oliveraie, en lisière nord de la ville, ce restaurant-pizzéria décontracté est très apprécié pour ses produits de la mer, mais on peut aussi y commander une pizza acceptable ou un copieux plat de viande.

Depuis/vers Cabras

Les bus ARST en provenance d'Oristano circulent en moyenne toutes les 20 minutes (1 €, 15 min).

SAN SALVATORE

Étrange lieu que San Salvatore, où furent tournés plusieurs westerns-spaghettis dans les années 1960. La place centrale en terre battue est bordée de *cumbessias*, minuscules maisons de pèlerins collées les unes aux autres et désertes la majeure partie de l'année, comme d'ailleurs le reste du village. Fin août, le lieu s'anime pour accueillir le pèlerinage de San Salvatore (saint Sauveur), une fête qui dure neuf jours et dont les cérémonies se déroulent dans la **Chiesa di San Salvatore** (🕒 9h30-13h et 15h30-18h lun-sam et dim matin), sur la place du village.

L'église fut bâtie à l'emplacement d'un *ipogeo*, un sanctuaire souterrain taillé dans la roche remontant à la période nuragique. Du sanctuaire d'origine, associé au culte de l'eau, on voit encore un puits sacré dans la chambre principale. Ce site fut transformé en église à l'époque romaine. La pierre noire des parois porte encore des graffitis du IVe siècle et des fresques aux teintes fanées.

Juste après l'embranchement pour le village (attention à ne pas le manquer), vous trouverez deux *agriturismi* (chambres à la ferme) d'un excellent rapport qualité/prix. Signalé sur la droite, l'**Agriturismo Su Pranu** (☎ 0783 39 25 61 ; www.supranu.com ; Localita San Salvatore ; B&B/pers 32-40 €, demi-pension/pers 50-60 € ; 🔀) dispose de six lumineuses chambres d'hôte et d'un superbe restaurant dans une ferme en pleine activité. Le menu varie en fonction des produits du jour, mais légumes et fruits viennent du jardin. La viande, dont le traditionnel *porceddu*, est cuite à la perfection sur un énorme barbecue en plein air.

De l'autre côté de la route, l'**Agriturismo Sinis** (☎ 0783 39 25 61 ; www.agriturismoilsinis.it ; Localita San Salvatore ; B&B/pers 32-40 €, demi-pension/pers 50-60 € ; 🔀), tenu par la même famille, propose six chambres supplémentaires.

SAN GIOVANNI DI SINIS

À la pointe sud de la péninsule, 5 km après San Salvatore, la route traverse le petit hameau de San Giovanni di Sinis. Près du parking au bord de la route se dresse la **Chiesa di San Giovanni di Sinis** (🕒 9h-19h juin-sept, 9h-17h oct-mai), la plus ancienne église de Sardaigne après la Basilica di San Saturnino de Cagliari (p. 67). Fondée au VIe siècle, cette église en grès fut en grande partie remaniée au XIe siècle, mais elle conserve des éléments byzantins d'origine, dont sa coupole rouge caractéristique. L'intérieur, aux murs nus, dégage une étonnante spiritualité.

THARROS

Après San Giovanni di Sinis, la route passe devant une série de pizzerias, de bars et de cafés pour rejoindre **Tharros** (☎ 0783 39 73 06 ; billet combiné avec le Museo Civico a Cabras 5 € ; 🕒 9h-19h juin-sept, 9h-17h oct-mai), l'ancienne puissante cité portuaire fondée par les Phéniciens au VIIIe siècle av. J.-C. Se détachant sur la mer bleue, ces ruines antiques comptent parmi les sites les plus saisissants du Sud de la Sardaigne. Tôt le matin ou juste avant le coucher du soleil,

ORISTANO ET L'OUEST

les ruines sont particulièrement belles, et l'endroit paisible.

Histoire

Le Capo Marco, à la pointe sud de la péninsule du Sinis, était déjà un site nuragique prospère quand les Phéniciens y établirent une base vers 730 av. J.-C. Tharros prospéra et fut finalement intégrée dans l'empire carthaginois. Cependant son statut d'importante base navale et sa position stratégique ayant toujours attisé les convoitises, elle tomba aux mains de Rome à l'issue de la première guerre punique.

Tharros demeura une ville navale et maritime important, mais une fois la route reliant Cagliari à Porto Torres, achevée, elle perdit de son influence. Elle bénéficia pourtant de profonds réaménagements aux IIe et IIIe siècles. Les attaques de plus en plus virulentes des Vandales puis, plus tard, celles des Maures d'Afrique du Nord, poussèrent les autorités à l'abandonner en 1070. Une grande partie des matériaux de la cité servit alors pour la construction d'Oristano.

À voir et à faire

En approchant du site, il est impossible d'apercevoir les ruines avant d'atteindre la billetterie en haut de la colline. De l'entrée, suivez brièvement le *cardo* (axe nord-sud structurant les cités romaines) pour rejoindre, sur la gauche, le *castellum aquae* (château d'eau). À l'intérieur de cette construction carrée, on discerne deux rangées de colonnes. De là, le **Cardo Massimo**, la plus grande voie de la ville, mène à une hauteur dénudée surmontée d'une acropole carthaginoise et d'un *tophet* (lieu de sépulture sacré pour les enfants). On voit ici aussi les traces du nuraghe d'origine.

Au bout du Cardo Massimo, le **Decumano** (axe est-ouest), qui descend jusqu'à la mer, passe devant les vestiges d'un **temple punique** et du **Tempio Tetrastilo**. Les deux colonnes solitaires qui s'élèvent sur ce temple d'époque romaine sont des répliques, mais leurs chapiteaux corinthiens sont d'origine.

À proximité s'étendent les **thermes** et, au nord, les vestiges d'un **baptistère paléochrétien**. À l'extrémité la plus méridionale du site se trouvent d'autres thermes datant du IIIe siècle.

Pour contempler l'ensemble du site, sans avoir à y pénétrer, montez à la **Torre di San**

UN BOUT DU MONDE

À quelques kilomètres de Tharros, signalé depuis la grand-route, le Parco Comunale Oasi di Seu est une oasis de flore méditerranéenne. Après avoir parcouru les 3 km de piste menant jusqu'à l'entrée, on pénètre dans un monde silencieux où des sentiers sablonneux sillonnent une nature vierge. Palmiers nains et pins d'Alep jettent çà et là leur ombre sur le maquis odorant.

Giovanni (3 € ; ☉ 9h-19h juin-sept, 9h-17h oct-mai), une tour de guet de la fin du XVIe siècle qui abrite parfois des expositions. Elle offre une vue panoramique sur les ruines, ainsi que sur la **Spiaggia di San Giovanni di Sinis**, une plage au sable doré très prisée qui s'étend de part et d'autre de la tour. Rien ne vous empêche ensuite de vous promener sur les chemins de terre qui mènent au Capo San Marco et au phare.

Depuis/vers Tharros

Cinq bus ARST assurent la liaison quotidienne avec Oristano en été (1,50 €, 35 min). Le parking près du site coûte 2 € pour 2 heures et 4 € par jour.

PLAGES

Les plages de la péninsule du Sinis méritent le détour. L'une des plus belles, **Is Aruttas**, est dotée d'un sable de quartz blanc, si beau qu'il fut exploité pendant des années pour tapisser les aquariums et les plages de la Costa Smeralda. Aujourd'hui, il est interdit d'en prélever. La plage (signalée) se situe à 5 km à l'ouest de la grande route qui part de San Salvatore vers le nord.

Accessible à pied depuis la plage, le **Camping Is Aruttas** (☎ 0783 39 11 08 ; www.campingisaruttas.it ; Localita Marina Aruttas ; par pers/tente/voiture 14 €/gratuit/3,50 € ; ☉ mi-mai à sept) offre des équipements modestes au milieu des oliviers et du maquis.

Au nord de la péninsule s'étend la plage des surfeurs et des véliplanchistes, **Putzu Idu**, bordée par un ensemble bigarré de maisons de vacances, de bars de plage et de boutiques de surf. L'une d'elles, **Capo Mannu Kite School** (☎ 347 007 70 35 ; www.capomannukiteschool.it) propose des cours de kite-surf pour tous niveaux.

Juste à côté du **Scuba Café** (☎ Lungomare Putzu Idu ; ☉ 9h-22h hiver, 7h-2h été), rare établissement à rester ouvert en hiver, se trouve le petit centre **9511 Diving** (☎ 349 291 37 65 ; www.9511.it), également ouvert toute l'année et dont les instructeurs sont qualifiés PADI. Ce centre organise des sorties plongées (à partir de 50 €, location de l'équipement compris), du snorkeling (25 €/pers) et des excursions à l'**Isola di Mal di Ventre**, à 10 km de la côte.

Divers autres organismes proposent des excursions vers cette île. Notamment, **Mare Mania** (☎ 347 191 94 80 ; www.mare-mania.it ; 🕙 8h-13h et 15h-18h été seulement), installé dans un kiosque sur la route menant au village. L'excursion d'une demi-journée/journée coûte 19/22 €, ou 46 € déjeuner compris.

Sur la droite en approchant de Putzu Idu, vous verrez le **Stagno Sale Porcus**, vaste étang salé peu profond, qui accueille des flamants roses en hiver et qui, sous le soleil de l'été, forme une croûte blanche étincelante. **Orte e Corru Ranch** (☎ 0783 52 81 00 ; Localita Oasi di Sale Porcus) propose des randonnées équestres autour de la lagune.

En semaine, deux bus ARST par jour desservent Putzu Idu depuis Oristano (2 €, 55 min). En juillet et août, il existe quatre services supplémentaires.

RIOLA SARDO
2 200 habitants
Riola Sardo est une bourgade plutôt morne, mais le merveilleux **Hotel Lucrezia** (☎ 0783 41 20 78 ; www.hotellucrezia.it ; Via Roma 14/a, Riola Sardo ; s 75-90 €, d 120-150 € ; 🐾 💻) justifie à lui seul d'y faire étape. Les chambres donnent sur le *cortile*, une cour intérieure abritant des figuiers, des citronniers et une pergola qui croule sous la glycine. La déco rustique comporte un majestueux mobilier en bois et de hauts lits du XVIIIe siècle. Des bicyclettes sont fournies et les gérants accueillants organisent régulièrement des dégustations de vins ainsi que des cours de cuisine ou de peinture.

MONTIFERRU

Le massif volcanique du Montiferru, qui culmine à 1 050 m au Monte Urtigu, est une belle région assez préservée, fourmillant de vieilles forêts, de sources naturelles et de petits bourgs. Seneghe produit l'une des meilleures huiles d'olive et le meilleur bœuf de Sardaigne, tandis que Milis est réputée pour ses oranges douces et pulpeuses. Le principal attrait reste toutefois la campagne, incroyablement verdoyante. Les routes désertes serpentent entre des sommets rocheux aux flancs tapissés de chênes-lièges, de châtaigniers, de chênes et d'ifs. Buses et faucons planent dans les courants d'air chaud. Mouflons et cerfs sardes, menacés un temps d'extinction, sont progressivement réintroduits dans leurs habitats forestiers.

MILIS
1 700 habitants
Avant-poste militaire à l'époque romaine (son nom vient du latin *miles* qui signifie "soldat"), Milis est une bourgade prospère entourée d'orangeraies auxquelles elle doit sa richesse.

Dominant le centre du village, le **Palazzo Boyl**, du XVIIIe siècle, offre un bel exemple de néoclassicisme piémontais. Devenu une sorte de lieu de rencontres littéraires au tournant du XIXe et du XXe siècle, il accueillit Honoré de Balzac, Gabriele D'Annunzio et Grazia Deledda. Aujourd'hui, il abrite le petit **musée** (☎ 0783 5 16 65 ; Piazza Martiri ; gratuit ; 🕙 sur RV) de la ville dédié aux costumes et bijoux traditionnels.

Deux églises méritent un coup d'œil : face au Palazzo Boyl, la **Chiesa di San Sebastiano** (XIVe siècle), dont la façade gothique catalane est ornée d'une imposante rosace, et, près de l'entrée est de la ville, la **Chiesa di San Paolo**, de style roman toscan, qui renferme quelques intéressantes peintures d'artistes catalans du XVIe siècle.

Début novembre, Milis accueille la **Rassegna del Vino Novello** (fête du vin nouveau), à l'occasion de laquelle les viticulteurs sardes se rassemblent pour proposer leurs meilleurs produits. C'est alors le moment de se livrer à une dégustation en règle et de faire le tour des petits étals de nourriture installés dans la rue.

SENEGHE
2 000 habitants
Village bâti dans une pierre sombre, Seneghe est une étape incontournable lors d'un circuit gastronomique dans le centre de la Sardaigne. Très renommée, l'huile d'olive locale a déjà remporté l'Ercole Olivario, la plus prestigieuse récompense d'Italie. L'autre grande spécialité du village, le *bue rosso*, passe auprès des gourmets pour l'une des meilleures viandes d'Italie. Il provient de vaches rousses qu'on n'élève qu'ici et près de Modica en Sicile.

ORISTANO ET L'OUEST

RANDONNÉE DANS LES MONTS DE FER

Pour explorer au mieux le Montiferru, il faut abandonner tout véhicule et marcher. Ce superbe itinéraire mène jusqu'au sommet du Monte Entu (1 024 m), l'un des plus hauts de l'Ouest de la Sardaigne. La randonnée n'est pas particulièrement difficile, mais prévoyez environ 4 heures.

Pour rejoindre le point de départ, voisin du Nuraghe Ruju proche de Seneghe, vous aurez besoin d'un véhicule. Sortez de Seneghe en direction de Bonarcado et, après quelques centaines de mètres, suivez la direction S'iscala. Laissez votre véhicule au parking du Nuraghe Ruju pour accéder, quelques mètres plus bas, au sentier qui part dans les bois, à gauche d'un mur de pierre. En grimpant, vous arrivez à une trouée, indiquée par un chêne vert, où il vous faut prendre à gauche. Continuez après la porte en bois jusqu'à une deuxième porte en métal. Franchissez cette porte et poursuivez jusqu'à une fourche. Prenez le sentier de gauche qui débouche sur une vue imprenable sur la côte. Par temps clair, on voit jusqu'à Alghero. Après quoi vous pouvez continuer jusqu'au pied du cône volcanique qui marque le sommet du Monte Entu.

Soucieuse de nourrir aussi l'esprit, Seneghe accueille, fin août-début septembre, un festival annuel de poésie : le **Settembre dei Poeti**. Quatre jours dédiés à la poésie locale et internationale comportant des lectures, des séances de questions-réponses avec les auteurs et des *gare poetiche* (joutes poétiques).

Vous pouvez faire provision d'huile d'olive à l'**Oleificio Sociale Cooperativo di Seneghe** (☎ 0785 5 46 65 ; www.oleificiodiseneghe.it, en italien ; Corso Umberto I ; 🕑 9h-12h30 et 17h-19h30 lun-ven), à l'entrée du bourg en venant de Bonarcado. Comptez environ 6 €/0,5 l ou 37,50 €/5 l.

Pour vous régaler de bœuf local, direction l'**Osteria Al Bue Rosso** (☎ 0783 5 43 84 ; Piazzale Montiferru 3/4 ; repas 30-35 € ; 🕑 déj et dîner ven et sam, dîner sur réservation dim et mar-jeu), installée dans une ancienne crémerie des années 1920, à la sortie du bourg vers Narbolia. Vous pourrez goûter différents plats à base de bœuf, dont l'*insalata di bue rosso* (salade de bœuf) ou le délicieux *filetto* (filet) grillé. Le vin bio maison est également très bon. Les patrons pourront vous conseiller une chambre d'hôte dans les environs.

BONARCADO
1 650 habitants

À 5 km au nord-est de Seneghe, le village assoupi de Bonarcado s'anime lors du pèlerinage qui a lieu du 14 au 28 septembre. En 1821, le pape Pie VII accorda l'indulgence plénière à tous les pèlerins qui viendraient se confesser dans le minuscule **Santuario della Madonna di Bonacattu**. Construit au VIIe siècle, et remanié huit siècles plus tard, ce sanctuaire n'est guère plus qu'une chapelle coiffée d'un dôme. Il ne respecte pas d'horaires officiels, mais vous avez des chances de le trouver ouvert.

À quelques minutes à pied, la modeste **Chiesa di Santa Maria** d'époque romane, qui faisait partie d'un monastère au Moyen Âge, se dresse au milieu d'une place sombre.

SANTU LUSSURGIU
2 600 habitants

Santu Lussurgiu est bâtie dans un ancien cratère volcanique, sur le versant oriental du Montiferru. Étroitement blotties les unes contre les autres, les maisons de pierre du centre historique s'étagent sur les flancs de l'amphithéâtre naturel. Le petit **office du tourisme** (☎ 0783 55 10 34 ; Via Santa Maria 40 ; 🕑 9h30-11h lun-ven été, 9h30-13h lun-ven hiver) se situe en retrait de la route qui traverse le bourg.

Connue de longue date pour son artisanat, Santu Lussurgiu demeure un centre de production d'articles en ferronnerie, en bois et en cuir. Pour découvrir les traditions rurales, faites un tour au **Museo della Tecnologia Contadina** (musée de la Technologie rurale ; ☎ 0783 55 06 17 ; Via Deodato Meloni ; visites guidées sur réservation) qui expose une riche collection d'outils, d'ustensiles et de machines utilisés dans les campagnes.

Santu Lussurgiu possède deux excellents hôtels, tous deux situés dans le *centro storico*. Aménagée dans une demeure du XVIIe siècle superbement restaurée, l'**Antica Dimora del Gruccione** (☎ 0783 55 20 35 ; www.anticadimora.it ; Via Michele Obinu 31 ; par pers/demi-pension 38/60 € ; 🐾) a beaucoup de cachet avec sa belle cage d'escalier, ses parquets et ses arcades de pierre. Les chambres se répartissent dans différents endroits du centre historique, les plus belles se trouvant au premier étage de la demeure principale.

Dans le même esprit, **Sas Benas** (☎ 0783 55 08 70 ; www.sasbenas.it ; Via Cambosu ; s 40-60 €, d 70-100 €, demi-pension/pers 55-80 €) loue d'élégantes chambres rustiques dans quatre maisons différentes. Son restaurant renommé (menu dégustation 30 €) est spécialisé dans les délicieux produits locaux, tels que le *bue rosso*, le *casitzolu* (un fromage) et les saucisses de Santu Lussurgiu.

SAN LEONARDO DE SIETE FUENTES

La route en lacets reliant Santu Lussurgiu à Cuglieri grimpe sur le versant oriental du Montiferru. Assez vite, une route secondaire part sur la droite (en direction de Macomer) pour rejoindre San Leonardo de Siete Fuentes, minuscule hameau boisé renommé pour ses sources. Son nom fait référence aux sept fontaines (*siete fuentes*) d'où jaillit l'eau.

Un sentier grimpe du centre du village jusqu'à la charmante **Chiesa di San Leonardo**, église romane du XIIᵉ siècle qui appartenait jadis à l'ordre des chevaliers de Saint-Jean-de-Jérusalem. Le sentier continue à escalader la colline, au milieu des chênes et des ormes. C'est une balade jolie et facile, parfaite avec des enfants.

CUGLIERI

3 000 habitants / altitude : 483 m

Perché en hauteur sur le flanc occidental du Montiferru, la petite ville agricole de Cuglieri est une excellente étape pour déjeuner. Pour vous ouvrir l'appétit, grimpez jusqu'à la **Basilica di Santa Maria della Neve**, énorme église de la ville dont le dôme argenté est visible des kilomètres à la ronde. De là, on a une vue imprenable sur la mer.

Vous pourrez faire provision d'huile d'olive à l'**Azienda Agricola Peddio** (☎ 0785 36 92 54 ; Corso Umberto 95 ; ◷ 8h30-13h et 15h-18h lun-ven) sur la route principale. Le litre d'huile coûte entre 6 et 7,50 €.

Caché au milieu des maisons de pierre grise du *centro storico*, l'**Albergo Desogos** (☎/fax 0785 3 96 60 ; Via Cugia 6 ; s/d 18/36 € ; repas 15-20 €) dispose de chambres modestes mais son restaurant est excellent. Si vous hésitez sur le menu, laissez faire la patronne, une vraie *mamma* qui vous apportera tout un assortiment d'appétissants jambons de pays, de légumes marinés et de fromages piquants – et ce rien que pour l'*antipasto*. Si vous avez encore faim, les pâtes et les plats de viande sont tout aussi copieux.

Du lundi au samedi, cinq bus ARST relient Cuglieri et Oristano (3 €, 1 heure). En juillet-août, deux bus supplémentaires circulent le dimanche.

SANTA CATERINA DI PITTINURI ET SES ENVIRONS

Au nord d'Oristano, quelques superbes plages s'étendent autour de **Santa Caterina di Pittinuri**, station balnéaire très fréquentée. Cernée de falaises blanches, la plage de la ville est relativement petite, mais ses eaux bien abritées et peu profondes sont idéales pour les petits.

Quelques kilomètres au sud, la **Spiaggia dell'Arco**, à **S'Archittu**, se caractérise par une magnifique arche naturelle de 6 m de haut surplombant des eaux vert émeraude. Derrière S'Archittu, une route de terre signalisée quitte la SS292 pour mener aux maigres vestiges de **Cornus**, cité punico-romaine qui fut le théâtre d'une bataille historique en 215 av. J.-C. Les ruines se trouvent dans un site isolé que l'on peut explorer librement.

À 3 km au sud de la **Torre del Pozzo** (ou Torre Su Putzu), une piste part de la grand-route pour mener à la plage d'**Is Arenas**, longue de 6 km.

Les campeurs auront l'embarras du choix car il existe trois campings entre la mer et la SS292, dont le **Camping Is Arena** (☎ 0783 5 22 84 ; www.campingisarenas.it ; par pers/tente/voiture 10/13 €/gratuit), au milieu d'une pinède près de la plage éponyme. Autre style à l'**Hotel La Baja** (☎ 0785 38 91 49 ; www.hotellabaja.it ; Via Scirocco 20, Santa Caterina di Pittinuri ; s 55-105 €, d 90-160 € ; ◷ mai-sept ; P 🕸 🛋), qui dispose de chambres quatre étoiles ensoleillées, d'une piscine panoramique et offre une merveilleuse vue sur la mer depuis son emplacement isolé sur un promontoire.

Les bus ARST relient Oristano à Santa Caterina (2 €, 40 min, 5/j lun-sam, plus 2/j dim en juil-août) et à S'Archittu (2 €, 40 min, 5/j lun-sam, plus 2/j dim en juil-août). Il s'arrête sur demande au niveau des campings.

SITES DU LAGO OMODEO

Niché au milieu des vertes collines du Barigadu, le Lago Omodeo, plus grand lac artificiel de Sardaigne, s'étend sur 22 km de long et 3 km de large. Il fut créé entre 1919 et 1924 pour ravitailler en eau et en électricité les terres agricoles autour d'Oristano et d'Arborea. La campagne environnante, à la population disséminée, présente une grande richesse archéologique, avec deux des plus importants sites nuragiques de l'île.

LE GARDIEN DE LA TRADITION

Les 6 et 7 juillet, Sedilo accueille **S'Ardia**, la fête la plus appréciée de la province d'Oristano. Près de 50 000 personnes se rassemblent dans ce petit village afin d'assister à la course de chevaux la plus folle et la plus dangereuse de Sardaigne.

Cette fête célèbre l'empereur romain Constantin, qui vainquit les troupes, supérieures en nombre, de Maxence lors de la bataille du pont Milvius (Ponte Milvio) à Rome en 312. Cette fête païenne a néanmoins des accents catholiques : une légende prétend que Constantin aurait eu, avant la bataille, la vision d'une croix portant l'inscription *"In hoc signo vinces"* ("Tu vaincras par ce signe"). Il s'appuya sur ce symbole pour emmener ses troupes vers la victoire et, l'année suivante, il promulgua un édit interdisant la persécution des chrétiens, de sorte qu'on lui accorda le titre officieux de saint Constantin (Santu Antine en dialecte local).

SANTA CRISTINA ET PAULILATINO

Le site nuragique de Santa Cristina est remarquable pour son *pozzo sacro* (puits sacré) central, l'un des plus importants et des mieux préservés de Sardaigne. Le culte de l'eau jouait un rôle fondamental dans la pratique religieuse nuragique et l'on estime à une quarantaine le nombre de puits sacrés répartis sur l'île.

Juste à côté de la SS131, le **Nuraghe Santa Cristina** (☎ 0785 5 54 38 ; billet combiné avec le Museo Archeologico-Etnografico à Paulilatino 5 € ; ☉ 8h30-21h30 mai-sept, 21h oct-avr) s'étend sur le plateau d'Abasanta, à quelques kilomètres au sud de Paulilatino. Avant d'accéder aux vestiges, on passe devant la très ancienne **Chiesa di Santa Cristina**. L'église et les *muristenes* (huttes mitoyennes dans lesquelles logent les pèlerins) qui l'entourent ne sont ouverts que 9 jours par an, à l'occasion de la fête de Santa Cristina autour du deuxième dimanche de mai, et de celle de San Raffaele Arcangelo (l'archange Raphaël) le quatrième dimanche d'octobre.

Passé l'église, un chemin vers l'est conduit en une centaine de mètres au village nuragique, situé dans une paisible oliveraie. Habité jusqu'au début du Moyen Âge, ce village est centré autour d'un extraordinaire *tempio a pozzo* (temple à puits), qui date de la fin de l'âge du bronze (XIe-IXe siècle av. J.-C.).

On accède au puits par une entrée en forme de trou de serrure soigneusement équarrie et par une volée de 24 marches remarquablement conservées. D'en bas, on peut admirer la parfaite construction du *tholos* (plafond conique) qui se termine par un orifice rond où filtre la lumière. Tous les 18 ans, 1 mois et 2 jours, les rayons de la pleine lune tombent droit dans le puits par cette ouverture. Chaque année, aux équinoxes de mars et de septembre, les rayons du soleil illuminent l'escalier qui descend vers le puits.

Cinq kilomètres plus loin sur la SS131, on arrive à **Paulilatino**, bourg agricole à l'allure plutôt austère avec ses maisons de pierre grise. Les découvertes effectuées sur le site de Santa Cristina sont exposées dans le petit **Museo Archeologico-Etnografico** (☎ 0785 5 54 38 ; Via Nazionale 127 ; billet combiné avec Santa Cristina 5 € ; ☉ 9h-13h et 16h30-19h30 tlj sauf lun mai-sept, 9h-13h et 15h30-17h30 tlj sauf lun oct-avr), installé dans une belle demeure du village. Le musée conserve aussi des outils agricoles et des ustensiles de cuisine évoquant la difficile vie rurale d'autrefois. Le billet d'entrée du site de Santa Cristina permet aussi de visiter le musée mais pas le même jour.

NURAGHE LOSA ET SES ENVIRONS

À quelques kilomètres au nord de Paulilatino, juste à l'écart de la SS131, s'élève l'un des plus impressionnants nuraghi de Sardaigne : le **nuraghe Losa** (☎ 0785 5 23 02 ; www.nuraghelosa.net, en italien ; adulte/enfant 3,50/2 € ; ☉ 9h-1h av le coucher du soleil).

L'élément central du site est une tour triangulaire massive. Elle est entourée de trois tours rondes plus petites, deux d'entre elles étant jointes par un mur tandis que la dernière reste isolée. Bien qu'ayant perdu sa partie supérieure, la tour centrale atteint encore près de 13 m de hauteur. Elle daterait du milieu de l'âge de bronze (vers 1500 av. J.-C.).

La tour principale renferme quatre tours intérieures (une centrale et une dans chaque angle). L'entrée du nuraghe dessert la tour centrale ainsi que les tours sud-ouest et sud-est. La tour nord-ouest possède un accès indépendant.

Pour loger dans les environs, le **Mandra Edera** (☎ 320 151 51 70 ; www.mandraedera.it ; ch/pers 49-59 €, ste 59-69 €, demi-pension/pers 69-89 ; ⊗ fin avr-début oct ; (P) (🔁) (🔁)) est un excellent hôtel dans le style ranch, très accueillant, notamment avec des enfants. Joliment situé au milieu des grands chênes et des vergers, il possède un restaurant chic (repas env. 23 €) et loue des chambres dans des bungalows disséminés sur des pelouses soignées. Mais son grand attrait tient à ses écuries. Les cours d'équitation coûtent 7,50 € pour les enfants et 15 € pour les adultes, et les randonnées équestres démarrent à 20 €/heure. Notez que l'hôtel demande un séjour minimum de deux nuits. Pour y accéder, quittez la SS131 en direction d'Abbasanta, 2 km au nord du Nuraghe Losa, prenez le virage en épingle à cheveux après le pont et suivez la route jusqu'au panneau indiquant le Mandra Edera sur la droite.

FORDONGIANUS

Au sud-ouest du Lago Omodeo, presque au confluent des rivières Tirso et Mannu, se trouve la ville thermale de Fordongianus. Le plus facile pour y accéder depuis Oristano est de prendre la SS388.

Déjà mentionnées par Ptolémée, les sources furent prisées des Romains. Ils édifièrent des thermes et par la suite une agglomération qu'ils baptisèrent Forum Traiani (et dont est dérivé le nom actuel). Les **Terme Romane** (☎ 0783 6 01 57 ; www.forumtraiani.it, en italien ; billet couplé avec la Casa Aragonese incl 4 € ; ⊗ 9h30-13h et 15h30-20h tlj sauf lun juil-août, jusqu'à 19h sept, 18h30 avr-juin,

9h30-13h et 14h30-17h30 nov-mars, 9h-13h et 15h-18h oct), datant du Ier siècle, sont encore opérationnels aujourd'hui. Au centre, on voit la piscine rectangulaire, jadis entourée d'un portique, dont subsiste un seul côté.

L'actuel village de Fordongianus est entièrement bâti en trachyte rouge, notamment la ravissante **Casa Aragonese** (billet couplé avec les Terme Romane incl 4 € ; ⊗ mêmes horaires), typique maison noble catalane du XVIe siècle. Les statues se dressant à l'extérieur, elles aussi en trachyte, ont été réalisées lors du concours de sculpture qui a lieu chaque année en été.

En semaine 7 bus relient Fordongianus et Oristano (2 €, 40 min).

NORD D'ORISTANO

Au nord de la région du Montiferru, le terrain devient moins vallonné à mesure que l'on se rapproche de Macomer, centre agricole et nœud ferroviaire de la région. À l'ouest, la jolie ville médiévale de Bosa possède un imposant château perché sur une colline.

MACOMER
10 900 habitants

Macomer ne justifie pas vraiment une étape. Mais si vous y passez et que vous avez un moment à perdre, vous pouvez faire un tour au modeste **Museo Etnografico** (☎ 0785 7 04 75 ; Corso Umberto 225 ; 3 € ; ⊗ 10h-12h30 et 16h-20h lun-ven, sam

---

ANTONIO GRAMSCI

Grande figure de la pensée politique du XXe siècle, Antonio Gramsci (1891-1937) fut l'un des pères fondateurs du communisme italien. Né en Sardaigne à Ales, dans une famille pauvre, il fit ses études à Ghilarza puis à Cagliari et à Turin.

C'est à Turin que ses idées politiques mûrirent. Fervent partisan du syndicalisme (Turin était alors à la pointe de l'industrialisation italienne), il rejoignit, en 1913, le Parti socialiste et fut, six ans plus tard, l'un des cofondateurs de la revue *L'Ordine Nuovo*. À la suite de conflits au sein du Parti socialiste, Gramsci et un groupe de camarades activistes firent sécession, en 1921, pour former le Parti communiste italien. Très influencé par ce qui se passait en Russie (il visita Moscou en 1922 et épousa une violoniste russe), Gramsci fut arrêté par la police fasciste en 1926 et condamné à 25 ans de prison. En captivité, il écrivit ses *Carnets de prison*. Il resta emprisonné 12 ans et mourut quelques jours après sa libération, à 46 ans.

L'une des idées de Gramsci les plus connues est sa théorie de l'hégémonie culturelle, selon laquelle le prolétariat, en adoptant l'idéologie dominante, sert les intérêts de la bourgeoisie. Pour lutter contre cette hégémonie, il est indispensable que la classe ouvrière s'arme de valeurs et d'une culture propres.

À **Ghilarza**, on peut visiter la **maison de Gramsci** (☎ 0785 54 1 64 ; www.casagramscighilarza.org ; Corso Umberto I 36 ; entrée libre; ⊗ 10h-13h et 16h-19h ven-dim hiver, 10h-13h et 16h30-19h30 mer-lun été) où il vécut entre 1898 et 1914.

matin) qui renferme une collection éclectique de mobilier et d'ustensiles de cuisine. S'il est fermé, adressez-vous de l'autre côté de la rue à **Esedra Escursioni** (☎ 0785 74 30 44 ; www. esedraescursioni.it ; Corso Umberto 206), où vous pouvez aussi organiser un trajet ou une excursion sur le *trenino verde* (p. 126).

Ceux qui sont motorisés pourront visiter le **Nuraghe di Santa Barbara**, haut de 15 m et situé près de la SS131 à 2 km au nord de Macomer, ou le **Nuraghe Ruiu**, très délabré, près de l'hôpital de la ville. Un troisième nuraghe, le **Nuraghe di Santa Sabina**, se situe au sud de Silanus, 15 km à l'est de Macomer, à côté d'une jolie chapelle byzantine.

Pour se restaurer, le **Ristorante Su Talleri** (☎ 0785 7 16 99 ; Corso Umberto I 228 ; pizza 6 €, repas 25-30 € ; ☽ lun-sam), à l'ambiance roller-disco des années 1980, fait une très bonne cuisine, dont des pizzas à emporter.

Macomer est un grand carrefour ferroviaire. Les trains Trenitalia relient la ville à Oristano (3,30 €, 45 min, 9/j), à Cagliari (8,75 €, 1 heure 45, 10/j) et à Sassari (6,35 €, 1 heure 45, 10/j). Quelques bus relient Macomer à Nuoro (4 €, 1 heure 15, 4/j).

Gare ferroviaire et gare routière se trouvent sur le Corso Umberto, en lisière ouest de la ville.

BOSA

8 100 habitants

La ravissante Bosa est l'une des plus jolies villes de Sardaigne. Avec sa mosaïque de maisons dans les tons pastel étagées à flanc de colline, et surmontées par la masse grise et austère d'un château, elle évoque de loin une toile de Paul Klee. En face, des bateaux de pêche à l'amarre dansent sur les eaux miroitantes du fleuve bordé d'une élégante ligne de palmiers.

Fondée par les Phéniciens sur les berges du Temo, seul cours d'eau navigable à l'intérieur de l'île, Bosa prospéra sous les Romains. Durant le haut Moyen Âge, elle souffrit de nombreuses razzias des pirates arabes. Mais au début du XIIe siècle, la famille Malaspina (une branche de la famille toscane éponyme) vint s'y installer et édifia cet énorme château. Au XIXe siècle, les Savoie implantèrent de lucratives tanneries, lesquelles ont périclité depuis.

Orientation

La majeure partie de Bosa s'étend sur la rive nord du Temo. L'artère principale, le Corso Vittorio Emanuele, se situe à un pâté

> ### ESCAPADE À BIDONI
>
> Sur la rive orientale du Lago Omodeo, le hameau de Bidoni abrite, sous le nom de Museo del Territorio, l'un des plus étranges musées de Sardaigne : le **Museo S'Omo 'e sa Majarza** (maison de la Sorcière ; ☎ 0783 69 0 44 ; Via Monte 9 ; adulte/tarif réduit 3/2 € ; ☽ visite sur demande et avec un guide) dédié aux sorcières et au folklore local, et qui comporte la reconstitution d'une grotte de sorcière du XVIe siècle.
>
> Bidoni est signalé depuis Ghilarza, la principale bourgade de la rive orientale du Lago Omodeo.

de maison au nord du fleuve et mène aux deux places centrales, la Piazza Costituzione et la Piazza IV Novembre. À l'ouest s'étend la ville moderne, au plan en damier.

Au sud de la ville, la Via Nazionale conduit à Bosa Marina, satellite balnéaire de la ville situé 3 km à l'ouest.

Renseignements

Banco di Sardegna (Piazza IV Novembre). DAB.

Farmacia Passino (☎ 0785 37 60 47 ; Corso Vittorio Emanuele 51). Pharmacie centrale.

Poste (Via Pischedda ; ☽ 8h-18h50 lun-ven, 8h-13h15 sam). Dans la ville moderne.

Office du tourisme (☎ 0785 37 61 07 ; www.infobosa. it, en italien ; Via Alberto Azuni 5 ; ☽ 10h-13h jeu-sam). S'il est fermé, ce qui est souvent le cas, adressez-vous au musée Casa Deriu.

Web Copy (☎ 0785 37 20 49 ; Via Vincenzo Gioberti 12 ; 4 €/h ; ☽ 9h-13h et 16h30-20h lun-sam). Accès Internet.

À voir

Perché au sommet de la colline, et jouissant d'une magnifique vue panoramique, le **Castello Malaspina** (☎ 333 544 56 75 ; 2,50 € ; ☽ 10h-13h et 16h-19h juil, 10h-13h et 16h-19h août, 10h-13h et 15h30-18h avr-juin, sept et oct) fut construit en 1112 par la famille toscane des Malaspina. De l'édifice d'origine, il ne subsiste que les imposants murs et une série de robustes tours de brique. À l'intérieur, la **Chiesa di Nostra Signora di Regnos Altos** est une humble chapelle édifiée entre les XIIe et XIVe siècles. Elle abrite une extraordinaire fresque anonyme du XIVe siècle, véritable galerie de portraits des saints les plus célèbres, dont un saint Christophe, immense au milieu de moines franciscains, et un saint Laurent martyrisé.

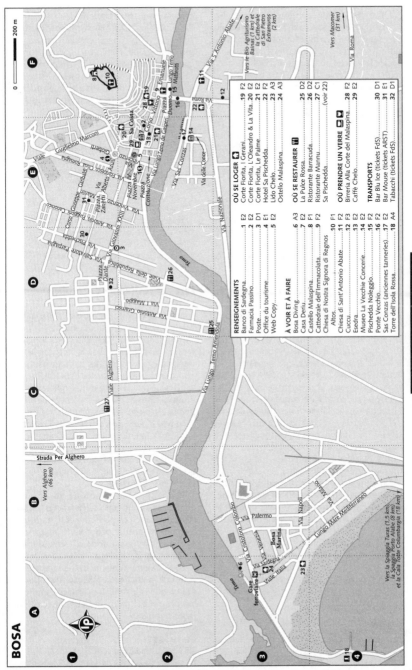

BOSA

0 — 200 m

Strada Per Alghero

Vers Alghero
(46 km)

Vers la Spiaggia Turas (1,5 km),
la Spiaggia Porto Alabe (8 km)
et la Cala Torre Columbarga (18 km)

Vers Macomer
(31 km)

Vers le Bio Agriturismo
Bainas (1 km) et
la Cattedrale
di San Pietro
Extramuros
(2 km)

ORISTANO ET L'OUEST

RENSEIGNEMENTS
Banco di Sardegna..................1 E2
Farmacia Passino.....................2 E2
Poste...3 D1
Office du tourisme...................4 E1
Web Copy..................................5 E2

À VOIR ET À FAIRE
Bosa Diving...............................6 A3
Casa Deriu.................................7 E2
Castello Malaspina..................8 F1
Cattedrale dell'Immacolata....9 F2
Chiesa di Nostra Signora di Regnos
  Altos.....................................10 F1
Chiesa di Sant'Antonio Abate...11 F2
Cuccu.......................................12 F3
Esedra......................................13 E2
Museo La Vecchie Concerie...14 E2
Pischedda Noleggio................15 F2
Ponte Vecchio........................16 F2
Sas Conzas (anciennes tanneries)...17 E2
Torre dell'Isola Rossa............18 A4

OÙ SE LOGER
Corte Fiorita, I Gerani............19 F2
Corte Fiorita, L'Oleandro & La Vita...20 E2
Corte Fiorita, Le Palme..........21 F2
Hotel Sa Pischedda.................22 F2
Lido Chelo................................23 A3
Ostello Malaspina...................24 A3

OÙ SE RESTAURER
La Pulce Rossa.........................25 D2
Ristorante Barracuda..............26 D2
Ristorante Mannu....................27 C1
Sa Pischedda.....................(voir 22)

OÙ PRENDRE UN VERRE
Birreria Alla Corte del Malaspina...28 F2
Caffè Chelo..............................29 E2

TRANSPORTS
Bar Blu Ice (tickets FdS).........30 D1
Bar Mouse (tickets ARST).......31 E1
Tabacchi (tickets FdS).............32 D1

On atteint le château en gravissant les ruelles labyrinthiques de Sa Costa, la ville médiévale, au risque de se perdre à un moment ou à un autre. Mais, sauf si vous êtes pressé, errer dans ce dédale fait partie du charme de la ville. Si vous souhaitez visiter le château entre novembre et avril, mieux vaut téléphoner à l'avance.

Au pied de la colline, près du **Ponte Vecchio**, la majestueuse **Cattedrale dell'Immacolata** (Piazza Duomo ; ☾ 10h-12h et 16h-19h), du tout début du XIXᵉ siècle, est un exemple rare du baroque tardif piémontais. De là, le **Corso Vittorio Emanuele** part vers l'ouest et passe devant d'élégantes demeures du XVIIᵉ siècle dotées de balcons en fer forgé.

En chemin, on croise la **Casa Deriu** (☎ 0785 37 70 43 ; Corso Vittorio Emanuele 59 ; tarif plein/tarif réduit 4,50/2 € ; ☾ 10h30-13h et 20h30-23h tlj sauf juil-août, 11h-13h et 17h30-20h30 tlj sauf lun juin, 10h-13h et 16h-18h tlj sauf lun le reste de l'année) qui abrite un musée dédié à la ville. Le rez-de-chaussée est consacré à l'ancienne industrie des tanneries et aux produits typiques de la région. Le 1ᵉʳ étage reconstitue un intérieur du XIXᵉ siècle. Enfin, le dernier étage est consacré à Melkiorre Melis (1889-1982), l'un des plus importants artistes sardes.

De l'autre côté du fleuve (rive sud), les anciennes tanneries du XIXᵉ siècle s'alignent le long du quai, dans un quartier appelé **Sas Conzas**. Le **Museo La Vecchie Concerie** (☎ 329 414 49 21 ; Via delle Conce 13 ; 2 € ; ☾ 11h-13h et 18h-23h) donne une idée de l'ambiance de ce quartier à l'époque où les tanneries étaient en activité – et nombre d'entre elles l'étaient encore après la Seconde Guerre mondiale. Il présente une petite collection de photos et de vieux outils tandis que des panneaux (en italien et en anglais) expliquent le métier.

Non loin des tanneries, de l'autre côté de la Via Roma, la petite **Chiesa di Sant'Antonio Abate**, habituellement fermée au public, devient le centre de l'animation lors de la fête du saint, les 16 et 17 janvier, et à nouveau lors du carnaval. Deux kilomètres en amont du fleuve se dresse la **Cattedrale di San Pietro Extramuros** (☎ 0785 37 32 86 ; 1 € ; ☾ 10h-13h et 16h-19h30 tlj sauf lun juil-août, 10h-13h et 15h30-18h tlj sauf lun avr-juin, sept et oct), à la façade gothique et à l'intérieur essentiellement roman (XIᵉ siècle).

À faire

Le fleuve, les collines, et la mer au bout de la route : Bosa offre de multiples possibilités d'activités de plein air. **Esedra** (☎ 0785 37 42 58 ; www.

esedrasardegna.it ; Corso Vittorio Emanuele 64 ; ☾ 9h30-13h et 16h30-20h lun-sam, 10h30-13h dim) propose toute une palette de choix : croisières sur le fleuve, sorties ornithologique, randonnées, excursions en car, en bateau ou sur le *trenino verde*. Les prix avoisinent 25-35 €/pers selon l'activité et la taille du groupe. Dans l'agence située sur l'artère principale, vous pourrez aussi acheter des articles d'artisanat au label Isola.

Vélos et scooters sont en location chez **Cuccu** (☎ 0785 37 54 16 ; Via Roma 5), un garagiste installé sur la rive sud du fleuve (vélo 8 €/j ; scooter 40 €/j). Sur l'autre rive, **Pischedda Noleggio** (☎ 339 489 01 05 ; Lungo Temo Matteotti) loue des vélos (10 €/j), des canoës (25 €/demi-journée) et des *gommoni* (canots pneumatiques, 35 €/demi-journée).

Bosa est également un important centre viticole, renommé pour son vin doux de Malvasia (Malvoisie). Pour faire la tournée des vignerons locaux, renseignez-vous à l'office du tourisme, sur la Strada della Malvasia.

Fêtes et festivals

Le **carnaval** de Bosa débute par un grand feu que l'on allume devant la Chiesa di Sant'Antonio Abate. Les jours suivants, des défilés de toutes sortes se succèdent. Le dernier jour, le *martedi grasso* (Mardi gras), est la journée la plus intrigante. Le matin, des habitants vêtus de noir chantent des lamentations funèbres sur la brièveté du carnaval tandis que le soir, des groupes vêtus de blanc se livrent à une tumultueuse chasse au *giolzi*, une manifestation de carnaval censée se cacher dans les parties intimes. Pour le dénicher, les gens s'approchent les uns des autres, une lanterne à la main, pour explorer ces zones intimes en criant "*Giolzi ! Giolzi ! Ciappadu ! Ciappadu !*" (*Giolzi ! Giolzi !* Je te tiens ! Je te tiens !).

Pendant 4 jours autour du premier dimanche d'août, Bosa célèbre la **Festa di Santa Maria del Mare**. Les pêcheurs et leurs bateaux forment alors une procession bigarrée qui accompagne une statue de la Vierge Marie sur le fleuve, de Bosa Marina à la cathédrale.

La deuxième semaine de septembre, c'est la **Festa di Nostra Signora di Regnos Altos**. Les rues de la vieille ville sont alors ornées d'immenses feuilles de palmier, de fleurs et d'*altaritos* (autels votifs).

Où se loger

Bio Agriturismo Bainas (☎ 339 209 0 967, 0785 37 31 29 ; agriturbainas@tiscali.it ; Via San Pietro ; B&B/pers 30-35 €, demi-pension/pers 47-53 €). À 1 km de la ville, au milieu des champs d'artichauts, des oliviers et des orangers, ce modeste *agriturismo* loue 4 chambres d'hôte, simples mais modernes et décorées avec goût. Une véranda permet de profiter d'une vue merveilleuse. En août, le séjour minimum est d'une semaine, le reste de l'année, juillet compris, il est de 3 jours.

Hotel Sa Pischedda (☎ 0785 37 30 65 ; www.hotelsapischedda.it ; Via Roma 8 ; s 40-80 €, d 60-105 € ; P). Sur la rive sud du fleuve, cet hôtel fondé au XIXe siècle offre un confort trois étoiles dans un cadre au cachet indéniable. Les chambres simples ont souvent une note personnelle, avec vue sur le fleuve (avec un supplément de 5 €) pour certaines. Le restaurant jouit d'une excellente réputation.

Corte Fiorita (☎ 0785 37 70 58 ; www.albergodiffuso.it ; Via Lungo Temo de Gasperi 45 ; s 45-90 €, d 65-115 € ;). Cet *albergo diffuso* (établissement réparti sur plusieurs sites) loue de superbes chambres spacieuses dans quatre *palazzi* rénovés ; l'un au bord du fleuve et trois dans le centre historique. Aucune n'est identique, mais toutes possèdent le même chic rustique. La réception s'effectue à Le Palme, d'où le propriétaire vous emmène en buggy électrique (une bonne manière de découvrir le *centro storico*) jusqu'à l'endroit où se trouve votre chambre.

Où se restaurer

La Pulce Rossa (☎ 0785 37 56 57 ; Via Lungo Temo Amendola 1 ; pizzas 6 €, repas env 25 €). Cette sympathique maison familiale située dans la ville moderne sert une cuisine roborative à des prix pas du tout touristiques. Les *pennette Pulce Rossa*, la spécialité maison à base de pâtes tubulaires, de crevettes géantes, de crème et de safran, vous tiendra bien au ventre.

Ristorante Barracuda (☎ 0785 37 45 10 ; Viale della Repubblica ; repas env 28 €). Dans une rue résidentielle, à 10 minutes à pied du centre, ce vaste restaurant sert une cuisine sans prétentions (copieux plats de pâtes maisons ou poissons et fruits de mer tout simples) dans une ambiance très animée et décontractée.

Ristorante Mannu (☎ 0785 37 53 06 ; Viale Alghero 28 ; repas env 30 €). L'emplacement n'est certes pas attractif (près d'une station-service très fréquentée), mais la cuisine sarde y est excellente. Ceux qui aiment la nouveauté goûteront l'*agliata di razze*, association peu habituelle

de filets de raies et de sauce à l'ail doux. Les autres sont sûrs de ne pas se tromper avec les *panadinas* (sorte de raviolis) maison.

Sa Pischedda (☎ 0785 37 30 65 ; Via Roma 8 ; repas env 30 € ; mer-lun, tlj en été) L'un des meilleurs restaurants de Bosa, spécialisé dans le poisson de mer et d'eau douce. Le dîner est servi sous une romantique véranda en bordure du fleuve ou dans un élégant jardin à l'arrière. Au menu, des classiques tels que la *bottarga* (œufs de mulet) ou la *fregola alla arselle* (petites pâtes en forme de grain de riz avec des palourdes et des tomates cerise).

Où prendre un verre

Idéal, pour observer les passants, le **Caffè Chelo** (☎ 0785 37 30 92 ; Corso Vittorio Emanuele 71 ; 8h-22h, plus tard en été), de style Art nouveau, possède des tables en extérieur surplombant la Piazza Costituzione.

Pour une ambiance de style pub, essayez la **Birreria Alla Corte del Malaspina** (Corso Vittorio Emanuele 39 ; 8h-2h lun-sam), établissement confortable sur l'artère centrale.

Depuis/vers Bosa
BUS

Tous les bus ont pour terminus la Piazza Zanetti. La compagnie FdS relie Bosa à Alghero (3-4,50 €, 55 min, 4/j) et à Macomer (2,50 €, 50 min, 9/j). Les bus ARST desservent Sassari (5,50 €, 2 heures 15, 2/j) et Oristano (5,50 €, 2 heures, 4/j lun-sam). Les billets FdS s'achètent dans les *tabacchi* du Viale Alghero ou au **Bar Blu Ice** (Via Azuni 19) ; ceux d'ARST au **Bar Mouse** (Piazza Zanetti).

VOITURE ET MOTO

Bosa est reliée à Macomer par la SS12 bis et à Alghero par la jolie route côtière SP105. Dans le centre de Bosa, il est en général facile de se garer dans les rues de la ville moderne, à l'ouest du centre.

Comment circuler

Jusqu'à 20 bus FdS circulant tous les jours entre le centre de Bosa (Piazza Zanetti) et Bosa Marina (1 €, 10 min).

BOSA MARINA ET LA CÔTE

À l'embouchure du Temo, à 3 km de Bosa, la station balnéaire de Bosa Marina, très animée en été, s'étend sur une vaste plage d'un kilomètre de long. La **Torre dell'Isola Rossa** (2,50 € ; 11h-13h et 14h30-18h30 sam-dim avr-juin,

10h30-19h30 tlj juil-août), qui la surplombe, est une tour catalano-aragonaise accueillant des expositions temporaires.

Bosa Diving (☎ 335 818 97 48 ; www.bosadiving.it ; Via Cristoforo Colombo 2) propose des plongées (à partir de 35 €) des excursions snorkeling (25 €), loue des canoës (à partir de 7 €) et des canots pneumatiques (à partir de 25 €). L'établissement organise aussi deux fois par semaine des excursions vers les plages du Capo Marargiu (18 €/pers), au nord de Bosa Marina.

Si vous disposez d'un véhicule, vous pourrez explorer d'autres plages : **Spiaggia Turas, Spiaggia Porto Alabe** et **Cala Torre Columbargia**. Les deux premières se trouvent respectivement à 1,5 km et 8 km de route de Bosa Marina. En haute saison, il y a parfois beaucoup de monde. On accède à la troisième plage, située à environ 18 km de Bosa Marina, depuis Tresnuraghes. Il faut emprunter une piste poussiéreuse pour l'atteindre.

Pour découvrir autrement la région, prenez le **trenino verde** (www.treninoverde.com, voir p.220) qui circule lentement entre Bosa Marina,

Tresnuraghes et Macomer. En juillet-août, il part tous les samedis à 9h30 pour arriver à Bosa Marina à 11h17 (le retour s'effectue en bus FdS). Le samedi et le dimanche, il fait l'aller-retour entre Bosa Marina et Tresnuraghes (45 min), d'où vous pouvez revenir à Macomer par un bus FdS. Le trajet Macomer-Bosa Marina coûte 9,50/13 € aller simple/aller-retour ; et Bosa Marina-Tresnuraghes 8/11 € aller simple/aller-retour.

À Bosa Marina, on peut loger à petit prix à l'auberge de jeunesse **Ostello Malaspina** (☎ 0785 37 50 09, 346 236 38 44 ; www.valevacanze.com ; Via Sardegna 2 ; dort/d 16/40 € ; ⊙ tte l'année ; ⚄), affiliée HI et assez proche de la plage. Supplément pour la clim : 5 €. Possibilités de dîners sur place (10 €), d'excursions en bateau et de locations de canoë ou de canot pneumatique.

Si vous voulez vous faire plaisir, le **Lido Chelo** (☎ 0785 37 38 04 ; www.lidochelo.it ; Lungo Mare Mediterraneo ; app 2 lits 70-190 € ; ⚄ Ⓟ) loue des appartements modernes directement sur la plage. Un séjour minimum de 2 jours est requis. Le café-glacier voisin et le restaurant plus formel à l'étage dépendent de la même direction.

Sassari
et le Nord-Ouest

Avec un littoral varié et parfois éblouissant, la présence de la deuxième ville de l'île ainsi qu'un parc national isolé, le Nord-Ouest présente des visages différents. L'essor du tourisme de masse – très présent sur cette côte – n'a pas affecté le caractère fier et authentique de la région.

L'Histoire a laissé des traces non seulement dans les pierres mais aussi dans les mentalités : le Nord-Ouest de la Sardaigne se démarque en effet des autres régions de l'île par son ambiance moins "sarde", moins rurale et moins réservée. Porte d'entrée de l'île et destination touristique par excellence, Alghero en est l'exemple typique. Magnifique et indépendante, la ville doit son empreinte espagnole aux siècles de domination catalane. De même, l'aspect cosmopolite de Sassari résulte de son passé de ville génoise.

Avec la Spiaggia della Pelosa d'un blanc et bleu parfaits, les falaises de la Riviera del Corallo à Alghero ou les délicieuses criques du Parco Nazionale dell'Asinara, pour de nombreux visiteurs la côte est le principal intérêt de cette région. Mais enfoncez-vous dans l'arrière-pays et vous découvrirez un monde radicalement différent.

Silencieuses et attirantes, les terres fertiles du Logudoro furent jadis le grenier à grain de l'Empire romain. Des joyaux d'architecture et d'archéologie s'élèvent dans la campagne baignée de soleil : des églises de style roman pisan témoignent des gloires passées tandis que des ruines éparses racontent les temps oubliés de la préhistoire. Le nuraghe Santu Antine, niché parmi d'énormes nuraghi abandonnés depuis longtemps, l'étrange ziggourat du Monte d'Accoddi – seul exemple de ce type en Méditerranée – et la nécropole d'Anghelu Ruiu en sont les joyaux.

À NE PAS MANQUER

- Les ânes blancs et les oiseaux de proie du **Parco Nazionale dell'Asinara** (p. 153) ; un après-midi de farniente sur la **Spiaggia della Pelosa** (p. 153)

- Les ruelles médiévales et les robustes remparts de l'enclave catalane d'**Alghero** (p. 154)

- Découvrir la vie des hommes préhistoriques dans la Grotta di San Michele à **Ozieri** (p. 146), puis leurs outils dans le Museo Archeologico de la ville

- Une plongée dans le plus grand lac souterrain de la Méditerranée et une visite de la féerique **Grotta di Nettuno** (p. 168), sur le cap venteux et escarpé de **Capo Caccia** (p. 168)

- La vue sur la Corse depuis l'imprenable castello de **Castelsardo** (p. 149)

SASSARI
ET LE NORD-OUEST

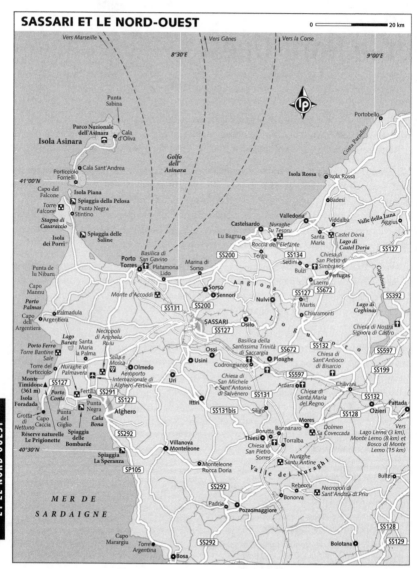

SASSARI ET LE NORD-OUEST

0 ⊏━━━━━ 20 km

SASSARI

122 000 habitants

Cité universitaire vibrante au cœur médiéval et à l'aspect moderne, la deuxième ville de Sardaigne est fière et cultivée. Comme de nombreuses villes italiennes, ses charmes se cachent derrière une carapace imposante de blocs d'habitation et de rues congestionnées. Mais une fois la carapace percée, Sassari révèle un ensemble de grandes avenues, d'impressionnantes *piazze* et des *palazzi* glorieux. Dans le *centro storico*, fatigué mais si évocateur, les ruelles médiévales sont traversées par les habitants se hâtant vers leur activité quotidienne entre les façades noires et les églises cachées.

Le tourisme n'a pas encore frappé Sassari de plein fouet : si la ville semble un peu usée, l'atmosphère est totalement authentique et sans prétentions.

HISTOIRE

Sassari (Tatari en dialecte local) doit son essor médiéval au déclin de ses homologues côtières. Lorsque l'ancienne colonie romaine de Turris Libisonis (l'actuelle Porto Torres) succombe au paludisme et aux attaques répétées des pirates, sa population se retire progressivement à Sassari. Porto Torres (remplacée un moment par la ville d'Ardara) demeure la capitale du Giudicato di Torres (ou Logudoro), mais l'importance croissante de Sassari incite cette dernière à faire sécession de la province et, avec l'appui de Gênes, à s'autoproclamer cité-État autonome en 1294.

Ses habitants sont cependant vite lassés de l'ingérence génoise. En 1321, ils demandent au royaume d'Aragon de les aider à se défaire des Italiens du Nord. Les Catalano-Aragonais arrivent en 1323 et Sassari découvre bientôt qu'elle n'a fait que tomber de Charybde en Scylla. La première des nombreuses révoltes contre les nouveaux maîtres éclate deux ans plus tard. Il faudra plus d'un siècle aux Ibériques pour contrôler totalement Sassari.

Pendant un temps, la ville prospère. Néanmoins, les épidémies de peste et la menace grandissante de la Turquie ottomane paralysent la Sardaigne, provoquant le déclin de Sassari au XVIe siècle. Un siècle plus tard, la création de l'université de Sassari, la toute première en Sardaigne, fut l'un des rares événements positifs de cette période sombre.

Ce n'est que vers le milieu du XIXe siècle que la ville commence à se redresser, suite à la modernisation de Porto Torres et à la construction de la route Carlo Felice entre le port, Sassari et Cagliari. Depuis 1945, son activité économique progresse lentement. La ville a aussi été prolifique en personnalités politiques nationales. Parmi les plus renommées, citons les anciens présidents Antonio Segni (1891-1972) et Francesco Cossiga (né en 1928), ainsi que le leader communiste, Enrico Berlinguer (1922-1984) et Beppe Pisanu, ministre de l'Intérieur du deuxième gouvernement de Silvio Berlusconi (2001-2006).

ORIENTATION

Il n'est pas aisé de se repérer facilement dans le centre de Sassari. Le point de référence le plus naturel est la Piazza Italia, plus grande place de la ville et point de départ de la trépidante Via Roma. Dans les rues rectilignes adjacentes à la Via Roma se trouvent le musée archéologique, quelques hôtels et restaurants. Au nord-ouest de Piazza Italia, Piazza Castello et Piazza Azuni marquent l'entrée du centre historique dont l'artère principale, Corso Vittorio Emanuele II, débouche immédiatement au nord de Piazza Stazione (ou Piazza San Antonio), près de la gare ferroviaire.

RENSEIGNEMENTS
Accès Internet

Net Gate Internet (carte p. 133 ; ☎ 079 23 78 94 ; Piazza Università 4 ; 3 €/heure ; ☯ 9h-21h lun-ven, 9h-13h sam)

Argent

Banca di Sassari (carte p. 133 ; Piazza Castello 8). Service Western Union.

Banca Intesa (carte p. 133 ; Piazza Italia 23). Possède un DAB.

Laverie

Lavalandia (carte p. 133 ; Corso Vittorio Emanuele II ; machine 6 kg 4 € ; ☯ 9h-21h). L'une des rares laveries en self-service de Sardaigne.

Librairies

Koinè (Via Roma 137). Seul établissement vendant des journaux étrangers.

Libreria Messaggeri e Sarde (carte p. 133 ; Piazza Castello 11). La meilleure adresse pour la littérature sarde (essentiellement en italien). Propose également des cartes et des guides.

Mondadori (carte p. 133 ; ☎ 079 201 20 98 ; Largo Cavallotti 17). Excellent choix de cartes et petite sélection de livres en langues étrangères.

Office du tourisme

Office du tourisme (carte p. 133 ; ☎ 079 23 17 77 ; aastss@tiscali.it ; Via Roma 62 ; ☯ 9h-13h30 et 16h-18h lun-jeu, 9h-13h30 ven). Informations sur Sassari et ses environs.

Poste

Poste principale (carte p. 133 ; Via Brigata di Sassari 13 ; ☯ 8h-18h50 lun-ven, 8h-13h15 sam).

SASSARI
ET LE NORD-OUEST

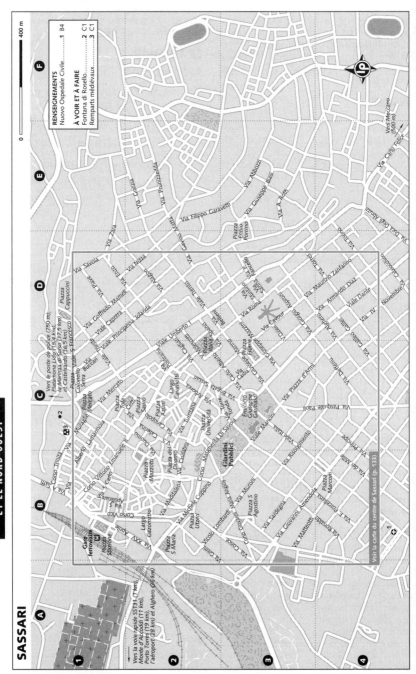

SASSARI

0 — 400 m

RENSEIGNEMENTS
Nuovo Ospedale Civile........1 B4

À VOIR ET À FAIRE
Fontana di Rosello............2 C1
Remparts médiévaux.........3 C1

Voir la carte du centre de Sassari (p. 133)

Services médicaux

Farmacia Simon (carte p. 133 ; ☎ 079 23 11 44 ; Piazza Castello 5 ; ☽ 20h-9/10h). Pharmacie de nuit.

Guardia Medica (carte p. 133 ; ☎ 079 206 22 22 ; Via Maurizio Zanfarino 23). Pour les assistance médicales non urgentes.

Nuovo Ospedale Civile (carte p. 130 ; ☎ 079 206 10 00 ; Viale De Nicola). Hôpital situé au sud du centre-ville.

Urgences

Police (Questura ; hors carte, carte p. 130 ; ☎ 079 249 50 00 ; Via Ariosto 3). Quartier général de la police.

DÉSAGRÉMENTS ET DANGERS

Sassari est une ville plutôt sûre, mais prenez les précautions habituelles dans la vieille ville, notamment dans les rues les plus délabrées menant à la gare.

À VOIR

Le petit centre médiéval de la ville n'est pas au meilleur de sa forme, mais le charme du XIIIᵉ siècle est encore suffisamment présent pour que l'on y passe un moment agréable. Contrairement à d'autres villes italiennes, Sassari ne s'est pas étendue au-delà de ses murs historiques : durant des siècles, elle s'est limitée à ce périmètre, détruisant l'ancien pour bâtir du neuf. Heureusement, quelques joyaux ont survécu à ce renouvellement, comme les deux impressionnantes églises de Sassari : le Duomo et la Chiesa di Santa Maria di Betlem.

Museo Nazionale Sanna

Niché dans une grande villa palladienne sur la Via Roma, le **Museo Nazionale Sanna** (carte p. 133 ; ☎ 079 27 22 03 ; Via Roma 64 ; entrée 3,10 € ; ☽ 9h-20h mar-dim) conserve une vaste collection archéologique (son principal intérêt) ainsi qu'une petite galerie de peintures et une section ethnographique dédiée à l'art traditionnel sarde.

Les expositions se tiennent dans sept pièces, agencées selon un ordre chronologique et commençant avec la Sala Preistorica, qui présente l'âge de pierre en Sardaigne et quelques objets du néolithique. Dans cette pièce, ainsi que dans la suivante, on peut voir différents fossiles, des fragments de poterie et quelques vestiges du IIIᵉ siècle av. J.-C. retrouvés dans le temple du Monte d'Accoddi (p. 145). Au-dessus de ces deux pièces, le musée s'ouvre sur une série d'expositions consacrées aux tombeaux mégalithiques et aux *domus de janas* ("maisons

des fées" ; nécropoles creusées dans la roche) aux périodes phénicienne et carthaginoise. Les éléments en bronze se distinguent particulièrement. Ceux-ci incluent des têtes de hache et d'autres outils similaires, des armes, des bracelets, des bateaux votifs et des *bronzetti* (figurines de bronze représentant des hommes ou des animaux).

La salle X est consacrée aux objets phéniciens et carthaginois. De superbes poteries se mêlent aux bijoux en or et aux masques. Les salles XI et XII sont dédiées à l'époque romaine. Elles contiennent principalement des céramiques et des lampes à huile, mais aussi quelques statues, pièces de monnaie, bijoux et objets domestiques. Sur un des côtés est exposé un ensemble de lourdes ancres romaines.

La *pinacoteca* (galerie de tableaux) du musée expose la collection d'art de Giovanni Sanna, ingénieur des mines dont la famille construisit le musée auquel il a donné son nom. Au milieu des peintures pompeuses du XVIIIᵉ siècle, la *Madonna con Bambino* (*Madone à l'Enfant* ; 1473) de Bartolomeo Vivarini, beau triptyque pisan du XIVᵉ siècle, mérite votre attention.

Une section ethnographique (en travaux lors de notre visite) est dédiée à l'art folklorique sarde, présentant une petite collection éclectique de tapis et de sacoches, de vêtements richement brodés ainsi que de curieuses bouillottes en terre cuite.

Piazza Italia

La plus grande place de la ville, Piazza Italia, est l'un des espaces publics les plus impressionnants de toute l'île. Sur près d'un hectare, la place est encerclée par des bâtiments du XIXᵉ siècle, dont le néoclassique **Palazzo della Provincia** (carte p. 133), siège du gouvernement provincial. En face, le **Palazzo Giordano** (carte p. 133), bâtiment rouge de style néogothique, abrite la banque San Paolo. Dominant la place, la statue du roi Vittorio Emanuele II a été dévoilée en grande pompe en 1899, lors d'une célébration costumée, en prévision de la Cavalcata Sarda, grande réjouissance traditionnelle devenue aujourd'hui la principale fête de la ville. La Piazza Italia constitue également le point de départ de l'autre grand rendez-vous festif de la ville, I Candelieri (voir p. 133).

Museo della Brigata Sassari

Sassari est la ville natale de l'unité militaire d'infanterie la plus respectée d'Italie : la

Brigata Sassari. Constituée en 1915, cette brigade s'est forgé une solide réputation de bravoure lors de la Première Guerre mondiale. Vous pouvez imaginer les souffrances que ses soldats ont endurées dans le petit **Museo della Brigata Sassari** (carte p. 133 ; Piazza Castello ; entrée libre ; ☯ 8h30-16h lun-jeu, jusqu'à 12h sam), anciens baraquements de la brigade. Uniformes, photos, documents et autres souvenirs témoignent de l'immense courage des soldats qui furent envoyés au front contre les Autrichiens dans le Nord de l'Italie. De vieilles armes et des grenades sont présentées, ainsi que la reconstitution d'une tranchée. La partie la plus émouvante est constituée par les vieilles photographies en noir et blanc des hommes posant avec fierté.

Corso Vittorio Emanuele II et ses alentours

L'artère principale de la vieille ville, le Corso Vittorio Emanuele II, suit la direction de l'ancienne route romaine entre Porto Torres et Cagliari. Ce quartier était le cœur de la ville au XIIIe siècle mais peu de chose a subsisté de cet âge d'or si ce n'est quelques vestiges de maçonnerie au-dessus des vitrines.

À titre d'exemple, la **Casa Farris** (carte p. 133 ; Corso Vittorio Emanuele II 25) arbore de grandes fenêtres gothiques victimes de plusieurs siècles de négligence. À quelques mètres de là, de l'autre côté de la rue, la **Casa di Re Enzo** (carte p. 133 ; Corso Vittorio Emanuele II 42) offre un remarquable décor gothique catalan du XVe siècle à la boutique de lingerie qu'elle abrite. Promenez-vous à l'intérieur pour admirer ses magnifiques fresques.

En face, le **Teatro Civico** (carte p. 133) est un ajout du XIXe siècle, réalisé en 1826 sur le modèle du Teatro Carignano de Turin.

Au nord du Corso Vittorio Emanuele II, **Piazza Tola** abritait autrefois le grand marché médiéval de la ville et accueille encore les marchands forains tous les matins en semaine. C'est également ici que les hérétiques condamnés au bûcher étaient brûlés vifs, les spectateurs prenant place sur le balcon du **Palazzo d'Usini** (carte p. 133). Construit au XVIe siècle, l'édifice abrite aujourd'hui la bibliothèque publique.

Depuis la piazza, prenez Via Alberto Lamarmora puis Via Rosello vers Piazza Mercato, un carrefour animé et sans charme aux portes de la vieille ville. C'est ici, au milieu d'un petit carré de verdure, que se dresse la **Fontana di Rosello** (carte p. 130 ; ☯ 9h-13h et 17h30-20h30 mar-sam, 17h30-20h30 dim mai-sept, 9h-13h et 16h-19h mar-sam, 9h-13h dim oct-avr), la fontaine Renaissance la plus connue de Sassari. Cet élégant cube de marbre, surmonté de deux délicats arcs de la même pierre et encerclé par huit becs en forme de tête de lion, a longtemps été un élément essentiel de la vie urbaine.

À quelques pas de là, sur le Corso Trinita, vous pouvez admirer les derniers vestiges des **remparts médiévaux** (carte p. 130) de la cité.

Duomo di San Nicola et ses alentours

Le **Duomo** (cathédrale ; carte p. 133 ; Piazza Duomo ; ☯ 8h30-12h et 16h-19h30) baroque de Sassari s'élève au-dessus des rues discrètes du centre médiéval. Le plus frappant en est la belle façade baroque du XVIIIe siècle, une construction vertigineuse où rayonnent les sculptures, bas-reliefs, frises et autres statues. Le faste baroque s'arrête pourtant là : à l'intérieur, la cathédrale revêt ses habits gothiques d'origine. La façade a en effet été ajoutée à un corps gothique catalan du XVe siècle, lequel a lui-même remplacé une église romane dont il ne reste rien si ce n'est le *campanile* du XIIIe siècle. Néanmoins, les fresques du transept gauche et la fresque gothique de la première chapelle, à droite en entrant, sont intéressantes. La chapelle voisine renferme un superbe tableau représentant le *Martirio dei SS Cosma e Damiano (Martyre des saints Côme et Damien)*.

Les ruelles étroites des environs sont très animées. En les parcourant, vous déboucherez à un moment ou un autre sur l'immense Piazza Mazzotti, baptisée par les habitants Piazza di Demolizione ("place de la démolition") – et assurément l'une des plus laides de Sardaigne. Autrefois, elle se composait d'un dédale de vieilles ruelles, tout comme le reste du quartier. Cependant, une prostitution difficile à contrôler y sévissait, et les autorités décidèrent d'y créer, à la place, un parking.

Chiesa di Santa Maria di Betlem

Avec son dôme si particulier et sa belle façade romane, la **Chiesa di Santa Maria di Betlem** (carte p. 133 ; Piazza di Santa Maria ; ☯ 7h15-12h et 17h-20h) révèle des influences architecturales éclectiques. L'extérieur témoigne d'influences gothiques, voire vaguement orientales. À l'intérieur, la voûte de style gothique catalan a été préservée, mais un grand nombre

CENTRE DE SASSARI

0 — 400 m

SASSARI ET LE NORD-OUEST

d'adjonctions baroques obscurcissent les lignes d'origine du bâtiment. Dans les chapelles bordant les ailes s'alignent certaines des "bougies" géantes avec lesquelles les guildes municipales défilent à l'occasion des festivités du 14 août.

FÊTES

Cavalcata Sarda (Cavalcade sarde). L'une des plus grandes fêtes sardes se tient à Sassari l'avant-dernier dimanche de mai. Des milliers de personnes se rassemblent pour prendre part aux processions costumées, pour danser, chanter et admirer les cavaliers téméraires effectuer des prouesses acrobatiques.

I Candelieri. Cette autre grande fête a lieu tous les ans le 14 août. Des équipes, parées de leurs habits médiévaux et représentant les différentes guildes du XVIᵉ siècle,

transportent neuf colonnes de bois (les "chandeliers") à travers la ville. L'origine de ces célébrations remonterait à l'adoration de la Madone de l'Assomption, au XIIIᵉ siècle.

OÙ SE LOGER

À Sassari, les hébergements se limitent à une poignée d'hôtels destinés à une clientèle d'affaires, et à quelques chambres d'hôte. Les tarifs sont souvent moins chers en week-end et en été, lorsque les clients se dirigent vers la mer.

Casa Chiara (carte p. 133 ; ☎ 079 200 50 52, 333 695 71 18 ; www.casachiara.net ; Vicolo Bertolinis 7 ; s/d 30/60 € ; 🖳). Cette chambre d'hôte détendue, à l'ambiance accueillante et enjouée, est située dans un quartier étudiant animé. Semblable à un appartement d'étudiant bien tenu, on y trouve trois chambres colorées, une salle à manger et une cuisine joyeusement surchargée.

Frank Hotel (carte p. 133 ; ☎ 079 27 64 56 ; Via Armando Diaz 20 ; s 45-50 €, d 65-75 € ; P ⚥). Idéal pour un court séjour, le Frank Hôtel est un choix fiable. Les chambres blanches, fatiguées, n'ont rien de mémorable, ni le reste de l'hôtel d'ailleurs, mais le prix est en conséquence et vous êtes en plein centre-ville. Le parking gratuit est un vrai avantage dans cette ville où les places de stationnement sont rares.

Hotel Vittorio Emanuele (carte p. 133 ; ☎ 079 23 55 38 ; www.hotelvittorioemanuele.ss.it, en italien ; Corso Vittorio Emanuele II 100-102 ; s 50-65 €, d 70-89 € ; ⚥ 🖳). Niché dans un *palazzo* médiéval rénové, cet élégant hôtel trois-étoiles offre un confort moderne à un tarif raisonnable. Les chambres sont spacieuses et lumineuses, peintes dans des teintes claires. Les gourmands apprécieront la dégustation de vin dans le cellier en pierre et le restaurant raffiné.

Hotel Leonardo da Vinci (carte p. 133 ; ☎ 079 28 07 44 ; www.leonardodavincihotel.it ; Via Roma 79 ; s 55-80 €, d 75-110 € ; P ⚥ 🖳). Prisé par une clientèle d'affaires, cet hôtel n'est qu'à quelques minutes à pied du centre, des restaurants et des activités. Le personnel est courtois et efficace, et les chambres, plutôt ternes, sont assez confortables. Accès Wi-Fi gratuit et parking sur place pour 8 €.

OÙ SE RESTAURER

Manger est un vrai plaisir à Sassari. Que ce soit dans un café étudiant ou dans un restaurant chic, la qualité est toujours au rendez-vous. Ne ratez pas le *fainè*, une spécialité locale à base de farine de pois chiches à mi-chemin entre la crêpe et la pizza.

Petits budgets

Fainè alla Genovese Sassu (carte p. 133 ; Via Usai 17 ; repas 3,50-6 € ; 🕒 lun-sam). Cette adresse discrète, idéale pour se restaurer à bon prix, le fournisseur originel de *fainè*. Pas d'autres plats au menu, mais vous trouverez forcément votre bonheur parmi tous les accompagnements proposés.

Trattoria L'Assassino (carte p. 133 ; ☎ 079 23 50 41 ; Via Ospizio Cappuccini 1/a ; menu midi 8-12 € ; 🕒 lun-sam). Toute petite trattoria située dans une ruelle reculée, L'Assassino est prisée par les ouvriers du coin qui viennent reprendre des forces avec une bonne assiette de pâtes ou de la viande grillée. Pour 18 € (deux personnes

minimum), vous aurez droit à un assortiment de 8 entrées.

Trattoria Da Peppina (carte p. 133 ; ☎ 079 23 61 46 ; Vicolo Pigozzi 1 ; repas 20 € environ ; 🕒 lun-sam). Cette trattoria fait fi du superflu et se concentre l'essentiel : la viande y est préparée comme nulle part ailleurs. Le menu est un modèle de simplicité et propose seulement du bœuf, du porc ou du cheval.

Trattoria Da Antonio (carte p. 133 ; ☎ 079 23 42 97 ; Via Arborea 2/b ; repas 25 € environ ; 🕒 mar-dim). Sous le surnom affectueux de *Lu Panzone* ("le gros ventre"), ce restaurant vivant et relax prépare une nourriture rustique sans fioritures. Commencez par le saucisson local et continuez avec la *pasta e ceci* (pâtes aux pois chiches).

🔘 **Trattoria Da Gesuino** (carte p. 133 ; ☎ 079 27 33 92 ; Via Torres 17G ; repas 30 € environ ; 🕒 lun-sam). Entre la trattoria rustique et le restaurant de luxe. Ambiance détendue et service efficace, décoration accueillante et nourriture délicieuse. La carte couvre tous les plats classiques de pâtes, risottos, poissons frais et viandes grillées. Le *risotto con scampi e verdura* (risotto aux crevettes et légumes) sort du lot.

Ristorante Enoteca Antica Posta (carte p. 133 ; ☎ 079 200 61 21 ; Via Torre Tonda 26 ; repas 30 € environ ; 🕒 lun-sam). La cuisine traditionnelle est remise au goût du jour dans ce bar à vin-restaurant design. Exemple de cette approche, les *tortellacci verdi al formaggio di fossa con funghi porcini e timo selvattico* (pâtes vertes fourrées au fromage , aux champignons et au thym sauvage). Belle carte de vins italiens et sardes.

La Vela Latina (carte p. 133 ; ☎ 079 23 37 37 ; Largo Sisini 8 ; repas 30 € environ ; 🕒 lun-sam). Cette adresse en plein *centro storico* est particulièrement appréciée des amateurs de viande les plus enhardis, prêts à tenter de nouvelles expériences culinaires : *trippa* (tripes), *cervella* (cervelle) et *lingua di vitello* (langue de bœuf).

Il Castello (carte p. 133 ; ☎ 079 23 20 41 ; Piazza Cavallino de Honestis 6 ; repas 35 € environ ; 🕒 jeu-mar oct-mars, tlj juin-sept). Ce restaurant très formel a disposé ses tables dans une véranda donnant sur la Piazza Castello. Menu saisonnier, mais vous trouverez toujours de bons plats de poisson ou de viande.

L'Antica Hostaria (carte p. 133 ; ☎ 079 20 00 60 ; Via Giuseppe Mazzini 27 ; repas 45 € environ ; 🕒 lun-sam). Derrière une devanture discrète se cache l'Antica Hostaria, l'un des meilleurs restaurants de Sassari. Dans une ambiance intimiste, on vous servira des plats inventifs inspirés de la cuisine traditionnelle, comme la fricassée d'agneau aux haricots blancs et piments rouges. Les desserts sont tout aussi impressionnants et la carte des vins, parfaitement adaptée.

OÙ PRENDRE UN VERRE

De par sa population étudiante et de la présence d'hommes d'affaires, Sassari compte une armada de cafés. Les adresses les plus courues sont installées sur la Via Roma, ou plus au sud, sur la Via Torre Tonda, un quartier étudiant animé. De nombreux lieux restent ouverts jusque tard, et certains proposent des concerts.

Caffè Italiano (carte p. 133 ; Via Roma 38/40 ; ☺ lun-sam). Ce grand bar animé avec des tables carrelées et une décoration élégante est l'une des meilleures adresses de la Via Roma. Les hommes d'affaires viennent y déjeuner tandis que les jeunes prennent le relais à l'apéritif pour discuter autour d'un verre.

Accademia (carte p. 133 ; Via Torre Tonda 11 ; ☺ lun-sam). Les tables de ce bar situé dans le quartier de l'université sont disposées dans une jolie véranda en fer forgé. L'Accademia est très fréquentée à midi, ainsi que les vendredis et samedis soirs jusqu'à la fermeture, à 2h. Avec un peu de chance, vous pourrez même tomber sur un concert.

Dans la même rue, le **Caliente Caffè** (carte p. 133 ; Via Torre Tonda 1/b) est un bar à vin agréable. À l'extérieur, les tables prennent place sous un tronçon des remparts du XIIIe siècle.

OÙ SORTIR
Club et discothèque

Les pistes de danse de Sassari ne tiennent pas la route face à celles d'Alghero, mais pour vous déhancher jusqu'au bout de la nuit, il vous reste le **Meccano** (hors carte p. 130 ; ☎ 079 27 04 05 ; Via Carlo Felice 33 ; ☺ 23h-tard jeu-sam), un grand club à la mode en lisière est de la ville.

Théâtre

Les théâtres de Sassari ne prennent vie que vers septembre ou octobre, lorsque la chaleur estivale commence à s'apaiser. Pour connaître la programmation, procurez-vous le quotidien local *La Nuova Sardegna* ou contactez les théâtres directement.

Principal théâtre de la ville, le **Teatro Civico** (carte p. 133 ; Corso Vittorio Emanuele II 39) présente des pièces et des concerts. Non loin, le **Teatro Verdi** (carte p. 133 ; ☎ 079 23 94 79 ; Via Politeama) accueille, d'octobre à janvier généralement, des spectacles de danse et des opéras. Le reste de l'année, l'édifice sert de cinéma.

ACHATS

Isola (carte p. 133 ; ☎ 079 23 01 01 ; ☺ 9h30-13h et 17h-20h lun-ven, et sam matin). C'est au cœur des verdoyants Giardini Pubblici (jardins publics) que vous trouverez le plus bel artisanat sarde, qu'il s'agisse de céramique, de

---

LA COUTELLERIE SARDE

De tous les excellents couteaux d'origine sarde, le plus prisé est la *pattadesa* (couteau de Pattada) qui n'est plus fabriqué aujourd'hui que par quelques artisans. Le modèle classique, créé au milieu du XIXe siècle, est le *resolza*, dont la lame en forme de feuille de myrte se replie dans un manche en corne. Seuls les plus précieux disposent d'une protection en bois ou en corne. Aux yeux des Sardes, la *pattadesa* représente l'excellence en matière d'artisanat régional, plus admirable encore que n'importe quel bijou de valeur.

En général, les meilleurs artisans ne travaillent qu'à la commande et mettent au moins deux jours pour réaliser un couteau, modelant et trempant l'acier jusqu'à obtenir la force et le tranchant souhaités. Le manche est ensuite sculpté dans une corne de mouflon. Si vous voyez que le manche se compose de deux parties vissées ensemble, c'est que vous n'êtes pas en présence d'une pièce de qualité. Un bon couteau se vend au moins 10 € le centimètre.

Par le passé, ces couteaux étaient fabriqués dans toute l'île. Aujourd'hui, seules quelques villes respectent encore les méthodes traditionnelles. Pattada est la plus célèbre, mais Arbus, Santu Lussurgiu et Tempio Pausania abritent aussi des artisans de qualité. La classique *s'arburesa* (d'Arbus) possède une lame épaisse et arrondie, utilisée pour écorcher les animaux. La *lametta* de Tempio Pausania, de forme rectangulaire, est idéale pour retirer l'écorce des chênes-lièges. Le *fogarizzu* est le plus connu des *pattadesa*, et le *pusceddu*, le plus réputé des *s'arburesa*.

Notez qu'il est illégal en Italie de porter sur soi un couteau dont la lame excède 4 cm de long.

SASSARI
ET LE NORD-OUEST

tapis traditionnels ou de splendides œuvres en fer forgé.

DEPUIS/VERS SASSARI
Avion
Sassari partage avec Alghero l'**aéroport de Fertilia** (hors carte p. 130 ; ☎ 079 93 52 82 ; www.algheroairport.it), situé à environ 28 km à l'ouest du centre-ville.

Pour des informations sur les vols, voir p. 164.

Bus
La **gare routière** (carte p. 133) de Sassari se trouve sur la Via XXV Aprile, près de la gare ferroviaire. Les billets s'achètent dans cette dernière, où vous trouverez également une petite consigne (1,50 €/bagage).

Les bus **ARST** (☎ 800 865 042 ; www.arst.sardegna.it, en italien) desservent Oristano (9,50 €, 2 heures 15, 7/j), Porto Torres (1,50 €, 35 min, toutes les heures) et Castelsardo (2,50 €, 1 heure, 11/j lun-sam).

Les bus **FdS** (☎ 800 460 220 ; www.ferroviesardegna.it, en italien) relient Alghero (3 €, 1 heure, toutes les heures) et d'autres destinations dans les environs.

Turmo Travel (☎ 0789 214 87 ; www.gruppoturmotravel.com) propose deux fois par jour un service à destination du port d'Olbia (6,50 €, 1 heure 30).

Voiture et moto
Sassari se trouve sur la SS131 reliant Porto Torres à Cagliari. Depuis Alghero, prenez la route qui se dirige vers le nord en direction de Porto Torres, puis la SS291 vers l'est à destination de Sassari. Au départ de l'aéroport de Fertilia, vous prendrez la SS291 dans la même direction.

Une multitude d'agences de location de voitures sont représentées à l'aéroport de Fertilia. À Sassari même, **Eurorent** (carte p. 133 ; ☎ 079 23 23 35 ; www.rent.it ; Via Roma 56) et **Maggiore** (carte p. 133 ; ☎ 079 23 55 07 ; Piazza Santa Maria 6) louent divers véhicules.

Train
La gare principale (carte p. 133) est située à l'extrémité ouest de la vieille ville, Piazza Stazione. Des trains directs partent pour Cagliari (13,75 €, 4 heures 15, 4/j), Oristano (8,75 €, 2 heures 30, 5/j) et Olbia (6,35 €, 1 heure 50, 4/j).

Onze trains FdS circulent quotidiennement entre Sassari et Alghero (2,20 €, 35 minutes).

Une fois par semaine, entre la fin juin et début septembre, le **trenino verde** (www.treninoverde.com) part de Sassari pour un circuit touristique jusqu'à Tempio Pausania (12,50 €, 2 heures 35).

COMMENT CIRCULER
Depuis/vers l'aéroport
Jusqu'à 5 bus ARST partent tlj de la principale gare routière, sur la Via XXV Aprile, à destination de l'aéroport de Fertilia (3,50 €, 30 min), et trois de plus partent de l'arrêt sur la Via Turati.

Pour vous rendre à l'aéroport d'Olbia Costa Smeralda, prenez le bus ou le train à destination d'Olbia, puis le bus municipal jusqu'à l'aéroport.

Bus
Les bus orange **ATP** (☎ 079 263 80 00 ; www.aptsassari.it, en italien) parcourent la plupart des artères de la ville, mais il est peu probable qu'ils vous soient utiles dans le centre-ville, assez restreint. En été, ils desservent les plages situées au nord de Sassari depuis le terminus Via Eugenio Tavolara. Les billets coûtent 0,80 € en ville et 1,10 € pour la plage de Buddi Buddi.

Voiture et moto
Stationner en ville est un cauchemar. Sur les places en zone bleue, le stationnement coûte jusqu'à 2 € les deux premières heures, puis 1 € pour chaque heure supplémentaire. Vous obtiendrez les tickets auprès d'un gardien ou chez les buralistes.

Taxi
Vous trouverez des stations de taxis sur l'Emiciclo Giuseppe Garibaldi (carte p. 133) ou dans le Viale Italia et la Via Matteotti. Vous pouvez les réserver en appelant **Taxi Sassari** (☎ 079 25 39 39).

ENVIRONS DE SASSARI

Bordée de pins parasols au garde-à-vous, la SS200 est la plus belle route menant de Sassari à la côte. Elle traverse deux bourgs, **Sennori** et **Sorso**. Ces localités sont connues pour leur production de vin et du fameux Moscato (muscat) di Sorso-Sennori. Une bonne adresse pour découvrir ces breuvages est le

(Suite p. 145)

Activités de plein air

Baignade dans les eaux cristallines du Golfo di Orosei (p. 213)

La Sardaigne est réputée pour ses sublimes plages et ses clinquantes stations balnéaires. Avec des côtes spectaculaires et un arrière-pays sauvage, elle est aussi un terrain idéal pour une foule d'activités de plein air.

Émaillé de falaises, de canyons et de grottes, le parc national di Gennargentu est la mecque des passionnés de nature : les marcheurs peuvent arpenter le sentier de randonnée le plus difficile d'Italie, le Selvaggio Blu ("bleu sauvage"), explorer des gouffres aux parois vertigineuses et des villages préhistoriques. Les fous de vélo peuvent assouvir leur passion sur d'improbables sentiers de montagnes et les passionnés de varappe, grimper à la verticale sur des blocs calcaires.

Randonnée vers Tiscali (p. 216)

ANDREW PEAR

Vélo et escalade sont la grande mode en Sardaigne aujourd'hui. Les possibilités se multiplient dans le cadre d'un effort pour promouvoir un tourisme durable et mieux réparti sur toute l'île. Un nombre croissant d'organismes propose des randonnées cyclistes. Mais vu le relief accidenté, mieux vaut avoir un bon coup de pédale !

La varappe peut se pratiquer sur toute l'île, mais surtout dans le Golfo di Orosei et l'Ogliastra, où des à-pics calcaires procurent d'intenses moments d'escalade. En hiver, le plus beau site d'escalade est Domusnovas, dans le Sud-Ouest.

Amateurs de planche à voile et de kitesurf se retrouvent sur la côte nord-est, où soufflent d'impétueux vents locaux, tandis que les surfeurs préfèrent affronter des vagues de 5 m de haut au large de la péninsule du Sinis. Les plongeurs ont l'embarras du choix entre les grottes au large d'Alghero, les épaves du Golfo di Cagliari et les ruines submergées de Nora.

Sur cette île où la culture du cheval est profondément enracinée, les possibilités d'équitation sont variées, en particulier sur les basses-terres autour d'Oristano – une région également propice à l'observation des oiseaux.

RANDONNÉE

La diversité des paysages de la Sardaigne en fait un lieu idéal pour la randonnée. Des centaines de kilomètres de sentiers sillonnent l'île, rendant possibles les courtes balades le long du littoral comme les véritables treks en montagne. Cependant, les plus longs itinéraires ne sont guère balisés et il n'est pas évident de s'y repérer : mieux vaut alors engager un guide local.

Pour la randonnée, la région la plus réputée est le Parco Nazionale del Golfo di Orosei e del Gennargentu, qui englobe le point culminant de l'île, la Punta La Marmora (1 834 m), le massif karstique de Supramonte et le spectaculaire Golfo di Orosei. Proches du site préhistorique de Tiscali (p. 216) et des spectaculaires gorges Gola Su Gorruppu (p. 216), les bourgades de Dorgali et d'Oliena constituent également d'excellentes bases.

SELVAGGIO BLU : LE GRAND DÉFI

Reconnu par beaucoup comme le sentier de randonnée le plus difficile d'Italie, le Selvaggio Blu ("bleu sauvage") n'est pas adapté aux randonneurs amateurs. S'étirant sur 45 km (environ 7 jours de marche) le long des impressionnantes calanques du Golfo di Orosei, il n'a rien à voir avec les sentiers bien balisés qui sillonnent le reste de la Sardaigne. Suivant des falaises, traversant des ravins boisés, des gorges, des gouffres et des grottes, il est mal indiqué (une option délibérée pour lui conserver son caractère naturel) et n'offre aucun point d'eau potable. Il comporte même l'escalade de rochers jusqu'au niveau 4+ et des descentes en rappel atteignant 45 m de dénivelé. En contrepartie, il traverse des paysages côtiers parmi les plus spectaculaires et les mieux préservés d'Italie.

Ceux qui lisent l'italien pourront consulter le site www.selvaggioblu.it, très complet, qui comporte des descriptions de chaque journée de marche ainsi que des conseils sur la période favorable (en gros le printemps et l'automne) et ce qu'il faut emporter.

Les sentiers du Golfo di Orosei mènent à de superbes criques et à des plages fabuleuses, telles la Cala Gonone, la Cala Luna et la Cala Goloritze (encadré p. 217). Pour arpenter la côte, le plus grandiose reste le Selvaggio Blu (encadré ci-contre), un sentier qui suit le littoral sur 45 km entre Baunei et la Cala Gonone.

Plus au nord, on peut effectuer de belles randonnées près du Monte Limbara (p. 193), du Tempio Pausania et à travers le paysage rocheux de la Gallura. Parmi les autres endroits agréables figurent le Capo Testa et l'Isola Caprera (p. 186) dans l'Arcipelago della Maddalena. L'avancée du Capo Caccia (p. 168) offre également de belles balades en bordure du littoral.

Moins spectaculaires peut-être, mais non moins passionnantes, les balades dans la campagne sauvage autour des Monti Ferru (p. 117) et la Giara di Gesturi (p. 105) traversent un immense plateau.

La période idéale pour la randonnée se situe entre avril et juin, quand le paysage est d'un vert éclatant et embaume les fleurs. Septembre et octobre sont également propices.

VÉLO

Vu le relief accidenté, il faut une bonne condition physique pour pratiquer le vélo en Sardaigne. Ceci dit, c'est un moyen idéal pour explorer les espaces désertiques et sauvages de l'île : les routes sont bien entretenues, peu fréquentées (on peut rouler des heures sans croiser âme qui vive) et traversent des paysages grandioses.

Le deux-roues, idéal pour découvrir les beautés naturelles de la Sardaigne

ANDREW PEACOCK

Ceux qui préfèrent admirer le paysage plutôt que battre des records d'endurance se rendront sur la côte occidentale. Sans être vraiment facile, le circuit en boucle (2 jours ; 108 km) reliant Alghero et Bosa (encadré p. 164) offre des vues époustouflantes sur la mer autour de la Riviera del Corallo et du Capo Caccia.

Dans le même genre, la route du littoral entre Iglesias et la péninsule du Sinis serpente par la vieille ville minière de Buggerru avant de bifurquer vers l'intérieur pour rejoindre ensuite Arbus et la Costa Verde (p. 89), une bande côtière encore sauvage. De longues pistes de terre descendent jusqu'à de magnifiques plages désertes.

Les cyclistes plus ambitieux iront tout droit dans le massif du Gennargentu, où des routes goudronnées serpentent au flanc des montagnes et décrivent des méandres dans d'épaisses forêts. Les amateurs de VTT apprécieront la liberté des chemins cailouteux de montagne.

La meilleure période pour le vélo se situe entre mars et juin, puis entre septembre et novembre. Certains offices de tourisme pourront vous fournir des informations sur le cyclisme sinon **Sardinia Hike and Bike** (☎ 070 924 32 329 ; www.sardiniahikeandbike.com) possède un excellent site Internet où l'on peut télécharger gratuitement cartes et itinéraires détaillés. Également sérieux, **Ichnusa Bike** (www.ichnusabike.it) organise des randonnées cyclistes à travers l'île.

Escalade le long du littoral — PHILIP & KAREN SMITH

ESCALADE

Les amateurs d'escalade apprécient de longue date la côte sarde et son arrière-pays rocheux.

L'endroit le plus prisé reste la Cala Gonone (p. 217), où les falaises à pic offrent de sérieux défis. La campagne alentour présente toute une gamme d'escalades : blocs, parois abruptes, surplombs...

Dans l'intérieur, les impressionnantes parois du Supramonte (p. 203) se prêtent à quelques grisantes escalades à plusieurs longueurs de corde, avec des ascensions atteignant 600 m. Sur la côte, à Cala Goloritze (accessible en bateau depuis Cala Gonone), plusieurs voies permettent l'ascension de l'incontournable aiguille d'Aguglia (165 m de haut).

L'une des régions les plus prisées, et ce toute l'année, est la province d'Ogliastra, autour d'Ulassai (p. 223) et de Jerzu (p. 223). Là, les grimpeurs de tous niveaux peuvent se mesurer à d'imposants reliefs dolomitiques baptisés localement "tacchi" (littéralement "talons" en raison de leur forme évocatrice) ainsi qu'aux 45 voies du canyon de Bruncu Pranedda.

Sur l'autre versant de l'île, la ville assez banale de Domusnovas (p. 86) est un centre d'escalade hivernal réputé, surtout entre la fin de l'automne et le début du printemps. Quelque 440 voies jalonnent la campagne alentour, offrant un large éventail d'escalades de tous niveaux.

Pour vous faire une idée de l'escalade en Sardaigne, consultez les sites www.climb-europe.com/sardinia.htm et www.sardiniaclimb.com.

PLONGÉE

Des eaux cristallines, une côte granitique, des grottes marines spectaculaires et des plages parmi les plus étendues et les plus propres de Méditerranée font de la Sardaigne

LE POINT DE VUE D'UNE PLONGEUSE

Plongeuse passionnée, qualifiée PADI, Giulia Fonnesu est une experte de la plongée en Sardaigne.
Quels sont vos sites favoris ? Alghero est un endroit magique pour la plongée – très riche en poissons, en coraux, en superbes gorgones et en grottes étonnantes. Quand on pénètre dans la grotte de Nereo, la plus grande grotte sous-marine d'Europe, on a l'impression d'entrer dans une majestueuse cathédrale.

La Secca del Papa, à l'Isola Tavolara, est comme un jardin enchanté. L'endroit me fait penser à une luxueuse copropriété peuplée de créatures marines. L'Isola dell'Asinara est également un bon spot – je n'ai jamais vu ailleurs d'aussi gros corbs (*Sciaena umbra*). À Carloforte, vous verrez des langoustes, des corbs, des dorades et un fond de mer spectaculaire.

J'adore aussi les épaves dans le Golfo di Cagliari, même si ce sont parfois des plongées très exigeantes, ainsi que l'Arcipelago della Maddalena.
Quels sont les meilleurs endroits pour apprendre à plonger ? N'importe où ! Tout dépend du moniteur : c'est à lui d'assurer la sécurité des plongées et la descente à une profondeur adaptée à tous les membres de la palanquée.
Quels sont les spots de plongée les plus difficiles ? Comme je le disais, c'est dans le Golfo di Cagliari parce que les plongées sur épaves descendent très bas. Les grottes d'Alghero ne sont pas pour les débutants non plus. Il faut des formations spécifiques (plongée profonde, épaves, nitrox, grottes). Même la Secca del Papa peut être difficile selon les conditions de courants. Certains plongeurs n'aiment pas ce qu'on appelle la "plongée dans le bleu" qui implique un passage à travers le bleu le plus profond sans aucune visibilité sur le fond de la mer ni sur la *secca* (le "sec", relief sous-marin rocheux). Cela peut provoquer une perte d'orientation et un sentiment de panique induisant des problèmes de respiration. Mais on peut se préparer à toutes ces plongées en suivant la formation voulue qui demande 2 à 7 jours.
Avez-vous remarqué au fil des ans un changement dans les conditions sous-marines ? Oui, il y a beaucoup plus de mucilage qu'auparavant, surtout dans le nord. Les pieuvres se raréfient considérablement et les mérous deviennent beaucoup moins farouches – ils se sont habitués aux plongeurs et sont de plus en plus gros.

Découverte du royaume sous-marin sarde au Capo Caccia (p. 168)

ROBERTO RINALDI / SIME/4CORNERS IMAGES

le paradis des plongeurs. De nombreuses écoles offrent une gamme de cours et de sorties pour tous niveaux. Les plongeurs chevronnés peuvent louer l'équipement sur place.

Les îles sont particulièrement prisées. Autour de l'Isola di San Pietro (p. 93), on explore des gorges habitées par une multitude de coraux, de poissons colorés et de coquillages, tandis qu'au large de l'Isola Caprera, dans l'Arcipelago della Maddalena (p. 184), s'étend un labyrinthe sous-marin. L'un des plus beaux spots de Sardaigne, la Secca del Papa, près de l'Isola Tavolara (p. 175), offre un véritable kaléidoscope de flore et de faune marines.

PLONGÉE RESPONSABLE

Quelques conseils à respecter en plongée :

- Soyez très vigilant dans les grottes marines. Passez-y peu de temps car vos bulles d'air risquent d'être emprisonnées sous la voûte et provoquer le dessèchement des organismes situés en hauteur. Pour inspecter une petite grotte, passez à tour de rôle.
- Résistez à la tentation de ramasser ou d'acheter corail et coquillages ou de piller les sites archéologiques marins (en particulier les épaves).
- Remportez vos détritus mais ramassez aussi ceux que vous trouvez, surtout les sacs en plastique qui menacent sérieusement la vie marine.
- Ne nourrissez pas les poissons.
- Évitez au maximum de perturber les animaux marins.

Les grottes marines sont l'un des grands attraits de la plongée en Sardaigne. La plus spectaculaire – qui est aussi la plus grande de Méditerranée – est la grotte de Nereo (p. 159), au large d'Alghero ; ses eaux zébrées par le soleil sont propices à l'épanouissement du fameux corail rouge. La grotta delle Ostriche (Golfo di Orosei) permet d'observer la vie des huîtres, des moules et des crevettes.

Dans le Golfo di Cagliari (p. 69), les plongeurs expérimentés pourront explorer l'épave du *Romagna*, bateau à vapeur construit en 1899 et qui sombra en 1943. Plus à l'ouest, une passionnante plongée vous attend sur les ruines de l'antique cité de Nora (p. 101), en grande partie submergée.

Les plongeurs se retrouvent aussi à Villasimius (p. 77), où le spot le plus renommé, la Secca di Santa Caterina, correspond à une montagne sous-marine creusée de profonds canyons et de grottes peuplées de corail rouge.

PLANCHE À VOILE, SURF ET KITESURF

Battue par les vents, la mer qui borde la Sardaigne est très propice au surf et aux sports qui en dérivent. L'île est d'ailleurs célèbre pour accueillir des compétitions telles que la Coupe du monde de kitesurf, près des plages situées entre Vignola et Santa Teresa di Gallura, et le Chia Classic (concours de planche à voile) dans le Sud-Ouest.

Porto Pollo (p. 183), sur la côte nord-est, est le grand centre de planche à voile. Les débutants peuvent s'entraîner dans des eaux abritées tandis que les experts apprécieront la violence des vents qui soufflent dans les bouches de Bonifacio, le détroit séparant la Sardaigne et la Corse. Nombre d'écoles sur la côte ou sur la proche Isola dei Gabbiani proposent toutes sortes de sports nautiques, dont la voile et le kitesurf.

Parmi les autres sites réputés pour la planche à voile figurent la superbe Spiaggia della Pelosa (p. 153) sur la côte nord-ouest, la plage de Funtanamare (p. 86), près d'Iglesias, et l'immense plage de Poetto à Cagliari (p. 68).

Les surfeurs préfèrent, quant à eux, les rouleaux impressionnants de la côte occidentale, en particulier sur la péninsule du Sinis, où les vagues peuvent atteindre 5 m aux environs du Capo

Les joies de la navigation en Sardaigne, accessibles au marin chevronné comme au débutant. DALLAS STRIBLEY

Mannu. Putzu Idu à San Giovanni di Sinis (p. 115) est l'une de leurs plages favorites. On y pratique aussi beaucoup le kitesurf, avec diverses écoles s'adressant aux débutants comme aux plus chevronnés. Autre grand spot de surf sur la côte ouest : la Spiaggia di Piscinas (encadré p. 90), l'une des plus longues plages d'Europe.

L'excellent site www.planetwindsurf.com s'avère très utile pour organiser des séjours planche à voile en Sardaigne.

VOILE

S'il est vrai que l'on y voit des yachts de 150 m amarrés à Porto Cervo, la Sardaigne est aussi la Mecque pour des marins d'horizons plus modestes. Le calendrier de régates est chargé, l'apogée étant les championnats du monde qui se déroulent à Cagliari au mois de septembre. L'été, une activité intense règne sans interruption sur la Costa Smeralda et dans les bouches de Bonifacio.

Pour goûter aux charmes de la voile en été, on peut prendre un bateau à Carloforte pour se balader autour de l'Isola di San Pietro (p. 93) ou affréter le somptueux *Dovesesto* (p. 218) pour un long week-end dans le Golfo di Orosei. Pour un stage de voile, le Sporting Club Sardinia à Porto Pollo (p. 183) ou le Club della Vela à Porto Conte (p. 167), près d'Alghero, proposent tout un choix de formations.

Ski nautique, jet ski, canots pneumatiques à moteur et autres possibilités d'activités nautiques sont offertes dans toutes les grandes stations balnéaires.

Principal portail pour la voile en Sardaigne, www.sailingsardinia.it (en italien) comporte d'excellents liens avec des compagnies de charter privées.

ÉQUITATION

L'équitation est un merveilleux moyen d'explorer l'île, et il suffit d'assister à une fête en Sardaigne pour constater que le cheval fait partie intégrante de la culture régionale.

On trouve partout d'excellents centres équestres, en particulier autour d'Oristano et de Cagliari. Le plus important, le Horse Country Resort près d'Arborea (p. 114), propose toutes sortes de forfaits. Un peu plus au nord-est, le Mandra Edera (p. 120) s'avère très agréable. La Cooperativa Goloritzè (p. 222) peut organiser des randonnées sur l'Altopiano del Golgo, un plateau dominant la côte orientale de l'île.

À titre indicatif, l'heure d'équitation coûte autour de 15 €.

SPÉLÉOLOGIE, CANOË ET ORNITHOLOGIE

Basé à Gavoi, **Barbagia No Limits** (☎ 0784 52 90 16 ; www.barbagianolimits.it) est l'un des divers organismes proposant des sorties de canyoning et de spéléologie dans le Gennargentu. Il loue aussi des canoës pour des sorties sur le Lago di Gusana. Autre organisme fiable spécialisé dans les sports d'aventure, **Atlantikà** (www.atlantika.it) est installé à Dorgali et à Cala Gonone.

Dans un autre registre, la Sardaigne ravira les amateurs d'ornithologie. Les zones humides autour d'Oristano et les lagunes de la péninsule du Sinis constituent un important habitat pour l'avifaune et une étape sur la route des migrations. Plus bas sur le littoral, l'Isola di San Pietro (p. 93) est célèbre pour ses faucons d'Éléonore. La zone de marais de Stagno di Molentargius, proche de Cagliari (p. 67), ainsi que la côte entre Alghero et Bosa constituent également des sites riches. À Bosa, **Esedra** (☎ 0785 37 42 58 ; www.esedrasardegna.it) peut organiser des sorties d'observation des oiseaux.

Au large de Porto San Paolo, on peut approcher une épave en louant un kayak (p. 175).

(Suite de la p. 136)

restaurant **Da Vito** (☎ 079 36 02 45 ; Via Napoli 14 ; repas autour de 40 €) à Sennori, réputé pour sa délicieuse cuisine de saison.

Le week-end, les habitants de Sassari quittent la ville pour les longues plages de sable du **Lido Platamona**. Très agréable, et très fréquentée le week-end en été, il est surnommé – avec une pointe d'excès tout italien – la "Riviera de Sassari".

En été, des bus réguliers se rendent depuis Sassari juste à l'est de Platamona puis longent toute la côte jusqu'à Marina di Sorso. Cherchez le bus Buddi Buddi (ligne MP) dans la Via Eugenio Tavolara.

À mi-chemin entre Sassari et Porto Torres, après 11 km sur la SS131, vous croiserez le panneau indiquant le temple du **Monte d'Accoddi** (entrée 3,10 € ; ☻ 9h-20h avr-sept, jusqu'à 16h30 oct-mars), construit au 3ᵉ millénaire av. J.-C. C'est la seule construction de ce type qui ait été retrouvée dans toute la Méditerranée : les seuls édifices comparables sont les légendaires ziggourats mésopotamiennes des vallées de l'Euphrate et du Tigre, au Moyen-Orient. Les fouilles ont révélé que le site était un village néolithique en 4 500 av. J.-C. Ce temple a survécu à différentes époques et semble avoir été abandonné vers 1 800 av. J.-C. Peu après, le premier nuraghe a fait son apparition.

Malheureusement, n'imaginez pas vous trouver face à la tour de Babel : seule subsiste une plate-forme rectangulaire surélevée (de 30 m sur 38 m) précédée d'une longue rampe. De part et d'autre côté de la rampe se trouvent un menhir et un autel de pierre, qui devait servir aux sacrifices.

LE LOGUDORO ET MONTE ACUTO

S'étendant au sud et à l'est de Sassari, cette campagne fertile est habitée depuis l'époque nuragique et présente un fort intérêt archéologique. Ancien grenier de l'Empire romain, le paysage est aujourd'hui encore un patchwork de pentes escarpées et de champs de blé – littéralement, Logudoro signifie "lieu d'or". Ancien Giudicato del Logudoro, la région a connu son âge d'or au Moyen Âge, époque à laquelle remontent la plupart des remarquables églises qu'on

---

ESCAPADE AU MONTE LERNO

À environ 5 km à l'est de Pattada, le **Lago Lerno** présente une image très bucolique. Bien qu'il s'agisse d'un lac artificiel, créé en 1984 par un barrage sur le Rio Mannu, il s'intègre parfaitement à son environnement. Des collines verdoyantes qui s'élèvent doucement jusqu'au **Monte Lerno** (1 094 m). Dans le **Bosco di Monte Lerno** (bois de Monte Lerno) voisin, rennes, mouflons et chevaux sauvages gambadent parmi les arbres. Pour vous rendre au bois, sortez de Pattada et suivez la direction d'Oschiri. Après 11 km, tournez à droite et continuez après le Rio Mannu vers le nord-ouest jusqu'à la forêt.

---

y rencontre. Un peu plus à l'intérieur des terres, le *comune* de **Monte Acuto** regroupe plusieurs communautés villageoises unies par un même héritage montagnard. Le site www.monteacuto.it (en italien) fournit une présentation intéressante de leurs richesses.

La région ne semble pas forcément séduisante de prime abord, mais si vous êtes motorisé, nous vous conseillons vivement d'explorer la campagne.

OZIERI
11 100 habitants

Bourgade agricole prospère, Ozieri occupe une cuvette naturelle, son centre historique du XIXᵉ siècle s'étirant à flanc de colline jusqu'à une surprenante place centrale. Au néolithique, les collines environnantes ont accueilli de nombreux peuplements florissants. La ville a d'ailleurs donné son nom à une période de la préhistoire – la culture Ozieri (ou San Michele) – s'étendant entre 3500 et 2700 av. J.-C.

Pour découvrir le riche héritage archéologique de cette région, visitez le splendide **Museo Archeologico** (☎ 079 785 10 52 ; Piazza Micca ; entrée 3,50 €, avec la Grotta di San Michele 5 € ; ☻ 9h-13h et 16h-19h mar-sam, 9h30-12h30 dim), l'un des plus intéressants petits musées de Sardaigne. Installé dans le Convento di Clarisse, un couvent du XVIIIᵉ siècle, il possède une petite collection d'une grande richesse, où notamment quelques lingots de cuivre (les populations nuragiques pratiquèrent le commerce du cuivre dès l'âge néolithique), quelques outils d'aspect

---

LES ÉGLISES ROMANES DU LOGUDORO

La **Basilica della Santissima Trinità di Saccargia** (Comune di Codrongianus ; 1,50 € ; ☉ 9h-20h juin-août, jusqu'à 18h30 en sept, 18h en mai, 17h30 en oct, 17h en avr, 16h30 en mars) se situe au cœur d'une vallée fertile, à 15 km au sud-est de Sassari par la route SS597 à destination d'Olbia. Avec son alternance de bandes de calcaire clair et de basalte sombre, le campanile se voit de loin depuis la route. Selon la légende, la construction aurait été commandée par le *giudice* Constantino di Mariano en 1116, après que ce dernier et sa femme eurent campé une nuit sur le site et y eurent reçu une révélation leur annonçant la naissance de leur premier enfant tant attendu. Reconnaissant, le *giudice* fit ériger l'église et un monastère voisin, que le pape attribua aux moines camaldules. Aujourd'hui, il ne reste pas grand-chose du monastère, mais l'église toute simple avec ses murs de basalte aveugles est toujours en activité.

Trois kilomètres plus bas le long de la route, vous apercevrez la **Chiesa di San Michele e Sant'Antonio di Salvenero**, une église désaffectée située au croisement en direction de Ploaghe. Poursuivez 10 km plus loin jusqu'à Ardara, qui fut autrefois la capitale du Giudicato di Torres. Tournez immédiatement à gauche en entrant dans la ville pour vous trouver face à l'imposante façade de la **Chiesa di Santa Maria del Regno**, en basalte sombre. Le clocher qui la flanque, réalisé après l'achèvement de l'église, ne correspond pas au style de l'ensemble.

Plus à l'est, sur la SS597, vous atteindrez un embranchement qui parcourt 2 km vers le nord jusqu'aux majestueuses ruines de la **Chiesa di Sant'Antioco di Bisarcio** (☎ 079 78 02 54 ; 1,50 € ; ☉ 9h-16h sam-dim, sur demande les autres jours) construite aux XIe et XIIe siècles. Le clocher a été décapité par la foudre, et une large partie des ornements de la façade a disparu. Néanmoins, son élégant porche d'inspiration française et son intérieur donnent une idée de sa splendeur passée.

De là, vous pouvez soit continuer sur la SS597 et accéder à la petite **Chiesa di Nostra Signora di Castro** sur les rives du lac de Coghinas, soit prendre vers le nord la sinueuse SS132 en direction de la **Chiesa di San Pietro di Simbranos** (ou delle Immagini), à Bulzi, et de la **Chiesa di San Giorgio**, à Perfugas.

Si vous prévoyez d'emprunter cet itinéraire, l'hôtel **Funtanarena** (☎ 079 43 50 48 ; www.funtanarena.it ; Via S'Istradoneddu 8/10 ; s 63-70 €, d 94-105 € ; [P]) est un établissement pratique et très agréable. Situé dans le petit village de Codrongianos, à 14 km de Sassari, il a pour cadre un manoir restauré entouré par les vergers et les oliveraies. Les neuf chambres rurales, avec lits en fer forgé et sols en parquet, sont décorées de motifs floraux.

étonnamment moderne et des fragments de céramiques retrouvés dans la **Grotta di San Michele** (☎ 079 785 10 52 ; entrée 3,50 €, avec le Museo Archeologico 5 € ; ☉ 9h-13h ven et sam, 9h30-12h30 dim), qui vaut également la visite. La grotte, indiquée depuis le haut de la ville, servait d'habitation, de tombeau et de lieu de culte.

À quelques pas du musée, la pompeuse **Cattedrale dell'Immacolata** (Piazza Duomo) renferme une importante œuvre d'art : la *Deposizione di Cristo dalla Croce* (Descente de Croix) du mystérieux Maestro di Ozieri.

En décembre, Ozieri accueille l'un des plus illustres concours de poésie de Sardaigne, le **Premio Ozieri di Letteratura Sarda**. Celui-ci fut créé en 1956, inspiré par les *gare poetiche* (concours de poésie) qui se déroulaient de façon informelle lors des fêtes locales. Aujourd'hui, il présente les œuvres de poésie sarde.

Il y a bien peu d'hôtels à Ozieri, ce qui est fort dommage. Mais si vous décidez d'y passer

la nuit, vous trouverez des chambres correctes, quoiqu'un peu ternes, à l'**Hotel Il Mastino** (☎ 079 78 70 41 ; fax 079 78 70 59 ; Via Vittorio Veneto 13 ; s/d 45/66 €), un établissement sans charme mais pratique à l'angle de la Piazza Garibaldi. Pour avaler un morceau, allez au **Ristorante Pizzeria L'Opera** (☎ 079 78 70 26 ; Piazza Garibaldi ; repas 30 €) qui sert des pizzas et d'excellentes côtes d'agneau dans un étrange décor de salle de concert.

Pour accéder à Ozieri par les transports en publics, le plus simple est de prendre un bus ARST depuis Sassari (4 €, 1 heure, 5/j lun-sam). Il vous déposera près de Piazza Garibaldi.

NURAGHE SANTU ANTINE ET SES ENVIRONS

En roulant vers l'ouest depuis Ozieri, vous traverserez le village de **Mores** ; au sud de celui-ci se dresse le majestueux **Dolmen Sa Coveccada**, plus grand dolmen de la Méditerranée. Datant du 3ᵉ millénaire av. J.-C., cette construction rectangulaire est constituée de trois dalles massives surmontées d'une quatrième, pesant chacune quelque 18 tonnes. Elle atteint 2,70 m de hauteur, 5 m de long et 2,50 m de large. Pour trouver le dolmen, prenez la sortie juste avant d'arriver à Mores par l'est, puis suivez la route pendant une dizaine de kilomètres.

Depuis Mores, suivez la route vers **Torralba**, un village banal en haut de la Valle dei Nuraghi. Les terres sont parsemées de nuraghi, le plus notable étant le **Nuraghe Santu Antine** (☎ 079 84 72 96 ; www.nuraghesantuantine.it ; entrée 3 € ; ⊙ 9h-coucher du soleil), à 4 km au sud du village. Centré autour de la tour principale, haute de 17,5 m mais qui devait autrefois atteindre les 25 m, c'est l'un des plus vastes sites nuragiques de Sardaigne. Autour, des murs relient trois bastions et forment une enceinte triangulaire. La partie la plus ancienne du nuraghe remonte à environ 1600 av. J.-C., mais la plupart des constructions ont été rajoutées au fil des siècles.

On pénètre dans l'enceinte par le côté sud. Ensuite, on peut traverser les trois tours, reliées entre elles par des galeries plus ou moins paraboliques. L'entrée de la tour principale est séparée. Dedans, quatre ouvertures débouchent sur une première chambre depuis un hall intérieur. Des marches conduisent du hall jusqu'à l'étage supérieur, où un schéma similaire est répété en plus petit. L'unique lumière est celle que laissent filtrer de minuscules orifices, d'où une pénombre impressionnante. Vous montez encore une volée de marches pour atteindre l'étage qui abritait la troisième et dernière chambre, aujourd'hui exposée aux éléments.

À Torralba, vous pourrez visiter le **Museo Archeologico** (☎ 079 84 72 96 ; Via Carlo Felice 143 ; billet nuraghe Santu Antine inclus 3 € ; ⊙ 9h-20h avr-oct, 9h-17h nov-mars) qui possède une maquette du nuraghe Santu Antine et une collection d'objets découverts sur le site.

En semaine, jusqu'à 9 bus se rendent depuis Sassari à Torralba (2,50 €, 1 heure 30), d'où il vous restera environ encore 4 kilomètres à parcourir pour rejoindre le nuraghe.

Borutta

En théorie, la route en direction du village de Borutta semble assez directe, mais en pratique, les panneaux qui vous indiquent la direction n'existent plus par la suite, ce qui met vos dons d'orientation à l'épreuve. Ne vous laissez pas décourager, car Borutta offre, avec la **Chiesa di San Pietro di Sorres** (☎ 334

853 77 51 ; entrée 2,50 € ; ⊙ visites guidées 8h30-12h et 15h30-18h30 lun-sam, 9h30-10h30 et 15h30-18h30 dim), un bel exemple d'architecture romane.

L'église pisane originelle du XIIᵉ siècle et l'abbaye adjacente étaient abandonnées depuis longtemps lorsque des moines bénédictins s'y installèrent en 1955. Ils s'affairèrent à la reconstruction de l'abbaye et de l'église. La façade blanche et grise de cette dernière, avec ses trois niveaux d'arcatures aveugles, est décorée de jolis motifs sculptés. À l'intérieur, notez la curieuse chaire gothique en pierre qui repose sur quatre pieds.

Necropoli di Sant'Andrea di Priu et ses environs

À environ 7 km de Bonorva, un village agricole en hauteur à la sortie de la SS131, la **Necropoli di Sant'Andrea di Priu** (☎ 348 564 26 11 ; entrée 3,50 € ; ⊙ 10h-13h et 15h-17h30, jusqu'à 19h30 en été) repose dans la verdoyante campagne. Le site isolé, accessible uniquement par une étroite route à nids-de-poule, est constitué de 20 petites grottes creusées dans le trachyte en 4 000 av. J.-C. La **Tomba del Capo**, accessible uniquement avec un guide, est de loin la plus intéressante. Au début de la période chrétienne, trois des principales salles ont été transformées en lieu de culte et des fresques du Vᵉ siècle partiellement restaurées subsistent dans deux d'entre elles. La plus saisissante est celle qui représente une femme se tenant dans l'*aula* (grande salle) où les fidèles assistent à l'Eucharistie.

Sur la route du retour vers Bonorva, faites une petite pause d'une heure à **Rebeccu**, un village médiéval à même la roche calcaire, balayé par les vents et presque déserté. Indiqué vers la gauche, c'est le lieu insolite d'un festival du cinéma à la mi-août.

Si vous n'êtes pas motorisé, il vous sera très difficile de vous déplacer dans cette région. Néanmoins, quelques bus ARST relient Sassari à Bonorva (3,15 €, 40-50 min). Deux bus effectuent le trajet depuis Alghero (4,70 €, 5/j en semaine).

LA CÔTE NORD

S'étirant sur quelque 70 km de l'extrémité nord-ouest de la Sardaigne autour de Castelsardo, cette bande de plages comprend à la fois le meilleur et le pire. Les installations industrielles de Porto Torres, le port le plus actif de la côte nord, sont loin d'être accueillantes. Mais vous n'aurez pas à faire beaucoup de route pour trouver de splendides plages. Quelques kilomètres vers l'ouest vous arrivez à la Spiaggia della Pelosa, l'une des destinations les plus prisées de Sardaigne.

PORTO TORRES
22 100 habitants

Port actif encerclé par une usine pétrochimique, Porto Torres n'est pas la ville la plus séduisante de Sardaigne. Rien n'invite à y rester, mais si vous passez dans le coin – ce qui est probable si vous allez en Corse ou en revenez par la mer –, ne manquez pas les quelques points d'intérêt tels que la Basilica di San Gavino, l'une des églises romanes les plus importantes de Sardaigne

Porto Torres a connu son heure de gloire sous la domination des Romains, qui firent du site leur principal port sur la côte nord de la Sardaigne. Elle demeura l'un des ports majeurs de l'île jusqu'au Moyen Âge et fut longtemps capitale du Giudicato di Torres.

Orientation

Le port est au nord du centre-ville, à l'extrémité ouest de Via Mare qui longe la mer. Depuis la Piazza Colombo proche et la place adjacente, la Piazza XX Settembre, le principal boulevard principal de la ville, le Corso Vittorio Emanuele, se dirige vers le sud.

Renseignements

Banca Nazionale del Lavoro (Corso Vittorio Emanuele 20). L'une des banques équipées de DAB le long de l'artère principale.

Office du tourisme (☎ 079 51 50 00 ; Piazza Garibaldi 17 ; 🕓 8h-14h). À quelques rues du port, non loin du *corso*.

Poste (Via Ponte Romano ; 🕓 8h-13h15 lun-ven). Trois rues à droite du Corso Vittorio Emanuele.

À voir et à faire
BASILICA DI SAN GAVINO

La **Basilica di San Gavino** (☎ 347 400 12 88 ; crypte 1,50 €, visites guidées 2,50 € ; 🕓 9h-13h et 15h-19h lun-sam mai-sept, 11h-13h et 15h-19h dim, jusqu'à 18h oct-avr), tout en calcaire, est la plus grande église romane de Sardaigne. Bâtie entre 1030 et 1080, elle se caractérise par son absence de façade, chaque extrémité de l'église se terminant par une abside. La douzaine de colonnes qui la soutiennent ont été subtilisées par les

Pisans au site romain voisin. Sous l'édifice principal, la superbe crypte contient des statues religieuses et plusieurs tombes de pierre.

L'édifice a été érigé sur le site d'un ancien lieu de sépulture païen. Il doit son nom à l'un des grands saints patrons sardes, le soldat romain Gavinus qui commandait la garnison de Torres sous le règne de Dioclétien. Après qu'on lui eut ordonné de mettre à mort deux prêtres chrétiens, Protus et Januarius, il fut converti par ces derniers et partagea leur sort. Tous trois furent décapités le 25 octobre 304. Si les preuves de ces événements sont maigres, la légende des *martiri turritani* (martyrs de Torres) est vivace.

Pour vous y rendre, empruntez le Corso Vittorio Emanuele vers le sud depuis le port pendant environ 1 km. La basilique se situe à un pâté de maisons à l'ouest de la rue.

PARCO ARCHEOLOGICO ET ANTIQUARIUM

La majeure partie de la colonie romaine de Turris Libisonis est enfouie sous le port actuel mais certains vestiges ont été mis au jour. Situés dans un espace connu sous le nom de "parc archéologique", ils comprennent des ruines de bains publics, un pont romain envahi par la végétation ainsi que le Palazzo del Re Barbaro (palais du roi barbare). Principal monument, ce dernier constituait le plus grand ensemble de bains publics de la ville romaine. Certains tronçons des principales routes de la cité, plusieurs *tabernae* (boutiques) et quelques belles mosaïques sont également visibles sur le site, dans lequel on pénètre via l'**Antiquarium** (2 € ; 🕓 9h-20h mar-sam, jusqu'à 23h le samedi soir en été). La plupart des objets qui sont exposés dans ce musée – des céramiques, des bustes, des lampes à huile, des verreries – ont été découverts dans le Turris romain. Le site est à proximité de la gare ferroviaire, à environ 5 minutes de marche du centre.

EXCURSIONS EN BATEAU

Depuis son kiosque sur le front de mer, **Le Ginestre** (☎ 079 51 34 93 ; 🕓 10h-12h et 18h-20h) est une agence parmi d'autres qui organise des excursions au Parco Nazionale dell'Asinara (p. 153). La sortie d'une journée, avec un tour de l'île en train touristique, coûte 41,50 € pour les adultes et 26,50 € pour les enfants âgés de 4 à 10 ans.

Où se loger et se restaurer

Hotel Elisa (☎ 079 51 32 60 ; www.hotelelisaportotorres.com ; Via Mare 2 ; s 40-50 €, d 68-73 € ; 🏊). Pratique et confortable, ce trois-étoiles tout simple est proche du port et du Corso Vittorio Emanuele. Les chambres sont fonctionnelles et modernes, avec du parquet sombre et des couleurs marines.

Crossing's Café (Corso Vittorio Emanuele 53 ; ☾ ven-mer). Un pub animé sur l'artère principale, idéal pour un *panino* et une bière en terrasse.

Cristallo (☎ 079 51 49 09 ; Piazza XX Settembre 11 ; repas 35-40 € ; ☾ mar-dim). Installé au-dessus d'un bar-*pasticceria* très apprécié, ce restaurant moderne propose une excellente cuisine de la mer et quelques savoureuses spécialités du terroir, notamment à base d'agneau.

Depuis/vers Porto Torres

Tirrenia (☎ 89 21 23 ; www.tirrenia.it), **Grandi Navi Veloci** (☎ 010 209 45 91 ; www.gnv.it) et **Moby Lines** (☎ 199 30 30 40 ; www.mobylines.it) sont les trois compagnies de ferries qui relient Porto Torres à Gênes. Tirrenia et GNV circulent toute l'année, tandis que Moby ne navigue qu'entre la mi-mai et septembre. Les 11 heures de traversée coûtent entre 86 € et 105 €.

SNCM (☎ France 0825 88 80 88 ; www.sncm.fr) et **CMN La Méridionale** (☎ France 0810 20 13 20 ; www.cmn.fr) assurent des services de ferries depuis/vers Marseille via la Corse. Toutefois, en juillet et août, certains ferries partent de Toulon. Les billets sont en vente à l'**Agenzia Paglietti** (☎ 079 51 44 77 ; fax 079 51 40 63 ; Corso Vittorio Emanuele 19). Pour plus d'informations sur les ferries, reportez-vous p. 243.

La plupart des bus partent de Piazza Colombo, presque sur le port, en direction de Sassari (1,50 €, 30 à 40 minutes, 6/j), Alghero (2,50 €, 1 heure, 6/j lun-ven, 5/j sam-dim) et Stintino (2,50 €, 45 minutes, 4/j lun-sam, 2/j dim). Billets en vente au **Bar Acciaro** (Corso Vittorio Emanuele 38) ou dans les kiosques.

Les trains circulent vers Sassari (1,55 €, 20 minutes, 4/j), Cagliari (16,05 €, 4 heures 30, 2/j) et Olbia (8,35 €, 2 heures 15, 1/j).

EST DE PORTO TORRES

À l'est de Porto Torres, la SP81, qui devient la SS200, suit la côte qui s'élève peu à peu jusqu'à Castelsardo. La majeure partie de la route est bordée de pinèdes derrière lesquelles se cachent des plages isolées. Dans les terres, les plateaux de l'Anglona, région agricole pauvre, sont coincés entre la Gallura à l'est, le Logudoro au sud, et la petite Romangia à l'ouest.

Castelsardo

5 700 habitants

Destination populaire et séduisante pour une journée, Castelsardo est accrochée à un haut promontoire qui se jette dans la Méditerranée. Dominant la ville, le spectaculaire *centro storico* est un ensemble de ruelles sombres et de bâtisses médiévales qui semblent se mêler à la roche grise.

À l'origine fort de défense fondé par une famille génoise au XIIe siècle, sous le patronyme de Castel Genoese, la ville fut le théâtre de nombreux affrontements avant de tomber aux mains des Espagnols en 1326, qui la renommèrent Castel Aragonese. En 1767, sous les Piémontais, elle prit le nom de Castel Sardo (château sarde). À ce moment-là, cet avant-poste, autrefois *città demaniale* (ville royale), indépendante, dotée de ses propres lois et de son propre gouvernement, avait perdu son rôle défensif. Aujourd'hui, la forteresse est un musée, et les habitants en sont les gardiens malgré eux.

ORIENTATION

Les bus s'arrêtent sur la Piazza Pianedda, à l'endroit où la route côtière (qui change plusieurs fois de nom en traversant la ville) rejoint la Via Nazionale, laquelle serpente jusqu'au sommet de la vieille ville. Vous pouvez monter en voiture jusqu'en haut mais il est souvent impossible de se garer.

RENSEIGNEMENTS

Office du tourisme (☎ 079 47 15 06 ; Piazzetta del Popolo ; ☾ 10h-12h30 et 17h-19h30). Notez que ces horaires sont flexibles et que le bureau est souvent fermé. Une autre source d'informations, plus fiable, est le site de la mairie : www.comune.castelsardo.ss.it.

À VOIR

La pièce maîtresse de la ville est le centre historique, dominé par le **Castello** (château) médiéval autour duquel la ville s'est agrandie. Construit par la famille Doria et demeure d'Éléonore d'Arborea pendant un temps, il offre une vue unique sur le Golfo di Asinara et la Corse. Il abrite aujourd'hui le **Museo dell'Intreccio** (☎ 079 47 13 80 ; Via Marconi ; entrée 2 € ; ☾ 9h30-13h et 15h-17h30 jours non-mars, jusqu'à 18h30 mar-dim mars, jusqu'à 19h30 tlj avr, jusqu'à 20h30 tlj mai, jusqu'à 21h tlj sept, 9h-minuit tlj juil et août), consacré à l'art du tressage de panier qui a fait la réputation de la ville.

Juste en dessous du château, la **Chiesa di Santa Maria** est une construction datant essentiellement du XVIᵉ siècle. Elle est célèbre pour son crucifix du XIIIᵉ siècle, connu sous le nom de Critu Nieddu (Christ noir).

La **Cattedrale di Sant'Antonio Abate** semble presque flotter au-dessus des falaises escarpées. Incontournable repère dans le paysage de la ville, sa délicate tour-clocher est surmontée d'une coupole de faïence. Tout près, un peu en surplomb, une petite terrasse offre une vue sur l'édifice et sur la côte nord-ouest de l'île. À l'intérieur, le maître-autel est dominé par la *Madonna con gli Angeli* (*Madone avec des anges*), du mystérieux Maestro di Castelsardo. D'autres œuvres de ce dernier sont visibles dans les **cryptes** (2 € ; ☽ 10h30-13h et 18h30-minuit) sous l'église. Des petites salles creusées dans la roche sont les derniers vestiges de l'église romane qui se tenait là autrefois. La sortie de la crypte donne sur des pelouses parfaitement entretenues qui vous séparent des remparts maritimes datant de la période espagnole.

Quelques petites **plages** bordent le promontoire.

FÊTES
Le Lundi saint, une série de messes et de processions ont lieu dans le cadre de la fête de **Lunissanti**, laquelle se termine par un défilé nocturne aux flambeaux à travers la vieille ville jusqu'à la Chiesa di Santa Maria.

OÙ SE LOGER
Il est vraiment intéressant de passer la nuit à Castelsardo, d'autant que la ville compte plusieurs très bons B&B.

B&B Sa Domo de Minnanna (☎ 079 47 10 49, 349 367 61 05 ; Via Mezzu Tappa ; 25-35 €/pers). Cette charmante et chaleureuse pension se situe dans une petite impasse derrière la vieille ville. Les murs en pierre apparente décorés de vieilles photos de famille et le mobilier ancien donnent une touche bienvenue d'authenticité.

Casa Doria (☎ 349 355 78 82 ; www.casadoria.it ; Via Garibaldi 10 ; ch 55-80 € ; ☒). Parmi les nombreuses adresses de ce type que compte le centre médiéval, vous trouverez ici tout ce qui fait le charme d'une maison d'hôte rustique : meubles d'époque, lits en fer forgé et plafonds en bois. Les trois chambres sont décorées sobrement et la salle à manger, au 3ᵉ étage, offre une superbe vue.

Hotel Riviera (☎ 079 47 01 43 ; www.hotelriviera.net ; Lungomare Anglona 1 ; d 78-168 €, demi-pension 57-99 €/pers ;

☒). Surplombant la baie à l'ouest de l'entrée de la ville, cet hôtel trois-étoiles chic et formel dispose de chambres modernes confortables et d'un restaurant réputé, le Ristorante Fofo.

À quelques kilomètres à l'ouest de Castelsardo, à la sortie de la plage touristique Lu Bagnu, se trouve l'une des rares auberges de jeunesse de Sardaigne. L'**Ostello Golfo dell'Asinara** (☎ 079 47 40 31 ; ostello.asinara@tiscalinet.it ; Via Sardegna 1 ; dort/qua/d 13/15/18 €/pers ; ☽ Pâques et mi-juin à mi-sept) est un hébergement sans prétention proposant notamment des chambres de deux ou quatre lits. Grande véranda, salle de jeu et dîner (10 €) également disponibles. Enfin, on peut y louer des vélos et des canoës.

OÙ SE RESTAURER
Il Piccolo Borgo (☎ 079 47 05 16 ; Via Seminario 4 ; plats 10 € ; ☽ mar-dim). Pratique pour un déjeuner léger, ce petit bar du *centro storico* sert des en-cas tels que de délicieuses assiettes de jambons, olives et fromages.

La Trattoria (☎ 079 47 06 61 ; Via Nazionale 20 ; repas 25 € environ ; ☽ fermé lun oct-mai). De délicieux plats, un service sympathique et des tarifs abordables : la Trattoria joue la simplicité et ça lui réussit. La carte typiquement sarde propose différentes viandes, de bons légumes et quelques succulentes assiettes de pâtes à l'image de la *pasta mazzafrissa*, au lait de brebis.

La Guardiola (☎ 079 47 07 55 ; Piazza Bastione 4 ; menu déjeuner 18/22 €, repas 35 € environ ; ☽ fermé lun oct-mai). Offrez-vous un bon dîner aux fruits de mer sous la splendide véranda panoramique de la Guardiola, au sommet de la ville. Les menus du midi – pâtes, plat et accompagnement – sont assez économiques.

Cormorano (☎ 079 47 06 28 ; Via Colombo 5 ; repas jusqu'à 55 € ; ☽ fermé mar oct -mai). Au coin de la Piazza Pianedda, voici une autre adresse qui propose d'excellents fruits de mer. Le chef apporte une touche créative à la plupart des plats, comme les succulentes *linguine con sarde* (pâtes aux sardines) et le poisson grillé à l'écrevisse et aux crevettes.

ACHATS
En arrivant à Castelsardo, impossible de ne pas remarquer les grands magasins d'artisanat. Leur présence est due à la vannerie pour laquelle la ville est réputée. En vous promenant dans la vieille ville, vous verrez encore des femmes, installées devant chez elles, créer des paniers raffinés et d'autres objets de toutes formes et toutes tailles.

DEPUIS/VERS CASTELSARDO
Les bus ARST et autres s'arrêtent à proximité de la Piazza Pianedda. Ils relient Sassari (2,50 €, 1 heure, 10/j lun-sam et 4/j dim), Santa Teresa di Gallura (5,50 €, 1 heure 30, 3/j) et Lu Bagnu (1€, 5 minutes, 6/j lun-sam et 4/j dim). Certains font également la navette avec Porto Torres (2,01 €, 50 min, 6/j lun-sam et 4/j dim). Vous pouvez acheter vos billets auprès du kiosque à journaux (*edicola*) sans enseigne sur la Piazza Pianedda.

Environs de Castelsardo
Si vous êtes motorisé, vous pourrez sans difficulté visiter les lieux suivants en une journée à partir de Castelsardo. En transports publics, cela sera nettement plus difficile.

TERGU
À une dizaine de kilomètres au sud de Castelsardo se dresse une belle église romane, **Nostra Signora di Tergu**. Elle est située dans un joli jardin, abritant entre autres quelques rares vestiges d'un ancien monastère qui accueillait jadis une centaine de moines bénédictins. Construite au XIIe siècle en trachyte couleur lie de vin et en calcaire blanc, sa façade arbore un assortiment particulièrement réussi d'arches, de colonnes et de motifs géométriques ainsi qu'une rosace toute simple.

SEDINI
À partir de Castelsardo, la SS134 en direction de Sedini conduit à la séduisante **Roccia dell'Elefante** (rocher de l'éléphant), une étrange formation rocheuse en trachyte située à l'intersection avec la SS200. Sa troublante ressemblance avec un éléphant a été source d'intérêt depuis des milliers d'années, comme en témoigne la présence d'une *domus de janas* dans le renfoncement.

Onze kilomètres plus loin, Sedini est une petite ville paisible qui renferme une autre *domus de janas* célèbre. Creusée dans une imposante roche en calcaire, près de la rue principale de la ville (Via Nazionale), cette tombe préhistorique était habitée par les fermiers au Moyen Âge et a servi de prison jusqu'au XIXe siècle. Elle abrite désormais un petit **musée** (☏ 349 844 04 36 ; http://web.tiscali.it/sedini ; entrée 2 € ; ⏰ 10h-13h et 15h-20h mai-sept, sur réservation le reste de l'année) qui présente des outils agricoles et domestiques traditionnels.

Depuis Castelsardo, des bus ARST y conduisent 3 fois par jour (1,50 €, 25 minutes).

NURAGHE SU TESORU ET VALLEDORIA
De retour vers la Roccia dell'Elefante, bifurquez sur la SS200 en direction de Valledoria. À gauche de la route, juste derrière le rocher, vous apercevrez le nuraghe Su Tesoru, l'un des derniers nuraghi à avoir été construit. Mieux vaut l'apprécier depuis votre véhicule car il n'est pas pratique de s'arrêter au bord de cette route.

Sept kilomètres plus loin, vous atteignez Valledoria, bordée par des plages qui s'étendent vers l'est sur plus de 10 km jusqu'au village de pêcheurs d'Isola Rossa. Les environs comptent plusieurs terrains de camping, comme le **Camping La Foce** (☎ 079 58 21 09 ; www.foce.it ; Via Ampurias 1, Valledoria ; tente 2 pers, voiture 18-35 € ; bungalows 2 pers 35-90 € ; P 🚲), qui possède de bonnes installations et donne sur une lagune.

Deux ou trois bus ARST reliant Santa Teresa di Gallura et Castelsardo font un arrêt à Valledoria (1€, 25 minutes). Si vous ne parvenez pas à convaincre le chauffeur de vous déposer à l'embranchement menant au camping, vous devrez y aller en stop ou à pied.

OUEST DE PORTO TORRES
À l'ouest de Porto Torres, la plaine a quelque chose de désolé, surtout quand souffle le *maestrale* (vent du nord-ouest), balayant le maquis et les roches sombres. Mais si vous continuez jusqu'à la pointe nord-ouest, vous parviendrez à la paisible Stintino, entourée de salines, et à la fabuleuse Spiaggia della Pelosa, l'une des plages les plus appréciées de Sardaigne.

Stintino
1 300 habitants
Jusqu'à récemment, Stintino n'était qu'un village de pêcheurs reculé et oublié. Mais ces dernières années, le tourisme a remplacé le thon comme source principale de revenus, et Stintino est devenue une petite station balnéaire coincée entre deux ports : l'un rempli de bateaux de pêche bleus (Porto Mannu) et l'autre envahi par les bateaux de plaisance (Porto Minori). Cette ville aux couleurs pastel possède un charme réel, et sa proximité avec la Spiaggia della Pelosa et l'Isola Asinara en fait une bonne base estivale.

La majorité des habitants de Stintino descendent des 45 familles qui créèrent le village en 1885, lorsqu'ils durent abandonner l'Isola Asinara pour laisser la place à une nouvelle prison et un centre de quarantaine. Ils se tournèrent vers la mer pour survivre et sont devenus de grands spécialistes de la pêche au thon, pratiquée tous les ans lors de la *mattanza* (l'abattage).

Vous trouverez les informations les plus fiables auprès de l'**Agenzia La Nassa** (☎ 079 52 00 60 ; www.escursioniasinara.it ; Via Tonnara 35 ; ⏰ 8h30-13h et 17h-20h tlj mars-oct, sur rdv le reste de l'année), agence privée qui peut vous renseigner sur les possibilités d'hébergement et d'excursion dans la région. Elle propose également un accès Internet (4 €/heure) ainsi que des locations de vélos (10 €/jour) et de voiture (60 €/jour).

Le site www.infostintino.it offre de précieuses informations.

À VOIR

Les liens entre Stintino et la pêche au thon sont présentés au **Museo della Tonnara** (adulte/enfant 2/1 € ; ⏰ 10h-13h et 18h-21h juin-sept), à Porto Mannu. Disposées à la manière des six enclos constituant la *tonnara* (impressionnant réseau de filets dans lequel les poissons sont capturés), les six salles du musée présentent des documents, objets, photos et films dédiés à cette activité vieille de plusieurs siècles. Le site de la *tonnara* de Stintino fut fermé en 1974, puis brièvement rouvert à la fin des années 1990 dans un but scientifique. La *mattanza* continue d'avoir lieu à Carloforte et à Portoscuso, dans le Sud, ainsi que dans quelques endroits en Sicile. Pour plus d'informations sur cette pêche, voir l'encadré p. 94.

Juste au sud de Stintino, un panneau sur votre gauche indique la direction de la *tonnara* abandonnée et de la **Spiaggia delle Saline**, splendide plage de sable blanc autrefois occupée par une importante saline. Les marais pénètrent à l'intérieur des terres pour former le **Stagno di Casaraccio**, un vaste étang où l'on aperçoit parfois des flamants roses.

À FAIRE

Stintino est la porte d'accès au Parco Nazionale dell'Asinara. En été, des ferries effectuent régulièrement la traversée à partir de Porto Mannu ; voir ci-contre pour plus de détails.

Les amateurs de windsurf et de plongée seront comblés : plusieurs agences de Stintino organisent des leçons et louent de l'équipement. La plupart des agences spécialisées se regroupent sur la Spiaggia della Pelosa.

Fin août, vous pouvez également assister à la **regatta** de Stintino, régate au cours de laquelle s'affrontent des bateaux "latins". Leurs voiles triangulaires emplissent alors l'étroit bras de mer entre Stintino et l'Isola Asinara.

OÙ SE LOGER

La plupart des grands complexes hôteliers se trouvent sur le littoral à Capo del Falcone (voir ci-contre), mais vous trouverez quelques petites adresses sympathiques à Stintino.

Hotel Geranio Rosso (☎ 079 52 32 92 ; fax 079 52 32 93 ; Via XXI Aprile 4 ; s 40-70 €, d 60-110 €, demi-pension 60-80 €/pers ; ✹). Cet hôtel modeste, ouvert toute l'année et situé en plein centre-ville, propose des chambres simples avec lustres et décoration florale. Bonne pizzeria au rez-de-chaussée.

Albergo Silvestrino (☎ 079 52 34 73 ; www.silvestrino.it, en italien ; Via XXI Aprile 4 ; s 45-75 €, d 70-130 €, demi-pension 50-95 €/pers ; ✹). Au bout de la rue principale, côté mer, cet élégant établissement trois-étoiles est immanquable. Les chambres estivales ont des sols carrelés et des meubles simples et pratiques. Le restaurant, le meilleur de Stintino, sert de délicieux fruits de mer (repas de 35 € à 40 €).

OÙ SE RESTAURER

Les restaurants des deux hôtels mentionnés ci-dessus (pizzeria à l'Hotel Geranio Rosso, fruits de mer au Silvestrino) sont très corrects. À Stintino, la restauration est centrée sur les produits de la mer et peut parfois se révéler coûteuse.

Lu Fanali (☎ 079 52 30 54 ; Lungomare Cristoforo Colombo 89 ; pizzas 7 €). Lu Fanali est une bonne adresse pour déguster des pizzas bon marché face à la mer et en toute décontraction. La terrasse est aussi grande que le choix de pizzas, de pâtes et de glaces.

Skipper (☎ 079 52 34 60 ; Lungomare Cristoforo Colombo 57 ; menu déj 12 € ; ⏰ 6h-23h mar-dim). Apprécié de longue date, ce bar détendu dispose d'une carte éclectique : depuis la terrasse face à la mer, commandez tout ce qui vous passe par la tête, du café au cocktail en passant par les pâtes aux fruits de mer, lasagnes, hamburgers, salades et autres *panini*. Tout est bon, et rien n'est cher.

SASSARI ET LE NORD-OUEST

Ristorante Da Antonio (☎ 079 52 30 77 ; Via Marco Polo 16 ; repas 40 € environ ; ✆ fermé jeu oct-avr). Avec une vue encore plus belle que celle de ses concurrents, cet élégant restaurant apporte une touche stylée aux plats de poisson classiques. Le *polpo marinato* (poulpe mariné) et le copieux *fritto misto* (friture variée) sont des valeurs sûres. Mauvais point : le service peut être très lent.

DEPUIS/VERS STINTINO

Entre juin et mi-septembre, 3 bus relient quotidiennement Stintino et l'aéroport Fertilia d'Alghero (7 €, 50 minutes).

En semaine, les bus ARST relient 4 fois par jour Stintino et Porto Torres (2/j le dimanche) et Sassari (4€, 1 heure 10). Les fréquences augmentent entre juin et septembre.

Capo del Falcone

Des ensembles hôteliers, villas et résidences de vacances occupent l'espace entre Stintino et Capo del Falcone. Ici, tout le monde vient à la **Spiaggia della Pelosa**, incarnation de la plage parfaite : une bande de sable blanc léchée par des eaux turquoise peu profondes et bordée par d'étranges langues de terre presque lunaires. Un îlot isolé, dominé par une tour de guet catalano-aragonaise, complète le tableau. Au plus fort de l'été, vous devrez partager ce paysage idyllique avec des dizaines de milliers d'admirateurs, mais en basse saison, la foule est bien plus raisonnable.

Deux kilomètres au nord de Stintino, juste avant la Spiaggia della Pelosa, vous trouverez l'**Asinara Diving Centre** (☎ 079 52 70 00 ; www.asinaradivingcenter.it ; Porto dell'Ancora) à l'hôtel Ancora. Il organise des plongées – notamment des plongées nocturnes et avec air enrichi – aux alentours du Capo del Falcone et dans le parc de l'Asinara. Plus au nord, sur la Spiaggia della Pelosa, le **Windsurfing Centre Stintino** (☎ 079 52 70 06 ; www. windsurfingcenter.it) loue des planches à voile (15€/h) et des canoës (à partir de 8€/h), et propose des leçons de planche à voile (30 € la leçon) ainsi que des formations complètes (155 €).

Vous ne manquerez pas d'hébergement dans la région, cependant la plupart des adresses sont de catégorie moyenne ou supérieure. L'un des meilleurs établissements est le **Pelosetta Residence Hotel** (☎ 079 52 71 88 ; demi-pension 60-115 €/pers, appt 4 lits 322-1 190 €/semaine ;

✆ mai-sept), idéalement situé. Son élégant restaurant (repas 40 €), face à la mer, est quasiment installé sur la Spiaggia della Pelosa. Les chambres variées (disponibles à la nuit) et les appartements indépendants (à la semaine) ont tous de superbes vues sur la mer. Demi-pension obligatoire.

Toute l'année, des bus ARST circulent entre la plage et Stintino (1 €, 5 minutes, 4/j lun-sam, 3/j dim). En été, le nombre de bus est considérablement augmenté.

Comptez 5 € la demi-journée pour vous garer en zone bleue, en bord de route.

Parco Nazionale dell'Asinara

Deuxième plus grande île satellite de Sardaigne (la première étant l'Isola di Sant'Antioco), "l'île de l'âne" tire son nom de son occupant le plus célèbre, le fameux *asino bianco* (âne blanc). Les quelque 120 spécimens tiennent compagnie à près de 80 espèces animales telles que le mouflon ou les faucons pèlerins.

Avant 1997, date à laquelle elle fut classée parc national, l'île abritait la plus connue des prisons haute sécurité d'Italie. Construite en 1885, cette prison – aujourd'hui abandonnée – était également le lieu de quarantaine des malades atteints du choléra.

La visite de l'île n'est possible qu'en passant par des opérateurs agréés installés à Stintino ou Porto Torres (voir p. 148).

Entre mai et fin octobre, **Linea Parco** (☎ 079 52 31 18 ; Porto Mannu ; billetterie 9h30-12h30 et 16h-19h) vend des excursions depuis son kiosque, près du port des ferries. Plusieurs choix sont proposés. La visite de base coûte 36 € par personne (sans le repas) avec un départ à 9h.

L'**Agenzia La Nassa** (☎ 079 52 00 60 ; www.escursioniasinara.it ; Via Tonnara 35 ; ✆ 8h30-13h et 17h-20h tlj mars-oct, sur rdv le reste de l'année) propose également diverses formules entre 16,50 € et 52 € par personne. La moins chère, disponible entre juin et septembre, ne couvre que le trajet en ferry et vous laisse libre de déambuler à pied ou à vélo dans certaines zones du parc. L'option la plus chère inclut le transport en 4x4 ou en bus.

Même si la plus grande partie de l'île est fermée aux visiteurs, comme la plage de **Cala Sant'Andrea** (lieu de reproduction des tortues), la majorité des excursions organisées permettent de se faire une bonne idée du parc. Des pauses baignades sont même prévues sur les plages de **Cala d'Oliva** ou **Punta Sabina**, toutes les deux dans le Nord de l'île.

Les repas n'étant généralement pas inclus dans les excursions, pensez à prendre un pique-nique ou dirigez-vous vers le restaurant de Cala d'Oliva.

ALGHERO

40 600 habitants

Pour de nombreuses personnes, la Sardaigne se résume souvent à Alghero, plus grande station balnéaire du Nord-Ouest, facilement accessible en avion depuis l'Europe. Bien que le tourisme règne en maître sur la ville, Alghero a su préserver un esprit fier et indépendant. La ville a longtemps été un port de pêche, et aujourd'hui encore, cette activité apporte une contribution essentielle à l'économie locale. Et la langouste d'Alghero est l'un des incontournables plaisirs gastronomiques de l'île.

L'attrait principal de la ville est son centre historique, l'un des mieux préservés de Sardaigne. Encerclé par de robustes murailles dont la couleur miel tranche sur le bleu de la mer, le centre est un ensemble étroit de ruelles pavées, de *palazzi* gothiques espagnols et de places bordées de cafés. Le port de plaisance est occupé par les yachts et la longue plage de sable s'étend vers le nord. De cette ancienne colonie catalane émane une ambiance largement espagnole. Aujourd'hui encore, trois siècles après le départ des Ibères, on peut y entendre parler catalan, langue qui apparaît souvent à côté de l'italien sur les plaques des noms de rues et les menus.

HISTOIRE

L'Alguerium (dont le nom provient des algues échouées sur la plage) a vu le jour au XIᵉ siècle sous les Génois. D'abord simple village de pêcheurs, il devint en raison de sa position stratégique une place forte jalousement gardée. Les Génois en gardèrent le contrôle jusqu'à la moitié du XIVᵉ siècle, malgré un bref règne pisan dans les années 1280.

Alghero a vaillamment résisté à l'invasion catalano-aragonaise en 1323. Mais après 30 années de lutte acharnée, la ville tomba finalement aux mains des Espagnols en 1353. Les colons catalans furent encouragés à s'y installer et, à la suite d'une révolte en 1372,

les derniers Sardes furent chassés vers l'intérieur des terres. Alghero, dès lors totalement catalane, fut baptisée Alguer.

La colonie devint un port important de la Sardaigne pour les Catalano-Aragonais, puis pour les Espagnols. Élevée au rang de ville en 1501, elle connut une grande effervescence lorsque Charles Quint, empereur du Saint Empire romain germanique (et roi d'Espagne), arriva en 1541 pour mener une campagne contre les corsaires d'Afrique du Nord. Malheureusement, la découverte de l'Amérique joua en la défaveur d'Alghero, dont l'importance en tant que port commercial déclina rapidement.

En 1720, la ville passa aux mains de la maison de Savoie. Dans les années 1920, sa population ne dépassait pas les 10 000 âmes. Les bombardements de 1943 et le développement touristique à la fin des années 1960 ont précipité la construction de nouveaux bâtiments, entraînant l'apparition d'une ville moderne à côté du centre historique.

ORIENTATION

Le centre historique d'Alghero se trouve sur un petit promontoire dominant la mer, et la ville moderne s'étend le long de la côte vers le nord. Plusieurs hôtels chics et des bars d'été animés parsèment la route côtière au sud, tandis que les plages s'étendent au nord, après le port, devant des zones résidentielles, des hôtels et un camping. Les bus Intercity s'arrêtent Via Catalogna, juste à l'extérieur de la vieille ville. La gare ferroviaire est à 1 km au nord environ, sur la Via Don Minzoni.

RENSEIGNEMENTS
Accès Internet

Bar Miramare (carte p. 156 ; ☎ 079 973 10 27 ; Via Gramsci 2 ; 5 €/h ; ⊗ 8h30-13h et 16h30-2h).

Poco Loco (carte p. 156 ; Via Gramsci 8 ; 5 €/h ; ⊗ 19h-1h). Cette salle de concert dispose de trois ordinateurs et d'une piste de bowling.

Argent

Des banques avec DAB sont disséminées dans toute la vieille ville.

Banca Carige (carte p. 156 ; Via Sassari 13). Dispose d'un DAB.

Banca di Sassari (carte p. 156 ; Via La Marmora)

Librairies

Il Labirinto (carte p. 156 ; ☎ 079 98 04 96 ; Via Carlo Alberto 119). Petite boutique offrant un large choix de livres (essentiellement en italien) sur la Sardaigne.

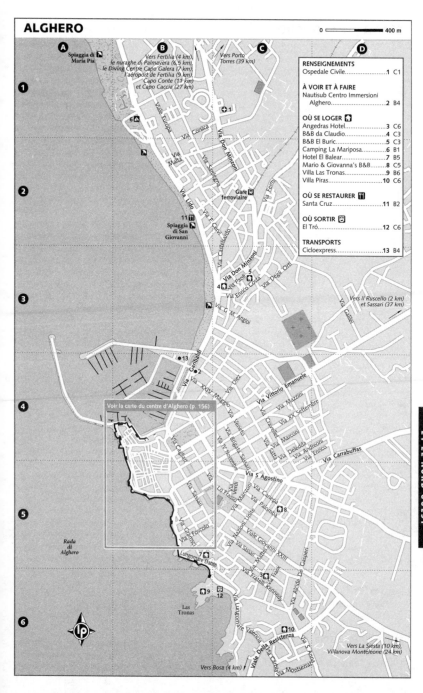

ALGHERO

0 —————— 400 m

A Spiaggia di Maria Pia

B Vers Fertilia (4 km),
le nuraghe di Palmavera (6,5 km),
le Diving Centre Capo Galera (7 km),
l'aéroport de Fertilia (9 km),
Capo Conte (11 km)
et Capo Caccia (27 km)

C Vers Porto Torres (39 km)

D

RENSEIGNEMENTS	
Ospedale Civile.....................**1**	C1

À VOIR ET À FAIRE	
Nautisub Centro Immersioni Alghero.............................**2**	B4

OÙ SE LOGER	
Angedras Hotel.....................**3**	C6
B&B da Claudio......................**4**	C3
B&B El Buric...........................**5**	C3
Camping La Mariposa............**6**	B1
Hotel El Balear......................**7**	B5
Mario & Giovanna's B&B.......**8**	C5
Villa Las Tronas....................**9**	B6
Villa Piras............................**10**	C6

OÙ SE RESTAURER	
Santa Cruz...........................**11**	B2

OÙ SORTIR	
El Tró..................................**12**	C6

TRANSPORTS	
Cicloexpress........................**13**	B4

Gare ferroviaire

Spiaggia di San Giovanni

Vers Il Ruscello (2 km) et Sassari (37 km)

Voir la carte du centre d'Alghero (p. 156)

Via Vittorio Emanuele

Via Carrabuffas

Via S. Agostino

Rada di Alghero

Las Tronas

Vers La Siesta (10 km), Villanova Monteleone (24 km)

Vers Bosa (4 km)

SASSARI ET LE NORD-OUEST

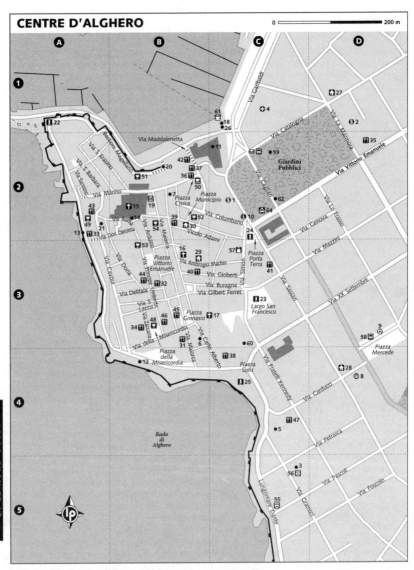

CENTRE D'ALGHERO

0 ——————— 200 m

Libreria Ex Libris (carte p. 156 ; Via Carlo Alberto 2).
Dispose d'une sélection intéressante de livres d'art, de
cartes et de guides.

Offices du tourisme
Office du tourisme (carte p. 156 ; ☎ 079 97 90 54 ;
www.comune.alghero.ss.it ; Piazza Porta Terra 9 ; ☺ 8h-20h
lun-sam, 10h-13h dim avr-oct, 8h-20h lun-sam nov-mars).

Le meilleur office de tourisme de Sardaigne, avec une équipe
serviable et une foule d'informations pratiques.
Office du tourisme de l'aéroport (hors carte p. 155 ;
☎ 079 93 51 50 ; ☺ 8h30-13h et 15h30-22h).

Poste
Poste principale (carte p. 156 ; Via Carducci 35 ;
☺ 8h-18h50 lun-ven, 8h15-13h15 sam)

Services médicaux

Farmacia Bulla (carte p. 156 ; ☎ 079 95 21 15 ; Via Garibaldi 13)

Farmacia Cabras (carte p.156 ; ☎ 079 97 92 60 ; Lungomare Dante 20)

Ospedale Civile (carte p. 155 ; ☎ 079 99 62 00 ; Via Don Minzoni). Principal hôpital de la ville.

Urgences

Police (carte p. 156 ; ☎ 079 972 00 00 ; Piazza della Mercede 4)

À VOIR

Se promener dans le *centro storico* vivant d'Alghero est le meilleur moyen de se familiariser avec le rythme détendu de la ville. Le soir, les ruelles médiévales pleines de boutiques s'animent.

La ville était autrefois entièrement enclose de murs. Au XIXe siècle, les remparts tournés vers les terres ont été abattus et partiellement remplacés par les **Giardini Pubblici** (jardins publics, carte p. 156), un espace vert qui sépare la vieille ville de la ville moderne.

Près des Giardini, la **Torre Porta a Terra** (carte p. 156 ; ☎ 079 973 40 45 ; Piazza Porta Terra ; adulte/enfant 2,50/1,50 € ; ☿ 9h-13h et 18h-23h lun-sam juil et août, 9h30-13h et 16h30-20h lun-mar-mer-jeu-ven et sept, 10h-13h et 17h-19h lun-sam oct-mars) est tout ce qu'il reste de la Porta a Terra du XIVe siècle, l'une des deux portes principales de la ville médiévale. Cette tour de 23 m, autrefois connue sous le

nom de Porta Reial, abrite aujourd'hui un petit musée multimédia consacré à l'histoire de la ville. Au 2e étage, une terrasse permet d'admirer le paysage sur 360°.

Vers le sud, une autre tour impressionnante, la **Torre di San Giovanni** (carte p. 156 ; ☎ 339 468 77 54 ; Largo San Francesco ; ☿ selon les expos) accueille des expositions temporaires.

Gardant la mer près de la Piazza Sulis animée, la **Torre Sulis** (carte p. 156) complétait le dispositif de défense au sud de la vieille ville. Au nord, le **Bastione della Maddalena** (carte p. 156) et la tour du même nom forment les seules parties encore existantes des anciens remparts.

Juste à l'ouest de ce bastion, et surplombant la marina, la **Porta a Mare** (carte p. 156) est la seconde porte médiévale d'Alghero. À côté de la porte, les marches montent jusqu'aux remparts qui continuent jusqu'à la **Torre della Polveriera** (carte p. 156), à la pointe septentrionale du *centro storico*. La Méditerranée se fracasse sur les **Bastioni Marco Polo** (carte p. 156) et les **Bastioni Cristoforo Colombo**, murailles occidentales de la ville. La promenade sur les remparts est bordée de restaurants et de bars accueillants depuis lesquels vous pourrez admirer le coucher de soleil.

Cattedrale di Santa Maria

Dominant la Piazza Duomo, l'imposante **Cattedrale di Santa Maria** (carte p. 156 ; ☎079 97

SASSARI ET LE NORD-OUEST

92 22 ; Piazza Duomo ; 🕑 7h-12h et 17h-19h30) semble démesurée. Avec ses épaisses colonnes doriques, la façade néoclassique est un ajout malheureux du XIXᵉ siècle. Ce fut la dernière des nombreuses modifications apportées à cette cathédrale bâtie au XVIᵉ siècle dans le style gothique catalan. L'intérieur est principalement Renaissance, avec quelques éléments décoratifs du baroque tardif datant du XVIIIᵉ siècle. Des visites guidées gratuites (en italien) ont lieu entre 10h et 13h du lundi au vendredi entre février et septembre.

Plus intéressant, le **campanile catalan** (carte p. 156 ; adulte/enfant 2 €/gratuit ; 🕑 19h-21h30 mar, jeu et sam juil-août, 17h-20h mar, jeu et sam sept, sur rdv le reste de l'année) est situé à l'arrière, dans la Via Principe Umberto. Bel exemple d'architecture catalane gothique, cette haute tour octogonale surplombe les toits d'Alghero.

Museo Diocesano d'Arte Sacra

L'ancien Oratorio del Rosario abrite désormais le **Musée de la cathédrale** (carte p. 156 ; ☎079 973 30 41 ; www.algheromuseo.it ; Piazza Duomo ; tarif plein/tarif réduit 3/2 € ; 🕑 10h-12h30 jeu-mar toute l'année et 17h-20h avr-mai et fin sept-oct, 18h-21h juin-début sept, 18h30-21h30 juil-août). Celui-ci présente la collection d'art religieux de la cathédrale, notamment de l'argenterie, des statues, des peintures et des sculptures sur bois.

Piazza Civica

Juste derrière la Porta a Mare, tout au nord-ouest du *centro storico*, la Piazza Civica est la place principale d'Alghero et l'ancien cœur administratif de la cité médiévale. Les aristocrates espagnols qui débattaient des affaires de l'Empire ont été remplacés par les touristes, qui admirent les bijoux en vitrine et dégustent des glaces aux tables du plus grand café de la ville. Le Caffè Costantino occupe le rez-de-chaussée du **Palazzo d'Albis** (carte p. 156), un bâtiment gothique où séjourna Charles Quint en 1541.

Chiesa di San Francesco

Contrairement à la cathédrale, la **Chiesa di San Francesco** (carte p. 156 ; ☎079 97 92 58 ; Via Carlo Alberto ; 🕑 7h30-12h et 17h-20h30) est un modèle d'harmonie architecturale. Derrière son austère façade de pierre, l'église construite au XIVᵉ siècle dans le style gothique catalan a subi une rénovation à la Renaissance, après qu'elle se fut partiellement effondrée

en 1593. L'autel en marbre polychrome du XVIIIᵉ siècle et l'étrange sculpture en bois du XVIIᵉ siècle, représentant le Christ décharné attaché à une colonne, sont particulièrement intéressants.

En passant par la sacristie, vous pénétrez dans le magnifique cloître du XIVᵉ siècle, dont les 22 colonnes relient une série d'arches en plein cintre. Le grès clair utilisé pour les arcades et les colonnes lui confère un aspect chaleureux qui en fait un cadre merveilleux pour les concerts estivaux.

Chiesa di San Michele

Plus loin sur la Via Carlo Alberto, la *carrer major* (grand-rue) de la ville médiévale, la **Chiesa di San Michele** (carte p. 156 ; ☎079 97 92 34 ; 🕑 30 min avant la messe à 19h lun-sam, 9h et 19h dim) est célèbre pour son dôme en faïence polychrome, typique des églises de Valence, autre ancien territoire catalan. Les carreaux actuels ont été posés dans les années 1960.

Juste avant d'atteindre l'église, vous croisez la Via Gilbert Ferret. L'intersection est connue sous l'appellation de *quatre cantonades* (quatre côtés). Pendant des siècles, les ouvriers s'y rassemblaient dans l'espoir d'obtenir du travail.

À FAIRE

Sur le port, vous pouvez embarquer sur un bateau pour observer l'impressionnante côte nord à Capo Caccia (p. 168) et la grandiose Grotta di Nettuno (grotte de Neptune, p. 168). Plusieurs agences proposent des excursions à la journée avec des pauses pour la pêche et la baignade (les prix varient entre 40 € et 100 € par personne). Si vous souhaitez uniquement visiter la grotte, mieux vaut passer par **Navisarda ferry** (carte p. 156 ; ☎079 95 06 03 ; adulte/enfant aller-retour 14/7 €, entrée de la grotte non comprise), qui lève l'ancre toutes les heures entre 9h et 17h de juin à septembre et 4 fois par jour le reste de l'année.

Vous pouvez organiser des plongées auprès de divers opérateurs à Alghero, comme **Nautisub Centro Immersioni Alghero** (carte p. 155 ; ☎079 95 24 33 ; www.nautisub.com ; Via Garibaldi 45), qui propose des plongées avec bouteilles (à partir de 38 €) ou tuba (25 €), loue du matériel (25 € pour la bouteille, un régulateur, une combinaison et une ceinture de plombs) ainsi que des sorties en bateau. À quelques kilomètres d'Alghero, des panneaux placés sur la route de Capo

Caccia indiquent le **Diving Centre Capo Galera** (hors carte p. 155 ; ☎ 079 94 21 10 ; www.capogalera.com ; Localita Capo Galera), installé dans une grande villa blanche sur un promontoire panoramique. Cours et plongées de tous niveaux sont proposés, et les nageurs expérimentés pourront profiter de magnifiques plongées dans les grottes sous-marines, à commencer par l'exploration de la grotte de Nereo, la plus grande de Méditerranée. Comptez à partir de 20 € pour les plongées et 18 € pour la location de matériel. Le centre propose aussi des hébergements (chambre double/6 pers 65 €-100 €/110 €-180 €) et prépare de succulents dîners cuits au barbecue.

Si vous préférez profiter des joies de la terre ferme, les plages d'Alghero s'étendent le long de Via Garibaldi, au nord du port. La **Spiaggia di San Giovanni** (carte p. 155) et sa voisine **Spiaggia di Maria Pia** (carte p. 155) sont toutes deux de longues bandes de sable, mais ce ne sont pas les plus belles. La Spiaggia Bombarde et la Spiaggia del Lazzaretto, après l'aéroport de Fertilia et accessibles en bus (voir p. 164), sont toutes deux bien plus agréables. À Alghero, il est possible de louer des parasols et des transats à partir de 8 € par jour, ainsi que des planches à voile (10 €) et des canoës (10 €). La ligne de bus AO circule le long du front de mer.

On peut faire de l'équitation dans différents centres de la région ; l'office du tourisme vous fournira une liste. Comptez en moyenne de 15 € à 20 € l'heure.

COURS

Rafraîchissez votre italien en suivant les cours de **Stroll & Speak** (carte p. 156 ; ☎ 339 489 93 14 ; www.strollandspeak.com ; Via Cavour 4 ; ◷ 9h-13h et 14h30-20h lun-sam), une école de langue située dans le centre historique et faisant autorité. Les cours individuels coûtent 200 € (10 heures), 285 € (15 heures) ou 360 € (20 heures) par semaine.

CIRCUITS ORGANISÉS

Un **tour en calèche** dans la vieille ville calmera sans doute les enfants turbulents (carte p. 156 ; ☎ 079 97 69 27 ; adulte/enfants de 2 à 10 ans 5/3,50 € ; ◷ 10h-23h juil et août, jusqu'à 20h30 avr-juin, sept et oct). La promenade de 25 minutes part du Bastione della Maddalena, côté port.

Le **Trenino Catalano** (Petit train catalan ; carte p. 156 ; adulte/moins de 8 ans 5/3 € ; ◷ 10h-13h et 16h30-23h juil et août, 10h-13h et 15h30-21h avr-juin et sept) est un train miniature qui parcourt le centre-ville. Départ toutes les demi-heures depuis le port. Les billets s'achètent à bord.

Pour davantage d'informations sur les excursions en mer, reportez-vous à la section *À faire*, ci-contre.

FÊTES ET FESTIVALS

À Alghero, le calendrier des fêtes et des festivals est bien rempli, notamment au printemps et en été.

Février

Sagra del Bogamari (Fête de l'oursin). Les habitants d'Alghero rendent hommage à l'oursin en se régalant de tonnes de ce petit mollusque épineux entre fin janvier et février.

Carnevale Le *martedì grasso* (Mardi gras), une effigie d'un soldat français (le *pupazzo*) est brûlée au bûcher au milieu de grandes réjouissances.

Mars/avril

Semaine sainte Des effigies du Christ et de la Vierge sont promenées à travers la vieille ville, rejouant les *Misteri* (Passion du Christ) et l'*Incontru* (la rencontre entre la Vierge et son fils ressuscité).

Juillet/août

Estate Musicale Internazionale di Alghero (Été musical international). Tout au long des mois de juillet et août, des concerts de musique classique ont lieu dans divers lieux de la ville, et notamment dans la Chiesa di San Francesco.

Ferragosto (Assomption). Le 15 août, Alghero offre des festivités grandioses avec feux d'artifice, courses nautiques et concerts.

OÙ SE LOGER

Si les hébergements d'Alghero sont ouverts pendant la saison estivale, nombre d'entre eux ferment durant la basse saison, entre novembre et février. Réserver est déjà une bonne idée tout au long de l'année, mais c'est une nécessité en juillet et août. L'office du tourisme possède une liste exhaustive des hébergements que vous pourrez retrouver sur le site www.comune.alghero.ss.it/alghero_turismo/dormire.htm.

Petits budgets

Très peu d'établissements s'adressent aux voyageurs indépendants à petit budget. Mieux vaut se tourner vers les pensions ou les appartements à louer, nombreux en ville. Pour une liste complète, choisissez la rubrique "Bed & Breakfast" sur le site indiqué précédemment.

Camping La Mariposa (hors carte p. 155 ; ☎ 079 95 03 60 ; www.lamariposa.it ; Via Lido 22 ; par personne/tente/voiture 11/13/4 €, bungalows 4 pers 47-78 € ; ☼ avr-oct ; 🖳). À environ 2 km au nord du centre, ce camping est installé sur la plage, entre les pins et les eucalyptus. L'emplacement ainsi que les excellents services (école de planche à voile et centre de plongée sur place) en font un très bon choix.

B&B Da Claudio (carte p. 155 ; ☎ 079 98 42 36 ; http://web.tiscali.it/b_and_b_da_claudio ; Via Don Minzoni 7 ; s 22-32 €, d 44-64 €). Cette chambre d'hôte accueillante et bon marché se trouve dans un appartement moderne près de la mer. Les installations n'ont rien d'exceptionnel, mais les trois chambres, dont deux partagent une salle de bains, sont accueillantes et propres. L'emplacement près de la mer est pratique.

Mario & Giovanna's B&B (carte p. 155 ; ☎ 339 890 35 63 ; www.marioandgiovanna.com ; Via Canepa 51 ; d/tr/qua 55/65/70 €, appt 50-70 €/pers). Joyeusement décorée de bibelots, de tableaux et de la collection de porcelaines anglaises chérie par Giovanna, cette pension dispose de trois chambres ensoleillées donnant sur un petit jardin. Elle est située dans la partie un peu plus terne de la ville, d'où il faut compter 15 minutes de marche pour rejoindre le centre historique. Mario possède également quelques appartements à louer.

Autres adresses recommandées :

Mamajuana (carte p. 156 ; ☎ 339 136 97 91 ; www.mamajuana.it ; Vicolo Adami 12 ; s 40-60 €, d 60-90 €). Cette pension exiguë vaut davantage pour sur sa situation, au cœur du *centro storico*, que pour son standing.

B&B El Buric (carte p. 155 ; ☎ 079 989 20 19 ; www.alghero-sardegna.com ; Via Enrico Costa 26 ; ch 60-80 € ; Ⓟ). Une pension estivale au 6e étage d'un immeuble proche de la plage.

Catégorie moyenne

Villa Piras (carte p. 155 ; ☎ 079 97 83 69 ; www.villapiras.it ; Viale della Resistenza 10 ; s 55-77 €, d 75-100 € ; 🗙). Le Villa Piras, l'un des rares hôtels ouverts toute l'année, est à 15 minutes au sud-ouest du centre. Les chambres, de couleur crème, sont simples, spacieuses et disposent de meubles rudimentaires. En été, le petit-déjeuner est servi sur la petite terrasse. Climatisation pour 7 € supplémentaire.

Hotel San Francesco (carte p. 156 ; ☎ 079 98 03 30 ; www.sanfrancescohotel.com ; Via Ambrogio Machin 2 ; s 45-70 €, d 70-105 € ; 🗙). Vous devrez vous y

prendre bien à l'avance pour obtenir une chambre dans l'unique hôtel du *centro storico* d'Alghero. Installées dans un ancien monastère – des moines occupent encore le 3e étage –, les chambres sont simples mais confortables, avec murs blancs, mobilier en pin et carrelage brun. Si possible, essayez d'en obtenir une donnant sur le cloître médiéval.

❂ Angedras Hotel (carte p. 155 ; ☎ 079 973 50 34 ; www.angedras.it ; Via Frank 2 ; s 53-68 €, d 75-110 € ; ✖ 🗙). Exemple typique du style méditerranéen avec murs blanchis à la chaux, l'Angedras possède des chambres fraîches et aérées dont les grandes portes-fenêtres donnent sur des patios ensoleillés. L'élégante terrasse, où le petit-déjeuner est servi en été, est idéale pour se rafraîchir en soirée. Les clients ont 10% de réduction au restaurant du même nom, sur les Bastioni Marco Polo (voir ci-contre).

Hotel El Balear (carte p. 155 ; ☎ 079 97 52 29 ; www.hotelelbalear.it ; Lungomare Dante 32 ; s 58-79 €, d 86-130 €, demi-pension 68-88 €/pers ; ☼ mars-oct ; 🗙). L'emplacement face à la mer implique nécessairement des tarifs plus élevés, et ce trois-étoiles ne fait pas exception. L'atmosphère est animée et les chambres, quoique confortables, sont petites. Le personnel est toutefois très accueillant et la vue sur la mer rattrape ces inconvénients.

Hotel La Margherita (carte p. 156 ; ☎ 079 97 90 06 ; www.hotellamargherita.it ; Via Sassari 70 ; s 60-80 €, d 80-115 €, suppl de 15 € pour une ch avec vue ; Ⓟ 🗙). L'heure de gloire de La Margherita semble passée, mais derrière son air fatigué, l'hôtel reste très attachant. Les lustres étincelants (avec des ampoules à économie d'énergie) pendent des hauts plafonds, tandis que des antiquités décorent les chambres spacieuses et aérées. Le petit-déjeuner est servi sur la terrasse, d'où l'on a une vue magnifique. Le parking coûte 7 €.

Catégorie supérieure

Hotel Catalunya (carte p. 156 ; ☎ 079 95 31 72 ; www.hotelcatalunya.it ; Via Catalogna 20 ; s 90-138 €, d 120-196 € ; Ⓟ 🗙). Dominant les Giardini Pubblici, ce grand hôtel d'affaires dispose de tous les services mais manque de charme. Les employés en uniforme accueillent les clients dans une réception carrelée et élégante, et les conduisent jusqu'aux chambres au mobilier bleu vif.

Villa Las Tronas (carte p. 155 ; ☎ 079 98 18 18 ; www.hotelvillalastronas.it ; Via Lungomare Valencia 1 ; s 120-230 €, d 170-398 € ; Ⓟ 🗙 🖳 🕽). Ce palace Art nouveau du XIXe siècle fut autrefois la résidence de vacance de la royauté italienne. Transformé en ravissant hôtel, il est situé dans un jardin luxuriant sur un promontoire privé. Les chambres sont décorées dans le plus pur style de l'époque, avec quantité de brocarts, d'élégantes antiquités et des peintures à l'huile sombres. Un centre de beauté, une somptueuse piscine couverte, ainsi qu'un centre de massage, un hammam et une salle de gym, ajoutent au luxe de l'ensemble.

OÙ SE RESTAURER

Les produits de la mer règnent en maître sur la gastronomie d'Alghero, ville de pêcheurs réputée pour ses sardines et sa langouste. Ce crustacé est cher : les prix étant indiqués au gramme, demandez toujours à ce qu'on vous le pèse avant de commander.

Petits budgets

Gelateria Arcobaleno (carte p. 156 ; Piazza Civica 34). Si les glaces sont bonnes à peu près partout à Alghero, le journal britannique *Sunday Times* a élu ce tout petit local "meilleur glacier de la ville". Vérifiez par vous-même en rejoignant la file d'attente et en prenant une glace noisette et *stracciatella* (avec des petits éclats de chocolats).

Il Ghiotto (carte p. 156 ; ☎ 079 97 48 20 ; Piazza Civica 23 ; repas 10-15 € ; ☽ mar-dim). L'une des rares adresses de la ville où l'on peut s'asseoir et se rassasier pour à peine 10 €. À midi, la carte dévoile un large choix de *panini*, pâtes, salades et plats. On peut s'asseoir dans la salle, au fond du couloir, ou bien sur la terrasse en bois souvent bondée.

Spaghetteria Al Solito Posto (carte p. 156 ; ☎ 328 913 37 45 ; Piazza della Misericordia ; repas 15-20 € ; ☽ ven-mer). On ne vient pas ici pour s'attarder au dîner, mais ce restaurant en tonnelle est l'un des plus prisés de la ville. La carte est limitée (pâtes à différentes sauces), mais la nourriture est bonne et l'atmosphère animée (avec écrans télé). Réservation recommandée.

Pata Pizza (carte p. 156 ; ☎ 079 97 51 77 ; Via Maiorca 89), dans le centre, est une bonne option pour des pizzas à emporter.

La plupart des élégants cafés d'Alghero servent également des plats corrects. Essayez le Diva Caffè ou le Caffè Latino (voir p. 163).

Catégorie moyenne

Nettuno (carte p. 156 ; ☎ 079 97 97 74 ; Via Maddalenetta 4 ; pizzas 7 € ; repas 35 € environ ; ☽ jeu-mar). Vêtu de votre plus bel uniforme marin, rendez-vous dans cette pizzeria-restaurant donnant sur la marina. Le menu est largement orienté vers les fruits de mer avec quelques classiques comme les *spaghetti alle vongole* (aux palourdes) ou la *zuppa di pesce* (soupe de poisson).

Angedras Restaurant (carte p. 156 ; ☎ 079 973 50 78 ; www.angedrasrestaurant.it ; Bastioni Marco Polo 41 ; menu déj 16 €, repas 35 € environ ; ☽ mer-lun). Un dîner sur les remparts dorés d'Alghero est une expérience inoubliable. Voici l'une des meilleures adresses qui propose un menu très traditionnel, à commencer par la plus grande spécialité sarde : le *porceddu* (cochon de lait rôti).

Osteria Machiavello (carte p. 156 ; ☎ 079 98 06 28 ; Bastioni Marco Polo 57 ; menu terre/mer 16/18 €, repas 35 € environ ; ☽ mer-lun). Avec ses tables disposées sur les murs de la ville, l'emplacement panoramique vous garantit un repas mémorable. Le menu comble toutes les envies de viandes grillées, dont le cheval, ainsi que plusieurs plats traditionnels de poisson. Essayez la *zuppa di cozze e vongole* (soupe de moules et palourdes).

Trattoria Maristella (carte p. 156 ; ☎ 079 97 81 72 ; Via Fratelli Kennedy 9 ; repas 27 € environ). Les touristes comme les locaux se donnent rendez-vous dans cette petite trattoria animée qui sert de bons fruits de mer – l'*insalata di mare* (salade de la mer) est excellente – et des spécialités sardes comme les *culurgiones* (raviolis fourrés à la pomme de terre, au *pecorino* et à la menthe). Le tout à prix modique.

Osteria Taverna Paradiso (carte p. 156 ; ☎ 079 97 80 07 ; Via Principe Umberto 29 ; repas 30 € environ ; ☽ mar-dim). Le fromage est roi dans cette trattoria conviviale et sans prétention. Le gérant et "maître fromager" Pasquale Nocella est un vrai passionné qui prend plaisir à présenter sa multitude de fromages. L'assiette coûte 16 €, mais si ce le fromage n'est pas votre fort, vous trouverez aussi d'excellentes viandes grillées et de copieuses assiettes de pâtes.

Il Refettorio (carte p. 156 ; ☎ 079 973 11 26 ; Vicolo Adami 47 ; repas 30 € environ ; ☽ fermé mar en hiver). Un bar à vin servant à manger ou un restaurant spécialisé dans le vin ? Il Refettorio est en tout cas une adresse plaisante avec des tables en extérieur sous une arche en pierre et un intérieur voûté. À l'heure de l'apéritif, la clientèle est élégante et branchée.

Santa Cruz (carte p. 155 ; Via Lido 2 ; pizzas 6,50-8 €, repas 30 € environ ; ☽ mar-dim). Ce restaurant espagnol sert de bonnes pizzas, des paellas

SASSARI ET LE NORD-OUEST

L'OR ROUGE

Le corail rouge de la Méditerranée fascine les populations depuis l'Antiquité car, d'après la mythologie grecque, il s'agissait du sang pétrifié de Méduse. On lui attribuait des pouvoirs aphrodisiaques ou d'autres vertus secrètes et on en faisait des amulettes.

La côte d'Alghero, au sud du Capo Caccia, est appelée à juste titre la **Riviera del Corallo** (voir p. 165). De très grande qualité, le corail pêché à cet endroit brille d'un éclat rouge orangé. En raison des puissants courants qui sévissent autour du cap, les polypes façonnent leur corail en des arbres courts et très denses, capables de résister à la force de l'eau. Ainsi ils contiennent peu de poches d'air, ce qui fait leur qualité – et ravit les bijoutiers d'Alghero.

Le corail est une marchandise précieuse dont la pêche est aujourd'hui strictement réglementée – elle a même été suspendue ces dernières années. C'est un travail difficile, nécessitant du matériel sophistiqué et des chambres de décompression, car le corail est récolté à une profondeur de 135 m. Il est ensuite vendu aux bijoutiers d'Alghero par fragments, les prix variant selon la couleur, la qualité et la taille.

Dans la profession depuis de longues années, Agostino Marogna possède désormais la plus belle boutique de corail d'Alghero. Marque de fabrique de la maison, les colliers composés de grosses perles de corail mettent souvent plusieurs années à être réalisés. La fabrication d'une sphère lisse produit près de 60% de perte. Étant donné qu'il n'y a qu'une petite quantité de corail destiné à la vente chaque année, les bijoutiers n'en ont pas assez pour fabriquer toutes les perles en une fois et doivent attendre plusieurs saisons, au cours desquelles ils devront trouver exactement les mêmes teintes et qualité. Un tel collier peut atteindre 30 000 €, mais tous les bijoux de la boutique ne sont pas aussi chers (les prix débutent toutefois autour de 100 €), et il est intéressant de s'y rendre, ne serait-ce que pour admirer la finesse de certaines œuvres. Vous trouverez **Marogna** (carte p. 156 ; ☎ 079 98 48 14 ; Piazza Civica 34) dans le palazzo d'Albis.

(15 €) et des viandes grillées. Mais plus que la nourriture, c'est surtout l'emplacement qui en fait une adresse incontournable. Les soirées sur la plage contribuent à l'atmosphère joyeuse.

La Cueva (carte p. 156 ; ☎ 079 97 91 83 ; Via Gioberti 4 ; repas 30-35 € ; ☺ mer-lun). Ce tout petit local est parfait pour déguster une *paella valenciana* (18 €), héritage culinaire des années de domination catalane. Grand choix de pâtes et de viandes également.

Borgo Antico (carte p. 156 ; ☎ 079 98 26 49 ; Via Zaccaria 12 ; repas 35 € environ ; ☺ fermé dim soir). Ce restaurant chic aménagé dans un ancien couvent installe ses tables sur une très jolie *piazza*. Il est réputé pour ses excellents produits de la mer, comme les *spaghetti all'aragosta* (à la langouste, 38 € pour deux personnes) et le *triglie al cartoccio* (mulet rouge en papillote).

Catégorie supérieure

Al Tuguri (carte p. 156 ; ☎ 079 97 67 72 ; www.altuguri.it ; Via Maiorca 113 ; menu dégustation végétarien/mer/terre 36/40/40 € ; ☺ lun-sam). Les vrais repas végétariens sont une nouveauté en Sardaigne, et c'est ici que vous trouverez les meilleurs. Ce restaurant discret au décor rustique sert un menu végétarien délicat, ainsi que des plats

plus classiques à base de viande ou de fruits de mer. Réservation conseillée.

Il Pavone (carte p. 156 ; ☎ 079 97 95 84 ; www.ristoranteilpavone.com ; Piazza Sulis 3/4 ; repas 45 € environ ; ☺ fermé dim midi). Le grand-père de la restauration à Alghero, Il Pavone s'en tire comme au premier jour. Effrontément rétro – l'intérieur regroupe mobilier d'époque, antiquités et tableaux – on y prépare des plats sardes variés et innovants aux côtés des classiques.

Andreini (carte p. 156 ; ☎ 079 98 20 98 ; www.ristorante andreini.it ; Via Ardoino 45 ; repas 55 € environ ; ☺ mar-dim). Ces dernières années, ce restaurant élégant est devenu la référence de la cuisine moderne et créative à Alghero. Les tables sont disposées sous un imposant figuier et l'on admire autant que l'on déguste les plats admirablement présentés, qui combinent avec audace fruits, poisson frais, viande et herbes.

Faire ses courses

Vous trouverez tout pour votre pique-nique au **marché d'Alghero** (carte p. 156 ; entrée Via Sassari 23 ; ☺ 6h30-13h30 et 16h30-20h30 lun-sam) entre Via Sassari et via Cagliari. Autre possibilité, le supermarché **Euro Spin** (carte p. 156 ; Via La Marmora 28 ; ☺ 8h30-21h30 lun-sam, 9h-13h30 et 17h-21h dim), près des Giardini Pubblici.

OÙ PRENDRE UN VERRE

Alghero ne manque pas d'adresses où boire un verre. Les zones les plus populaires sont les plages, les remparts et le front de mer au sud du centre historique. En été, de nombreux bars sont ouverts assez tard, en général jusqu'à 2h du matin.

Baraonda (carte p. 156 ; ☎ 079 97 59 22 ; Piazza della Misericordia ; ⏲ 10h-2h). Dans ce bar à vin tamisé, les photos de jazz en noir et blanc accrochées aux murs bordeaux donnent le ton. En été, on peut s'asseoir en terrasse et observer la vie de la place.

Diva Caffè (carte p. 156 ; ☎ 079 98 23 06 ; Piazza Municipio 1 ; cocktails 7 € ; ⏲ 10h-minuit lun-sam). Adresse appréciée des touristes au déjeuner (pâtes à 6 €), le Diva dévoile sa vraie personnalité à la tombée de la nuit, lorsque les clients bronzés viennent siroter leur cocktail sur la place. Ouvert tard le vendredi et le samedi soir en été.

Caffè Latino (carte p. 156 ; ☎ 079 97 65 41 ; Bastioni Magellano 10 ; cocktails à partir de 4,80 € ; ⏲ 9h-23h mer-lun, jusqu'à 2h tlj en été). Sur les remparts au-dessus du port, ce bar chic est un classique de l'été. Relaxez-vous dans les chaises en rotin gris, faites votre choix dans le vaste menu et laissez-vous bercer par la brise qui agite les mâts en contrebas.

Caffè Costantino (carte p. 156 ; ☎ 079 97 61 54 ; Piazza Civica 31 ; ⏲ 7h30-minuit jeu-mar). Situé sur la place principale d'Alghero, c'est le café le plus classe de la ville. C'est également l'un des plus fréquentés, avec son flot constant de touristes. Les cartes des plats et des boissons sont bien fournies, mais si vous venez simplement manger, vous vous en tirerez à meilleur marché à peu près n'importe où en ville.

Buena Vista (carte p. 156 ; Bastioni Marco Polo 47 ; cocktails 6,50-8 € ; ⏲ 15h30-3h). De fabuleux *mojitos*, des cocktails aux fruits frais et des couchers de soleil spectaculaires : que demander de plus pour un bar face à la mer ? Une musique d'ambiance et un intérieur caverneux contribuent à l'atmosphère de ce bar prisé situé sur les murs ouest.

Autres adresses recommandées :

Jamaica Inn (carte p. 156 ; Via Principe Umberto 57 ; cocktails 6 € ; ⏲ mar-dim). Un bar joyeux parfait pour un verre de vin, une bière ou grignoter des en-cas (6 €) comme les *bruschette*.

Mill Inn (carte p. 156 ; Via Maiorca 37 ; ⏲ jeu-mar). Un antre cosy aux plafonds voûté où sont organisés parfois des concerts.

OÙ SORTIR

Lorsque les bars commencent à se vider, aux alentours de 1h du matin, l'animation se déplace sur le front de mer au sud de la vieille ville. En été, c'est ici que les foules s'amusent jusqu'à 4h du matin.

Concerts

Poco Loco (carte p. 156 ; ☎ 079 973 10 34 ; Via Gramsci 8 ; ⏲ 19h-1h). Une adresse populaire qui propose un accès Internet, de la bière pression, des pizzas, des concerts et dispose d'une piste de bowling à l'étage (fermée le lundi). Les concerts sont variés, même si le jazz et le blues dominent légèrement.

L'Arca (carte p. 156 ; ☎ 079 97 79 72 ; Lungomare Dante 6 ; ⏲ 8h-2h). Un bar rock sur le *lungomare* (front de mer) sud. Les DJ passionnent les foules du jeudi au samedi, tandis que les clients en terrasse ajoutent à l'atmosphère festive.

Clubs et discothèques

La scène nocturne d'Alghero attire les clubbers de tout le Nord de la Sardaigne. C'est en été qu'elle est la plus animée, mais vous pourrez également trouver quelques soirées endiablées le week-end en hiver. Les plus grands clubs se trouvent à l'extérieur de la ville, ce qui peut être un problème à moins que vous n'ayez un véhicule ou preniez un taxi (pour 35 € environ). Les clubs ouvrent tard, à partir de minuit en général, et l'entrée coûte aux alentours de 15 €, parfois avec une boisson.

El Trò (carte p. 155 ; ☎ 079 973 30 00 ; Via Lungomare Valencia 3 ; ⏲ 21h-tard mar-dim). Discothèque-pub, El Trò devient une fosse endiablée les week-ends d'été, lorsque les vacanciers branchés se déhanchent jusqu'à l'aube face à la mer.

Il Ruscello (hors carte p. 155 ; ☎ 339 235 07 55 ; www.ruscellodisco.com, en italien ; SS Alghero-Olmedo ; ⏲ tous les soirs juil et août, ven et sam juin et sept, sam le reste de l'année). Discothèque historique d'Alghero, le Ruscello attire les plus grands DJ sardes et une clientèle branchée qui se défoule sur les titres commerciaux, de la house et du revival. Le club est à 2 km au nord-est d'Alghero, sur la route d'Olmedo.

La Siesta (hors carte p. 155 ; ☎ 079 98 01 37 ; www.lasiestadisco.net, en italien ; Localita Scala Piccada ; ⏲ tous les soirs à partir de 1h juil et août, sam juin). À environ 10 km de la ville, c'est un autre grand club avec 4 pistes de danse, des tubes commerciaux et des concerts réguliers. Pour les plus grandes soirées, une navette (1,50 €) fait la liaison avec le centre d'Alghero.

ACHATS

Parcourir les élégantes vitrines de la Via Carlo Alberto, la grande rue commerçante, fait partie intégrante de tout séjour à Alghero. À travers tout le centre historique, les rues sont bordées de boutiques de souvenirs, d'ateliers de créateurs et de bijouteries qui travaillent le fameux corail d'Alghero (voir l'encadré, p. 162).

Enodolciaria (carte p. 156 ; ☎ 079 97 97 41 ; Via Simon 24). Véritable caverne d'Ali Baba où les étagères plient sous le poids des bouteilles de vin local et d'huile d'olive, des paquets de pâtes, des pots de légumes et des conserves de thon de la région.

DEPUIS/VERS ALGHERO
Avion

L'**aéroport Fertilia** (AHO ; ☎ 079 93 52 82 ; www.alghe-roairport.it) est à environ 9 km au nord-ouest d'Alghero. Il est desservi par plusieurs compagnies low-cost, telles que Ryanair (liaison directe Alghero/Paris-Beauvais) et Air One,

et relie le continent italien ainsi que plusieurs villes d'Europe comme Paris, Barcelone, Birmingham, Dublin, Francfort, Liverpool et Londres. Pour plus d'informations sur les vols, voir p. 240.

Bus

L'arrêt des bus interurbains se situe dans la Via Catalogna, près des Giardini Pubblici. Vous achèterez vos billets auprès d'un guichet installé dans les jardins (carte p. 156).

Jusqu'à 11 bus (et 15 le week-end) assurent quotidiennement l'aller-retour avec Sassari (2,50 à 3 €, 1 heure). Des bus ARST desservent également Porto Torres (2,50 €, 1 heure, 8/j lun-ven, 5/j sam-dim) et Bosa (4,50 €, 1 heure 35, 2/j). Les bus pour Bosa passent par l'intérieur des terres via Villanova Monteleone, et un bus quotidien parcourt la spectaculaire route côtière (3 €, 1 heure 10).

Il n'y a pas de ligne directe pour Olbia. Vous devez vous rendre à Sassari pour y emprunter

---

MARE E MONTE

L'une des plus belles routes de Sardaigne parcourt le littoral au sud d'Alghero, au fil des 46 km qui la séparent de Bosa. La corniche plonge et vire le long des falaises, offrant des panoramas spectaculaires qui alternent entre *mare* (mer) et *monte* (montagne). Le parcours peut s'effectuer soit en voiture en une journée, soit à bicyclette en deux jours (108 km, voir l'itinéraire détaillé ci-dessous). La meilleure solution consiste à emprunter la route intérieure (SS292) vers le sud via Villanova Monteleone, puis de revenir par la corniche pour profiter de la vue exceptionnelle sur la Riviera del Corallo et le Capo Caccia.

À vélo, le premier jour (62 km) est le plus ardu car il faut se hisser jusqu'à 600 m d'altitude. La route grimpe dans les montagnes, révélant la mer et le Capo Caccia au loin. Elle franchit ensuite une crête plongeant dans de profondes forêts, où la côte disparaît du regard. Au bout de 23 km, elle atteint **Villanova Monteleone** (567 m), accroché tel un balcon naturel aux pentes du col de Santa Maria. Le centre se situe juste à côté de la route principale. Un marché de produits alimentaires s'y tient tous les matins, sauf le dimanche (suivez les panneaux *mercato*).

Après Villanova, la route serpente et ondule à l'ombre des bois, offrant une vue splendide sur la côte. L'ascension finale de 5 km est compensée par la descente de 10 km jusqu'à Bosa, où l'on fera étape.

Le deuxième jour, l'itinéraire emprunte la corniche qui longe une saisissante portion de littoral inhabité (prévoyez sandwichs et boissons, car vous n'en trouverez pas en route). Il n'y a qu'une seule montée importante ; elle est longue de 6,2 km et permet d'atteindre 350 m d'altitude. L'effort fourni est amplement récompensé par le panorama. Les falaises blanches du Capo Caccia sont souvent visibles à l'horizon (après les 16 premiers kilomètres), au nord. Hormis les cloches des chèvres qui broutent sur les pâturages ainsi que les oiseaux de proie planant dans le ciel, la quiétude est absolue.

En chemin, deux lieux sont propices à la baignade : une plage après environ 5,4 km (cherchez les voitures garées au bord de la route et le sentier qui y conduit) juste au sud de Torre Argentina, et la **Spiaggia La Speranza** après 35,4 km. Vous trouverez sur cette dernière le **Ristorante La Speranza** (☎ 079 91 70 10 ; repas 30 € ; ☯ jeu-mar, tlj en été). Prenez le temps de déguster sa cuisine de la mer avant d'entamer les derniers 10,8 km jusqu'à Alghero.

la correspondance assurée par Turmo Travel (voir p. 136).

Train

La gare ferroviaire (carte p. 155) est située à 1,5 km au nord de la vieille ville, dans la Via Don Minzoni. On dénombre jusqu'à 11 trains FdS par jour depuis/vers Sassari (2,20 €, 35 min).

Voiture et moto

Depuis Sassari, le plus simple est de prendre la route SS291 qui rejoint la SP19 jusqu'à Alghero. En arrivant depuis Bosa, deux routes s'offrent à vous : la SS292 par l'intérieur des terres et la SP105, le long de la côte, qui est l'une des routes les plus spectaculaires de Sardaigne (voir l'encadré ci-contre).

COMMENT CIRCULER

La vieille ville et la plupart des autres sites sont aisément accessibles à pied. Néanmoins, vous devrez peut-être prendre un bus pour vous rendre aux plages, un peu éloignées du centre.

Depuis/vers l'aéroport

Jusqu'à 11 bus FdS (0,70 €, 20 minutes) relient l'aéroport à la Piazza Mercede, en centre-ville. Les bus **Logudoro Tours** (☎ 079 28 17 28) se rendent 2 fois par jour à Cagliari (20 €, 3 heures 30), Oristano (15 €, 2 heures 30) et Macomer (10 €, 1 heure 30). Trois bus **Redentours** (☎ 0784 3 14 58 ; www.redentours.com) (20 €, 2 heures 15) font chaque jour la liaison aller-retour avec Nuoro (réservation impérative).

Un taxi pour l'aéroport coûte environ 25 €.

Bus

La ligne AO circule de la Via Cagliari (à proximité des Giardini Pubblici) jusqu'aux plages. Des bus urbains relient également l'aéroport de Fertilia ainsi que d'autres destinations plus éloignées. Leurs arrêts sont disséminés tout autour des Giardini Pubblici. Vous pouvez vous procurez des billets (0,70 €) chez le fleuriste **Floridea** (carte p. 156, Via Cagliari 4), dans le parc, et aussi dans la plupart des bureaux de tabac (*tabacchi*).

Taxi

Une **station de taxis** (carte p. 156) est située Via Vittorio Emanuele près de l'office du tourisme. Autrement, réservez un taxi par téléphone au ☎ 079 989 20 28.

Voiture et moto

Bien que la ville soit parfois envahie en été, il est généralement possible de trouver à se garer à une distance raisonnable de la vieille ville. Dans les rues autour des Giardini Pubblici, le stationnement en zone bleue coûte 0,70 € la première heure, 1 € la seconde et 1,50 € la troisième. Achetez votre ticket de stationnement dans les parkings, aux parcmètres ou dans les *tabacchi*.

Plusieurs sociétés de location de voitures locales et internationales sont représentées à l'aéroport de Fertilia. Sachez qu'**Avis** (carte p. 156 ; ☎ 079 93 50 64 ; Piazza Sulis 9) possède également une agence en ville.

Dans un kiosque de la Via Garibaldi côté mer, **Cicloexpress** (carte p. 155 ; ☎ 079 98 69 50 ; www. cicloexpress.com ; Via Garibaldi) loue des voitures (65 €/jour), des scooters (55 €) et des vélos (8 €).

RIVIERA DEL CORALLO

Depuis Alghero, la route côtière qui file en direction du nord traverse de splendides paysages. Elle passe par Fertilia, une station balnéaire tranquille, et Porto Conte, une grande baie parsemée d'hôtels et de villas discrètes. Au bout de la route se trouve Capo Caccia, un promontoire rocheux connu pour son impressionnant réseau de cavités souterraines formant la Grotta di Nettuno. Le long de la route, vous pourrez voir d'autres belles plages et quelques sites archéologiques intéressants. Le paysage plus plat de l'arrière-pays accueille quelques-uns des plus grands vignobles de l'île et plusieurs *agriturismi* paisibles et accueillants y sont installés.

FERTILIA
1 700 habitants

Les plages de sable bordées de pins se succèdent jusqu'à Fertilia, à 4 km au nord-ouest d'Alghero. Cette petite station sans âme, avec ses rues rectilignes et ses *palazzi* robustes, peut surprendre les visiteurs qui viennent de quitter l'effervescence médiévale d'Alghero. Elle fut construite par Mussolini, qui voulait en faire le centre de son grand projet de bonification des terres agricoles et fit venir pour cela des agriculteurs du Nord-Est de l'Italie. Après la guerre, des réfugiés arrivèrent du Frioul-Vénétie Julienne, apportant avec eux

---

POUR S'ÉVADER COMPLÈTEMENT

À quelque 11 km au nord du Lago Baratz, la petite crique d'**Argenteria** est dominée par les ruines fantomatiques de l'ancienne mine d'argent (*argento*) qui fut la plus importante de l'île. Les Romains furent les premiers à l'exploiter, et l'extraction s'est poursuivie jusque dans les années 1960, lorsque la mine fut finalement abandonnée. Les bâtiments miniers en brique sombre, qui ne tiennent plus qu'à l'aide d'échafaudages en bois, se dressent, désordonnés, en retrait d'une petite plage de sable gris. Il est impossible de les visiter, mais vous pouvez déjà admirer la vue, désolée et mélancolique.

Si vous devez y passer la nuit, l'**Hostel Argentiera** (☎ 079 53 02 19 ; www.hostelargentiera.it ; d 30-35 €/ pers) est une toute nouvelle auberge avec des chambres doubles lumineuses et un restaurant sur place. À quelques mètres de la plage, le **Bar Il Veliero** (☎ 079 53 03 61 ; Via Carbonia 1 ; panini 3,50 €) propose des en-cas, des pâtes et des plats.

Argenteria est au bout de la SP18, indiquée à partir de Palmadula.

---

le lion de saint Marc, symbole de Venise, qui orne la statue sur le front de mer. Après la guerre, des réfugiés arrivèrent du Frioul-Vénétie julienne, apportant avec eux le lion de saint Marc, symbole de Venise, qui orne la statue sur le front de mer.

Il n'y a pas grand-chose à faire ou à voir outre le front de mer, mais les plages environnantes sont vraiment agréables. À quelques kilomètres à l'ouest de la ville, les habitants apprécient particulièrement la **Spiaggia delle Bombarde**, entourée de verdure et bien équipée en transats, parasols et aires de jeu pour les enfants. S'il y a trop de monde, comme c'est souvent le cas en été, essayez la **Spiaggia del Lazzaretto** voisine. Toutes deux disposent de parkings et de cafés.

Où se loger et se restaurer

Hostal de l'Alguer (☎/fax 079 93 20 39 ; www.algherohostel. com ; Via Parenzo 79 ; dort 18 €, s/d/tr/qua 30/25/22/20 €/ pers, repas 9,50 € ; P 🖵). C'est l'une des trop rares auberges de jeunesse de Sardaigne affiliée à Hostelling International. Propre, accueillante, mais sans charme, vous n'aurez pas forcément envie de vous y attarder : les chambres sont réparties dans plusieurs bungalows préfabriqués à l'intérieur d'un complexe poussiéreux. Mais si vous comptez passer vos journées à la plage, ce n'est pas un mauvais choix.

Hotel Punta Negra (☎ 079 93 02 22 ; www. hotelpuntanegra.it ; Strada Fertilia-Porto Conte ; s 110-250 €, d 140-320 € ; 🖝 avr-nov; P 🍴 🐾). Si vous recherchez un endroit tranquille et détendu en bord de mer, ce grand quatre-étoiles devrait vous satisfaire. Dans une pinède privée, cet hôtel de style méditerranéen propose tous les services imaginables : plage privée, court

de tennis, piscine et chambres avec vue sur la mer. Vous le trouverez à environ 1 km à l'ouest de la localité.

Acquario (☎ 079 93 02 39 ; Via Pola 34 ; repas 35 € environ ; 🖝 mar-dim, tlj en été). Un restaurant populaire dans le centre de Fertilia, sur le front de mer près du clocher. La cuisine classique locale est à l'honneur, avec quantité de pâtes aux fruits de mer et de poissons, et des *seaddas* (beignets farcis à la *ricotta*) en dessert.

Depuis/vers Fertilia

Depuis Alghero, prenez le bus local AF pour Fertilia (0,70 €, 15 minutes) : il circule toutes les heures entre 7h et 21h40.

NORD DE FERTILIA

À environ 7 km au nord d'Alghero, sur la gauche (vers l'ouest) de la route pour Porto Torres, gisent les anciennes tombes de la **Necropoli di Anghelu Ruiu** (entrée simple/ avec visite guidée/ avec audioguide 3 €/5 €/6 € ; billet couplé avec la Necropoli di Palmavera/ avec visite guidée/ avec audioguide 5 €/ 8 €/ 10 € ; 🖝 9h-19h mai-oct, jusqu'à 18h avr, 9h30-16h mars, 10h-14h nov-fév). Les 38 tombes creusées dans la pierre, les *domus de janas*, datent de 3300 à 2700 av. J.-C. La majeure partie des décors sculptés a été retirée et se trouve aujourd'hui dans des musées, mais quelques chambres funéraires renferment toujours des cornes de taureau sculptées, peut-être le symbole d'un dieu des morts.

En continuant sur la route vers le nord, vous atteindrez après 2 km la propriété de 650 hectares du plus grand vigneron sarde, **Sella e Mosca** (☎ 079 99 77 00 ; www.sellaemosca.com). On peut suivre la visite guidée gratuite du **musée** (🖝 17h30 lun-sam fin mai-oct, sur rdv le reste de l'année) et découvrir comment une modeste entreprise est devenue le producteur de vin le plus célèbre de Sardaigne. Le musée possède également une petite section archéologique dédiée à la Necropoli di Anghelu Ruiu. Après la visite, dégustez quelques-uns de leurs crus dans la magnifique **enoteca** (cave ; 8h30-13h et 15h-18h30 lun-sam toute l'année, et 8h30-20h dim mi-juin à fin sept).

Bien entendu, tout cela vous aura ouvert l'appétit. Heureusement, plusieurs délicieux restaurants sont dispersés dans la région.

Agriturismo Barbagia (☎ 079 93 51 41 ; www. agriturismobarbagia.it ; Localita Fighera, Podere 26 ; repas 30 € environ). Un magnifique *agriturismo* qui propose un hébergement simple (chambres de 30 € à 40 €) et de la nourriture du terroir en abondance. Pendant que les enfants jouent sur la balançoire, les parents peuvent déguster leur repas sur la terrasse ombragée donnant sur le jardin.

Agriturismo Sa Mandra (☎ 079 99 91 50 ; www. aziendasamandra.it ; Localita Fighera, Podere 21 ; repas 35 € environ). Vous allez festoyer comme un roi dans ce bel *agriturismo* à 2 km au nord de l'aéroport. Même si le menu du jour est fixe, le choix reste large : antipasti de jambon de pays, saucisson, fromage aux herbes ou légumes marinés, suivis de pâtes puis d'agneau ou de cochon de lait rôti. Pensez à réserver et à venir avec un bon appétit.

Da Bruno (☎ 079 93 00 98 ; www.hotelfertilia.it ; Strada Santa Maria la Palma ; menu 30 €, repas 45 € environ ; tlj en été). Dans l'Hotel Fertilia, à quelques kilomètres au nord de la ville, Da Bruno est un restaurant rustique qui sert de bons produits de la mer et des viandes de saison, comme du sanglier, de l'agneau et du porc. Des chambres sont disponibles toute l'année dans l'**hôtel** (s 70-80 € ; d 85-110 €, demi-pension 72,50-110 €/pers).

Depuis Alghero, deux bus passent tous les jours par Sella e Mosca (1,50 €, 25 minutes).

NURAGHE DI PALMAVERA

À environ 10 km à l'ouest d'Alghero, sur la route de Porto Conte, le **nuraghe di Palmavera** (3 €, avec la Necropoli di Anghelu Ruiu 5 € ; 9h-19h avr-oct, 9h30-16h nov-mars) est vieux de 3 500 ans. Au centre se dresse une tour de calcaire ainsi qu'un bâtiment elliptique flanqué d'une tour en grès ajoutée à une époque ultérieure. Les ruines de tours moins hautes et de remparts entourent l'édifice central. À l'extérieur des murs, on aperçoit les vestiges d'habitations circulaires rapprochées qui, à l'origine, pouvaient être une cinquantaine.

La **Capanna delle Riunioni** (cabane des réunions), circulaire, fait l'objet de maintes conjectures. Son mur de fondation, bordé d'un banc en pierre peu élevé qui était peut-être destiné à un conseil de sages, encercle un piédestal surmonté d'un nuraghe miniature. Selon certaines théories, un culte aurait été voué aux nuraghi eux-mêmes.

Vous devez disposer de votre propre moyen de locomotion pour vous rendre sur ces deux sites. Un bus AF à destination de Porto Conte passe certes à côté du nuraghe di Palmavera. Mais étant donné qu'il revient par la route intérieure, il n'y a pas de solution pour le retour.

PORTO CONTE

Connue également sous le nom poétique de Baia delle Ninfe (baie des nymphes), Porto Conte est une jolie petite baie sauvage. Ses côtes verdoyantes sont bordées de mimosas et d'eucalyptus et ses eaux bleues sont parsemées d'une nuée de bateaux de plaisance. Le principal attrait est la Spiaggia Mugoni qui s'enroule au nord-ouest de la baie. Son sable fin et ses eaux protégées en font une excellente destination pour les amateurs de sports aquatiques débutants. Le **Club della Vela** (☎ 338 148 95 83 ; www.clubdellavelaalghero.it) propose des cours de planche à voile, canoë, kayak et navigation, et loue également des bateaux.

Juste à l'ouest de Porto Conte, des panneaux indiquent la direction de la **réserve naturelle Le Prigionette** (☎ 079 94 90 60 ; entrée libre ; 8h-16h lun-ven, jusqu'à 17h sam et dim), au pied du mont Timidone (361 m). S'étendant sur une douzaine de kilomètres carrés, et surnommée l'Arca di Noé (l'arche de Noé) pour sa variété d'espèces animales introduites depuis les années 1970, la réserve offre des sentiers forestiers bien balisés et adaptés aux marcheurs comme aux cyclistes. Vous ne verrez probablement pas beaucoup d'animaux, mais la réserve abrite des rennes, des ânes blancs de l'Isola Asinara, des chevaux de la Giara et des sangliers sauvages, ainsi que des vautours fauves et des faucons planant dans les cieux. L'entrée est gratuite, mais vous devrez présenter une pièce d'identité.

À la pointe sud de la baie, près du phare catalano-aragonais où s'arrête la route, se trouve l'**Hotel El Faro** (079 94 20 30 ; www.elfarohotel.it ; Porto Conte ; s 160-420 €, d 232-920 € ; P 🐾 🖳 🖺), un splendide ensemble bien tenu avec deux piscines, un embarcadère privé et des chambres élégantes.

Des bus FdS circulent régulièrement entre Porto Conte et Alghero (1 €, 30 minutes, jusqu'à 10/j juin-sept, 6/j le reste de l'année).

CAPO CACCIA

La route qui contourne la réserve naturelle par l'est domine les eaux de Porto Conte avant d'atteindre Capo Caccia, un cap rocheux spectaculaire qui s'élève au-dessus de la Méditerranée. Juste avant que la route ne s'arrête, des panneaux indiquent un point de vue d'où vous jouirez d'une vue splendide sur le cap et sur l'Isola Foradada balayée par la houle.

Quelques centaines de mètres plus loin, un parking précède l'entrée de l'**Escala del Cabirol**, un escalier vertigineux de 656 marches qui descend sur 110 m jusqu'à la **Grotta di Nettuno** (☎ 079 94 65 40 ; adulte/enfant 12/6 € ; ✆ visite guidée 9h-19h avr-sept, jusqu'à 17h oct, jusqu'à 16h jan, mars, nov et déc). Notez que la descente de l'Escala à pied est une expérience grisante qui vous demandera environ 15 minutes. Les visites de la grotte, qui démarrent toutes les heures et durent environ 45 minutes, vous emmènent dans d'étroits couloirs flanqués de forêts de stalactites et de stalagmites aux formes et aux noms étranges, tels que l'orgue, le dôme d'église (ou tête de guerrier), etc. La grotte s'enfonce sur un kilomètre, mais une grande partie est inaccessible. Par mauvais temps, la grotte est fermée au public.

Si vous préférez éviter l'escalier, vous pouvez y accéder par bateau depuis Alghero (voir p. 158).

Pour vous rendre au cap par les transports publics depuis Alghero, prenez un bus FdS à Via Catalogna (3,50 € aller-retour, 50 minutes) : départs tlj à 9h15 et retour à midi. Le bus s'arrête dans le parking au pied des escaliers pour la grotte. Entre juin et septembre, deux bus supplémentaires partent tlj à 15h10 et 17h10, et reviennent à 16h05 et 18h05.

Autrement, les 27 km à parcourir depuis Alghero sont l'occasion d'une belle promenade relativement facile à moto.

NORD DE CAPO CACCIA

La route qui part de Porto Conte vers le nord traverse les paysages verdoyants et plats de la Nurra. La première bifurcation sur la gauche mène sur la côte, à **Torre del Porticciolo**, un port naturel ourlé d'une petite plage que domine, sur le promontoire nord, une tour de guet. De hautes falaises montent la garde au sud et l'on peut explorer les criques adjacentes en empruntant d'étroits sentiers de randonnée.

À six kilomètres au nord de Torre del Porticciolo, cachée derrière de denses boisements de pins, s'étend l'une des plus longues plages sauvages de l'île, **Porto Ferro**. Pour vous y rendre, prenez la bifurcation vers Porto Ferro et, avant d'atteindre le bout de la route (l'endroit où s'arrêtent les bus en provenance d'Alghero), tournez à droite (suivez les panneaux Bar Porto Ferro). Depuis Alghero, les bus assurent la liaison trois fois par jour en été et deux fois le reste de l'année (1,50 €, 35 à 65 min selon l'état de la route et les conditions de circulation).

De Porto Ferro, plusieurs voies secondaires serpentent dans les terres sur 6 km jusqu'au **Lago Baratz**, le seul lac naturel de Sardaigne. Encerclé de collines basses, le lac attire quelques espèces aviaires. Des chemins parcourent les rives marécageuses du lac, et une route de terre de 3 km conduit jusqu'à la pointe nord de la plage de Porto Ferro.

Au sud du lac, le village tranquille de Santa Maria la Palma abrite la **Cantina Sociale di Santa Maria la Palma** (☎ 079999008 ; www.santamarialapalma.it ; ✆ 8h-13h et 14h30-18h30 lun-ven, 8h-13h dim, horaires élargis en été), la deuxième exploitation vinicole de la région après Sella e Mosca. Prenez le temps de flâner dans l'*enoteca* et dégustez les vins au tonneau.

Cette partie du littoral compte peu d'hébergements. Le **Campeggio Torre del Porticciolo** (☎ 079 91 90 07 ; www.torredelporticciolo.it ; par pers/tente/voiture 14 €/14 €/gratuit, bungalow 2 pers 56-126 € ; ℗ 🛋), à l'organisation ultra-professionnelle, est établi sur un site ombragé à deux pas de la plage.

🔵 **Agriturismo Porticciolo** (☎ 079 91 80 00 ; www.agriturismoporticciolo.it ; Localita Porticciolo ; pension 30-45 €/pers, appt 4 pers 600-1 000 €/sem ; ℗ 🔃). Cet établissement d'agrotourisme accueillant est une vaste ferme qui possède 100 cochons. Les chambres, agréables, sont situées dans de petits appartements. Le restaurant, installé dans une grande grange aux lourdes poutres, propose de délicieux plats maisons.

Olbia et la Gallura

La Gallura est le pays de la fameuse Costa Smeralda, porteuse de rêve et fournissant à la Sardaigne ses clichés de carte postale : criques bleu azur ourlées de plages à la blancheur de perle, rochers sculpturaux façonnés par le vent surplombant des eaux cristallines. C'est aussi l'un des repères de la jet-set qui y festoie sur des yachts de 100 m de long.

La Costa Smeralda forme une enclave dorée d'hôtels de luxe, de plages privées et de marinas très exclusives. Au nord, le Parco Nazionale dell'Arcipelago della Maddalena abrite des paysages marins parmi les plus remarquables de l'île, tandis que les côtes venteuses des Bouches de Bonifacio, le détroit qui sépare la Sardaigne de la Corse, attirent les adeptes de planche à voile et de kitesurf. Et l'on trouve encore, çà et là, des portions de littoral intactes, encore préservées de toute urbanisation.

Si pour beaucoup de visiteurs le Nord-Est de la Sardaigne se résume aux plages enchanteresses de la Costa Smeralda, à la beauté indéniable, ce n'est pourtant qu'une partie des charmes de cette région, dont la vie fut longtemps tournée vers la montagne. Jusqu'aux années 1960 et à l'avènement du tourisme, la Gallura était une contrée sauvage et isolée qui ne comptait même pas une route goudronnée. Le rude paysage granitique, les vallées perdues et les pans de forêts de chênes-lièges : voilà qui a façonné le caractère rural et farouche de la région.

L'arrière-pays de la Gallura réserve bien des surprises : des hauteurs boisées du Monte Limbara aux sites archéologiques d'Arzachena en passant par le cadre bucolique du Lago di Liscia, il offre d'inépuisables alternatives aux plaisirs de la plage.

À NE PAS MANQUER

- La visite des îles du **Parco Nazionale dell'Arcipelago della Maddalena** (p. 184)
- Les pentes du **Monte Limbara** (p. 193) et les immenses forêts de chênes-lièges autour de **Tempio Pausania** (p. 191)
- Les sports nautiques au large de **Porto Pollo** (p. 183)
- Le silence prégnant autour du **Lago di Liscia** (p. 181) et de l'*agriturismo* **Li Licci** (p. 182)
- L'escalade des rochers sculptés du **Capo Testa** (p. 191)

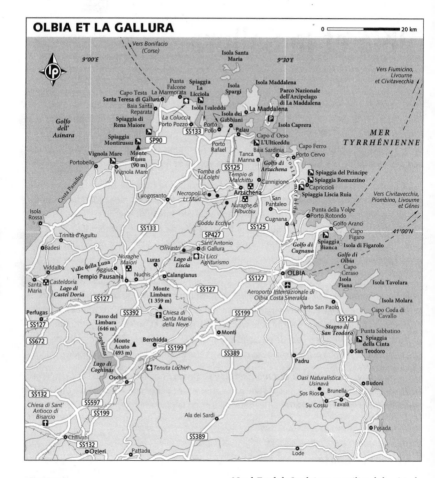

OLBIA ET LA GALLURA

0 ⊏━━━━ 20 km

OLBIA

50 200 habitants

Principale porte d'accès vers la Costa Smeralda, Olbia est une ville très active mais peu attrayante. Les choses s'améliorent toutefois au cœur de la vieille ville, une zone restreinte mais soignée qui abrite quelques excellents restaurants, des pizzerias animées et une partie piétonnière où il est plaisant de flâner et de prendre un verre par les chaudes soirées d'été.

HISTOIRE

Les découvertes archéologiques ont révélé l'existence d'établissements humains dans le Nord-Est de la Sardaigne au milieu de la période néolithique (4 000 ans av. J.-C.). Olbia fut, pour sa part, fondée par les Carthaginois aux IVᵉ ou Vᵉ siècle av. J.-C. La présence des Carthaginois dans la région est d'ailleurs attestée dès le milieu du VIᵉ siècle av. J.- C. par leur participation à la bataille de Mare Sardo (bataille navale qui opposa, en 538 av. J.-C., des colons grecs venus de Corse et une flotte alliant Étrusques et Carthaginois, et qui est considérée par certains comme la première bataille navale jamais livrée dans les eaux occidentales).

À l'époque romaine, Olbia devint un important port militaire et de commerce – une dizaine de vestiges de vaisseaux romains ont été mis au jour dans les années 1990. Connue sous le nom de Civita, la ville allait devenir la capitale du Giudicato de Gallura, l'une des quatre provinces indépendantes que comptait la Sardaigne aux XIIᵉ-XIIIᵉ siècles. Mais la domination catalano-aragonaise signa son déclin. Il fallut attendre la construction de routes et du chemin de fer au XIXᵉ siècle pour que la ville renaisse enfin. Avec l'assèchement progressif des marais alentour, la région put se tourner vers l'agriculture et développer une petite industrie légère, ce qui relança l'activité portuaire. Aujourd'hui, Olbia prospère grâce à son rôle de centre industriel et de chef-lieu (statut partagé avec Tempio Pausania) de la nouvelle province d'Olbia-Tempio.

ORIENTATION

Les ferries arrivent à la moderne Stazione Marittima (gare maritime), sur l'Isola Bianca, reliée à la ville par la Banchina Isola Bianca qui débouche sur le Viale Principe Umberto. Celui-ci part vers la gauche pour rejoindre le Corso Umberto, la principale artère d'Olbia. En grande partie fermée à la circulation, cette artère va du front de mer à la gare ferroviaire, 1 km plus loin, et traverse deux grandes places : la Piazza Margherita et la Piazza Risorgimento. De part et d'autre du Corso Umberto se déploie l'entrelacs de ruelles constituant la "vieille ville", bien que les plus anciens bâtiments datent de moins d'un siècle. La plupart des hôtels, restaurants et bars sont regroupés dans ce petit secteur.

RENSEIGNEMENTS

Banca di Sassari (Corso Umberto 3). Possède un DAB.
Guardia Medica (☎ 0789 55 24 41 ; Via Canova).
Service de garde médicale, en cas d'urgence uniquement.
Inter Smeraldo (☎ 0789 2 53 66 ; www.intersmeraldo.
com ; Via Porto Romano 8/b ; 5 €/h ; ⏲ 9h45-13h15 et 16h-20h30 lun-sam).Cybercafé équipé de 10 terminaux.
Ospedale Viale Aldo Moro (☎ 0789 55 22 00 ; Viale Aldo Moro). L'hôpital d'Olbia se situe légèrement au nord du centre.
Poste (Via Aquedotto 5 ; ⏲ 8h-18h50 lun-ven, jusqu'à 13h15 sam)
Office du tourisme (☎ 0789 55 77 32 ; www.
olbiaturismo.it ; Via Alessandro Nanni 18 ; ⏲ 8h-14h et 15h-18h lun-jeu, 8h-14h ven). Le site Internet, en anglais et en italien, est pratique. Le bureau fournit de belles brochures mais est moins efficace pour les renseignements pratiques.
Unicredit Banca (Corso Umberto 165). DAB.
Unimare (☎ 070 2 35 24 ; www.unimare.it ; Via Principe Umberto 1 ; ⏲ 8h30-12h30 et 15h30-19h30 lun-ven,

8h30-12h30 sam). Agence de voyages centrale délivrant billets d'avion et de ferry.

À VOIR

Olbia abrite un joyau de l'art roman : la **Chiesa di San Simplicio** (Via San Simplicio ; ⏲ 7h30-13h et 15h30-18h). Considérée comme le plus important monument médiéval de la Gallura, cette église de granit, construite au tournant du XIᵉ et du XIIᵉ siècle, présente un curieux mélange de styles lombard et toscan. Très sobre, elle renferme quelques fresques du XIIIᵉ siècle représentant des évêques du Moyen Âge.

Également en granit, la **Chiesa di San Paolo** (Via Cagliari) vaut aussi le détour pour son joli dôme en faïence de style valencien, ajouté après la Seconde Guerre mondiale.

Au sud du Corso Umberto, le dédale de ruelles de l'ancien village de pêcheurs ne manque pas de charme, surtout le soir quand les gens du pays affluent dans ses cafés et ses trattorias. Une balade le long du *corso*, couronnée par un verre sur la Piazza Margherita, permet aussi de passer une agréable soirée.

FESTIVAL

En juillet-août, des concerts en plein air sont donnés dans le centre-ville dans le cadre de l'**Estate Olbiese**, un festival culturel qui comporte aussi des lectures et divers spectacles, notamment de cabaret.

OÙ SE LOGER

Hotel Cavour (☎ 0789 20 40 33 ; www.cavourhotel.it ; Via Cavour 22 ; s 50-65 € , d 75-90 € ; P ⏲). Au cœur de la vieille ville, cet hôtel agréable propose des chambres sobres avec doubles vitrages.

Hotel Terranova (☎ 0789 2 23 95 ; www.hotelterranova.it ; Via Garibaldi 3 ; s 63-85 € , d 86-130 € ; P ⏲). Dans une étroite venelle au cœur de la vieille ville ce sympathique trois-étoiles dispose de petites chambres douillettes et d'un parking (7 €), ce qui n'a pas de prix dans ce quartier. Son Ristorante Da Gesuino (repas 35 à 40 €) est réputé pour ses excellents produits de la mer.

B&B Lu Aldareddu (☎ 0789 6 85 79 ; www.lualdareddu.
com ; Localita Monte Plebi ; ch 70-100 € ; ⏲). Quatre pimpantes chambres d'hôte au charme rustique sont aménagées dans une ferme du XVIIIᵉ siècle, sur les pentes boisées du Monte Plebi, petite colline à 10 km au nord d'Olbia (près de la SS125 en direction d'Arzachena). De là, on peut facilement rejoindre en vélo les plus belles plages de la Costa Smeralda.

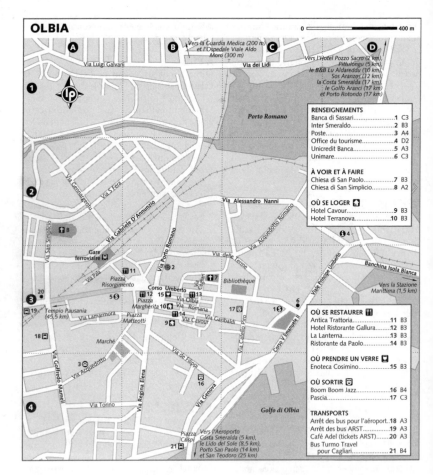

OLBIA

0 — 400 m

RENSEIGNEMENTS
Banca di Sassari	1 C3
Inter Smeraldo	2 B3
Poste	3 A4
Office du tourisme	4 D2
Unicredit Banca	5 A3
Unimare	6 C3

À VOIR ET À FAIRE
Chiesa di San Paolo	7 B3
Chiesa di San Simplicio	8 A2

OÙ SE LOGER
Hotel Cavour	9 B3
Hotel Terranova	10 B3

OÙ SE RESTAURER
Antica Trattoria	11 B3
Hotel Ristorante Gallura	12 B3
La Lanterna	13 B3
Ristorante da Paolo	14 B3

OÙ PRENDRE UN VERRE
Enoteca Cosimino	15 B3

OÙ SORTIR
Boom Boom Jazz	16 B4
Pascia	17 C3

TRANSPORTS
Arrêt des bus pour l'aéroport	18 A3
Arrêt des bus ARST	19 A3
Café Adel (tickets ARST)	20 A3
Bus Turmo Travel pour Cagliari	21 B4

OLBIA ET LA GALLURA

Hotel Pozzo Sacro (☎ 0789 5 78 55 ; www.hotelpozzosacro.com ; Localita Pozzo Sacro, Strada Panoramica Olbia ; ch 120-230 € ; P ⚇ 🖳 🐾). Situé à 2 km à l'est d'Olbia, ce complexe hôtelier nécessite un véhicule. Ce quatre-étoiles ne manque pas d'atouts : élégantes chambres dans des villas en pierre mitoyennes, restaurant, piscine et belle vue sur la baie d'Olbia.

OÙ SE RESTAURER
La cuisine de la Gallura a ses spécialités, dont la *suppa cuata*, un plat fait de tranches superposées de pain, de fromage et de viande, arrosées de bouillon puis gratinées. Les Vermentino (vins blancs) sont délicieux.

♥ Antica Trattoria (☎ 0789 2 40 53 ; Via Pala 4 ; menus fixes 15/19,80/25 € ; repas env 23 € ; ⌚ lun-sam).

Trattoria très fréquentée. Le buffet d'*antipasti* vous met déjà en appétit avec ses anchois marinés, ses légumes à l'huile, sa salade de pomme de terre et d'autres mets alléchants. Excellentes pâtes, pizzas et viandes.

La Lanterna (☎ 0789 2 30 82 ; Via Olbia 13 ; pizzas 8 €, repas env 30 € ; ⌚ jeu-mar hiver, tlj été). Ce restaurant se distingue par son cadre et sa cuisine merveilleusement fraîche. Sardines aigres-douces suivies d'un poisson du jour servi avec pommes de terre et tomates cerise : un repas délicieux dans sa simplicité.

Ristorante da Paolo (☎ 0789 2 16 75 ; entrée Via Garibaldi 18 ou Via Cavour 22 ; repas env 30 € ; ⌚ lun-dim). Cadre chaleureux où savourer une généreuse cuisine sarde. Beau choix de viandes, dont un inhabituel *cinghiale in agrodolce* (sanglier aigre-doux) ; et pour les végétariens, excellent *risotto ai funghi* (risotto aux champignons).

☯ **Hotel Ristorante Gallura** (☎ 0789 24 6 48 ; fax 0789 2 46 29 ; Corso Umberto 145 ; repas env 55 € ; ⓨ mar-dim). Sur la grande rue piétonne, c'est l'un des meilleurs restaurants de la ville, voire du Nord de la Sardaigne. Plats aussi alléchants qu'étonnants, tels que des pâtes à l'encre de seiche et aux huîtres sauvages ou la chèvre rôtie parfumée au myrte. Réservation indispensable. Les six modestes chambres (s 50-65 €, d 75-85 €) n'égalent pas la qualité du restaurant.

OÙ PRENDRE UN VERRE ET SORTIR

La Piazza Margherita est bordée de cafés animés. Très appréciée pour siroter un verre, l'**Enoteca Cosimino** (☎ 0789 21 00 13 ; Piazza Margherita 3) fait office de café dans la journée, servant *espresso* et *cornetti* (croissants italiens) et se transforme le soir en un élégant bar à vin (cocktails 7,50 €).

Le week-end, les noctambules peuvent aller au **Boom Boom Jazz** (Via de Filippi ; ⓨ jeu-dim oct-mai), l'une des plus anciens clubs d'Olbia où l'ambiance est plutôt house. Au **Pascia** (☎ 338 594 55 90 ; Via Catello Piro ; ⓨ 22h30-tard ven-dim), dans le centre, atmosphère lounge et plus chic.

DEPUIS/VERS OLBIA
Avion

L'**Aeroporto Olbia Costa Smeralda** (OLB ; ☎ 0789 56 34 44 ; www.geasar.it) se situe à 5 km au sud-est du centre d'Olbia. Quand nous avons mené nos recherches, il accueillait les vols de plus de 50 compagnies (dont Alitalia, Iberia, Lufthansa, et les compagnies à bas coût easyJet et Ryanair) et desservait la plupart des aéroports de la péninsule ainsi que Paris, Londres, Manchester, Madrid, Barcelone, Hambourg, Amsterdam, Vienne ou Prague. Pour plus d'informations, voir p. 240.

L'aéroport n'est pas immense, mais les services sont excellents. Il possède une consigne (5 €/bagage/jour) et quelques bonnes boutiques. Son site Internet est également une bonne source d'informations sur la Sardaigne.

Bateau

La Stazione Marittima (gare maritime) d'Olbia se trouve sur l'Isola Bianca, une île reliée au centre-ville par une chaussée de 1 km, la Banchina Isola Bianca. Toutes les grandes compagnies maritimes ont un comptoir ici, notamment :

Grandi Navi Veloci (☎ 010 209 45 91 ; www.gnv.it). Depuis/vers Gênes.

Moby Lines (☎ 199 30 30 40 ; www.mobylines.it). Depuis/vers Civitavecchia, Gênes, Livourne et Piombino.

Tirrenia (☎ 892 123 ; www.tirrenia.it) Depuis/vers Civitavecchia et Gênes.

SNAV (☎ 081 428 55 55 ; www.snav.it). Depuis/vers Civitavecchia.

Vous pouvez acheter vos billets dans n'importe quelle agence de voyages de l'île ou directement au port. Pour davantage d'informations sur les horaires et les tarifs, voir p. 247.

Bus

Les bus d'**Azienda Regionale Sarda Trasporti** (ARST ; ☎ 800 865 042 ; www.arst.sardegna.it, en italien) relient Olbia à diverses destinations en Sardaigne, notamment Arzachena (2 €, 45 minutes, 11/j), Golfo Aranci (1,50 €, minutes, 6/j mi-juin à mi-sept) et Porto Cervo (3 €, 1 heure 30, 1/j lun-sam) ; et plus loin, Nuoro (7,50 €, 2 heures 30, 5/j), Santa Teresa di Gallura (4,50 €, 1 heure 30, 5/j) et Sassari (6,50 €, 1 heure 30, 1/j lun-sam) via Tempio Pausania (3 €). Les billets s'achètent au **Café Adel** (Corso Vittorio Veneto 2 ; ⓨ 5h-22h), en face des principau **Turmo Travel** (☎ 0789 2 14 87 ; www. gruppoturmotravel.com) x arrêts de bus.

assure une liaison hebdomadaire avec Cagliari (18 €, 4 heures 30), le bus arrivant Piazza Crispi. La compagnie assure aussi un service quotidien entre le port et Sassari (6,50 €, 1 heure 30). Les billets sont en vente à la Stazione Marittima ou dans le bus.

Train

La gare se situe au bout du Corso Umberto. Chaque jour, un train direct part pour Cagliari (14,60 €, 4 heures). Pour les autres destinations, vous devrez changer à Chilivani (4,60 €, 70 minutes, 8/j) et parfois aussi à Macomer. Jusqu'à trois trains par jour partent pour Sassari (6,35 €, 1 heure 50) et jusqu'à six pour Golfo Aranci (2 €, 25 minutes).

Voiture et moto

On peut louer des voitures à l'aéroport, où toutes les grandes compagnies sont représentées, ou à la Stazione Marittima. Comptez autour de 50 €/j pour une Fiat Punto.

COMMENT CIRCULER

Vous n'aurez probablement pas à utiliser les bus municipaux, sauf peut-être pour vous rendre à l'aéroport ou à la Stazione

Marittima. Les billets doivent être achetés chez les buralistes ou dans un des bars situés à proximité des arrêts.

Depuis/vers l'aéroport

Le bus local n°2 (0,80 € ou 1,30 € à bord) circule toutes les demi-heures, de 7h30 à 20h, entre l'aéroport et le centre-ville (Via Goffredo Mameli). Un **taxi** (☎ 0789 69 1 50) vous coûtera environ 15 €.

Depuis l'aéroport, des bus desservent directement d'autres destinations. **Deplano** (☎ 0784 29 50 30 ; www.deplanobus.it) assure cinq départs par jour pour Nuoro de juin à septembre. Les billets coûtent 10 € pour deux heures de trajet.

Bus

ASPO (☎ 0789 55 38 56 ; www.aspo.it) assure la desserte locale. Le bus n°9 (0,80 € ou 1,30 € à bord) circule toutes les demi-heures entre la Stazione Marittima et le centre-ville (Via San Simplicio).

Taxi

Vous trouverez parfois des taxis sur le Corso Umberto à côté de la Piazza Margherita. Sinon, appelez le ☎ 0789 6 91 50 ou le ☎ 0789 2 27 18.

Voiture et moto

Un système de sens unique complexe et de sempiternels travaux sur la chaussée rendent difficile la circulation dans Olbia. La principale artère, le Corso Umberto, est fermée à la circulation entre la Piazza Margherita et la Via Goffredi Mameli. Les voitures se garent dans des parkings payants (0,60 € l'heure) autour d'Olbia. Il y a de nombreuses places aux abords de la gare.

ENVIRONS D'OLBIA

Idéal pour la baignade, le **Lido del Sole** (prendre le bus n°5) est la principale plage d'Olbia et la plus fréquentée. Elle se situe à 6 km à l'est de l'aéroport par la SS125, la plus grande route vers le sud. Pour la détente, on lui préférera le sable fin de **Pittulongu** ou de **Sos Aranzos**, au nord de la ville.

GOLFO ARANCI

2 300 habitants

À la pointe nord du Golfo di Olbia, 18 km au nord-est d'Olbia, Golfo Aranci est en été un important nœud de transports, et la plupart des gens traversent la ville sans lui accorder un coup d'œil. Pourtant, sans être vraiment belle, elle n'est pas désagréable – et plus économique que les autres stations de la Costa Smeralda. Elle possède trois plages de sable fin – **Prima**, **Seconda** et **Terza** (notre préférée) **Spiaggia** – sans parler de celles accessibles avec un véhicule. C'est une station bien adaptée aux familles, avec de nombreux parcs publics et des terrains de jeux bien entretenus.

Derrière le port se dressent les hauteurs escarpées du **Capo Figaro** (340 m), devenu une petite réserve naturelle. Les sentiers qui sillonnent le maquis grimpent au sommet où se dresse un phare abandonné, *il vecchio semaforo* (vieux sémaphore), d'où le physicien Guglielmo Marconi envoya le premier signal radio vers la péninsule Italienne en 1928.

L'**office du tourisme** (☎ 346 757 94 73 ; Via Liberta ; www.visitgolfoaranci.it ; 🕓 9h-13h et 16h-20h), près du port, renseigne efficacement sur les randonnées (il peut conseiller des guides locaux) sur les possibilités de snorkeling et de chasse sous-marine au large de l'**Isola di Figarolo**, petite île qui semble gracieusement posée sur l'eau. De nombreux centres de plongée ont leur antenne sur le port. Le **Bottlenose Diving Research Institute** (☎ 0789 183 11 97 ; www.thebdri.com ; Via Diaz 4) propose une mémorable croisière pour observer les grands dauphins qui fréquentent les parages. Comptez 150/110 € par adulte/enfant pour une expédition de 5 à 7 heures.

Où se loger et se restaurer

La Lampara (☎ 0789 61 51 40 ; www.lalamparahotel.com ; Via Magellano ; d 70-140 €, tr 85-155 € ; 🕓 mars-oct 🐾). Délicieux hôtel familial, proche de la rue principale. Dix chambres à la déco simple.

Hotel Gabbiano Azzurro (☎ 0789 4 69 29 ; www.hotelgabbianoazzurro.com ; Via dei Gabbiani ; demi-pension/pers 83-168 € ; 🕓 Pâques-fin oct ; P 🐾 🐕). Surplombant les eaux bleu-vert de la Spiaggia Terzo, cet établissement vaste et luxueux vise une clientèle de touristes étrangers voyageant en car. Il est doté d'excellents équipements dont deux piscines et sa situation, au bord de la plage, est imbattable.

Les produits de la mer sont à l'honneur dans les restaurants qui jalonnent la Via della Liberta et ses abords. Sur le port, le **Ristorante Miramare** (☎ 0789 4 60 85 ; Piazzetta del Porto 2 ; repas 25-30 €) est typique du genre, avec des spécialités de poisson et une ambiance animée.

Depuis/vers Golfo Aranci

De juin à septembre, 6 bus ARST relient quotidiennement Golfo Aranci et Olbia (1,50 €, 25 minutes). Les trains (2,20 €, 25 minutes) assurent la même liaison cinq fois par jour toute l'année.

Les bateaux de **Tirrenia** (☎ 892 123 ; www. tirrenia.it) et de **Sardinia Ferries** (☎ 199 400 500 ; www.sardiniaferries.com) desservent Golfo Aranci de mars à octobre. Pour plus de détails, voir l'encadré p. 247.

CÔTE SUD

La côte sud d'Olbia est jalonnée de stations balnéaires bourdonnantes d'animation en été, et pratiquement toutes fermées en hiver. C'est le cas de Porto San Paolo, principal point d'embarquement pour l'Isola Tavolara, et de San Teodoro, 11 km plus au sud, une destination de plus en plus branchée appréciée de la jeunesse italienne.

PORTO SAN PAOLO ET ISOLA TAVOLARA

À 14 km au sud d'Olbia sur la SS125, vous trouverez Porto San Paolo, complexe touristique de taille réduite, mais animé. À moins d'y avoir loué un appartement de vacances ou d'y prendre un bateau pour l'Isola Tavolara, il n'y a guère de raison de s'arrêter ici.

Durant la période de Pâques et de mi-juillet à septembre, les **bateaux d'excursion** partent du port. Les départs se font toutes les heures de 10h à 13h ; les retours ont lieu à 12h30 pour le premier, à 16h30 et 17h30 ensuite. L'aller/retour coûte 12,50 € par personne, chaque trajet durant 25 minutes. Des excursions plus longues incluent dans leur parcours les petites Isola Molara et Piana (25 € par personne).

L'Isola, qui était autrefois appelée l'île d'Hermès, est dominée par un plateau (565 m) peuplé seulement par quelques oiseaux de mer, des faucons et des chèvres aux pieds agiles. Les rares habitants de l'île résident sur la rive ouest, à **Spalmatore di Terra**, où accostent les bateaux.

Après avoir avalé un en-cas face à la mer, le mieux est de plonger dans l'eau translucide de la **Spiaggia Spalmatore** qui offre une vue incroyable sur les hauteurs de l'île et la côte sarde. Les plus curieux descendront jusqu'au petit cimetière voir les tombes marquées de la couronne des rois de Tavolara. C'est en 1848, après une fructueuse chasse aux chèvres sauvages, que Charles Albert de Sardaigne fit de l'île un petit royaume indépendant. L'un des deux restaurants, le **Ristorante da Tonino** (☎ 0789 5 85 70 ; Via Tavolara 14 ; repas 30-35 €) est tenu par Tonino Bertoleoni, actuel roi de Tavolara. Vous y trouverez une terrasse ensoleillée et fort agréable pour grignoter une pizza ou quelques produits de la mer.

Les amateurs de plongée ne manqueront pas les calanques de Tavolara, notamment les beaux reliefs sous-marins de Secca del Papa. Le **Centro Sub Tavolara** (☎ 0789 4 03 60 ; www.centrosubtavolara.com ; Via Molara 4/a) organise des plongées autour de l'île. Comptez 45 € pour une plongée.

Depuis 1991, l'île accueille chaque été un **festival de cinéma**, généralement durant la seconde quinzaine de juillet. Le soir, des bateaux spéciaux acheminent les spectateurs munis de billet depuis Porto San Paolo jusqu'à l'île, pour les projections débutant à 21h30. Pour plus de détails, consultez le site www. cinematavolara.it (en italien).

Rien d'autre ne vous retiendra à San Paolo, sinon une pizza au feu de bois à la **Cala di Junco** (☎ 0789 4 02 60 ; Via Nenni 8/10 ; repas environ 30 € ; ☽ mer-lun).

SAN TEODORO
4 000 habitants

Avec ses places typiques et ses maisons pastel, San Teodoro est une charmante bourgade et l'une des stations les plus fréquentées de ce littoral. Ces dernières années, le lieu est devenu un endroit très branché et très animé en soirée, dans un style un peu moins clinquant que la Costa Smeralda. Dans la journée, toutes sortes de sports nautiques et d'excursions en bateau l'action sont proposées autour des plages de la ville. L'arrière-pays offre une palette de randonnées à pied, en vélo ou à cheval.

L'efficace **office du tourisme** (☎ 0784 86 57 67 ; www.santeodoroturismo.com ; Piazza Mediterraneo 1 ; ☽ 9h-13h et 16h-24h juin-sept, 9h-13h et 15h-18h oct-mai) saura vous conseiller sur les guides et les organismes locaux. Vous pouvez consulter un autre site très pratique : www.visitsanteodoro.com.

La plage de San Teodoro, la **Cala d'Ambra**, se trouve à 500 m du centre-ville. Au nord s'étendent l'immense bande de sable de la **Spiaggia La Cinta** ainsi que le **Stagno San Teodoro**, vaste lagune peuplée d'oiseaux. Les sportifs sont nombreux à La Cinta, parfaite pour s'initier au kitesurf. Sur la plage, la boutique de surf **Wetdreams** (☎ 0784 85 20 15 ; www.wetdreams. it ; Via Sardegna) propose un cours d'initiation de 3 heures pour 160 €.

Où se loger et se restaurer

Vous n'aurez aucune difficulté à vous loger à San Teodoro, en sachant toutefois que la plupart des hôtels sont des trois-étoiles ou plus et ferment en hiver. Vous en trouverez une liste sur www.visitsanteodoro.com et sur le site de l'office du tourisme.

Camping San Teodoro (☎ 0784 86 57 77 ; www. campingsanteodoro.com ; Via del Tirreno ; par pers/tente/ voiture 10/10/10,50 €/gratuit, bungalow pour 4 pers 64-106 € ; ☺ mai à mi-oct). Implanté dans un vaste site boisé à la pointe sud de la plage de La Cinta et à 800 m du centre-ville, ce camping connaît un grand succès.

Hotel L'Esagono (☎ 0784 86 57 83 ; www.hotelesagono. com ; Via Cala d'Ambra ; demi-pension/pers 50-119 € ; ☺ fin mars-oct). Élégant complexe hôtelier dont le joli jardin ombragé de palmiers descend jusqu'à la plage. Les chambres, aménagées dans des bâtiments bas nichés dans la verdure, sont lumineuses et ensoleillées.

La Taverna degli Artisti (☎ 0784 86 60 60 ; Via del Tirreno 17 ; pizzas 6 €, repas env 30 €). Service irréprochable et excellente cuisine où les produits de la mer sont à l'honneur, tels les *spaghetti alla bottarga* (aux œufs de mulet). Pizzas à emporter.

Où prendre un verre et sortir

San Teodoro s'anime vraiment à la nuit tombée, avec une foule de bars et plusieurs clubs proches les uns des autres. En ville, les bières et l'ambiance décontractée du **Bhudda del Mar** (☎ 0784 86 52 52 ; Piazza Gallura) ont la cote auprès d'une clientèle jeune. On y sert également à dîner. Près de la plage, en face de l'Hotel L'Esagono, L'**Ambra Night** (☎ 0784 866

64 03 ; Via Cala d'Ambra ; ☺ 22h30-tard) est une petite discothèque avec une piste en plein air où l'on danse surtout sur les tubes à la mode. À la sortie sud de la ville, par la SS125, le **Luna Glam Club** (☎ 338 978 97 76 ; www.lalunadisco. com ; Localita Stirritoggiu ; ☺ 22h30-tard) attire une clientèle chic de trentenaires et plus. Pour y entrer, il faut être habillé en conséquence.

Depuis/vers San Teodoro

Les bus ARST desservent la côte et Olbia (2,50 €, 40 minutes, 6/j, jusqu'à 9/j en semaine), ainsi que Nuoro (6,50 €, 1 heure 50, 5/j). Les bus Deplano assurent également la desserte de l'aéroport (3,50 €, 30 minutes, 5/j) et de Nuoro (10 €, 1 heure 15, 5/j).

COSTA SMERALDA

En 1961, le prince Karim Agha Khan IV et quelques-uns de ses proches ont acheté une portion de la côte à des fermiers en difficulté pour créer la Costa Smeralda. Près d'un demi-siècle plus tard, la "côte d'Émeraude" reste *la* destination estivale des magnats des médias et des aristocrates vieillissants, des oligarques russes et des pin-up qui rêvent d'être mannequins. Elle commence à Porto Rotondo sur le Golfo di Cugnana, 17 km au nord d'Olbia, et s'étend sur 55 km vers le nord jusqu'au Golfo di Arzachena. Elle a pour "capitale" Porto Cervo, le paradis des yachts, même si Porto Rotondo – base d'opérations vers l'île de Silvio Berlusconi – attire également l'attention des paparazzi.

PORTO CERVO

Curieuse vision, totalement artificielle, de la beauté de la Méditerranée. Malgré son architecture pseudo-marocaine (fruit d'un vaste projet censé emprunter aux architec-

---

ESCAPADE À L'OASI NATURALISTICA USINAVA

À 14 km de Budoni (village situé à 10 km au sud de San Teodoro) dans l'intérieur des terres, l'**Oasi Naturalistica Usinava** (☎ 328 648 60 63 ; www.usinava.it) est un lieu fabuleux et idéal pour échapper à la foule en été. Cette réserve de plus de 1 000 ha, qui englobe des forêts, des pics en dents de scie et du maquis, abrite une riche faune sarde tels que mouflons, sangliers, foulques, tétras et lièvres. Pour passer la nuit dans cette oasis, réservez une couchette dans l'un des trois *pinetti* (cabanons en pierre à toit de chaume) aménagés pour accueillir des hôtes. La nuit dans l'une de ces cabanons à quatre couchettes coûte 18 €.

Pour rejoindre l'oasis depuis Budoni, suivez la direction Brunella, Talava, Su Cossu puis Sos Rios. À 1,5 km environ après Sos Rios vous trouverez le poste des gardes forestiers.

LE VISAGE CHANGEANT DE LA COSTA

Depuis longtemps synonyme de luxe, la Costa Smeralda vit de curieux moments. Ces derniers étés, on a vu apparaître des signes de fissures sur la cage dorée où aiment à s'enfermer les fortunés habitués de la côte. En 2007, le rocker italien Zucchero a été bombardé de bouteilles lors d'un concert en plein air. Puis, en août 2008, Flavio Briatore, homme d'affaires coureur de jupons, ancien patron de l'écurie Renault de Formule 1, s'est vu jeter du sable à la tête alors qu'avec des amis il s'apprêtait à débarquer en hors-bord sur la plage de Capriccioli, alors bondée.

Ces incidents sont-ils symptomatiques d'un malaise plus profond ? Les journaux présentent l'épisode comme une sorte de ras-le-bol du public face à l'ostentation et à l'arrogance des riches. Les vacanciers italiens, déjà affectés par les fluctuations économiques et stressés par la hausse des prix des parasols et des transats, n'étaient pas d'humeur à céder la place à un groupe de riches célébrités. Mais un épisode ne fait pas une révolution et, malgré ces prémisses de changement, la Costa Smeralda ne s'est pas soudainement transformée en un foyer révolutionnaire.

En 2003, le magnat de l'immobilier américain Tom Barrack a pris le contrôle du Costa Smeralda Consortium (le consortium propriétaire) contre, dit-on, 290 millions d'euros. Un an plus tard, il a soumis à la Comune di Arzachena un projet de rénovation de Porto Cervo, comportant la construction de 12 nouvelles *piazze*, de parkings souterrains, d'une promenade en front de mer, de nouveaux parcs et d'allées.

Pour le moment, il n'y a guère de signe de mise en œuvre de ces projets, mais on ne peut pas nier que la Costa Smeralda a changé depuis ses débuts dans les années 1960. Le développement de la Costa Smeralda a débuté en 1962 sur l'impulsion du flamboyant millionnaire Karim Aga Khan IV (né en 1937), qui acheta avec un groupe d'investisseurs internationaux 55 km de littoral afin de les transformer en paradis du luxe.

Dès le début, les nouveaux propriétaires ont établi une réglementation d'urbanisme stricte. L'introduction de plantes non indigènes était interdite, tous les câbles électriques et les canalisations d'eau devaient être enterrés, aucune publicité n'était autorisée dans la rue et les bâtiments devaient rester en harmonie avec l'environnement. Mais ces restrictions n'ont pas réussi à décourager les promoteurs et, à la fin des années 1980, quelque 2 500 villas avaient été construites dans la région. Depuis, la construction a ralenti avant d'être stoppée en 2004 par l'introduction d'une législation régionale interdisant toute construction à moins de 2 km de la côte. Reste à voir comment cette loi, très controversée, affectera les projets à long terme de Tom Barrack.

tures grecque, nord-africaine, hispanique et italienne de façon à créer le village méditerranéen idéal) et ses rues impeccables, Porto Cervo reste une ville sans caractère. Hormis la beauté du littoral, rien ne rappelle que l'on est en Sardaigne. On se sent dans une enclave réservée aux loisirs des très riches – ce qui, après tout, était bien l'objectif.

À voir et à faire

Comme presque tout le monde à Porto Cervo possède un bateau (le port dispose des meilleurs équipements maritimes de l'île), la vie diurne se déroule dans quelque crique paradisiaque et sur les plages au sable soyeux. L'animation commence en début de soirée, quand pin-up et play-boys sortent faire du lèche-vitrines ou se montrer sur les piazzas.

La **Piazzetta**, petite place au centre d'un réseau de discrètes ruelles commerçantes, est le lieu pour voir et être vu. De là, un escalier descend au **Sottoportico della Piazzetta**, où se multiplient les boutiques. Non loin, l'étrange **Chiesa di Stella Maris** (☎ 0789 92 001 ; Piazza Stella Maris), dessinée par l'architecte Michele Busiri Vici, accueille des concerts de musique classique en été. Cette église bénéficie d'incroyables donations, dont une *Mater Dolorosa* du Greco léguée par un aristocrate hollandais.

Dans un genre plus moderne, la **Louise Alexander Gallery** (Via del Porto Vecchio 1 ; www.louise-alexander.com ; ☿ mai-sept) organise des expositions temporaires d'artistes contemporains. Elle vend aussi les œuvres de nombreux artistes modernes, tel Andy Warhol.

Où se loger et se restaurer

Hotel Le Ginestre (☎ 0789 92 030 ; www.leginestrehotel.com ; Localita Porto Cervo ; demi-pension/pers 115-250 € ; ☿ mai-sept ; Ⓟ ⓧ 🅰). Ravissant hôtel à 1 km au sud de Porto Cervo, typique du style de la Costa Smeralda : ses chambres sont aménagées dans des bâtiments bas, de teinte ocre, disséminés au milieu de pelouses et de plantes merveilleusement soignées. Le personnel, en uniforme, assure un service impeccable. Confort et équipements répondent aux attentes.

Il Peperone (☎ 0789 90 70 49 ; angle Via Cerbiatta et Via Sa Conca, repas env 35 ; ☺ Pâques-oct). Ce restaurant-pizzeria sans prétention, situé sur la grand-route à l'entrée de la ville, est l'une des tables les plus accessibles de Porto Cervo. La cuisine est correcte et certains desserts maison sont exquis.

Où prendre un verre et sortir

La vie nocturne de Porto Cervo reste exclusivement estivale. L'un des plaisirs les plus abordables, s'asseoir à un bar pour regarder l'ambiance, revient déjà à 10 € pour un soda. Et, curieusement l'un des repaires favoris est un pub de style anglais, le **Lord Nelson Pub** (Porto Cervo Marina ; ☺ 17h-tard).

Néanmoins, l'essentiel se passe ailleurs, à quelques kilomètres au sud de Porto Cervo. Là, de part et d'autre de la route, se font face deux des clubs les plus élitistes : le **Sopravento** (☎ 0789 9 47 17 ; Localita Sottovento ; ☺ 22h30-6h juin à mi-sept) et encore plus exclusif, le **Sottovento** (☎ 0789 9 24 43 ; Localita Sottovento ; ☺ 24h-6h avr-sept), un rendez-vous de VIP internationales. L'entrée dans l'un ou l'autre dépend exclusivement du bon vouloir des cerbères.

Dans le même secteur, la plus grande discothèque, le **Billionaire** (☎ 0789 9 41 92 ; www.billionaireclub.it ; Localita Alto Pevero ; ☺ 20h-4h juil-sept), où des équipes de cameramen viennent sur le dance floor interviewer des célébrités en minijupes, joue sur les grands effets et la musique à plein tube. Il est quasiment impossible d'y entrer sans connaître quelqu'un, à moins de réserver une table pour dîner dans son restaurant où les prix sont, bien sûr, exorbitants.

Depuis/vers Porto Cervo

Les bus ARST assurent jusqu'à cinq liaisons entre Porto Cervo et Olbia (3 €, 1 heure 30).

De juin à septembre, les bus **Sun Lines** (☎ 348 260 98 81) relient l'aéroport d'Olbia à la Costa Smeralda, avec un arrêt à Porto Cervo et divers autres points de la côte.

BAIA SARDINIA

Depuis Porto Cervo, la route serpente le long de la côte vers le nord puis vers l'ouest sur 7 km jusqu'à Baia Sardinia, qui, bien que n'étant déjà plus sur la Costa Smeralda à proprement parler, ne diffère guère de ses célèbres voisines. Son principal attrait est la **Cala Battistoni**, une plage de sable fin baignée par des eaux d'un incroyable bleu et extrêmement fréquentée. S'il ne reste plus de place sur le sable mais que vous souhaitez vous rafraîchir, le parc aquatique voisin, l'**Aquadream** (☎ 0789 9 95 11 ; Localita la Crucitta ; adulte/tarif réduit 18/12 € ; ☺ 10h30-19h mi-juin à mi-sept), constitue une bonne alternative surtout si vous avez des enfants.

Où se loger et se restaurer

Baia Sardinia est une destination familiale et de nombreux complexes hôteliers surplombent la baie. Les prix sont toutefois élevés même s'ils sont plus raisonnables qu'à Porto Cervo.

Hotel La Rocca (☎ 0789 93 31 31 ; www.hotellarocca. it ; Localita Pulicino ; demi-pension/pers 85-170 € ; ☺ mai-oct ; P ☒ ☒). Luxueux complexe quatre étoiles aux allures de carte postale avec ses villas rose pastel, ses pelouses vertes, ses allées bordées de fleurs et sa cascade formée de rochers d'où l'eau ruisselle avant de s'écouler dans la piscine. Navette gratuite entre Baia Sardinia et Porto Cervo.

Le Querce (☎ 0789 9 92 48 ; www.lequerce.com ; Localita Cala Bitta ; maisons individuelles 2 pers 70-157 ; ☺ avr-oct). Échappez à la foule dans ce havre qui surplombe la baie : au milieu d'un jardin joliment paysagé, quatre *stazzi* (bergeries) en pierre ont été aménagées en de charmantes maisons individuelles. La déco intérieure, rustique, comporte d'énormes rochers d'une couleur rouille qui émergent du sol. Pas d'enfants de moins de 12 ans.

News Café (☎ 0789 9 94 84 ; Piazza Centrale ; ☺ 8h-2h). Ce café central, situé dans la galerie du front de mer, est un lieu de rendez-vous, parfait pour grignoter un *panino* au déjeuner.

L'Approdo (☎ 0789 9 90 60 ; pizzas à partir de 5 €, repas env 30 € ; ☺ 12h-24h). Excellent endroit, sur la plage, pour déguster des mets sardes classiques à base de produits de la mer. Commencez par des spaghettis *alle arselle* (aux palourdes), puis continuez par une assiette de calamar grillé. Bon choix de pizzas.

Où sortir

Phi Beach (☎ 0789 95 50 12 ; www.phibeach.it ; Forte Capellini). L'un des lieux les plus branchés de la côte, idéal pour lézarder en contemplant le coucher du soleil. Dans la journée, c'est un club de plage avec transats et parasols à louer ; mais quand le soleil décline, il se transforme en bar-restaurant lounge. Toute la journée, un DJ distille une musique euphorisante.

Ritual (☎ 337 81 69 34 ; www.ritualtheoriginalclub. it ; Localita La Crucitta ; ⊗ 23h-5h). Le succès de ce club situé juste à la sortie de la ville, sur la route de Porto Cervo, ne se dément pas. Son architecture est étonnante, entre ruines et habitat troglodytique. L'entrée coûte entre 15 et 40 € selon les événements de la soirée.

Depuis/vers Baia Sardinia

Depuis Olbia, les bus Sun Lines desservant Porto Cervo continuent pendant 15 minutes jusqu'à Baia Sardinia (ci-contre).

SUD DE PORTO CERVO

Malgré ses aménagements tapageurs, la Costa Smeralda demeure séduisante. Les surprenantes montagnes de granit de la Gallura plongent dans les eaux vert émeraude, créant des criques spectaculaires.

En direction du sud, la **Spiaggia del Principe** (ou Portu Li Coggi) est une magnifique plage de sable blanc aux eaux turquoise, bordée de maquis. Suivez le panneau "Hotel Romazzino" et, avant l'hôtel, tournez dans la Via degli Asfodeli. Vous devrez garer votre voiture puis continuer à pied, après la barrière, sur 400 m environ. Tout près et plus facile à trouver, la **Spiaggia Romazzino** doit son nom à une profusion de bouquets de romarin.

Au-delà, vous découvrirez **Capriccioli**, également appréciable pour son eau cristalline et son site agréable. La **Spiaggia Liscia Ruia** s'étend un peu plus loin, juste avant l'Hotel Cala di Volpe, une fantaisie mauresque.

Au-delà, vous arriverez au Golfo di Cugnana qui correspond au bout de la Costa. La route se termine superbement par une vue sur **Porto Rotondo**, port de plaisance aménagé en 1963 après le succès de Porto Cervo. Il ressemble à certains ports de la Côte d'Azur. C'est là que le président du Conseil italien Silvio Berlusconi possède sa principale résidence sarde, la gigantesque Villa Certosa.

Où se loger

Villaggio Camping La Cugnana (☎ 0789 3 31 84 ; www. campingcugnana.it ; Localita Cugnana ; par pers/tente/voiture 17,50/gratuit/4,50 €, bungalows pour 2 par semaine 255-595 € ; ⊗ mai-sept). Rare option de la côte pour les voyageurs à petit budget, ce camping en bordure de mer se trouve sur la grand-route

juste au nord de Porto Rotondo. Doté d'un supermarché et d'une piscine, il assure aussi un service de navette gratuit vers certaines des plus belles plages de la Costa Smeralda.

⊙ La Villa Giulia (☎ 0789 9 86 29, 3485111269 ; www. lavillagiulia.it ; Monticanaglia ; d 65-89 € ; ⊗ avr-nov). Tout au bout d'une route de terre cahoteuse vous attendent six chambres d'hôte dans une villa en pierre rustique. Elles sont relativement modestes, de même que leurs salles de bains, mais la beauté du cadre naturel, l'accueil chaleureux et les tarifs en font une adresse imbattable. On peut aussi louer tout l'appartement en sous-sol qui comporte deux chambres et une cuisine. La villa se situe à 2 km de la Spiaggia Liscia Ruia, vers l'intérieur par un embranchement signalé depuis la principale route du littoral.

Hotel Capriccioli (☎ 0789 96 0 04 ; www.hotelcapriccioli. it ; Localita Capriccioli ; demi-pension/pers 98-167 ; ⊗ avr-sept ; Ⓟ ⊠ ⊠). Accueillant hôtel familial, directement sur la place de Capriccioli, disposant de chambres lumineuses meublées dans un style sarde typique.

SAN PANTALEO

À seulement 16 km de Porto Cervo, le village de San Pantaleo offre une agréable bouffée d'authenticité et, vu la qualité de ses hôtels, peut constituer une bonne base pour explorer la région.

Ce village perché en surplomb de la côte est entouré de petits sommets indentés. Les habitants ont donné un nom à chacun et le village est devenu un refuge pour les artistes. Le village s'organise autour d'une place pittoresque dominée par une petite église. En été, vous y trouverez souvent un marché très animé et, au printemps, les fleurs complètent magnifiquement le tableau. Du 27 au 30 juillet, San Pantaleo organise sa fête annuelle, un week-end de réjouissances avec notamment des danses sardes traditionnelles.

Le grand passe-temps consiste à faire le tour des boutiques. On peut admirer une collection d'objets ethniques et d'antiquités orientales chez **L'Antiquaire de San Pantaleo** (☎ 335 38 12 14 ; Via Caprera 10 ; ⊗ sur RV) et apprécier les œuvres d'artistes locaux dans la petite galerie **Arte in Piazza** (☎ 338 165 45 21 ; Piazza Vittorio Emanuele).

Après quoi vient la pause au **Caffè Nina** (Piazza Vittorio Emanuele 3 ; assiette de fromage 10 € ; ⊗ 7h-2h fin mars-oct), un petit café chic où siroter un verre de Vermentino accompagné de *pecorino* et d'olives.

🅞 **Hotel Arathena** (☎ 0789 6 54 51 ; www.arathena.it ; Via Pompei ; d 120-276 € ; 🗓 mars-oct ; Ⓟ 🕸 🖳 🕿). Hôtel de charme, où la déco des chambres joue sur la terre cuite, le bois et les textiles naturels. Dehors, la piscine à débordement se fond dans le sublime paysage montagneux verdoyant.

Près de l'entrée du village, l'**Hotel Sant'Andrea** (☎ 0789 6 52 98 ; www.giagonigroup.com ; Via Zara 43 ; s 67-106 € , d 110-180 € demi-pension/pers 85-130 € ; 🗓 avr-oct ; Ⓟ 🕸 🕿) possède des chambres douillettes décorées avec goût. Vous pouvez être assuré de l'excellence du petit-déjeuner maison car la même famille gère le très réputé **Ristorante Giagoni** (☎ 0789 6 52 05 ; Via Zara 36/44 ; repas env 60 € ; 🗓 mar-dim avr-oct). La carte affiche des plats de viande classiques comme le *porceddu* et une sélection de poissons du jour. Réservation conseillée.

Plus décontracté, l'**Agriturismo Ca' La Somara** (☎ 0789 9 89 69 ; www.calasomara.it ; ch 37-68, demi-pension/ pers 57-88 € ; Ⓟ 🕿), à 1 km sur la route d'Arzachena, loue 12 chambres d'hôte, simples, dans une vieille ferme à la chaleureuse salle à manger campagnarde. Les cartes de crédit ne sont pas acceptées.

Les bus ARST assurent 5 fois par jour la liaison depuis Olbia (1,50 €, 35 minutes) et Arzachena (1 €, 20 minutes).

ARZACHENA ET SES ENVIRONS

En retrait de la côte et loin de son agitation touristique, Arzachena sert de point de départ à toute une série de visites archéologiques. Quelques trésors émaillent sa campagne, notamment les ruines de mystérieux nuraghi ainsi que deux *tombe di giganti* (tombeaux de géants ; sépultures collectives).

ARZACHENA
13 000 habitants

Dans les années 1960, Arzachena était une modeste bourgade de bergers à quelques kilomètres du littoral, doté d'un centre historique moyennement intéressant. Elle est devenue depuis un centre touristique en raison de sa proximité avec la Costa Smeralda. L'été, elle voit sa population doubler.

La plupart des gens se limitent à y loger pour explorer la côte, mais si vous avez envie de faire un petit tour en ville, l'endroit le plus animé de la ville est la **Piazza del**

Risorgimento, une petite place avec quelques cafés et une église en pierre, la **Chiesa di Santa Maria delle Neve**. De là, un court trajet jusqu'à l'extrémité de la Via Limbara vous conduira devant l'étrange **Mont'Incappiddatu**, un bloc de granit en forme de champignon. Les archéologues pensent qu'il a dû servir d'abri aux peuplades du néolithique, quelque 3 500 ans av. J.-C.

Où se loger et se restaurer
Pour rejoindre les deux fermes ci-dessous, quittez Arzachena vers le nord et tournez à droite à la sortie de la ville, juste après le supermarché Galmarket.

🅞 **B&B Lu Pastruccialeddu** (☎ 0789 8 17 77 ; www. pastruccialeddu.com ; Localita Lu Pastruccialeddu ; s 50-100 €, d 70-120 € ; Ⓟ). Situé dans un lieu ravissant et tranquille, ce superbe *agriturismo* loue sept chambres simples dans une ferme en pierre typique. Petits-déjeuners mémorables : assortiment de biscuits, yaourts, gâteaux maison, salami, fromage et céréales.

Agriturismo Rena (☎ 0789 8 25 32 ; www.agriturismorena.it ; Localita Rena ; demi-pension/pers 90-120 € ; 🗓 mars-oct ; Ⓟ) Perché sur la colline, cet *agriturismo* propose obligatoirement le gîte et la demi-pension, mais cela ne représente pas un sacrifice car la cuisine est délicieuse (fromage, miel, viande et vin sont produits sur place). Les chambres ont un style rustique. Le restaurant (repas 25-30 €) est ouvert aux non-résidents sur réservation.

Trattoria La Vecchia Arzachena (☎ 0789 8 31 05 ; Corso Garibaldi ; repas env 25 € ; 🗓 lun-sam). *Trattoria* à l'ancienne, chaleureuse et décontractée, servant une cuisine italienne classique et copieuse, telle que de savoureuses *tagliatelle* et des *scaloppini* (escalopes panées).

Il Fungo (☎ 0789 8 33 40 ; Via La Marmora 21 ; pizzas à partir de 5 €, repas env 30 € ; 🗓 tlj été, fermé mer hiver). Pizza au feu de bois, succulents poissons et fruits de mer font la renommée de cet établissement. Les gens du pays bavardent avec la *pizzaiola* en attendant leurs pizzas à emporter tandis que les touristes s'attablent pour savourer d'énormes portions de poisson frais et de viande grillée.

Depuis/vers Arzachena
Arzachena est bien desservie par les bus. ARST assure la liaison avec Olbia (2 €, 45 minutes, 9/j), Santa Teresa di Gallura (2,50 €, 1 heure, 5/j) et Palau (1 €, 25 minutes, 5/j). Des bus réguliers relient aussi la ville

avec Porto Cervo et Baia Sardinia sur la Costa Smeralda.

De mi-juin à mi-septembre, vous pourrez monter à bord du **trenino verde** (☎ 0789 8 12 08 ; www.treninoverde.com) en direction de Tempio Pausania (9,50 €, 1 heure 10, 2/j).

ENVIRONS D'ARZACHENA

Le principal intérêt d'Arzachena est la campagne environnante, parsemée de dizaines de nuraghi et de *tombe di giganti*.

Le *nuraghe* le plus proche de la ville, et le plus facile à trouver, est le nuraghe di Albucciu, à 3 km au sud d'Arzachena, sur la route principale vers Olbia. Il est géré, comme le Tempio di Malchittu et Coddu Ecchju, par la coopérative **Lithos** (☎ 0789 8 15 37) qui organise des visites guidées et propose divers billets groupés : 3 € pour un site, 5 € pour deux et 7,50 à 10 € pour les trois. Les visites guidées coûtent 7,50 € pour un site et 10 € pour les trois.

L'un des plus beaux vestiges préhistoriques de Gallura est le **nuraghe di Albucciu** (3 € ; ☽ 9h-19h). Il se distingue par son aspect, plus large que haut, et par son réseau de galeries – c'est un rare exemple de nuraghe "à couloir" – probablement destinées à faciliter la fuite en cas de danger.

À deux kilomètres de la billetterie du nuraghe di Albucciu, le **Tempio di Malchittu** (3 € ; ☽ 9h-19h) date de 1500 av. J.-C. La Sardaigne compte très peu de ces temples nuragiques dont l'usage reste mal connu. Son toit, semble-t-il, était en bois, et une porte, également en bois, le fermait. Ce site offre une belle vue sur toute la campagne environnante.

Sur la route Arzachena-Luogosanto, vous repérerez les panneaux vers **Coddu Ecchju** (3 € ; ☽ 9h-19h), l'une des *tombe di giganti* les plus importantes de Sardaigne. L'élément le plus remarquable est le mégalithe central de forme ovale. Les deux blocs de granit qui le composent, en équilibre l'un sur l'autre, présentent une incision rectangulaire qui symbolise apparemment une porte vers l'au-delà, fermée aux vivants. De chaque côté du dolmen se dressent d'autres blocs de granit qui forment une sorte de haie d'honneur semi-circulaire autour du tombeau.

Depuis les *tombe di giganti*, retournez sur la route Arzachena-Luogosanto et tournez à gauche (ouest) vers Luogosanto. Environ 3 km plus loin, prenez à droite en direction de Li Muri et Li Lolghi, tous deux gérés par

la coopérative locale **Anemos** (☎ 340 820 97 49 ; www.anemos-arzachena.it, en italien). Roulez pendant 2 km (la route n'est pas goudronnée sur toute sa longueur) jusqu'à un croisement. À gauche, une piste monte sur 2 km jusqu'à la **Necropoli di Li Muri** (3 €, billet combiné avec Li Lolghi 5 € ; ☽ 9h-19h tlj Pâques-oct, sur RV le reste de l'année), un site curieux composé de quatre nécropoles mégalithiques, datant probablement de 3500 av. J.-C. Les archéologues pensent qu'on y enterrait des personnalités de haut rang. À l'extrémité de chaque nécropole se dressait un menhir ou une pierre sacrée droite sur laquelle une divinité devait être représentée.

De retour au croisement, la route de droite (goudronnée) vous conduira jusqu'à l'entrée de **Li Lolghi** (3 €, billet combiné avec Li Muri 5 € ; ☽ 9h-19h tlj Pâques-oct, sur RV le reste de l'année), une autre *tomba di gigante*, semblable à celle de Coddu Ecchju. Depuis sa position au sommet de la colline, le mégalithe central, orienté vers l'est, domine toute la campagne environnante.

LAGO DI LISCIA ET ENVIRONS

Après Arzachena, la SP427 s'enfonce vers le cœur de la Gallura, encore très peu développé. La route cahoteuse grimpe entre des champs d'un vert intense et des montagnes aux crêtes boisées jusqu'à la bourgade agricole de **Sant'Antonio di Gallura** avant de rejoindre le Lago di Liscia, l'un des secrets les mieux gardés de Sardaigne. Source essentielle d'alimentation en eau de la côte est de la Gallura, ce lac artificiel long de 8 km s'étend au milieu de montagnes granitiques couvertes de forêts de chênes-lièges et autres chênes méditerranéens. Le meilleur endroit pour l'admirer est un emplacement de pique-nique dans une minuscule réserve naturelle, signalée sous le nom d'*olivastri millenari* (oliviers sauvages millénaires), au-dessus de la rive sud.

La réserve d'**olivastri millenari** (☎ 079 64 72 81 ; 2 €, avec visite guidée 2,50 € ; ☽ 9h-coucher du soleil tlj mars-déc) regroupe des oliviers sauvages remarquables vieux de plusieurs milliers d'années. Les spécialistes de l'université de Sassari ont calculé que le plus gros, qui mesure 20 m de circonférence et atteint 14,5 m de haut, est un vénérable spécimen de quelque 3 800 ans. Pour rejoindre ce site depuis Sant'Antonio di Gallura, suivez la route de Luras et Tempio Pausania, puis tournez à l'embranchement indiqué *olivastri millenari*. Après 10 km environ, une courte et abrupte piste de terre monte sur la gauche. La réserve se trouve tout en haut.

Li Licci (☎ 079 66 51 14 ; www.lilicci.com ; Localita Stazzo La Gruci ; B&B/pers 50 €, demi-pension/pers 65-75 € ; Pâques-nov). Pour apprécier pleinement la solitude et le silence de la région, passez une nuit ou deux au Li Licci, l'un des meilleurs *agriturismi* du coin. Niché au fond d'une forêt de chênes – son nom signifie "chênes" en dialecte local – c'est une superbe ferme en pierre, avec des chambres simples, et un restaurant renommé (repas 30 à 35 € pour les non-résidents ; réservation conseillée). La propriétaire se fera un plaisir de vous organiser des excursions et de vous conseiller sur les possibilités d'escalade et de randonnée à pied ou à cheval, et vous montrera volontiers son olivier bicentenaire.

CANNIGIONE

Environ 5 km au nord-est d'Arzachena, Cannigione se trouve sur la rive ouest du Golfo di Arzachena, la *ria* (estuaire) la plus large de la côte. Cet ancien village de pêcheurs fut fondé en 1800 pour approvisionner les îles della Maddalena en nourriture. Il se développa lorsque les bateaux de charbon et de bétail commencèrent à s'amarrer dans son port dans les années 1900. C'est désormais une ville touristique prospère qui affiche des tarifs raisonnables.

L'**office du tourisme** (☎ 0789 89 20 19 ; Via Nazionale 47 ; 9h30-12h30 et 17h30-20h lun-sam tte l'année, et 9h30-12h30 dim en été) répond à toutes vos questions concernant Cannigione et ses environs.

Au port, différents opérateurs proposent des excursions à l'Arcipelago della Maddalena, notamment **Consorzio del Golfo** (☎ 0789 8 84 18 ; www.consorziodelgolfo.it). Comptez 35-40 €/pers. Pour la plongée, le snorkeling ou la location de bateau, vous pouvez vous adresser à **Anthias** (☎ 0789 8 63 11 ; www.anthiasdiving.com ; Tanca Manna), sur le front de mer entre Cannigione et Palau. La plongée démarre à 45 €, et les sorties snorkeling coûtent 50/25 € par adulte/enfant. La location de bateau revient à 750 € la demi-journée, déjeuner et skipper compris. Les plus belles plages se trouvent au nord de Cannigione, à **Tanca Manna** et **L'Ulticeddu**.

Où se loger

Hotel del Porto (☎ 0789 8 80 11 ; www.hoteldelporto.com ; Via Nazionale 94 ; d 90-206 €, demi-pension/pers 57-120 € ; mai-sept ;). Une bonne adresse dans le

centre : chambres lumineuses et aérées, dont beaucoup avec vue sur la marina, sobrement décorées. Le restaurant du rez-de-chaussée (repas 30-35 €) est un plus.

Li Capanni (☎ 0789 8 60 41 ; www.licapanni.com ; Via Lungomare ; s 138-158 €, d 170-230 € ;). Propriété du musicien Peter Gabriel, ce havre de paix se situe sur la côte entre Cannigione et Palau. Les chambres sont aménagées dans six petites maisons de pierre disposées au milieu d'un paisible jardin et reliées par des sentiers qui mènent en serpentant au restaurant. Un autre sentier descend jusqu'à une plage privée où l'on peut s'adonner au snorkeling ou au kayak.

Depuis/vers Cannigione

Des bus **ARST** (☎ 0789 2 11 97) réguliers vous conduiront à Arzachena (1 €, 10 minutes, 4/j lun-sam), Baia Sardinia (1 €, 30 minutes, 3/j lun-sam), Palau (1 €, 20 minutes, 2/j lun-sam) et Olbia (2,50 €, 1 heure, 4/j lun-sam).

PALAU

4 000 habitants

Principal port d'embarquement vers l'Arcipelago della Maddalena, Palau est une station estivale importante et prospère dont les rues animées sont jalonnées de boutiques de surf, de magasins, de bars et de restaurants. C'est aussi le point de départ de bateaux directs pour Gênes. La côte alentour présente des paysages de rochers battus par les vents, aux formes étranges, comme la Roccia dell'Orso, 6 km à l'est de Palau. Pour ceux qui sont motorisés, ne manquez pas là-bas la fabuleuse vue.

Renseignements

L'équipe polyglotte de l'**office du tourisme** (☎ 0789 70 70 25 ; www.palau.it ; Palazzo Fresi ; 9h-13h et 16h30-19h30 tlj mai-oct, 9h-13h lun-sam nov-avr) saura vous fournir des renseignements sur la région alentour, notamment sur l'Arcipelago della Maddalena. Pour consulter vos e-mails, allez au **Bar Frizzante** (Via Capo d'Orso 20 ; 6,50 €/h ; 7h30-1h lun-sam).

À voir et à faire

Palau est une station balnéaire, ni plus ni moins. Seule la **Fortezza di Monte Altura** (fermée lors de nos recherches) mérite une visite. Située à 3 km à l'ouest de la ville, elle avait été construite pour protéger la côte nord et l'archipel de la Maddalena d'invasions qui n'ont jamais eu lieu.

Depuis Palau partent des excursions en bateau pour les îles della Maddalena. Sur le port, une flotte vous attend, dont **Petagus** (☎ 0789 70 86 81 ; www.petag.it). L'excursion coûte 35 €/pers, déjeuner compris et comprend différents arrêts qui permettent de vous baigner sur les plages les plus réputées.

Où se loger et se restaurer

Camping Acapulco (☎ 0789 70 94 97 ; www.campinga-capulco.com ;/pers tente et voiture incl 17,50 €, bungalows 4 pers 260-540 € ; ☺ avr-sept). Excellent camping au bord d'une belle plage, à 500 m à l'ouest du bourg. Il dispose aussi de coquets bungalows blancs, avec ou sans kitchenette.

Hotel La Roccia (☎ 0789 70 95 28 ; www.hotellaroccia. com ; Via dei Mille 15 ; s 48-84 €, d 78-130 € ; ☺ Pâques-oct ; **P** ☒). Sympathique trois-étoiles aux chambres spacieuses et lumineuses d'un excellent rapport qualité/prix. Déco tout en bleu et blanc et les balcons offrant une superbe vue.

San Giorgio (☎ 0789 70 80 07 ; Largo La Maddalena 8 ; pizzas 7 €, repas env 30 € ; ☺ fermé lun en hiver). Toujours bondé (il est conseillé de réserver), ce restaurant-pizzeria sert des pizzas de qualité et de copieux plats de pâtes ou de poisson frais. Les *spaghetti allo scoglio* (aux fruits de mer) constituent une excellente entrée en matière avant un poisson grillé.

La Gritta (☎ 0789 70 80 45 ; Localita Porto Faro ; repas 70-80 € ; ☺ jeu-mar mars-oct). Une table mémorable, idéale pour une grande occasion. D'immenses baies vitrées offrent une vue merveilleuse sur la côte et la cuisine, spécialisée dans les produits de la mer, revisite avec modernité les classiques. Les amateurs de fromage seront comblés avec une vingtaine de variétés, et les desserts sardes feront l'unanimité.

Depuis/vers Palau
BATEAU

Trois compagnies assurent le transfert des passagers et des voitures vers l'Isola Maddalena : **Enermar** (☎ 899200001 ; www.enermar.it), **Saremar** (☎ 892 123 ; www.saremar.it), et **Delcomar** (☎ 0789 73 90 88 ; www.delcomar.it). Delcomar effectue quatre traversées dans la nuit entre 0h30 et 4h30. Les deux autres ont des départs toutes les 15 min, entre 6h15 et 19h30, puis toutes les heures jusqu'à 23h45. La traversée dure 20 minutes et coûte 5 € par passager et 13 € pour une petite voiture.

Enermar dessert aussi Gênes de juin à septembre (70,50 €, 11 heures, 5/semaine).

BUS

Les bus ARST relient Palau à Olbia (2,50 €, 1 heure 15, 8/j), Santa Teresa di Gallura (2 €, 1 heure, 5/j) et Arzachena (1 €, 25 minutes, 5/j).

De mi-juin à mi-septembre, **Nicos-Caramelli** (☎ 0789 67 064 13) couvre des destinations proches telles que l'Isola dei Gabbiani (1,50 €, 40 minutes), Porto Pollo (1,50 €, 35 minutes), Capo d'Orso (1,20 €), Baia Sardinia (4 €, 35 minutes) et Porto Corvo (4 €, 50 minutes).

Durant cette même période estivale, les bus Turmo Travel relient Palau à l'aéroport d'Olbia (5,50 €, 50 minutes, 6/j).

Tous les bus partent du port et vous pouvez acheter les billets à bord ou au **Stefy's Bar** (Via Razzoli 12), tout en haut de la ville.

TRAIN

Le charmant **trenino verde** (☎ 800 460 220 ; www. treninoverde.com) relie Palau à Tempio Pausania (11 €, 1 heure 45, 2/j) du 25 juin au 5 septembre. Long périple sur une voie étroite qui traverse une jolie campagne.

PORTO POLLO ET ISOLA DEI GABBIANI

Les véliplanchistes convergent tous vers Porto Pollo (également connu sous le nom de Porto Puddu) à 7 km à l'ouest de Palau. L'endroit, considéré comme un paradis pour les sports nautiques, propose du kitesurf, du canoë, de la plongée ou de la voile.

Le long de la plage sont installés divers loueurs de matériel qui proposent également des cours. **Paolo Silvestri** (☎ 0789 70 50 18 ; www. silvestri.it) est installé sur l'Isola dei Gabbiani, une presqu'île située à l'extrémité de l'isthme qui sépare Porto Pollo de la baie suivante, Porto Liscia. Il propose des cours de planche à voile (35 € pour un cours), de kitesurf (195 € pour quatre cours) et de plongée (45 € pour une plongée guidée). Le **Sporting Club Sardinia** (☎ 0789 70 40 01 ; www.portopollo.it) offre le même genre de prestations ainsi que des stages de voile pour différents niveaux. Un stage pour débutants de cinq fois deux heures revient à 145 €. La location de planche à voile tourne autour de 18 €/heure.

Sur l'Isola dei Gabbiani, vous trouverez un camping pratique : le **Camping Isola dei Gabbiani** (☎ 0789 70 40 19 ; www.isoladeigabbiani.it ; par pers/tente 10/22, bungalows 2 pers 40-90 €), qui propose aussi l'hébergement en caravane ou en bungalow. Ceux qui ont un camping-car peuvent stationner sur le parking au bout de la route, près de la plage.

Les bus qui vont de Palau à Santa Teresa di Gallura peuvent s'arrêter au panneau de signalisation situé à la jonction des deux routes. De là, il faut marcher pendant 2 km.

PARCO NAZIONALE DELL'ARCIPELAGO DI LA MADDALENA

Battu par la mer et les vents, qui ont façonné son étonnante beauté, l'**Arcipelago della La Maddalena** fait partie des sites les plus admirés de Sardaigne. Déclaré parc national en 1996, le **Parco Nazionale dell'Arcipelago di La Maddalena** (www.lamaddalenapark.net) consiste en un archipel de 7 grandes îles, 40 îlots, et quelques autres petites îles au sud.

Les îles principales correspondent à des reliefs qui occupaient autrefois la cuvette reliant la Sardaigne à la Corse. Lorsque les deux îles se détachèrent, les eaux envahirent cette dernière, formant le détroit aujourd'hui connu sous le nom de Bocche di Bonifacio (Bouches de Bonifacio), dont les eaux sont partagées entre la France (Corse) et l'Italie (Sardaigne). Au fil des siècles, le *maestrale* (mistral) a transformé les blocs de granit qui ornent l'archipel en de véritables sculptures naturelles.

La région constitue un important habitat naturel et, bien que protégé – Parco Nazionale dell'Arcipelago di La Maddalena côté sarde et réserve des Bouches de Bonifacio côté français –, son écosystème demeure fragile. En projet depuis un certain nombre d'années déjà, le parc marin des Bouches de Bonifacio (www.parcmarin. com), un parc marin italo-français, n'a toujours pas été officialisé.

Nelson et Napoléon connaissaient parfaitement le détroit, de même que Giuseppe Garibaldi qui acheta l'Isola Caprera où il vécut les dernières années de sa vie. L'US Navy a aussi maintenu pendant 35 ans une présence, très controversée, avant de se retirer en janvier 2008. Jusqu'à 60 autres îlots de granit sont répartis dans les eaux environnantes, dont l'Isola Spargi, l'Isola Santa Maria, l'Isola Budelli et l'Isola Razzoli.

ISOLA MADDALENA
11 500 habitants

Au large de Palau se dresse l'île de granit rose de Maddalena. Lorsque l'on approche en ferry, l'endroit semble sec et minéral, les maisons en brique et les habitations noyées dans un décor de pierre. Une fois que l'on pose un pied sur l'Isola Maddalena, on est surpris par son caractère urbain et son atmosphère de vacances perpétuelles, ses places pavées et ses marchés couverts.

Jusqu'à la fin du XVIIe siècle, la population habitait surtout l'intérieur de l'île, survivant péniblement sur une terre aride. Aussi lorsque le baron des Geneys et sa flotte sardo-piémontaise débarquèrent en 1767 pour établir une base navale, les habitants abandonnèrent volontiers leurs collines pour s'installer dans le village en plein essor autour de Cala Gavetta, là où se trouve aujourd'hui le port principal de La Maddalena. Mais le développement de l'île (commerce, équipements de loisirs, tourisme) doit surtout à la présence de l'US Navy, qui y établit une base de 1973. Son départ (voir p. 34) a été ressenti comme un coup dur pour les habitants.

Renseignements

L'**office du tourisme** (☎ 0789 73 63 21 ; www.lamaddalena. com ; Cala Gavetta ; ☽ 9h-13h lun-sam), sur la droite du port quand on regarde la mer, offre quelques renseignements limités sur l'archipel. **Banco di Sassari** (Via XX Settembre 34) fait partie des diverses banques du centre équipées d'un DAB. Vous pouvez consulter vos e-mails au **MaxCard** (☎ 0789 73 10 81 ; Largo Matteotti 10 ; 4,80 €/h ; ☽ 9h30-12h30 et 17h-20h lun-sam).

À voir

Pour découvrir le centre animé de La Maddalena, la principale agglomération de l'île, le mieux est de flâner dans les rues, de s'arrêter pour prendre un café Via Vittorio Emanuele ou une bière bien fraîche sur la Piazza Garibaldi, au cœur de la rituelle *passeggiata* (promenade) du soir.

Sinon, le **Museo Diocesano** (☎ 0789 73 74 00 ; Via Baron Manno ; 2 € ; ☽ 10h-12h30 et 15h30-20h mar-dim mai-sept, 10h-12h et 15h-19h mar-dim oct-avr), à l'arrière de la moderne Chiesa Santa Maria Maddalena, expose toutes sortes d'objets religieux.

Une route panoramique de 20 km qui fait le tour de l'île permet d'accéder facilement à plusieurs belles plages telles que **Giardinelli**, **Monti della Rena**, **Lo Strangolato** et **Cala Spalmatore**.

PARCO NAZIONALE DELL'ARCIPELAGO DI LA MADDALENA

0 ━━━━━ 2 km

Isola La Presa

Isola Razzoli

Cala Lunga

Isola Santa Maria

Isola Corcelli

Isola Piana

Porto della Madonna

Cala Santa Maria

Isola Budelli

Spiaggia del Cavaliere

Isola Barrettini

Cala Rosa

Spiaggia Lo Strangolato

Spiaggia di Monti della Rena

Porto Massimo

Camping Abbatoggia

Cala Spalmatore

Isola Spargiotto

Spiaggia Bassa Trinità

Spiaggia Giardinelli

Isola Spargi

Museo Archeologico Navale

Agriturismo Garibaldi

Cala Corsara

Cava Francese

Da Raffaele

Isola Maddalena

Moneta

Compendio Garibaldi

La Crocetta

La Maddalena

Sci-Club Saint Tropez

Casa Garibaldi

Cala Coticcio

Passo della Moneta

Isola dei Gabbiana

Isola Chiesa

Teialone (212m)

Cala Brigantina

Punta Sardegna

Hotel Miralonga

Cala Gavetta

Isola Caprera

Porto Rafael

Isola Santo Stefano

Centro Ricerca Delfini

Stagnali

Palau

Cavalla Marsala

Capo d'Orso

Due Mari

À 1 km environ de la ville, sur la route de Cala Spalmatore, le **Museo Archeologico Navale** (☎ 0789 79 06 33 ; Localita Mongiardino ; 4 € ; ☺ sur rdv 9h30-12h30 et 15h30-18h30) présente des vestiges d'une épave du Ier siècle. Les deux salles du musée, bien que modestes, exposent des pièces trouvées sur des épaves antiques. On y voit notamment l'impressionnante section transversale restaurée d'un navire romain contenant plus de 200 amphores.

Pour des excursions autour de l'île, plusieurs agences vous attendent à Cala Mangiavolpe (à l'est de Cala Gavetta). **Oasis Charter** (☎ 333 590 97 50 ; www.oasischarter.it) organise des croisières sur une superbe goélette de 18 m (80-100 €/pers pour la journée, déjeuner à base de langouste compris). Pour effectuer de magnifiques

plongées dans le parc, adressez-vous au **Sea World Scuba Centre** (☎ 349 619 07 11 ; www. seaworldscuba.com ; Piazza 23 Febbraio) qui organise des sorties plongées à partir de 40 €. Ses horaires étant parfois aléatoires, mieux vaut téléphoner à l'avance ou envoyer un e-mail via son site Internet.

Où se loger

Camping Abbatoggia (☎ 0789 73 91 73 ; www.campingabbatoggia.it ; par pers/tente 8/2 € ; ☺). Confort spartiate, mais emplacement idéal près de deux superbes plages. Location de canoë et de planches à voile.

Hotel Arcipelago (☎ 0789 72 73 28 ; fax 0789 72 81 00 ; Via Indipendenza 2 ; s 45-55 €, d 60-80 € ; P). Cette modeste pension de famille, située dans une rue résidentielle sans attrait à 20 minutes à pied du port, reste l'hébergement le plus économique de La Maddalena. Les chambres sont propres et accueillantes.

Hotel Miralonga (☎ 0789 72 25 63 ; Strada Panoramica ; www.miralonga.it ; d 90-140 € , demi-pension/pers 55-105 € ; P ⚅ ⚅ ⚅). Grand établissement moderne à l'ouest du centre et, chose rare, ouvert toute l'année. Les chambres sont lumineuses et fonctionnelles, sans charme particulier. Restaurant très fréquenté par les groupes.

Où se restaurer

Dans la ville de La Maddalena, tous les choix sont possibles. Dans le reste de l'île, l'offre est nettement plus restreinte dès que l'on sort des grands hôtels.

Trattoria Pizzeria L'Olimpico (☎ 0789 73 77 95 ; Via Principe Amedeo 45-47 ; pizza 6 € , repas env 25 € ; ⚅ mer-lun). Restaurant très apprécié des habitants, à l'est du centre. La cuisine y est excellente (pizzas, pâtes, viandes grillées et produits de la mer) et le service sympathique, plaisirs rares dans une ville aussi touristique.

Osteria Enoteca da Liò (☎ 0789 73 75 07 ; Corso Vittorio Emanuele 2-6 ; menu mer/terre déj 15/18 €). Cachée sous la vigne vierge, cette *osteria* (bar à vin servant à manger) date de 1890. Cuisine copieuse et sans prétentions, ambiance joviale et décontractée.

Trattoria La Grotta (☎ 0789 73 72 28 ; www.lagrotta.it ; Via Principe di Napoli 3 ; repas 35-50 € ; ⚅ mai-sept). L'éventail d'appétissants poissons présentés sur la glace donne le ton de ce restaurant spécialisé dans les produits de la mer, qu'il prépare de façon sublime. Une adresse raffinée, avec d'élégantes tables en terrasse, nichée dans une ruelle donnant sur la Via Italia.

Depuis/vers La Maddalena

Pour les informations sur les ferries entre le continent et l'Isola Maddalena, voir p. 183. Attention, les arrivées et les départs ne se font pas aux mêmes endroits.

Comment circuler

Deux bus locaux Turmo Travel partent de la Via Amendola sur le front de mer. L'un d'eux dessert le complexe de Compendio Garibaldi sur l'Isola Caprera (plus loin), l'autre parcourt toute l'île en passant par le Museo Archeologico Navale et par quelques plages, dont la Cala Spalmatore et la Spiaggia Bassa Trinita.

Vous pouvez louer vélos et scooters à **Noleggio Vacanze** (☎ 0789 73 52 00, 3392655837 ;

Via Mazzini 1 ; ⚅ 9h-13h et 15h-19h), juste derrière le front de mer. Comptez environ 10 € /j pour un vélo et à partir de 30 € pour un scooter.

ISOLA CAPRERA

En quittant la ville de La Maddalena par l'est, vous passez devant des constructions abandonnées avant d'atteindre l'étroite voie surélevée (construite à la fin du XIXe siècle) qui franchit le Passo della Moneta, entre l'Isola Maddalena et l'Isola Caprera. À la différence de Maddalena, Caprera est entièrement couverte de pinèdes vertes qui se marient harmonieusement avec le bleu de la mer environnante.

À voir

Giuseppe Garibaldi, grand révolutionnaire et héros de l'unité italienne, acheta la moitié de l'île en 1855, et l'autre moitié dix ans plus tard. Il en fit sa résidence et son lieu de retraite après ses nombreuses batailles pour la liberté. Vous pouvez visiter sa maison, le **Compendio Garibaldi** (2 € ; ⚅ 9h-13h30 et 16h-18h30 mar-dim juin-sept, 9h-13h30 mar-dim oct-mai), un lieu de pèlerinage pour de nombreux Italiens. Les visites se font uniquement avec un guide (qui parle italien).

Le célèbre patriote commença par vivre dans une cabane dressée dans la cour en attendant que le bâtiment principal, la Casa Bianca, soit achevé. On entre dans la demeure par un atrium où l'on peut admirer son portrait, un drapeau de la guerre d'indépendance du Pérou et un fauteuil roulant inclinable offert par la ville de Milan lorsque sa santé se dégrada quelques années avant sa mort. Puis viennent sa chambre à coucher et celles des autres membres de sa famille. La cuisine dispose de sa propre pompe à eau, luxe incroyable en un tel lieu dans les années 1870. Dans ce qui était l'ancienne salle à manger sont rassemblées toutes sortes de reliques, dont les binocles et la fameuse chemise rouge du patriote. La dernière pièce abrite son lit de mort, qui fait face à la fenêtre et à la mer qu'il pouvait ainsi observer avec nostalgie, rêvant jusqu'à la fin de retourner dans sa ville natale, Nice.

Dehors, on peut voir sa tombe de granite brut et celles de sa famille (il avait eu sept enfants de ses trois femmes, et un d'une gouvernante).

À faire

Caprera, verte et ombragée, est un endroit idéal pour la randonnée. Les nombreux sentiers qui traversent les pinèdes vous y invitent. Un escalier grimpe jusqu'au sommet de l'île (212 m) dominé par la tour de guet **Teialone**.

L'île est également bordée de quelques belles plages. Beaucoup apprécient celles de **Due Mari**, au sud. Mais vous pouvez également vous diriger au nord du Compendio Garibaldi, durant 1,5 km, jusqu'à un sentier qui descend aux pieds de la falaise et à la plage isolée de **Cala Coticcio**. Sinon, optez pour la **Cala Brigantina**, plus facile d'accès, au sud-est du Compendio Garibaldi.

Profitez du début de soirée pour une équipée à cheval à travers le maquis avec **Cavalla Marsala** (☎ 347 235 90 64 ; Localita Stagnali, Isola di Caprera), à moins que vous ne préfériez fendre les eaux calmes du Passo della Moneta en ski nautique avec le **Sci Club Saint Tropez** (☎ 0789 72 77 68, 335 654 52 14 ; Via Giuseppe Mari 15), près du pont menant à l'Isola Caprera. Une demi-heure coûte 70 €.

Où se restaurer
☺ **Agriturismo Garibaldi** (☎ 0789 72 74 49 ; ritacord@yahoo.it; repas 25-30 €). Installé dans les bâtiments où vivaient les fermiers de Garibaldi, ce sympathique *agriturismo* vous régalera avec sa cuisine traditionnelle sarde. Miel, légumes, agneau et porc, qui figurent régulièrement aux menus à prix fixes, sont tous produits à la ferme. Pour y accéder, suivez les panneaux sur la gauche après avoir traversé le pont qui vient de l'Isola Maddalena.

AUTRES ÎLES
Pour visiter les cinq autres îles de l'archipel, le bateau s'impose. Des excursions diverses et variées partent de l'Isola Maddalena, de Palau et de Santa Teresa di Gallura. Vous pouvez également louer un bateau à moteur afin de pouvoir circuler librement.

L'**Isola Santo Stefano** est occupée en partie par l'armée et donc pratiquement inaccessible. À l'ouest de l'Isola Maddalena, l'**Isola Spargi** est entourée d'îlots et de plages, dont la célèbre **Cala Corsara**. Si vous avez votre propre bateau et le temps de canoter un peu, vous pourrez explorer les nombreuses criques et plages des trois îles du nord, l'**Isola Budelli**, l'**Isola Razzoli** et l'**Isola Santa Maria**. Vous serez attiré par la **Cala Rosa** ("crique rose", nom qu'elle doit à la couleur unique de son sable) sur l'Isola Budelli (depuis 1999, il est interdit de nager dans les eaux menacées de la Cala Rosa), par

la **Cala Lunga** sur l'Isola Razzoli et par la **Cala Santa Maria**, souvent bondée, sur l'île du même nom. Presque toutes les excursions à travers l'archipel passent par le **Porto della Madonna**, nom donné aux eaux sublimes qui séparent les trois îles.

CÔTE NORD

Au nord de Palau, la côte, escarpée et battue par les vents, se dresse comme une immense sculpture rocheuse dont l'élément le plus spectaculaire est le promontoire lunaire de Capo Testa. Les plages du littoral s'étendent à l'ouest jusqu'à Vignola et à l'est jusqu'à Santa Teresa di Gallura, qui constitue l'épicentre le plus tendance de la vie estivale. Le vent en fait un endroit de rêve pour les véliplanchistes et les adeptes du kitesurf – ces derniers y organisent chaque année leur Coupe du monde à la fin septembre. De nombreuses autres compétitions sont organisées dans le détroit de Bonifacio.

SANTA TERESA DI GALLURA
4 900 habitants
Un joli front de mer, une ambiance jeune et décontractée, une très grande animation en été et, de surcroît, un certain caractère local, font de Santa Teresa di Gallura l'une des principales stations estivales de la côte nord de la Gallura, et une agréable alternative aux stations sans âme de la Costa Smeralda.

La ville a été fondée par les Savoie en 1808 afin de lutter contre les contrebandiers – le tracé net des rues a d'ailleurs été conçu par un officier de l'armée. Toutefois, l'essentiel de la ville actuelle est le fruit de l'explosion touristique du début des années 1960.

L'histoire de Santa Teresa est autant liée à la Corse qu'à la Sardaigne. Au fil des siècles, les Corses s'installèrent ici en grand nombre et le dialecte local ressemble à celui du Sud de l'île de Beauté. Le jeudi, la ville est envahie de Corses qui ont franchi le détroit pour venir faire leur marché.

Orientation
Les rues dessinent un quadrillage parfaitement régulier. Perché sur une hauteur en lisière nord de la ville, le centre-ville est autour de la Piazza Vittorio Emanuele. Plus au nord, la route descend vers la plage de Rena Bianca.

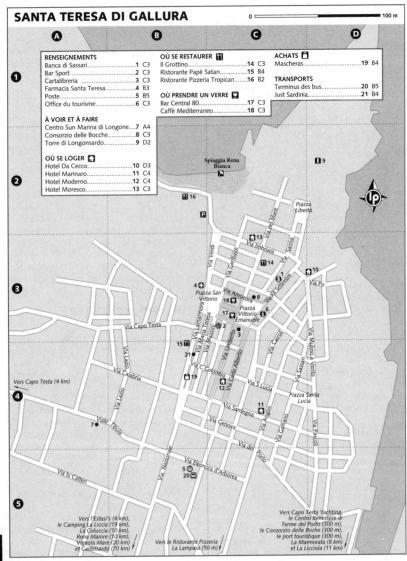

SANTA TERESA DI GALLURA

0 ▭▭▭▭▭▭ 100 m

RENSEIGNEMENTS
Banca di Sassari.....................1 C3
Bar Sport.................................2 C3
Cartalibreria 3 C3
Farmacia Santa Teresa..........4 B3
Poste......................................5 B5
Office du tourisme................6 C3

À VOIR ET À FAIRE
Centro Sun Marina di Longone....7 A4
Consorzio delle Bocche...........8 C3
Torre di Longonsardo................9 D2

OÙ SE LOGER
Hotel Da Cecco.....................10 D3
Hotel Marinaro.....................11 C4
Hotel Moderno......................12 C4
Hotel Moresco.......................13 C3

OÙ SE RESTAURER 🍴
Il Grottino..............................14 C3
Ristorante Papè Satan...........15 B4
Ristorante Pizzeria Tropican...16 B2

OÙ PRENDRE UN VERRE 🍷
Bar Central 80.......................17 C3
Caffè Mediterraneo...............18 C3

ACHATS 🛍
Mascheras..............................19 B4

TRANSPORTS
Terminus des bus...................20 B5
Just Sardinia.........................21 B4

Spiaggia Rena Bianca

Piazza Libertà

Via del Mare

Via Verdi

Via Garibaldi

Via Imbriani

Via XX Settembre

Sanna

Via Po

Piazza San Vittorio

Via Amsicora

Piazza Vittorio Emanuele

Via Lamarmora

Via Dalia Teresa

Via Mazzini

Via Umberto

Via Carlo Alberto

Via Cavour

Via Capo Testa

Via Lazio

Via Calabria

Via C Colombo

Via S Lucia

Piazza Santa Lucia

Via Mulino a Vento

Via Sassari

Vers Capo Testa (4 km)

Via Porto

Via Sardegna

Via Anglo

Via Galiano

Via Genova

Viale Tibula

Via del Porto

Via Pascoli

Via Nazionale

Via Eleonora d'Arborea

Via lu Calteri

Vers l'Estasi's (4 km),
le Camping La Liccia (19 km),
La Coluccia (10 km),
Rena Maiore (10 km),
Vignola Mare (20 km)
et Castelsardo (70 km)

Vers le Ristorante Pizzeria
La Lampara (50 m)

Vers Capo Testa Yachting,
le Centro Benessere di
Terme del Porto (300 m),
le Consorzio delle Boche (300 m),
le port touristique (300 m),
La Marmorata (8 km)
et La Licciola (11 km)

Renseignements

Banca di Sassari (Via XX Settembre 21). Équipée d'un DAB.

Bar Sport (Via Mazzini 7 ; 5 €/h ; 🕒 6h-24h). Accès Internet.

Cartalibreria (☎ 0789 75 50 83 ; Piazza Vittorio Emanuele 30). Librairie vendant des guides et des cartes (principalement en italien).

Farmacia Santa Teresa (Piazza San Vittorio 2 ; 🕒 9h-13h et 17h-20h lun-sam)

Office du tourisme (☎ 0789 75 41 27 ; www.comunesantateresagallura.it ; Piazza Vittorio Emanuele 24 ; 🕒 9ah-13h et 17h-21h tlj juin-sept, 9h-13h et 16h-18h lun-sam, 9h-13h dim le reste de l'année). Une mine de renseignements.

Poste (Via Eleonora d'Arborea ; 🕒 8h-13h15 lun-sam)

À voir et à faire

Le centre-ville, avec ses maisons aux couleurs pastel et sa piazza bordée de cafés, se prête agréablement à la flânerie.

Les plus curieux s'aventureront jusqu'à la **Torre di Longonsardo**, une tour du XVIe siècle. Elle surplombe d'un côté l'anse naturelle du port et, de l'autre, l'idyllique (mais bondée) **Spiaggia Rena Bianca**.

Si vous êtes lassé de la plage, descendez jusqu'au port touristique, petite enclave de villas blanchies à la chaux autour d'une place et de la marina très fréquentée. De mai à octobre, des concerts ont régulièrement lieu au milieu des boutiques et des cafés. Vous pouvez profiter d'un sauna et vous faire masser au **Centro Benessere di Terme del Porto** (☎ 0789 74 10 78 ; www.termedelporto.com ; ⏰ 11h-20h30). Soins entre 35 € pour un massage facial et 65 € pour un enveloppement de boue et un gommage aux algues.

En bas de la Via del Porto, des agences proposent des excursions vers l'archipel de la Maddalena. La principale, le **Consorzio delle Bocche** (☎ 0789 75 51 12 ; www.consorziobocche. com ; ⏰ 9h-13h et 17h-0h30 mai-sept) qui possède également un bureau sur la Piazza Vittorio Emanuele, organise diverses excursions, notamment vers les îles de la Maddalena et le long de la Costa Smeralda (en été seulement). Les voyages coûtent de 40 à 45 € par personne (repas inclus).

Pour louer un bateau, il faut compter 1 800 à 5 700 €/semaine en s'adressant à **Capo Testa Yachting** (☎ 0789 74 10 60 ; www.capotestayachting.com ; Localita Porto) sur le port touristique.

Les amateurs de plongée se régaleront aux abords de Santa Teresa ainsi que dans les îles de l'archipel. Le **Centro Sub Marina di Longone** (☎ 0789 74 10 59 ; www.marinadilongone.it ; Viale Tibula 11) organise des plongées pour 35 €.

Où se loger

Santa Teresa compte de nombreux hôtels ouverts de Pâques à octobre. Au mois d'août, vous aurez sans doute à payer la *mezza pensione* (demi-pension).

Camping La Liccia (☎ /fax 0789 75 51 90 ; www. campinglaliccia.com ; SP pour Castelsardo km 59 ; par pers/voiture 12,50/3 € ; bungalows 4 pers 55-105 € ; ⏰ tard avr-sept). Ce camping bien tenu surplombe la mer à 9 km à l'ouest du bourg, sur la route de Castelsardo.

Hotel Da Cecco (☎ 0789 75 42 20 ; hoteldacecco@ tiscalinet.it ; Via Po 3 ; s 42-72 €, d 66-107 € ; P ❄). Ce

sympathique hôtel familial présente un bon rapport qualité/prix vu son emplacement central et ses chambres confortables.

Hotel Moderno (☎ 0789 75 42 33, 0789 75 51 08 ; www.modernohotel.eu ; Via Umberto 39 ; s 45-65 €, d 62-130 € ; ⏰ mi-avr à oct ; ❄). Une *pensione* chaleureuse et accueillante près de la place centrale. Ses chambres claires et spacieuses disposent d'un minuscule balcon et sont plutôt sobres.

Hotel Marinaro (☎ 0789 75 41 12 ; www.hotelmarinaro. it ; Via Angioi 48 ; s 45-100 €, d 65-140 €, demi-pension/pers 50-90 € ; ⏰ fermé janv et fév ; ❄ ▢). Ses chambres fraîches et sans prétention, ses tarifs attractifs et sont personnel aimable font de cet hôtel proche de la place principale un endroit très couru.

Hotel Moresco (☎ 0789 75 41 88 ; www.morescohotel.it ; Via Imbriani 16 ; d 104-176 €, demi-pension/pers 61-119 € ; ⏰ mi-avr à oct ; P ❄). Ce trois-étoiles raffiné qui surplombe la mer possède des chambres au mobilier sarde avec balcons. Avec ses carreaux de faïence au sol et son plafond de bois, le restaurant avec vue sur la mer a de quoi séduire.

Où se restaurer

De mai à septembre, les restaurants de Santa Teresa sont ouverts 7 jours sur 7, mais ils ferment de décembre à mars.

Il Grottino (☎ 0789 75 42 32 ; Via del Mare ; pizzas à partir de 5 €, repas env 30 € ; ⏰ fermé fév et mars). Le cadre est rustique et chaleureux, avec des murs en pierres grises apparentes et une lumière tamisée. La cuisine va de pair : saine et copieuse, à base de pâtes, de poissons frais et de viandes grillées.

Ristorante Pizzeria La Lampara (☎ 0789 74 10 93 ; Via S Pertini ; pizzas 7 €, repas env 30 € ; ⏰ mer-ven). Situé au bas de la ville dans un quartier résidentiel, ce restaurant-pizzeria attire aussi bien les gens du pays que les visiteurs. Attablez-vous en terrasse et goûtez aux plats de la mer tels le risotto *alla pescatore* (risotto du pêcheur) ou les spaghettis *ai ricci* (aux oursins).

Ristorante Papè Satan (☎ 0789 75 50 48 ; Via La Marmora 20 ; pizzas 8 € ; ⏰ tard avr-sept). Les sublimes pizzas au feu de bois sont le grand attrait de ce restaurant, avec la cour intérieur où il est agréable de s'attarder.

Ristorante Pizzeria Tropican (☎ 0789 75 55 69 ; Localita Rena Bianca ; repas env 30 € ; ⏰ mai-sept). Sous la même direction que l'Hotel Moresco, ce restaurant est merveilleusement placé sur la plage.

Où prendre un verre et sortir

Les café-bars de la Piazza Vittorio Emanuele agrémenteront vos sorties.

Caffè Mediterraneo (☎ 0789 75 90 14 ; Via Amsicora 7 ; cocktails 6,50 € ; ☺ 8h-24h lun-jeu, 7h-3h30 ven-dim). Cet élégant café aux larges baies et au bar en bois ciré attire une belle jeunesse qui vient grignoter un *panino* (3,50 €) au déjeuner ou siroter un cocktail en soirée.

Bar Central 80 (☎ 0789 75 41 15 ; Piazza Vittorio Emanuele ; ☺ 6h-2h). Ce bar situé sur la grande place est bondé de vacanciers jusque tard dans la nuit. Attablé en terrasse, on profite pleinement de la vue sur l'animation.

La vie nocturne de Santa Teresa se concentre autour de l'**Estasi's** (☎ 392 054 19 00 ; ☺ 22h30-tard ven et sam en été seulement), un night-club en plein air à 3 km au sud en direction de Palau.

Achats

Le corail, parfois pêché à proximité, est l'objet d'un commerce intense et il est impossible de dénombrer les bijouteries et boutiques qui en proposent. Les rues piétonnes Via Umberto et Via Carlo Alberto, qui partent de la Piazza Vittorio Emanuele vers le sud, accueillent un marché nocturne de juin à septembre.

La petite boutique **Mascheras** (☎ 347 76 77 95 71 ; Via Maria Teresa 54) vend des masques de carnaval sardes, notamment des masques de *boes* et de *merdules* en bois d'Ottana (à partir de 130 €), ainsi que tout un éventail d'articles en bois moins cher.

Depuis/vers Santa Teresa di Gallura

BATEAU

Pour les liaisons avec la Corse, rien de mieux qu'un départ de Santa Teresa où deux compagnies transportent passagers et voitures à Bonifacio en 50 minutes, sachant que les services sont très réduits entre novembre et mars.

Saremar (☎ 0789 75 41 56 ; www.saremar.it), représenté par Tirrenia, assure 3 départs par jour dans chaque sens (2 départs les week-ends d'octobre à mi-mars). L'aller simple en haute saison coûte 10 € pour un adulte et jusqu'à 37 € pour une petite voiture, plus 8 € de taxes.

De fin mars à fin septembre, **Moby Lines** (☎ 199 30 30 40 ; www.mobylines.it) effectue 4 traversées par jour. Le trajet coûte 9 à 13,50 € pour un adulte, plus 4,20 € de taxes, et 22 à 63 € pour une voiture plus 2,80 € de taxes.

BUS

Les bus ont leur terminus Via Eleonora d'Arborea. Ceux d'ARST desservent Arzachena (2,50 €, 1 heure, 5/j), Olbia (4,50 €, 1 heure 30, 5/j), Castelsardo (4,50 €, 1 heure 15, 2/j) et Sassari (6,50 €, 2 heures 30, 3/j).

Turmo Travel (☎ 0789 2 14 87 ; www.gruppoturmo-travel.com) assure une liaison quotidienne avec Cagliari (22,50 €, 6 heures 15) et, en été, une liaison quotidienne avec l'aéroport d'Olbia (1 heure 30, 6/j juin à sept) via Arzachena et Palau.

Parmi les autres services de bus en été, **Caramelli** (☎ 079 67 06 13) dessert quotidiennement Porto Cervo (4 €, 1 heure 15) via Palau et Baia Sardinia, et **Sardabus** (☎ 079 68 40 87) opère cinq rotations quotidiennes entre Baia Santa Reparata, Capo Testa, Santa Teresa et La Marmorata. La boucle se fait en une demi-heure.

VOITURE ET MOTO

Santa Teresa di Gallura se trouve à l'extrémité nord de la SS133b et sur la SP90 qui rejoint Castelsardo vers le sud-ouest.

On trouve de nombreux loueurs en ville, dont **Just Sardinia** (☎ 0789 75 43 4 ; www.justsardinia.it ; Via Maria Teresa 26), qui loue vélos (à partir de 8 €/j), scooters (25 €) et voitures (50 €).

ENVIRONS DE SANTA TERESA DI GALLURA

L'été, les longues plages de sable fin à l'extérieur de la ville semblent désertes comparées à celle de Rena Bianca. À l'est de Santa Teresa, de vastes pinèdes recouvrent le littoral de la Conca Verde. Vous trouverez là des plages calmes, dont **La Marmorata** (8 km) ou, mieux encore, **La Licciola** (11 km), presque entièrement dépourvue de constructions.

En partant dans l'autre direction (c'est-à-dire vers l'ouest), à 10 km, vous arriverez sur la **Rena Maiore**, longue plage de sable bordée par des dunes. De là, un chemin de contrebandier conduit, vers l'ouest, jusqu'à Vignola. Le bus ARST pour Castelsardo peut vous déposer à l'embranchement qui mène à la plage. Plus loin, les **Spiagge Montirussu**, **Lu Littaroni** et **Naracu Nieddu** sont également peu fréquentées. Vous arriverez enfin à la petite station balnéaire de **Vignola Mare**, base du kitesurf.

Parmi les hôtels du coin, le très chic **La Coluccia** (☎ 0789 75 80 04 ; www.mobygest.it ; Località Conca Verde ; d 260-580 € ; ☺ mai-sept ; P ☒ ☒) sort du lot. Surplombant l'Isola Spargi, qui fait partie de l'archipel de la Maddalena, son architecture contemporaine respire la sérénité en jouant sur les tons et les matériaux naturels (bois, marbre et pierre calcaire).

Capo Testa

À quatre kilomètres de Santa Teresa, cette presqu'île granitique offre des paysages merveilleux. Les rochers géants qui émaillent les pentes herbues doivent leurs formes étranges et merveilleuses à des siècles d'érosion éolienne. Les Romains extrayaient ici le granit, tout comme le firent des siècles plus tard les Pisans.

Il est possible de se baigner de chaque côté de l'isthme qui précède le cap, sur les plages de **Rena di Levante** et **Rena di Ponente**.

Sur la Rena di Ponente, on peut louer matériel de surf, parasols et lits de plage à **Nautica Rena di Ponente** (☎ 347 321 52 14 ; www. nauticarenadiponente.com).

L'ARRIÈRE-PAYS

À mille lieux du monde des plages et des milliardaires, l'arrière-pays de la Gallura reste très isolé et résolument rural. Cette terre particulièrement fertile attira des vagues d'immigration de Corses qui s'y installèrent pour exploiter les forêts de chênes-lièges et planter des vignes de Vermentino. Le liège, qui a longtemps été un des piliers de l'économie locale, est toujours récolté chaque année ; voir l'encadré p. 56.

TEMPIO PAUSANIA

14 100 habitants

Construite au-dessus de la plaine galluraise et ceinte d'une dense forêt de chênes-lièges, Tempio Pausania est une jolie ville animée avec un petit centre historique construit en granit gris. C'est, avec Olbia, l'autre chef-lieu de la province d'Olbia-Tempio.

Fondée par les Romains au IIe siècle av. J.-C., Tempio Pausania devint au Moyen Âge le centre administratif du Giudicato de Gallura. Elle connut son heure de gloire sous les Espagnols et les Savoie, quand furent construites nombre des églises qui ornent le centre-ville. Aujourd'hui, elle n'offre guère de site touristique à proprement parler, mais reste un agréable endroit où flâner et une bonne base pour explorer la campagne environnante Non loin, le Monte Limbara est apprécié des randonneurs.

Renseignements

Plusieurs banques de la ville possèdent un DAB.

Banco San Paolo (Piazza Gallura 2). L'une des banques du centre dotées d'un DAB.

Bureau de poste (Largo A. de Gasperi ; ☻ 8h-18h50 lun-ven, 8h-13h15 sam)

Office du tourisme (☎ 079 639 00 80 ; www.comune. tempiopausania.ss.it ; Piazza Mercato 3 ; ☻ 9h-13h et 16h-19h lun-ven, 10h30-13h dim). Le personnel efficace parle de nombreuses langues.

Ospedale Civile (☎ 079 67 10 81 ; Via Grazia Deledda 19)

Pro Loco (☎ 079 63 12 73 ; Piazza Gallura 2 ; ☻ 10h-13h et 16h-19h lun-ven, 10h-13h sam). Office du tourisme extrêmement sympathique.

À voir

L'incontournable **Cattedrale di San Pietro** (Piazza San Pietro ; ☻ 8h-12h30 et 15h30-20h) est un édifice de granit imposant. De la construction originale du XVe siècle ne subsistent que le clocher et le portail. De l'autre côté de la place, l'**Oratorio del Rosario** date de l'occupation espagnole.

Derrière la cathédrale, le **Municipio** (mairie), à l'allure sévère, donne sur la place principale de la ville, la **Piazza Gallura**. Il est agréable de regarder aller et venir les habitants assis à la terrasse de l'un de ses cafés. Un peu plus loin, la modeste **Chiesa del Purgatorio** du XVIIe siècle se dresse sur la place du même nom. L'histoire raconte qu'à cet endroit précis, un noble de la famille Misorro se serait rendu coupable d'un massacre. Le pape lui demanda de bâtir cette église pour expier ses péchés. Depuis cette époque, les habitants de la ville ont l'habitude de venir y prier après des funérailles.

Les églises sont omniprésentes dans la ville. La présence d'un ancien couvent du XVIIe siècle, le **Convento degli Scolopi** (frères des écoles chrétiennes ; Piazza Mazzini ; ☻ fermé pour rénovation) atteste également de l'importance de Tempio Pausania à l'époque. Le bâtiment abrite aujourd'hui une université, mais vous pourrez vous aventurer jusqu'au cloître ombragé depuis la Piazza del Carmine.

Tempio est aussi réputée depuis l'époque romaine pour ses sources. Au sud-ouest, les **Fonti di Rinaggiu** peuvent faire l'objet d'une agréable promenade d'un kilomètre (prendre la Via San Lorenzo et suivre les panneaux "Alle Terme"). Pour faire provision du Vermentino di Gallura DOCG local, allez à la **Cantina Gallura** (☎ 079 63 12 41 ; www.cantinagallura.com ; Via Val di Cossu ; ☻ 9h-12h et 15h30-19h), à 1,5 km à l'est de la ville.

OLBIA ET LA GALLURA

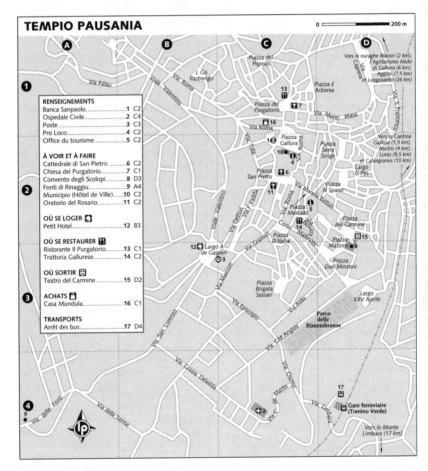

TEMPIO PAUSANIA   0 ━━━━━ 200 m

RENSEIGNEMENTS
Banca Sanpaolo.....................1 C2
Ospedale Civile......................2 C4
Poste..................................3 C3
Pro Loco..............................4 C2
Office du tourisme.................5 C2

À VOIR ET À FAIRE
Cattedrale di San Pietro..........6 C2
Chiesa del Purgatorio.............7 C1
Convento degli Scolopi...........8 D3
Fonti di Rinaggiu....................9 A4
Municipio (Hôtel de Ville).....10 C2
Oratorio del Rosario.............11 C2

OÙ SE LOGER
Petit Hotel...........................12 B3

OÙ SE RESTAURER
Ristorante Il Purgatorio.........13 C1
Trattoria Gallurese................14 C2

OÙ SORTIR
Teatro del Carmine...............15 D2

ACHATS
Casa Mundula......................16 C1

TRANSPORTS
Arrêt des bus.......................17 D4

Fêtes et festivals

Tempio Pausania accueille un grand nombre de manifestations et de festivals : concerts, représentations folkloriques ou fêtes religieuses.

Le **Carnevale** (en février) de la ville ne manque pas d'ampleur. Pâques est aussi une fête essentielle et, le Vendredi saint, tous les membres de la *confraternita* (confrérie) revêtent leurs austères soutanes à capuche pour la procession aux chandelles de la **Via Crucis**. Le **Festival d'Estate** de musique a lieu de juillet à la mi-août.

Où se loger et se restaurer

Petit Hotel (☎ 079 63 11 34 ; www.petit-hotel.it ; Largo A. de Gasperi 9/11 ; s/d 58/85 € ; ✖). Moderne et fonctionnel, cet hôtel situé en lisière de la vieille ville attire une clientèle d'affaires. Les chambres sont confortables, mais assez impersonnelles. Quoi qu'il en soit, il est bien situé.

Trattoria Gallurese (☎ 079 67 10 48 ; Via Novara 2 ; menu 15 €, repas 20-25 € ; ✖ sam-jeu). Accueil chaleureux et goûteuse cuisine locale servie dans une salle à manger rustique. Pour respecter la tradition, commandez des *lumache piccanti* (escargots piquants) ou de la *pecora alla gallurese* (agneau à la galluraise).

Ristorante Il Purgatorio (☎ 079 63 43 94 ; Piazza del Purgatorio 9 ; repas env 45 € ; ✖ mer-lun). Généralement considéré comme l'un des meilleurs restaurants de la ville, Il Purgatorio sert des produits de saison et du poisson frais. Parmi ses spécialités figurent le *cinghiale in umido* (ragoût de sanglier) et les *ravioli con carciofi e bottarga* (raviolis aux artichauts et aux œufs de mulet).

Où sortir

Teatro del Carmine (☎ 079 67 15 80 ; Piazza del Carmine). Programmation variée, surtout pendant le Festival d'Estate (opérettes, concerts de musique classique, etc.).

Achats

Le liège est la grande spécialité de la région. Sachant que les chênes-lièges ne souffrent pas du prélèvement de leur écorce et que l'industrie du liège a tout intérêt à veiller sur les forêts de la région, vous pouvez acheter des articles en liège sans crainte de conséquences néfastes sur l'environnement.

Casa Mundula (☎ 079 63 40 23 ; www.casamundula. com ; Via Roma 102) vend toutes sortes d'articles en liège, ainsi que du vin, de délicats bijoux en filigrane, et un impressionnant assortiment de couteaux sardes.

Depuis/vers Tempio Pausania

Tempio Pausania est reliée à Olbia (3 €, 1 heure 20) par 7 bus/jour en semaine ARST et trois le dimanche.

La gare, décorée de peintures du célèbre peintre sarde Giuseppe Biasi, (1885-1945) s'anime en été grâce au **trenino verde** (☎ 800 460 220 ; www.treninoverde.com) depuis/vers Sassari (12,50 €, 2 heures 30, 1/j), Arzachena (9,50 €, 1 heure 10, 2/j) et Palau (11 €, 1 heure 45, 2/j).

ENVIRONS DE TEMPIO PAUSANIA

Le **nuraghe Maiori** (2,50 € ; ☻ 9h30-19h), situé 2 kilomètres au nord de Tempio Pausania par la SS133, et indiqué par des panneaux sur la droite, se cache au cœur d'une forêt de chênes-lièges. Comme son nom l'indique (Maiori signifie "majeur"), ce nuraghe se distingue des autres ruines disséminées aux alentours par sa taille plus importante. De l'entrée, on accède à deux chambres et une rampe conduit à une troisième ouverte sur l'arrière. Les escaliers de gauche permettent de monter au sommet.

De l'autre côté de la ville, à 4 km sur la route de Calangianus, le *borgo* (centre du village) de **Nuchis** abrite l'**Hotel il Melograno** (☎ 079 67 40 43 ; www.hotelilmelograno.it ; Via Vittorio Emanuele ; s 40-45 €, d 65-72 € ; ☷). Ses chambres aérées et spacieuses offrent une intéressante

alternative aux hébergements plus coûteux de Tempio Pausania.

Monte Limbara

À 17 km au sud-est de Tempio Pausania se dresse le Monte Limbara (1 359 m), qui surplombe un paysage rude. Pour y accéder, mieux vaut être motorisé. Quittez Tempio Pausania par le sud en passant devant la gare ferroviaire et suivez la route SS392 en direction d'Oschiri. Puis, après 8 km, bifurquez à gauche vers la montagne.

La route commence par traverser d'épaisses forêts de pins. Quand elle débouche au-dessus de la ligne des forêts, vous verrez indiqués plusieurs *punti panoramici* (belvédères) d'où la vue sur tout le Nord de la Sardaigne est époustouflante. Sur l'un de ces points de vue se dresse une statue de Vierge à l'Enfant, à côté de la petite **Chiesa di Santa Maria della Neve**.

Puis la route s'aplanit jusqu'au point de vue de Punta Balistreri (1 359 m), où la RAI, la chaîne de TV nationale, a installé un relais. L'air y est frais, même l'été en pleine journée. La vue vers l'ouest porte jusqu'à Sassari et au-delà et, vers le nord, jusqu'en Corse.

Le Monte Limbara est également fréquenté par les randonneurs. Si vous cherchez un guide, adressez-vous à **Gallura Viaggio Avventura** (☎ 333 183800 ; c/o office de tourisme Pro Loco), qui organise des randonnées à pied ou en VTT sur cette montagne.

Pour les sites à visiter plus au sud, voir page suivante.

Calangianus et Luras

Les amateurs d'archéologie pourront faire une escapade jusqu'à Calangianus (accessoirement capitale du bouchon de liège de la Sardaigne), à 10 km à l'est de Tempio Pausania, pour voir sa **Tomba dei Giganti di Pascaredda**, l'une des mieux préservées de la région.

Non loin, la petite ville de Luras mérite aussi une petite halte pour le **dolmen de Ladas** et son petit musée. Dédié aux traditions rurales de la région, le **Museo Etnografico Galluras** (☎ 079 64 72 81 ; www.galluras.it ; Via Nazionale ; ☻ sur rdv) conserve une collection d'outils agricoles et présente la reconstitution d'une maison de village. Parmi les objets exposés, notez bien l'étrange marteau : il était traditionnellement utilisé pour mettre fin aux souffrances des malades en phase terminale. Le travail était accompli à la demande de la famille par une femme, vêtue de noir et voilée, Sa Femmina Accabadora.

Cette forme d'euthanasie aurait été exercée pour la dernière fois à Luras en 1929 et à Orgosolo en 1952.

Aggius et Luogosanto

En quittant Tempio vers le nord-ouest, vous arriverez au bout de 8 km **Aggius**, un village paisible avec ses murs en granit et ses chênes. Ses polyphonies de voix masculines l'ont rendu célèbre, tout comme ses tapis dont la tradition date des années 1900. Près de 4 000 métiers à tisser fonctionnaient alors dans la région. Vous pouvez voir quelques très belles pièces au **Museo Etnografico Olivia Carta Cannas** (☎ 079 62 10 29 ; www.museomeoc.com ; Via Monti di Lizu 6 ; ☾ 10h-13h et 15h-20h30 tlj mi-mai à mi-oct, 10h-13h et 15h30-19h mar-dim le reste de l'année) qui présente de façon très complète la vie et les traditions locales.

Quelques kilomètres au nord-ouest, en direction de Trinita d'Agultu, le paysage s'ouvre sur une étrange vallée rocheuse, la **Valle della Luna**, idéale pour les promenades à bicyclette. La route descend ensuite jusqu'à la mer dans un décor éblouissant.

Depuis Aggius, vous pouvez rejoindre la SS133 en direction de **Luogosanto** ("lieu saint"), une jolie ville connue pour ses églises, et en particulier pour la grande **Basilica di Nostra Signora di Luogosanto** construite en 1228. Le pape Onorio III lui accorda le titre de basilique en consacrant sa porte sainte. Celle-ci n'est ouverte que tous les sept ans, comme celle de Rome. La façade est austère, et le travail de la pierre d'une pureté et d'une simplicité émouvantes. À 1 kilomètre, perchée sur une hauteur, la **Chiesa di San Trano**, du XIIIe siècle, est édifiée autour de la grotte où auraient vécu au IVe siècle les ermites Trano et Nicola.

Près d'Aggius, l'**Agriturismo Muto di Gallura** (☎ 079 62 05 59 ; www.mutodigallura.com ; Localita Fraiga ; demi-pension/pers 84 € ; **P**) offre un havre de tranquillité au milieu d'une campagne rocheuse. Ses ravissantes chambres ont été rénovées dans un style rustique authentique. Possibilité d'organiser des randonnées à cheval ou à pied et de se régaler de dîners raffinés (menus 20 à 40 €).

LAGO DI COGHINAS, OSCHIRI ET BERCHIDDA

Pour les voyageurs motorisés, une excursion au sud du Monte Limbara est envisageable. Au pied de la montagne, engagez-vous à gauche

---

LE PLEIN DE NECTAR

Pour acheter du Vermentino di Gallura, le seul vin de Sardaigne bénéficiant du label DOCG (appellation d'origine contrôlée et garantie), rendez-vous à la **Cantina del Vermentino** (☎ 079 94 40 12 ; www.vermentinomonti.com ; Via San Paolo 2, Monti ; ☾ 8h30-12h et 14h30-18h lun-ven, 8h30-12h sam), à Monti, à 15 km à l'est de Berchidda. Même si les horaires indiqués ont été vérifiés lors de notre enquête, mieux vaut appeler avant de vous y rendre pour être sûr de trouver quelqu'un pour vous accueillir.

---

sur la SS392 en direction d'Oschiri. Après avoir contourné le versant ouest du massif, la route passe par le Passo (col) della Limbara (646 m) avant de redescendre. Environ 12 km plus loin, la verdure disparaît, remplacée par des champs à la couleur de paille brûlée ; les eaux bleues du Lago di Coghinas, un lac artificiel, surgissent alors, tel un mirage.

Juste avant le pont qui traverse le lac, une étroite route asphaltée bifurque vers l'est en direction de Berchidda et contourne le flanc nord du Monte Acuto (493 m), la colline boisée où, au XIVe siècle, Eleonora d'Arborea se cacha pendant un temps. Berchidda est un bourg rural où règne une forte tradition viticole. Le **Museo del Vino** (☎ 079 70 45 87 ; 3 € ; ☾ 10h-14h et 16h-19h) vous en apprendra davantage sur la culture du Vermentino et vous proposera une dégustation. La ville organise au mois d'août un festival multi-ethnique, **Time in Jazz** (www.timeinjazz.it), qui accueille aussi bien des quatuors à cordes que des musiciens de l'Afrique subsaharienne.

☻ **Tenuta Lochiri** (☎ 3391197266 ; www.tenutalochiri. com ; ch/pers 40-45 €, app 600-700 €/sem ; **P**). Si vous avez envie de séjourner dans cette superbe partie de l'île, voici un délicieux *agriturismo* avec une vue panoramique sur le Monte Acuto. Après avoir quitté la route Berchidda-Oschiri par une piste de terre, vous arriverez, au bout de 3 km, à un corps de ferme converti en un élégant restaurant, quatre chambres d'hôtes et deux appartements. La cuisine est absolument divine à base de produits maison (repas 35 à 40 €).

Un bus ARST dessert quotidiennement Berchidda en route de Nuoro (6,50 €, 1 heure 15) à Olbia (2,50 €, 2 heures).

Nuoro et l'Est

Pour s'imprégner du caractère fier et ancestral de la Sardaigne, rien de tel que de visiter cette spectaculaire région montagneuse. Souvent considérées comme une île sur l'île, Nuoro et ses provinces ont été façonnées par des siècles d'isolement. Les rudes montagnes ont coupé la région du monde extérieur et les petites communautés rurales ont dû apprendre à se débrouiller seules. Par conséquent, les traditions locales perdurent et la campagne est restée largement intacte.

Nulle part ailleurs en Sardaigne le paysage ne dégage une telle force. Depuis la grande barrière grise du Gennargentu jusqu'aux côtes à couper le souffle du Golfo di Orosei, en passant par les vastes vallées vierges de l'Ogliastra, c'est l'une des grandes régions sauvages de Sardaigne. Véritable paradis pour les amoureux de la nature, elle est propice à de formidables randonnées à pied ou à vélo, à l'escalade et à de nombreuses activités aquatiques.

Si le paysage est exaltant, on est loin de pouvoir en dire autant des bourgs, dont les bâtiments carrés et les routes négligées suggèrent que les problèmes de pauvreté, de chômage et d'émigration sont bien présents. Mais en grattant un peu, on leur découvre d'autres attraits : si Nuoro n'est pas la plus belle ville de l'île, elle est la patrie de grands auteurs, tels que le Prix Nobel Grazia Deledda, et elle accueille tous les ans le festival le plus spectaculaire de l'île. Quant à Orgosolo, ancienne capitale de la Sardaigne, elle s'est réinventée en site touristique grâce à ses peintures murales, tandis que le petit village de Gavoi, en Barbagia, accueille un festival international de littérature.

Parmi les nombreux sites archéologiques, le village préhistorique de Tiscali se démarque par sa beauté et son étrange ambiance, alors que la Fonte Sacra Su Tempiesu jouit d'un emplacement idyllique.

À NE PAS MANQUER

- La vision vertigineuse de la **Gola Su Gorruppu** (p. 216), le "Grand Canyon de l'Europe", et une randonnée jusqu'à **Tiscali** (p. 216), saisissant site préhistorique
- Naviguer le long de l'impérieuse côte du **Golfo di Orosei** en s'arrêtant sur les criques secrètes et les plages isolées (p. 213)
- Changer de monde en explorant l'étrange plateau de l'**Altopiano del Golgo** (p. 222)
- Parcourir les grandeurs cachées des collines d'**Ulassai** (p. 223)
- Un aperçu de la vie du plus grand écrivain sarde dans sa maison d'enfance reconvertie en Museo Deleddiano (p. 198), à **Nuoro**

NUORO ET L'EST

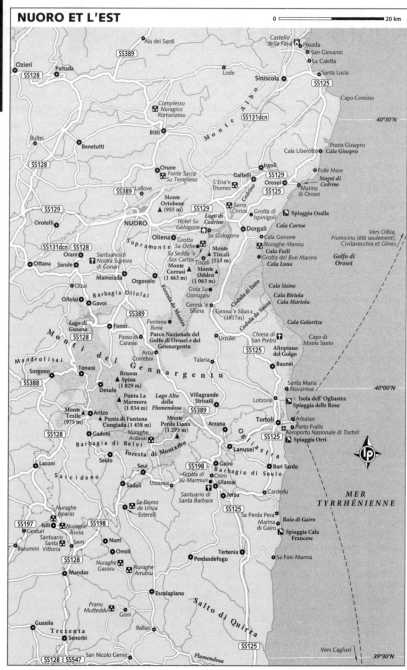

0 _____ 20 km

Ala dei Sardi
Castello della Fava • Posada
• San Giovanni
• La Caletta
Ozieri
Pattada
• Santa Lucia
SS128
Lode
Siniscola
SS125
Capo Comino
Complesso Nuragico Romanzesu
40°30'N
Bultei
Benetutti
Bitti
Monte Albo
SS131dcn
Cala Liberotto • Punta Ginepro
Cala Ginepro
SS128
Orune • Fonte Sacra Su Tempiesu
Irgoli
Galtelli
SS129
• Fuile Mare
S'Ena'e Thomes
Orosei
Stagni di Cedrino
SS389
Lollove
SS125
Marina di Orosei
Monte Ortobene ▲ (955 m)
SS129
Serra Orrios
SS129
Grotta di Ispinigoli
Spiaggia Osalla
Orotelli
NUORO
Hotel Su Gologone
Lago di Cedrino
Dorgali
Cala Cartoe
SS131dcn SS128
Oliena • Grotta Sa Oche
Su Gologone
Cala Gonone
Nuraghe Mannu
Orani
Santuario di Nostra Signora di Gonari
Sa Sedda 'e Sos Carros
Monte Tiscali ▲ (515 m)
Cala Fuili
Grotta del Bue Marino
Golfo di Orosei
Ottana
Sarule
Monte Corrasi (1 463 m)
Tiscali
Monte Oddeu (1 063 m)
Cala Luna
Mamoiada
Orgosolo
Foresta di Montes
Gola Su Gorruppu
Cala Sisine
Olzai
Barbagia Ollolai
Genna 'e Silana
Cala Biriola
Cala Mariolu
Ollolai
Gavoi
Genna 'e Silana (1017m)
Codula di Luna
Cala Goloritze
SS389
Lago di Gusana
Fonni
Funtana Bona
Chiesa di San Pietro
Capo di Monte Santo
Monti
SS128
Passo di Caravai
Parco Nazionale del Golfo di Orosei e del Gennargentu
Urzulei
Altopiano del Golgo
SS125
Mandrolisai
del
Arcu Correboi
Talana
Baunei
Sorgono
Tonara
Gennargentu
SS388
Bruncu ▲ Spina (1 829 m)
Santa Maria • Navarrese
40°00'N
Desulo
Punta La Marmora (1 834 m)
Lago Alto della Flumendosa
Villagrande Strisaili
Lotzorai
Isola dell' Ogliastra
Spiaggia delle Rose
Monte Texile ▲ (975 m)
Aritzo
Punta di Funtana Cungiada (1 458 m)
SS389
Monte Perda Liana (1 293 m)
Arzana
Tortolì
Arbatax
Porto Frailis
Aeroporto Nazionale di Tortolì
SS128
Gadoni
Nuraghe Ardasai
SS125
Spiaggia Orri
Barbagia di Belvi
Foresta di Montarbu
Lanusei
Laconi
Sarcidano
Seulo
Seui
Gairo
Barbagia di Seulo
MER TYRRHÉNIENNE
Sadali
Ussassai
SS198
Grotta di Su Marmuri
Osini
Ulassai
Bari Sardo
Santuario di Santa Barbara
Jerzu
Cardedu
Sa Domo de Urxia Esterzili
SS125
Nuraghe Isparas
SS197
Isili
Nuraghe Asusa
SS198
Sa Perda Pera
Marina di Gairo
Baia di Gairo
Gesturi
Santuario Santa Vittoria
Serri
Nurri
Spiaggia Cala Francese
Barumini
SS128
Orroli
Tertenia
Mandas
Nuraghe Gasoru
Nuraghe Arrubiu
Perdasdefogu
Sa Foxi Manna
Pranu Mutteddu
Escalaplano
Goni
Salto di Quirra
Guasila
Trexenta
Ballao
Senorbi
SS125
San Nicolo Gerrei
39°30'N
SS128 SS547
Flumendosa
Vers Olbia, Fiumicino (été seulement), Civitavecchia et Gênes
Vers Cagliari
Su Cologone
Cedrino
Supramonte
Ogliastra
Codula de Sisine

NUORO

36 500 habitants
Ville délabrée et rébarbative de prime abord, Nuoro (Nugoro dans le dialecte local) est a priori peu séduisante. Sa périphérie moderne est quelconque et même le centre historique présente un intérêt limité. C'est pourtant une ville fière et accueillante, où les traditions et la culture sont vives et profondément enracinées. C'est ici qu'est née l'écrivaine Grazia Deledda, mais également le romancier Salvatore Satta ou le poète renommé Sebastiano Satta. Quant aux musées de la ville, ils figurent parmi les meilleurs de l'île et abordent de manière fascinante l'identité rurale de cette région montagneuse.

HISTOIRE
Les archéologues ont révélé les traces de plusieurs sites préhistoriques nuragiques dans la région de Nuoro. Une théorie répandue veut que la ville ait été érigée lorsque des habitants de la région, opposés aux Romains, se regroupèrent autour du Monte Ortobene. En réalité, on ignore presque tout de Nuoro avant le Moyen Âge, époque où elle passa entre les mains de diverses familles féodales avant de tomber sous la coupe des Aragonais puis des Espagnols.

Au XVIIIᵉ siècle, Nuoro, alors sous l'égide des Piémontais, comptait environ 3 000 habitants en majorité fermiers ou bergers. Théâtre d'épisodes souvent violent, elle se souleva en 1868 contre la privatisation des terres publiques (réforme qui les destinait aux riches propriétaires terriens) et les citoyens mirent le feu à la mairie. Cette action, restée dans l'histoire sous le nom de Su Connuttu, confirma la nation italienne dans la vision qu'elle se faisait alors de la région de Nuoro, considérée en son entier comme une "zone de criminalité". Ce qui ne fit que renforcer la solidarité des Nuoresi et leur méfiance vis-à-vis du pouvoir central.

En 1927, Nuoro devint capitale provinciale, se transformant en centre administratif animé dont le développement rapide attira des migrants de toute la province. Même si les anciens problèmes de banditisme semblent résolus, et même si la ville présente désormais un visage assez souriant, des difficultés demeurent – à l'exemple du fort taux de chômage qui contraint nombre de jeunes à partir chercher du travail ailleurs.

ORIENTATION
La vieille ville est au nord-est, sur une élévation qui se prolonge à l'est jusqu'au Monte Ortobene. La rue principale est le Corso Garibaldi, qui croise un dédale d'étroites ruelles. Vous y trouverez plusieurs restaurants et des cafés populaires. La majorité des hôtels de Nuoro se trouvent dans la partie moderne et délabrée qui s'étend à l'ouest du *centro storico*. Les gares routière et ferroviaire sont sur la Via Lamarmora, dans le prolongement du Corso Garibaldi. L'office du tourisme se situe sur la Piazza Italia, une grande place moderne au nord du centre historique.

RENSEIGNEMENTS
Banco di Sardegna (carte p. 99 ; Corso Garibaldi 90). L'une des diverses banques avec DAB.
Libreria Mondadori (carte p. 99 ; ☎ 0784 3 41 61 ; Corso Garibaldi 147). Une librairie avec un rayon de cartes.
Office du tourisme (carte p. 99 ; ☎ 0784 3 00 83 ; www.enteturismo.nuoro.it ; Piazza Italia 19 ; ⏰ 8h30-13h30 et 15h-19h tous les jours juin-sept, mêmes horaires lun-ven oct-mai). Nombreuses informations pratiques sur Nuoro et la région, dont une carte archéologique de la province, la *Carta Archeologica Illustrata*.
Ospedale Civile San Francesco (carte p. 99 ; ☎ 0784 24 02 37 ; Via Mannironi). Principal hôpital de la ville, à l'ouest du centre.
Poste de police (carte p. 99 ; ☎ 0784 3 21 00 ; Viale Europa)
Poste principale (carte p. 99 ; Piazza F. Crispi ; ⏰ 8h-18h50 lun-ven, 8h-13h sam)
Punto Informa (carte p. 99 ; ☎ 0784 3 87 77 ; Corso Garibaldi 155 ; ⏰ 9h-13h et 15h30-19h lun-sam). Un office de tourisme privé très efficace.

À VOIR ET À FAIRE
L'attrait de Nuoro réside surtout dans le centre historique. Pour mieux comprendre la géographie de la région, arrêtez-vous un moment Via Aspromonte, la route qui s'enroule autour du *centro storico* par l'est, pour admirer la vue magnifique sur le Monte Ortobene. Un panorama qui rappelle au visiteur que Nuoro était à l'origine un village de montagne isolé. D'ailleurs, les allées autour de l'ancienne résidence de Grazia Deledda ont aujourd'hui encore un petit air rural.

Museo della Vita e delle Tradizioni Sarde
Le splendide **Museo della Vita e delle Tradizioni Sarde** (☎ 0784 25 70 35 ; Via Antonio Mereu 56 ; adulte/enfant 3/1 € ; ⏰ 9h-20h tous les jours juin-sept, 9h-13h et 15h-19h tous les jours oct-mai) propose un aperçu fascinant

sur les traditions, folklores, superstitions et célébrations sardes. Les quelque 8 000 pièces du musée incluent des bijoux en filigrane, des tapis et des tapisseries, de riches broderies, des instruments de musique, des armes, des outils domestiques et des masques. Son plus grand atout : l'exposition très complète d'habits traditionnels.

Dans le hall central, quelque 80 mannequins se pressent en foule sur une estrade. La multiplicité des styles, des couleurs, des motifs et des matériaux en dit long sur la diversité du folklore sarde. Les jupes au rouge flamboyant caractérisent les villages de montagne, farouchement indépendants, tandis que les robes d'Orgosolo et de Desulo, qui se reconnaissent à leurs tabliers en laine rouge aux parements de soie bleu et jaune, ont des accents arméniens. On découvre aussi la diversité des coiffes, les femmes couvrant généralement leur tête d'un foulard dont les couleurs, les broderies et la façon de l'accrocher diffèrent selon les régions.

Dans d'autres salles sont reconstituées grandeur nature certaines des fêtes les plus remarquables de l'île. Figurent notamment les sinistres *mamuthones* de Mamoiada, avec leurs masques menaçants et leurs peaux de mouton aux longs poils hirsutes, ou les *boes* d'Ottana revêtus de leur immense pèlerine, de leurs bottes en fourrure et leur petit masque d'antilope.

Depuis le musée, une brève ascension conduit jusqu'au paisible **Parco Colle Sant'Onofrio**. Du point le plus élevé, on peut voir jusqu'au Monte Ortobene et, plus au sud, jusqu'à Oliena et Orgosolo. Le parc est doté de balançoires pour les enfants et de bancs pour se reposer.

Museo d'Arte (MAN)

Installé dans une maison du XIXe siècle, le **MAN** (Museo d'Arte di Nuoro ; ☎ 0784 25 21 10 ; www.museoman.it ; Via S. Satta 15 ; adulte/enfant 3/2 € ; ☺ 10h-13h et 16h30-20h30 mar-dim) est le seul véritable musée d'art contemporain de Sardaigne. Sa collection permanente regroupe quelque 200 œuvres des meilleurs peintres sardes du XXe siècle, comme Antonio Ballero, Giovanni Ciusa-Romagna, Mario Delitalia ou l'artiste abstrait Mauro Manca. Les sculpteurs Francesco Ciusa et Constantino Nivola sont également représentés. Pour voir une copie en bronze de la *Madre dell'Ucciso* (*Mère de l'homme tué*) de Francesco Ciusa, qui remporta un prix à

la Biennale de Venise en 1907, il faudra vous rendre à la **Chiesa di San Carlo** (Piazza San Carlo).

Ce musée accueille également des expositions temporaires plus vastes, généralement présentées au rez-de-chaussée et au dernier étage.

Piazza Satta

Depuis le MAN, remontez Via Satta jusqu'à la petite place du même nom dédiée au grand poète Sebastiano Satta (1867-1914), né dans une maison sur la piazza. Pour célébrer le centenaire de sa naissance, la place a été entièrement refaite par le sculpteur Costantino Nivola (1911-1988). Les maisons qui la bordent ont été blanchies à la chaux pour mettre en relief son étrange œuvre : une série de sculptures en granite plantées sur la place tels des menhirs. Dans chaque sculpture s'ouvre une niche qui abrite une figurine en bronze (clin d'œil aux *bronzetti* préhistoriques) et représentant un des personnages des poèmes de Satta. C'était une idée originale, qui devait probablement être impressionnante, mais ces menhirs n'aident pas vraiment à se défaire de l'impression générale de négligence qui émane de cette piazza.

Museo Deleddiano

La Piazza Satta borde la partie la plus ancienne de la ville, la petite colline où Grazia Deledda (1871-1936), lauréate du prix Nobel en 1926, passa les 29 premières années de sa vie. Sa maison abrite aujourd'hui un **musée** (☎ 0784 25 80 88 ; Via Grazia Deledda 53 ; adulte/enfant 3/1 € ; ☺ 9h-20h mar-dim mi-juin à sept, 9h-13h et 15h-19h mar-sam oct à mi-juin). Très bien conçues, les salles épurées et blanches contiennent toutes sortes d'objets liés à l'écrivain : stylos, lettres, photos de famille, etc. Le plus intéressant est la collection relative à son prix Nobel : un télégramme de félicitation du roi d'Italie et les photos officielles de la cérémonie de remise du prix où l'on peut voir Grazia, petite et fière, entourée d'hommes pincés.

Plusieurs salles, à commencer par la chambre de l'auteur, ont été soigneusement restaurées afin de représenter une demeure cossue de Nuoro au XIXe siècle. On y trouve un sellier rempli de sacs de farine et de légumes, une cour intérieure et une grande cuisine où sont empilées poêles et conserves.

Décédée à 65 ans, Deledda vécut 36 ans à Rome, mais toute son œuvre resta inspirée par Nuoro et ses drames. Après sa mort, on

NUORO

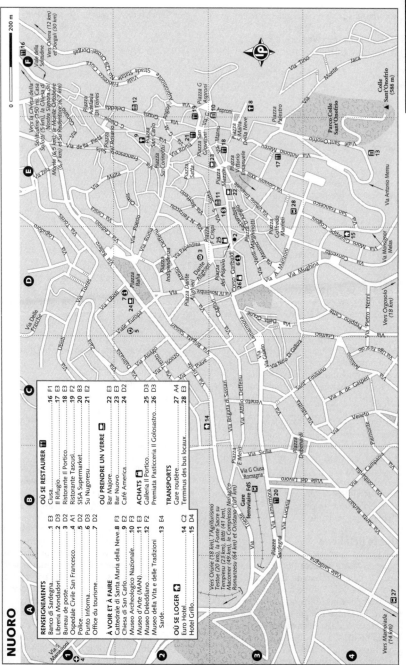

RENSEIGNEMENTS
Banco di Sardegna.....................1	E3
Libreria Mondadori.....................2	D3
Bureau de poste.........................3	D2
Ospedale Civile San Francesco....4	A1
Police.......................................5	D2
Punto Informa...........................6	D3
Office du tourisme.....................7	D2

À VOIR ET À FAIRE
Cattedrale di Santa Maria della Neve.8	F3
Chiesa di San Carlo....................9	E2
Museo Archeologico Nazionale....10	F3
Museo d'Arte (MAN)...................11	E3
Museo Deleddiano......................12	F2
Museo della Vita e delle Tradizioni
Sarde.....................................13	E4

OÙ SE LOGER 🏠
Euro Hotel................................14	C2
Hotel Grillo...............................15	D4

OÙ SE RESTAURER 🍴
Ciusa..16	F1
Il Rifugio...................................17	D3
Ristorante Il Portico....................18	E3
Ristorante Tascusi......................19	F2
SISA Supermarket.......................20	B3
Su Nugoresu..............................21	E2

OÙ PRENDRE UN VERRE 🍷
Bar Majore................................22	E3
Bar Nuovo.................................23	E3
Café America.............................24	D2

ACHATS 🛍
Galleria Il Portico........................25	D3
Premiata Pasticceria Il Golosastro..26	D3

TRANSPORTS
Gare routière.............................27	A4
Terminus des bus locaux..............28	E3

NUORO ET L'EST

la ramena sur sa terre natale pour l'enterrer dans la sobre église de granit de son enfance, la **Chiesa della Solitudine** (Viale della Solitudine). Son sarcophage se trouve à droite de l'autel. Dans la soirée du 28 août, veille de l'apogée de la Festa del Redentore de Nuoro, une procession solennelle éclairée à la torche part de cette église à 21h pour s'achever à la cathédrale.

Museo Archeologico Nazionale

Autre musée intéressant, le **Museo Archeologico Nazionale** (☎0784 3 16 88 ; Via Mannu 1 ; www.museoarcheologiconuoro.it en italien et en anglais ; entrée libre ; 9h-13h/15h-17h mar et jeu, 9h-13h mer, ven et sam) présente une collection d'objets mis au jour dans la province de Nuoro, tels que des céramiques anciennes, de beaux *bronzetti*, un crâne datant de 1600 av. J.-C. et des objets d'époque romaine ou du haut Moyen Âge. Les amateurs de la civilisation nuragique apprécieront la reconstitution d'un temple et celle d'un ancien atelier de travail du bronze.

Cattedrale Santa Maria della Neve

Sorte de grosse pièce montée rose, la **Cattedrale Santa Maria della Neve** (Piazza Santa Maria Della Neve) ou Duomo, du XIXᵉ siècle, est l'une des quelque 300 églises italiennes consacrées à la Madonna della Neve – cette sainte Marie de la Neige serait apparue en rêve au pape Liberius (IVᵉ siècle), lui demandant de bâtir une église à l'emplacement où la neige tomberait le lendemain matin ; la neige tomba effectivement et le pape fit construire ce qui devait devenir la basilique Santa Maria Maggiore à Rome. De style néoclassique, la colossale façade de la cathédrale de Nuoro donne sur un intérieur à nef unique. On peut y voir notamment la *Disputa de Gesù Fra i Dottori* (*Enfant Jésus discutant avec les docteurs*), une toile du XVIIᵉ siècle attribuée à l'école de Luca Giordano accrochée entre la première et la deuxième chapelle sur la droite.

Monte Ortobene

À 7 km au nord-est de Nuoro, le pic granitique du **Monte Ortobene** (955 m), dominé par une statue en bronze du Redentore (Christ Rédempteur) de 7 m de haut, est densément tapissée de houx, pins, sapins et peupliers. Appréciée pour les pique-niques, la montagne est le théâtre de la **Sagra del Redentore** (fête du Rédempteur). Le 29 août, les fidèles vêtus de costumes traditionnels aux couleurs vives partent en pèlerinage depuis la cathédrale,

s'arrêtent à la **Chiesa di Nostra Signora del Monte** pour la messe, puis continuent jusqu'à la statue.

La statue du Redentore fut érigée en 1901 pour répondre à la demande du pape Léon XIII, qui souhaitait que soient élevées à travers l'Italie 19 statues du Christ, symboles des 19 siècles de christianisme. Depuis lors, cette statue, qui montre le Christ foulant au pied le démon, attire des foules de pèlerins qui lui attribuent toutes sortes de guérisons et d'interventions.

Depuis la route, sur la gauche peu avant le sommet de la montagne, on jouit de la vue la plus spectaculaire sur la vallée jusqu'à Oliena et jusqu'au Monte Corrasi.

Pour accéder au sommet par les transports publics, prenez le bus 8 depuis Via A. Manzoni (1,10 €, 2/j lun-sam mi-sept à mi-juin, 14/j lun-sam mi-juin à mi-sept).

FÊTE

La **Sagra del Redentore**, la dernière semaine d'août, est la principale fête de Nuoro et l'une des plus exubérantes fêtes de Sardaigne. Remontant à 1901, la fête attire aujourd'hui des participants costumés venant de toute l'île et s'accompagne de grandes parades, de musique et de danses. Le soir du 28 août, une procession aux flambeaux défile dans la ville.

OÙ SE LOGER

L'hébergement à Nuoro est plutôt orienté vers la clientèle d'affaires, et les hôtels séduisants sont peu nombreux. Si vous êtes motorisé, plusieurs *agriturismi* sont répartis dans la région dans un cadre bien plus sympathique.

Casa Solotti (☎0784 3 39 54 ; www.casasolotti.it ; 26-35 €/pers). Au cœur d'un jardin plein de méandres sur le Monte Ortobene, cette pension accueillante est entourée d'arbres et de chemins de randonnée. L'hébergement est assez détendu, dans une atmosphère familiale et amicale. Les propriétaires peuvent vous organiser des séances d'équitation et vous prépareront volontiers des repas midi et soir.

Agriturismo Testone (☎0784 23 05 39 ; www.agriturismotestone.com ; Via Giuseppe Verdi ; ch 38-50 €, demi-pension 55-65 €/pers, repas 27 € environ ; P). À une vingtaine de kilomètres de Nuoro, cet établissement d'agrotourisme est installé dans une belle ferme en pierre au cœur d'une forêt de chênes-lièges. La décoration s'accorde parfaitement avec le cadre général : murs en pierre apparente, imposant mobilier en bois et pots suspendus. Pour y accéder depuis la SS131, prenez la sortie de la SP389 en direction de Bitti et roulez sur 10 km jusqu'à l'embranchement pour Benetutti. Prenez à gauche puis à droite 3 km plus loin, et suivez les panneaux.

Hotel Grillo (☎ 0784 3 86 78 ; www.grillohotel.it, en italien ; Via Monsignor Melas 14 ; s/d 65/90 € ; ⚑). Dans une grande bâtisse rose, le Grillo est l'hôtel le plus central des 5 établissements hôteliers de la ville. Ce n'est pas une adresse exceptionnelle, mais il est bien placé et compte des chambres assez confortables.

Euro Hotel (☎ 0784 3 40 71 ; www.eurohotelnuoro. it ; Via Trieste 44 ; s 60-160 €, d 80-240 € ; ⚑ 🖵). Plus agréable qu'il n'en a l'air, ce grand hôtel d'affaires se trouve à 5 minutes à pied de l'office du tourisme. Les fauteuils couleur pastel éclairent la réception soutenue par des colonnes, tandis qu'à l'étage, les chambres ont des sols modernes en parquet, des lits fermes et de grandes salles de bain. Wi-Fi gratuit et TV satellite.

OÙ SE RESTAURER

Ristorante Tascusì (☎ 0784 3 72 87 ; Via Aspromonte 13 ; menu touristique 10 € ; repas 25 € environ ; ⚑ lun-sam). Cette trattoria discrète est une bonne adresse pour un repas copieux et simple. Les tables sont disposées dans une salle blanche où vous pourrez vous plonger dans de grandes assiettes de pâtes et des plats basiques. Des pizzas sont également proposées.

Il Rifugio (☎ 0784 23 23 55 ; Via Antonio Mereu 28-36 ; repas 30 € environ ; ⚑ jeu-mar). Cette adresse joyeuse est devenu l'un des restaurants les plus célèbres de Nuoro grâce à son approche créative des recettes classiques. Les plats typiques sont par exemple le *risotto con verdura, coda di gambero e zafferano* (risotto aux légumes, crevettes et safran) ou la *pecora alla nuorese con cipolline* (agneau de Nuoro aux oignons). Et les prix sont très raisonnables.

Su Nugoresu (0784 25 80 17 ; Piazza San Giovanni 7 ; pizzas 7 € ; repas 30 € environ ; ⚑ mar-dim). Venez vous joindre aux clients élégants de cette trattoria à la mode, sur la jolie Piazza San Giovanni. Les tables sur la place sont parfaites pour un bon déjeuner à base de pâtes ou déguster une pizza (le soir seulement).

Ciusa (☎ 0784 25 70 52 ; Viale Francesco Ciusa 53 ; pizza 8 €, repas 30 € environ ; ⚑ mer-lun). En lisière du *centro storico*, cette trattoria populaire est spécialisée dans les plats sardes. Attendez-vous à de grandes portions et à de la viande à profusion.

Ristorante Il Portico (☎ 0784 25 50 62 ; Via Monsignor Bua 13 ; repas 35 € environ ; ⚑ jeu-mar). Malgré sa décoration modeste, Il Portico sert des plats au-dessus de la moyenne, avec des prix en conséquence. Les fruits de mer figurent dans de nombreuses recettes à l'image de l'audacieuse *lasagnetta con calamaretti, porcini e scampi all'oregano fresco* (petites lasagnes aux calmars, cèpes et langoustines à l'origan frais).

Faire ses courses

Prévoyez votre pique-nique au **supermarché SISA** (Via Lamarmora 173 ; ⚑ 8h30-20h30 lun-sam, 9h-13h30 dim), sur la rue principale entre la gare routière et le centre historique.

OÙ PRENDRE UN VERRE

Nuoro est une ville très vivante qui compte de nombreux et excellents cafés dans le centre-ville. On peut la plupart du temps y prendre un repas léger ou un *panino* ainsi que du café, un apéritif ou du vin.

Bar Majore (Corso Garibaldi 71 ; ⚑ 7h-14h30 et 15h30-minuit, fermé dim matin). Également appelé Caffè Tettamanzi, c'est le plus ancien café de Nuoro. Très apprécié des habitants, il est bondé à midi lorsque les employés affamés viennent avaler un morceau sous la riche décoration intérieure. Les *panini* sont délicieux.

Bar Nuovo (Piazza Mazzini ; ⚑ 7h-minuit). Stratégiquement placé sur la Piazza Mazzini, c'est le lieu idéal pour savourer une bière fraîche en observant la vie de la place. Mais vous y serez tout aussi bien le matin pour lire le journal ou pour prendre l'apéritif en fin de journée.

Café America (☎ 0784 23 50 81 ; Piazza Italia 5 ; ⚑ 7h-minuit, jusqu'à 2h sam). Café fréquenté en journée, bar branché le soir. Les jeunes de la ville viennent siroter leurs verres dans les alcôves en bois au son du jazz. Les concerts occasionnels contribuent à l'atmosphère.

ACHATS

Galleria Il Portico (☎ 0784 3 05 11 ; Piazza del Popolo 3 ; ⚑ 10h-13h et 17h-20h30 lun-sam). Galerie d'art ayant pignon sur rue, Il Portico présente un vaste choix d'œuvres d'artistes contemporains comme Antonio Corriga, Vittorio Calvi ou Franco Carenti. Les prix s'échelonnent entre quelques centaines et plusieurs milliers d'euros pour des œuvres où dominent huiles et aquarelles.

Premiata Pasticceria Il Golosastro (☎ 0784 3 79 55 ; Corso Garibaldi 173-5 ; ⚑ 7h30-15h et 16h-20h lun-sam).

Si vous êtes en mal de douceurs, cette pâtisserie traditionnelle devrait vous combler. À condition que vous arriviez à choisir parmi la profusion de gâteaux locaux travaillés comme de la dentelle.

DEPUIS/VERS NUORO
Bus
Les bus **ARST** (☎0784 29 08 00 ; www.arst.sardegna.it, en italien) partent de la **gare routière** sur Viale Sardegna en direction de toute l'île : Dorgali (3 €, 45 minutes, 6/j), Orosei (3 €, 1 heure, 10/j), La Caletta (4,50 €, 1 heure, 7/j), San Teodoro (6,50 €, 1 heure 50, 8/j), Baunei (6,50 €, 2 heures, 4/j), Santa Maria Navarrese (6,50 €, 2 heures 25, 5/j) et Tortoli (5,50 €, 2 heures 40, 5/j). Il y a également des bus réguliers pour Oliena (1 €, 20 minutes) et Orgosolo (2 €, 35 minutes). Deux bus par jour relient Cagliari en continu (14,50 €, 2 heures 30 à 5 heures).

Depuis le même arrêt, jusqu'à six bus FdS desservent chaque jour Oristano (7,50 €, 2 heures 30) et Sassari (7,50 € à 9,50 €, 2 heures 30).

Pour Olbia, il existe un bus ARST (8,50 €), et **Deplano** (☎ 0784 29 50 30 ; www.deplanobus.it, en italien et en anglais) met également en circulation jusqu'à 5 bus par jour pour l'aéroport d'Olbia (10 €, 1 heure 45) via Budoni (3,50 €, 1 heure 5) et San Teodoro (5 €, 1 heure 15).

Pour Alghero, **Redentours** (☎ 0784 30 32 5 ; www.redentours.com) met en circulation trois bus par jour (20 €, 2 heures 15). Réservation obligatoire.

Train
La gare ferroviaire se situe à l'ouest de la ville, à l'angle de la Via Lamarmora et de la Via G. Ciusa Romagna. Les trains FdS relient Nuoro à la gare plus importante de Macomer (2,63 €, 1 heure 15), d'où les lignes Trenitalia permettent de rallier d'autres destinations telles que Cagliari (10,80 €, 3 heures 30).

Voiture et moto
La SS131dcn, la voie rapide entre Olbia et Abbasanta (où elle rejoint la SS131 Carlo Felice nord-sud), contourne Nuoro par le nord. La SS129 est la route la plus rapide vers l'est pour rejoindre Orosei et Dorgali. En direction du sud, plusieurs routes desservent Oliena, Orgosolo et Mamoiada.

COMMENT CIRCULER
Les bus **ATP** (☎0784 3 51 95 ; www.atpnuoro.it, en italien) locaux n°2 et 3 sont pratiques pour rejoindre la gare ferroviaire, l'arrêt de bus ARST (bus 3) et monter au sommet du Monte Ortobene (1,10 €, bus 8 depuis Via Manzoni). Pour circuler en ville, les billets sont valables 90 minutes et coûtent 0,80 €.

On peut appeler un **taxi** (☎ 335 39 91 74) ou essayer d'en intercepter un sur la Via Lamarmora.

ENVIRONS DE NUORO

Au nord de Nuoro, la campagne oubliée et isolée abrite quelques merveilleux sites archéologiques – pas évidents à dénicher, même avec votre voiture, mais vous serez toutefois largement récompensé à votre arrivée. Les visiteurs sont rares et la région est idéale pour éprouver le sentiment d'isolement et de mystère que procure l'arrière-pays sarde.

FONTE SACRA SU TEMPIESU
Trônant sur une colline spectaculaire près de la poussiéreuse ville d'**Orune**, la **Fonte Sacra Su Tempiesu** (☎328 756 51 48 ; adulte/enfant 3/2 € ; ☼ 9h-19h juin-sept, jusqu'à 17h oct-mai) est un puits sacré nuragique à la structure complexe. Curieusement, son nom – Tupiesu – n'a rien à voir avec son ancienne fonction religieuse de temple ; il fait référence au fermier de Tempio qui l'a découvert en 1953.

Depuis l'étrange entrée en forme de trou de serrure, un escalier donne accès au fond du puits. L'orientation est telle que, le jour du solstice d'été, les rayons du soleil tombent droit dans l'axe du puits. L'eau atteint le haut des marches. Un bec verseur creusé dans la margelle permet au trop-plein de s'écouler dans un deuxième bassin, qui fait partie du temple d'origine, plus primitif, construit environ en 1600 av. J.-C. Le temple principal (en partie restauré), qui date d'environ 1000 av. J.-C., présente une architecture particulièrement raffinée. Une structure en A, faite de pierres de basalte et de trachyte soigneusement taillées et scellées avec du plomb pour assurer l'étanchéité, surmonte le puits et l'escalier. Certaines pierres ont été transportées depuis Dorgali. Ce monument, qui n'a pas d'équivalent en Sardaigne, fut recouvert par un glissement de terrain à l'âge du fer, restant ainsi caché durant des siècles jusqu'à ce que le site commence à être fouillé en 1981.

Pour s'y rendre, il faut tout d'abord gagner Orune, 18 km au nord-est de Nuoro : pour cela, suivre la SS131dcn jusqu'à la sortie Ponte Marreri puis une route qui monte pendant 11 km jusqu'à la ville. De là, une piste plutôt mauvaise conduit après 5 km au site (la direction est indiquée). Y accéder pose problème pour qui n'est pas motorisé, car les bus ne vont pas plus loin qu'Orune. Depuis la billetterie, à l'entrée, il faut encore descendre la colline pendant 800 m pour arriver au puits. Des guides peuvent vous accompagner pour la visite (en italien).

BITTI ET LE SITE NURAGIQUE ROMANZESU

Depuis Orune, la SS389 continue sur 1 km jusqu'à la ville agricole de Bitti. Celle-ci a été rendue célèbre ces dernières années par les **Tenores di Bitti** (www.tenoresdibitti.com), un quatuor vocal reprenant les chants harmoniques traditionnels de l'île. Pour en savoir plus, visitez le **Museo Multimediale del Canto a Tenore** (☎ 0784 41 43 14 ; www.coopistelai.com, en italien ; Via Mameli 57 ; tarif plein/réduit 2,60/2,10 € ; ⏰ 9h30-12h30 et 14h30-17h30 tous les jours), où vous pourrez écouter des enregistrements de différents groupes.

Treize kilomètres après Bitti en suivant la route de Budduso, vous atteignez le **Complesso Nuragico Romanzesu** (site nuragique Romanzesu ; ☎ 0784 41 43 14 ; www.coopistelai.com, en italien ; entrée 3,10 €, avec le Museo Multimediale del Canto a Tenore et le Museo della Civiltà Contadina e Pastorale de Bitti 3,60 € ; ⏰ 9h-13h et 15h-19h lun-sam, 9h-13h et 14h30-19h dim avr-oct, 8h30-13h et 14h30-18h lun-sam, 9h-17h dim nov-mars). Sur plus de 7 hectares d'épaisses forêts de chênes et de lièges, ce sanctuaire nuragique remontant au XVIIe siècle av. J.-C. comprend plusieurs bâtiments religieux et des huttes. Le point d'orgue est le puits sacré, recouvert par une tholos typique reliée à un amphithéâtre semi-elliptique. Pour mieux comprendre les anciennes fonctions des différentes ruines, suivez l'une des six visites guidées par jour (en italien).

Un peu avant l'arrivée au site, un panneau indique l'**Agriturismo Romanzesu** (☎ 0784 41 57 16, 3471643238 ; Localita Romanzesu). L'établissement ne loue pas de chambre, mais vous pouvez planter votre tente (10 € par nuit) et vous adonner à un véritable festin à base de produits faits maison (pâtes, saucisson, cochon de lait, agneau...). Et tout ça pour la somme de 26 €. Pensez à réserver.

SUPRAMONTE

Au sud-est de Nuoro, juste après Oliena, le grand massif calcaire du Supramonte barre le paysage de ses parois abruptes. Malgré son aspect intimidant, il n'est pas si haut que cela – son point culminant, le Monte Corrasi, atteint tout juste 1 463 m – mais il est impressionnant par son caractère sauvage, par les ravins et les défilés déchiquetés qui entaillent son plateau dénudé. Ce paysage brut est d'autant plus excitant qu'il était autrefois réputé pour être le cœur du banditisme sarde.

Le Supramonte permet de faire quelques splendides randonnées. Toutefois, les sentiers peuvent être parfois difficiles à discerner. Au printemps et à l'automne, il est plus prudent de consulter les prévisions météo avant de s'y aventurer. À moins d'être vraiment sûr de vous, il vaut mieux engager un guide local dans l'une des coopératives d'Oliena ou de Dorgali.

OLIENA
7 600 habitants

De Nuoro déjà, on aperçoit les toits multicolores d'Oliena avec le grandiose Monte Corrasi en toile de fond. Avec son agréable centre-ville en pierre grise et sa magnifique situation, Oliena constitue un parfait point de départ pour explorer le Supramonte.

Cette ville fut probablement fondée à l'époque romaine, bien que son nom fasse référence aux peuples Iliens, descendants des Troyens qui auraient fui leur ville en flamme pour se réfugier dans la région. L'histoire n'apporte malheureusement aucune preuve de cette théorie. L'arrivée des jésuites au XVIIe siècle est mieux documentée : ils sont à l'origine de la gloire moderne de la ville. Ce sont en effet

---

JOYAUX ARCHÉOLOGIQUES

Les amateurs d'archéologie ne rateront ces sites sous aucun prétexte :

- Fonte Sacra Su Tempiesu (ci-contre)
- Tiscali (p. 216)
- Serra Orrios (p. 215)
- Nuraghe Mannu (p. 218)
- Santuario Santa Vittoria (p. 212)

CONSEILS POUR DES RANDONNÉES EN TOUTE SÉCURITÉ

Avant de partir en randonnée, lisez bien les points suivants pour une expérience agréable et en toute sécurité :

- Les chemins sont souvent mal indiqués, envisagez la possibilité de prendre un guide local.
- Ne sous-estimez pas le terrain. Les montagnes sardes ne sont pas les plus hautes, mais elles sont déjà bien escarpées.
- Préparez votre séjour. Le site www.sardiniahikeandbike.com offre des cartes (téléchargement gratuit) et des descriptions de différents itinéraires.
- Acquittez-vous de tous les frais et procurez-vous tous les permis demandés par les autorités locales.
- Assurez-vous que vous êtes en forme et prêt à parcourir de longues distances.
- Procurez-vous des informations fiables sur les conditions du terrain et de l'environnement le long de votre itinéraire (par exemple auprès des gardes forestiers).
- Gardez à l'esprit les lois, règles et coutumes locales concernant la nature et l'environnement.
- Ne parcourez que des régions et des chemins à portée de vos compétences.
- Souvenez-vous que les conditions météorologiques et topographiques peuvent varier d'un parcours à l'autre. Tenez-en compte au moment de choisir vos vêtements et votre équipement.
- Avant de partir, renseignez-vous sur les caractéristiques environnementales susceptibles d'affecter votre randonnée. Demandez aux marcheurs locaux expérimentés comment gérer ces obstacles.
- Assurez-vous que votre assurance voyage couvre les treks et les randonnées.

eux qui ont encouragé l'essor de l'industrie locale de la soie en poussant les fermiers à cultiver les coteaux des environs. Les leçons ont été retenues et Oliena est maintenant réputée pour ses broderies sur soie – mises en avant lors des processions colorées de Pâques – et pour son vin rouge, le Nepente di Oliena. Enfin, Oliena a vu la naissance de Gianfranco Zola en 1966, un footballeur particulièrement apprécié en Grande-Bretagne.

Orientation et renseignements

En continuant la route, après la station-service, on débouche sur la Piazza Santa Maria, la place centrale.

La meilleure source d'informations à Oliena est **Tourpass** (☎ 0784 28 60 78 ; Corso Deledda 32 ; ☽ 9h30-13h et 16h-19h), une agence privée qui vous renseigne sur les activités à faire dans la région, fournit un accès à Internet, loue des vélos et réserve votre hébergement. On y vend également des billets pour les ferries.

À voir et à faire

La Piazza Santa Maria, où s'élève la **Chiesa di Santa Maria** du XIIIe siècle, accueille un marché le samedi. Le quartier possède plusieurs autres églises magnifiques, comme l'épurée **Chiesa di San Lussorio** (Via Cavour), du XIVe siècle. Lorsque vous aurez vu ces églises et arpenté les ruelles grises escarpées du centre-ville, vous aurez à peu près fait le tour d'Oliena. Toutefois, si vous avez la chance d'être là à Pâques, vous découvrirez Oliena sous un visage bien plus festif. Le point culminant des célébrations est la *S'Incontru* (la Rencontre), une procession tapageuse qui a lieu le dimanche de Pâques : une statue du Christ est transportée à la rencontre d'une effigie de la Vierge Marie, sur la Piazza Santa Maria. Des manifestations culturelles ont également lieu en septembre et octobre dans le cadre de l'**Autunno in Barbagia** (Automne en Barbagia, voir l'encadré p. 204).

La région autour d'Oliena est propice à de magnifiques promenades. La piste qui grimpe jusqu'aux plus hauts sommets du Supramonte débute 4 km au sud de la ville, dans les bois de Maccione. Appelé la **Scala 'e Pradu** (l'Escalier du plateau), ce parcours vertigineux et sinueux offre des vues à couper le souffle et culmine au sommet de la **Punta sos Nidos** (pic des nids).

Pour rejoindre la piste, dirigez vos pas vers la **Cooperativa Enis** (www.coopenis.it), un centre de randonnée qui peut organiser des marches ou des excursions en 4x4 (voir l'Hotel Monte Maccione, *infra*).

Sardegna Nascosta (☎ 0784 28 85 50 ; www.sardegnanascosta.it) et **Barbagia Insolita** (☎ 0784 28 60 05 ; www.barbagiainsolita.it ; Corso Vittoria Emanuele 48) organisent des excursions, des randonnées, du canoë, de la descente en rappel, de l'escalade et de l'équitation. Les prix dépendent du nombre de participants. Appelez pour plus de renseignements.

Où se loger et se restaurer

Agriturismo Guthiddai (☎ 0784 28 60 17 ; www.agriturismoguthiddai.com ; Nuoro-Dorgali bivio Su Gologone ; demi-pension 48-50 €/pers). Sur la route de Su Gologone, cet *agriturismo* bucolique est installé dans une jolie ferme blanchie à la chaux entourée de figuiers, d'oliviers et d'autres arbres fruitiers, et surplombée par une falaise vertigineuse de 500 m. L'huile d'olive et le vin qui atterrissent sur votre table y sont produits, de même que les fruits et légumes du jardin. Les chambres sont joliment carrelées, dans les tons vert pâle et bleu cobalt.

Hotel Cikappa (☎ 0784 28 87 33 ; www.cikappa.com ; Corso Martin Luther King ; s/d 40/60 €, repas 25 € environ ; 🖳). Près du centre du village, ce petit hôtel possède 7 chambres bien rangées au-dessus d'un restaurant fréquenté. Décorées de façon simple, avec des meubles en pin et des murs blancs dénudés, les meilleures chambres ont un balcon donnant sur le bourg et la montagne en arrière-plan. Le restaurant sert de très bons plats, à l'instar des copieuses assiettes de viande telles que l'*agnello in umido* (ragoût d'agneau).

Hotel Monte Maccione (☎ 0784 28 83 63 ; www.coopenis.it ; s 36-45 €, d 60-74 €, demi-pension 49,50-64 €/pers ; 🅿). Géré par la Cooperativa Enis, cet établissement jouit d'une situation en hauteur, au plus profond des bois du Monte Maccione (700 m), à 4 km d'Oliena après une route particulièrement sinueuse. Il propose des chambres simples et rustiques avec une belle vue. Vous pourrez également y planter votre tente (13,50 € à 14,50 € par tente) et manger dans le délicieux restaurant (25 € à 30 €).

🔘 **Hotel Su Gologone** (☎ 0784 28 75 12 ; www.sugologone.it ; s 115-180 €, d 140-240 €, ste 340-440 € ; 🅿 🖳 🏊). À environ 7 km à l'est d'Oliena, ce fabuleux hôtel isolé arbore un style hacienda. Des chemins pavés mènent à une série de bungalows blanchis à la chaux avec poutres d'olivier apparentes, décorés de broderies, de meubles anciens et d'artisanat local. Une piscine, un centre de loisirs, une grande cave à vin et de nombreuses randonnées occuperont également vos journées. Le restaurant (repas 55 €), l'un des meilleurs de Sardaigne, est spécialisé dans les plats sardes traditionnels comme le délicieux *porceddu*.

Ristorante Masiloghi (☎ 0784 28 56 96 ; Via Galiani 68 ; repas 30 € environ). Niché dans une villa méditerranéenne ensoleillée, sur la rue principale, ce restaurant élégant expose des œuvres d'artistes locaux dans une salle rustique et prépare des plats succulents. La spécialité de la maison est l'agneau de la région.

Depuis/vers Oliena

De fréquents bus ARST partent de la Via Roma en direction de Nuoro (1 €, 20 min, jusqu'à 12 bus/j lun-sam, 6/j dim).

LA BARBAGIA

Le cœur géographique et spirituel de la Sardaigne est une région rugueuse et montagneuse. Elle est connue sous le nom des Barbagie (le pluriel indique plusieurs zones distinctes qui composent la région), mais elle est le plus souvent appelée simplement la Barbagia. Le nom dérive du latin "Barbaria" (qui vient lui-même du grec *barbaros*, "étranger, barbare") que les Romains donnèrent à la région pour n'avoir jamais réussi à la conquérir. Les reliefs vertigineux et les habitants téméraires ont toujours su repousser les légionnaires, comme ils repoussent depuis lors le monde extérieur. Aujourd'hui encore, la population conserve cette fierté intérieure. Les dialectes dérivés du sarde sont très répandus dans les villages et les fêtes traditionnelles sont toujours célébrées avec une grande ferveur. Il est encore fréquent de voir des femmes âgées vêtues de leurs habits noirs traditionnels.

Au cœur de la région s'étendent les hauteurs arides balayées par le vent du massif du Gennargentu, point culminant de l'île. C'est aussi le centre du **Parco Nazionale del Golfo di Orosei e del Gennargentu**, le plus étendu des parcs nationaux de Sardaigne, qui englobe aussi le plateau du Supramonte et le Golfo di Orosei.

ORIENTATION ET RENSEIGNEMENTS

Émaillée de dizaines de villages, la Barbagia est subdivisée en districts autour du Gennargentu : la Barbagia Ollolai au nord, le Mandrolisai à l'ouest, la Barbagia di Belvì au sud-ouest et la Barbagia di Seulo au sud.

La région n'est pas très peuplée, et les routes entre les villes se limitent souvent à une voie sinueuse. Les meilleures sources d'information sont les offices du tourisme de Nuoro, Oliena et Dorgali. Les cartes les plus pratiques sont celle du Parco del Gennargentu (1/100 000 ; 6 €) publiée par Belletti Editore et celle de Nuoro (1/200 000 ; 6,50 €) publiée par Litografia Artistica Cartografica.

DEPUIS/VERS LA BARBAGIA

Difficile d'accès en transports publics, la région vaut vraiment la peine de louer une voiture pour être découverte en toute liberté.

Les bus **ARST** assurent des services limités entre ces villages de montagne, généralement une ou deux fois par jour, et le plus souvent uniquement dans la matinée. De Nuoro, des bus circulent vers Mamoiada (1,50 €, 20 minutes, 5/j lun-sam, 1/j dim), Fonni (2,50 €, 40 minutes, 8/j lun-sam, 2/j dim),

Gavoi (2,50 €, 1 heure 10, 4/j lun-sam, 1/j dim), Desulo (4 €, 1 heure 20, 1/j lun-sam) et Aritzo (5,50 €, 2 heures, 1/j)

ORGOSOLO
4 500 habitants

À quelque 18 km au sud de Nuoro, Orgosolo, longtemps synonyme de banditisme et de violence, est la ville la plus connue de Sardaigne. Aujourd'hui, l'ambiance s'est apaisée et la ville se reconvertit peu à peu en lieu touristique. Il n'est plus inhabituel de voir débarquer des cars de touristes le long de la rue principale pour photographier les peintures murales colorées qui ornent les bâtiments du village. Mais lorsque les touristes repartent en fin de journée, les habitants sortent de leur tanière : les anciens dévisagent ceux qu'ils ne reconnaissent pas et les jeunes, avec leur coupe en brosse, roulent à toute vitesse dans leurs voitures boueuses.

L'histoire d'Orgosolo est assez effrayante : entre 1901 et 1950, le village déplorait un meurtre tous les deux mois, conséquences dramatiques de la guerre d'héritage auquel se livraient deux familles rivales. Dans son livre *Colombi e sparvieri* (*Colombes et éperviers*, 1912), Grazia

---

LA MURRA, LE JEU DE LA MORT

La tension règne. Penchés deux à deux l'un vers l'autre, deux couples d'hommes se livrent un combat sans merci. Les esprits s'échauffent rapidement à mesure qu'ils projettent la main l'un vers l'autre en criant des chiffres en sarde. Ce qui apparaît aux yeux du reste du monde comme une version survoltée du jeu "pierre, papier, ciseaux" est, dans le centre de la Sardaigne, et en particulier dans la région de Nuoro, un passe-temps séculaire à l'histoire haute en couleur.

Les règles du jeu ne sont pas très compliquées. Deux ou quatre joueurs peuvent participer – dans ce dernier cas le match se joue en double. De chaque côté, un joueur brandit la main en tendant un certain nombre de doigts. Tous deux crient un chiffre dans l'espoir de deviner le nombre total de doigts montrés. L'opération se répète comme un feu roulant jusqu'à ce que l'un des côtés devine juste et gagne ainsi un point. Chaque fois qu'un des camps (dans le jeu à quatre) devine juste, le gagnant du round continue avec le partenaire du perdant. Le premier camp qui atteint 16 points (parfois 21), avec un avantage de deux points, est déclaré vainqueur. Quand les deux équipes sont à égalité à 16 (ou 21), un round de prolongation départage les ex-aequo, le gagnant étant le premier qui remporte cinq points.

Ce jeu se déroule à toute vitesse et déclenche d'incroyables passions. Lors des compétitions, de plus en plus populaires, la tension monte à mesure que se vident les bouteilles de vin.

Traditionnellement, ce jeu se pratiquait à l'improviste dans un coin de rue, ou partout où des hommes se retrouvaient sans rien à faire. Le problème, c'est que personne n'aimant perdre, les accusations de tricherie allaient bon train. La partie se terminait souvent à coups de couteau si bien que la *murra* a longtemps été interdite. Depuis la fin des années 1990, des championnats ont été organisés, en particulier à Urzulei et à Gavoi, mais aussi sur le Montiferru, à Seneghe dans la province d'Oristano. La compétition se déroule le matin. Elle est suivie par un long déjeuner, puis des combats improvisés ont lieu l'après-midi, dans une ambiance nettement plus passionnelle que lors des épreuves officielles du matin.

Deledda décrit les efforts mis en œuvre pour tenter de désamorcer les tensions qui menaient ces deux familles à s'entretuer. Après la Seconde Guerre mondiale, les vols de moutons cédèrent la place aux enlèvements de personnes, plus lucratifs, sous la conduite du plus tristement célèbre enfant du village, Graziano Mesina. Il passa une bonne partie des années 1960 à se faire une réputation de Robin des Bois en volant les riches pour donner aux pauvres. Capturé en 1968 et emprisonné sur le continent, il fut libéré en 1992 pour aider à négocier la libération de Saudi Farouk Kassam, un enfant de huit ans enlevé sur la Costa Smeralda et retenu en otage sur le Monte Albo, près de Siniscola.

À voir et à faire

La majeure partie des **murales** (peintures murales) d'Orgosolo jalonnent le Corso Repubblica, principale artère du village. L'initiative en revient au professeur Francesco del Casino, dans le cadre d'un projet scolaire mené en 1975 pour célébrer le 30e anniversaire de la libération de l'Italie. On dénombre aujourd'hui plus de 150 peintures murales, dont beaucoup exécutées par Casino lui-même et les générations successives d'étudiants d'Orgosolo. Parmi les autres peintres connus figurent Pasquale Buesca et Vincenzo Floris.

Le style des peintures varie beaucoup d'un artiste à l'autre : certaines sont naturalistes, d'autres ont des allures de bandes dessinées et d'autres encore, notamment celles du Fotostudio Kikinu, rappellent Picasso. Telle une satire politique, ces fresques représentent les grands événements politiques du XXe siècle ainsi que le combat permanent des opprimés contre un *establishment* puissant et souvent corrompu. Les défaillances politiques de l'Italie sont largement mises en relief, en particulier le procès d'Emilio Lussu (voir p. 31), la choquante corruption de la Cassa del Mezzogiorno ou le procès de l'ancien Premier ministre Giulio Andreotti, caricaturé avec des bulles dans lesquelles il répète son refrain laconique : "Je ne me souviens pas." La Seconde Guerre mondiale, la création de la bombe atomique, les grèves des mineurs de l'Iglesiente, les démons du capitalisme, la libération des femmes… tous les sujets sont abordés. Art vivant, les peintures murales captent toutes les émotions et témoignent de la mondialisation des consciences. Ainsi, quelques jours seulement après les attaques contre les Twin Towers de New York, en 2001,

une peinture était consacrée à l'événement. De même, la mort diffusée en direct sur toutes les télévisions du monde d'un jeune Palestinien, le 30 septembre 2000, a fait l'objet d'un traitement vraiment saisissant.

Si la faim vous tiraille durant votre promenade, entrez au **Cortile del Formaggio** (Corso Republica 214 ; ☺ 10h-13h et 15h-20h lun-ven), une toute petite maison donnant sur une cour où vous pourrez acheter des fromages locaux.

À 5 km au sud de la ville, la route secondaire SP48 monte vers les hauteurs de Montes. Treize kilomètres plus au sud, la **Funtana Bona** est la source qui donne naissance à la Cedrino. En chemin, on passe au milieu des grands chênes de la **Foresta de Montes**.

Fête

La **Festa dell'Assunta** (fête de l'Assomption), le 15 août, est le moment idéal pour découvrir Orogosolo : les habitants de toute la Barbagia accourent pour l'une des processions les plus hautes en couleur de la région.

Où se loger et se restaurer

Vous n'aurez pas beaucoup de choix si vous décidez de passer la nuit à Orgosolo.

Petit Hotel (☎ 0784 40 33 13 ; Via Mannu ; s 26-29 €, d 37-39 €, demi-pension 31 €/pers). Dans une rue adjacente à l'artère principale, cet hôtel familial et accueillant possède des chambres deux-étoiles et un restaurant correct. Si vous voyagez en basse saison, téléphonez en avance pour vous assurer que l'hôtel est bien ouvert.

Hotel Sa 'e Jana (☎/fax 0784 40 24 37 ; Via E. Lussu ; s 42-50 €, d 52-60 €). Dans une ruelle poussiéreuse dans l'ouest de la ville, c'est le plus grand des deux hôtels d'Orgosolo. Les chambres sont spacieuses, lumineuses mais assez banales ; les meilleures ont une belle vue sur les sommets verdoyants alentours. Sous les chambres, un restaurant-pizzeria vous servira des petits-déjeuners pour la somme de 6 €.

Il Portico (☎ 0784 40 29 29 ; Via Giovanni XXIII ; pizza 4,50 €, repas 20 € environ ; ☺ tous les jours en été, ven-mer en hiver). Un excellent restaurant-pizzeria qui sert de belles pizzas bien garnies et de bons produits du terroir (viandes et légumes). La salle est aérée et le service sympathique et souriant.

Depuis/vers Orgosolo

Des bus circulent régulièrement entre Orgosolo et Nuoro (2 €, 35 min, 6/j lun-sam, 3/j dim).

Mamoiada

2 600 habitants

À 14 km au sud de Nuoro, Mamoiada est un village quelconque qui organise toutefois le carnaval le plus fascinant de Sardaigne. Les festivités démarrent lors de la **Festa di Sant'Antonio,** les 16 et 17 janvier. Selon la légende, saint Antoine vola le feu des Enfers pour l'offrir aux hommes : en hommage, des feux de joie sont allumés un peu partout en ville. Outre les feux d'artifice, ce sont surtout les *mamuthones,* des personnages costumés, qui ont rendu la ville célèbre et donnent au festival son côté lugubre. Ces apparitions monstrueuses reviennent à Mardi gras et le dimanche précédent lors du grand **Carnevale.** Jusqu'à 200 hommes prennent l'apparence des *mamuthones.* Revêtus de peaux de mouton à longs poils bruns, de masques en bois primitifs et portant sur eux jusqu'à 30 kg de *campanacce* (cloches de vaches), ils offrent un spectacle qui se veut effrayant. Les anthropologues pensent que ces *mamuthones* incarnaient toutes les frayeurs non exprimées des populations rurales et que cette parade rituelle est une tentative pour exorciser les démons de la nature avant l'arrivée du printemps. Les *mamuthones* défilent tenus en laisse par des *issokadores,* déguisés en gendarmes intemporels, qui sont chargés de les entraîner en dehors de la ville.

Si vous ne pouvez être sur place pour ce carnaval si caractéristique, vous pouvez néanmoins vous faire une idée de cette fête au **Museo delle Maschere Mediterranee** (☎ 0784 56 90 18 ; www.museodellemaschere.it ; Piazza Europa 15 ; adulte/enfant 4/2,60 € ; 🕑 9h-13h et 15h-19h tlj juillet et août), où vous verrez notamment une présentation multimédia (en italien) ainsi que des mannequins déguisés avec les fameuses peaux de mouton aux longs poils hérissés.

En ville, plusieurs magasins vendent les masques en bois que portent les *mamuthones.* Ne comptez pas moins de 100 € pour un masque de bonne facture.

Pour avaler un morceau sur le pouce, essayez **La Campagnola** (☎ 0784 5 60 75 ; Via Satta ; pizza 6 €, repas 25 € environ ; 🕑 mar-dim), un restaurant ensoleillé qui propose plus de 30 pizzas différentes, des pâtes et quelques plats de résistance.

Quelques bus ARST, rarement à l'heure, roulent jusqu'à Nuoro (1,50 €, 20 minutes, 5/j lun-sam, 1/j dim).

Orani et Ottana

Village gris et peu séduisant, Orani n'offre pas grand intérêt en dehors du **Museo Nivola** (☎ 0784

73 00 63 ; www.museonivola.it ; Via Gonare 2 ; adulte/enfant 3/1,50 € ; 🕑 9h-13h et 16h-21h mar-dim juin-sept, jusqu'à 20h oct-mai). Situé juste après l'entrée sud de la ville, il est consacré à l'œuvre de Constantino Nivola (1911-1988). Fils d'un maçon local, ce sculpteur fut l'inventeur d'une nouvelle technique de fonte, celle des moules au sable. Après avoir quitté l'Italie en 1938 pour fuir les persécutions fascistes, il passa la majeure partie sa vie à travailler aux États-Unis.

Cinq kilomètres au sud d'Orani, la ville de Sarule s'étend au pied du Monte Gonare (1 083 m). Le village ne justifie pas vraiment une halte, mais une petite rue étroite mène au **Santuario di Nostra Signora di Gonare,** un sanctuaire fortifié qui dresse sa masse grise au sommet d'une colline isolée. C'est un important lieu de pèlerinage autour duquel les villageois se rassemblent tous les ans, entre le 5 et le 8 septembre, pour célébrer la Madonna di Gonare lors de courses hippiques, de chants et de danses.

À **Ottana,** un village voisin sans intérêt le reste du temps, le carnaval du Mardi gras donne lieu à des festivités autrement spectaculaires. Rivalisant avec le carnaval de Mamoiada, les célébrations atteignent leur paroxysme lors du défilé costumé des *boes* : ces hommes déguisés en bétail sont dirigés dans les rues par leurs bergers, les *merdules* (des hommes masqués représentant nos ancêtres de la préhistoire).

Gavoi

2 900 habitants

Connu pour son *fiore sardo* (*pecorino* sarde) et son festival de littérature (voir l'encadré ci-dessous), Gavoi est l'un des plus jolis villages de Barbagia. Son centre historique est magnifiquement préservé, comme en témoigne son réseau d'étroites ruelles bordées de jolies maisons en pierre. À 3 km au sud, le **Lago di Gusana** scintille au milieu des forêts de lièges, de houx et de chênes.

Au cœur du village, la **Chiesa di San Gavino** a été construite au XVI⁰ siècle dans le style gothique catalan, comme le montrent la façade simple en trachyte rouge et la magnifique rosace. Depuis la Piazza devant l'église, les ruelles pavées mènent jusqu'au *borgo medievale* (bourg médiéval), préservé de toute trace de modernité.

Le lac, où l'on vient pêcher, et ses environs, donnent l'opportunité de faire de belles excursions. Vous pouvez louer des canoës (25 € par

LITTÉRATURE EN BARBAGIA

Le petit village de Gavoi, en Barbagia, est un site bien incongru pour rencontrer Jonathan Coe, Nick Hornby ou Zadie Smith. Et pourtant, ces auteurs britanniques à succès ne sont que quelques-uns des grands noms de la littérature qui ont visité ce village lors de son festival littéraire annuel.

Avec un succès incontestable, **L'Isola delle Storie, Festival Letterario della Sardegna** a chaque année gagné en popularité depuis son inauguration en 2003. Ce festival littéraire est sorti de l'imagination de l'écrivain de Nuoro, Marcello Fois, qui avait l'ambition de créer un événement de taille, et du désir d'une femme, Andreuccia Podda, de briser la monotonie des longues soirées estivales.

Dans sa sixième année, le festival est devenu une manifestation majeure en Sardaigne. Durant quatre jours début juillet, le village se transforme en scène à ciel ouvert où se succèdent lectures, concerts, pièces de théâtre, projections et conférences.

Pour plus d'informations, consulter le site du festival www.isoladellestorie.it.

jour) auprès de **Barbagia No Limits** (☎ 0784 52 90 16 ; www.barbagianolimits.it ; Via Cagliari 85), une agence locale qui organise nombre d'activités variées comme des treks, du canyoning, de l'exploration de grottes et des circuits en 4x4.

Si vous voulez passer la nuit près du lac dans un endroit charmant, rendez-vous à l'**Hotel Sa Valasa** (☎ 0784 53 42 3 ; savalasa@tiscali.it ; Localita Sa Valasa ; s/d 25/50 €, demi-pension 40-45 €/pers ; **P**), un grand deux-étoiles éparpillé sur une propriété privée au bord du lac. Dans les chambres pourvues de meubles en pin, le calme est assuré. En bas, la pizzeria-restaurant est l'occasion d'un repas agréable et détendu. Petit-déjeuner pour 5 € supplémentaire.

Dans le village même, le rustique **Ristorante Sante Rughe** (☎ 0784 53 77 4 ; Via Carlo Felice 2 ; repas 30 € environ ; ☺ lun-sam) prépare de bonnes recettes locales. La spécialité de la maison est *lu su erbuzzu*, une savoureuse soupe aromatisée aux herbes sauvages, mêlant lard, saucisses, fromage et haricots. L'assiette de fromage est un vrai plaisir et les pizzas (en soirée seulement) sont excellentes.

En semaine, quatre bus ARST arrivent de Nuoro (2,50 €, 1 heure 10), ainsi qu'un bus le dimanche.

Fonni et Desulo

La grosse bourgade rurale de **Fonni** est située à 1 000 m d'altitude, ce qui en fait le plus haut village de Sardaigne. C'est une base très prisée des randonneurs qui viennent explorer les plus hauts pics de Sardaigne : la Bruncu Spina (1 829 m) et la Punta La Marmora (1 834 m).

Tout en haut du village, juste à côté de la Piazza Europa, se dresse l'imposante **Basilica della Madonna dei Martiri**, du XVIIe siècle. Entouré de *cumbessias* (cabanes de pèlerins),

c'est l'un des plus importants édifices baroques de Barbagia. La basilique renferme une image de la Vierge qui serait faite avec les os pilés de martyrs. L'église est au centre des deux principales fêtes religieuses de la ville, la **Festa della Madonna dei Martiri**, le lundi qui suit le premier dimanche de juin, et la **Festa di San Giovanni**, le 24 juin.

Devant l'église, plusieurs arbres ont été curieusement transformés par des sculpteurs en scènes religieuses, dont l'une montrant le Christ et les deux larrons crucifiés.

Desulo, 27 km au sud de Fonni, est une ville tout en longueur formée par la réunion de trois villages autrefois distincts. Il n'y a rien de particulier à y voir mais, comme Fonni, c'est une bonne base de randonnée en raison de sa proximité avec le Gennargentu.

BRUNCU SPINA ET PUNTA LA MARMORA

Depuis Fonni ou Desulo, il est relativement aisé de rejoindre les deux plus hauts sommets de l'île. Pour rejoindre le sentier de la Bruncu Spina, suivez la route menant de Fonni à Desulo jusqu'à l'embranchement situé à 5 km de Fonni. De là, la route serpente pendant 10 km à travers un paysage dénudé jusqu'au pied d'un remonte-pente abandonné. Un kilomètre avant d'arriver au remonte-pente, vous verrez sur la droite un chemin de terre escarpé menant à un sentier long de 3 km qui conduit directement au sommet (1 829 m). Là s'étend une vue à 360° sur toute l'île. Pour contempler la vue de 5 m plus haut, il faut marcher environ 1 heure 30 en direction du sud jusqu'à la **Punta La Marmora** (1 834 m). Bien que cela paraisse assez facile depuis la Bruncu Spina, il faut absolument une bonne carte de randonnée ou l'aide d'un guide pour ne pas se perdre.

OÙ SE LOGER ET SE RESTAURER

Le meilleur hôtel de Fonni, et l'un des meilleurs de toute la Barbagia, est ✪ l'**Hotel Sa Orte** (☎ 0784 5 80 20 ; www.hotelsaorte.it ; Via Roma 14 ; s 35-40 €, d 60-80 €, ste 90-100 € ; 🞮). La façade sombre en granit ouvre sur un intérieur moderne et vivant aux murs couleur mandarine, sols en parquet et meubles en bois blanc. En bas, le restaurant sert de très bonnes pâtes maison et des viandes locales.

Dans la partie moderne du village, le **Ristorante Albergo Il Cinghialetto** (☎ 0784 5 76 60 ; www.ilcinghialetto.it ; Via Grazia Deledda 115 ; s/d 40/70 €, demi-pension 55 €/pers ; 🞮) est un très bon restaurant (repas de 20 € à 25 €) qui fait également hôtel, avec ses sept chambres propres et fonctionnelles.

À Desulo, l'**Hotel Lamarmora** (☎ 0784 61 70 15 ; www.hotellamarmora.com, en italien ; Via Lamarmora 147 ; s 31-42 €, d 37-57 €, demi-pension 37-57 €/pers) dispose de chambres modestes et d'un restaurant correct. Il se trouve au nord de la ville, près du virage en épingle qui mène à Fonni.

DEPUIS/VERS FONNI ET DESULO

De Nuoro, des bus ARST vous emmènent à Fonni (2,50 €, 40 minutes, 8/j lun-sam, 2/j dim) et Desulo (4 €, 1 heure 20, 1/j lun-sam).

BARBAGIA DI BELVI
Aritzo

1 500 habitants

Station de montagne bien vivante, Aritzo attire les visiteurs depuis le XIXᵉ siècle. Son climat frais et son charme alpin (à 796 m d'altitude) ont plu à la noblesse piémontaise qui s'y est installée pour chasser le sanglier.

Mais bien avant que le tourisme ne prenne ses marques, le village était déjà florissant grâce au ramassage fort lucratif de la neige. Pendant cinq siècles, le village a eu le monopole du ramassage de la glace dont elle alimentait toute la Sardaigne. Les "fermiers de la neige", ou *niargios*, ramassaient l'or blanc sur la **Punta di Funtana Cungiada** (1 458 m) et la conservaient dans des coffres en bois et en paille avant de l'envoyer aux grandes tables de Cagliari.

On peut voir ce genre de coffres au petit **Museo Etnografico** (☎ 0784 62 98 01 ; Via Guglielmo Marconi ; 2 € ; 🕘 10h-13h et 16h-19h mar-dim juin-sept, 9h-13h et 15h-18h oct-mai), situé dans l'école élémentaire. Le musée présente aussi une collection disparate de costumes traditionnels et de masques, de matériel agricole et d'objets de la vie quotidienne. Le même billet donne accès à la **Bovida Prigione Spagnola** (☎ voir le musée ci-dessus), la prison du XVIᵉ siècle sur la Via Scale Carceri. Construite en schiste gris, cette effrayante bâtisse servit de prison haute sécurité jusqu'aux années 1940.

À quelques pas de là, la **Chiesa di San Michele Arcangelo** ne reflète plus vraiment ses origines gothiques. À l'intérieur se trouvent une *pietà* du XVIIIᵉ siècle et un portrait de San Cristoforo du XVIIᵉ siècle. De l'autre côté de la rue, le point de vue permet d'observer le **Monte Textile** aux formes étranges, qui est aujourd'hui une petite réserve naturelle.

Il existe de nombreux sentiers de randonnée balisés autour du village, et la plupart peuvent se pratiquer seul.

Deux fêtes gastronomiques se déroulent à Aritzo. Mi-août, la **Festa de San Carapigna** offre la possibilité de goûter à la *carapigna*, le fameux sorbet au citron du village. Le dernier dimanche d'octobre, la ville se remplit de gens qui viennent ramasser les châtaignes à l'occasion de la **Sagra delle Castagne**.

Les hôtels de la ville, qui possèdent tous leur propre restaurant, sont répartis le long de la rue principale près de la sortie sud. Le moins cher est le joyeux **Hotel Castello** (☎ 0784 62 92 66 ; Corso Umberto ; s 24-26 €, d 36-41 €, demi-pension 34-36 €/ pers), qui dispose de 19 chambres plus que spartiates sur trois étages. Si l'hôtel ne risque

---

ESCAPADE À SORGONO

Aussi bien pour le trajet qui y mène que pour le village lui-même, **Sorgono** vaut le détour. En plein cœur du Mandrolisai, une région vallonnée et reculée à l'ouest du Gennargentu, le village est entouré par d'énormes forêts de houx, de lièges, de châtaigniers et de noisetiers. Dans les environs, le site archéologique **Biru 'e Concas** présente l'une des plus grandes collections de menhirs de Sardaigne. En ville, la **Cantina del Mandrolisai** (☎ 0784 6 01 13 ; www.mandrolisai.com ; Corso IV Novembre 20) est l'un des principaux producteurs de vins, réputés pour ses rouges robustes.

Il est possible de rejoindre Sorgono par le *trenino verde*. En voiture, vous devrez rouler sur 25 km de route sinueuse en prenant la SS295 depuis Aritzo.

pas de gagner un prix pour sa décoration, il a le mérite d'être ouvert toute l'année, d'avoir de nombreuses chambres avec vue et d'organiser quelques concerts dans le restaurant. À quelques kilomètres hors du village, l'**Hotel La Capannina** (☎ 0784 62 91 21 ; www.hotelcapannina.net ; Via A Maxia 36 ; s/d 40/70 €, demi-pension 60 €/pers) est un chalet alpin élégant avec des chambres simples et baignées de lumière.

BARBAGIA DI SEULO

Au sud et à l'est d'Aritzo, la Barbagia di Seulo s'étend entre les pics rocheux du parc national du Gennargentu. C'est une région déserte où l'on peut voir quelques rares petits villages le long de routes sinueuses.

Depuis Aritzo, la route continue vers le sud-est et traverse les petites villes de **Seulo** et **Seui**, cette dernière présentant quelques maisons traditionnelles aux balcons en fer forgé. En continuant en direction d'Ulassai après environ 9 km, la route bifurque vers Cantoniera Arcueri. Suivez Montarbu et, encore 9 km plus loin, vous arriverez au plus grand nuraghe de Sardaigne, le **nuraghe Ardasai**, sur votre gauche. Bâti sur un affleurement rocheux surplombant la vallée du Flumendosa, le site offre des panoramas spectaculaires. Six kilomètres plus loin, un embranchement mène à l'épaisse **Foresta di Montarbu**, dominée par la montagne du même nom (1 304 m). Enfin, après quelques kilomètres, le **Monte Perda Liana**, à 1 293 m, est encore plus impressionnant.

De là, la route descend jusqu'à la rive sud du **Lago Alto della Flumendosa**, puis continue vers l'est sur 10 km environ avant de croiser à plusieurs reprises la ligne touristique du *trenino verde*. Elle rejoint enfin la route principale Nuoro-Lanusei.

SARCIDANO

Au sud-ouest d'Aritzo, les montagnes s'abaissent pour laisser place à la vaste plaine de Sarcidano, truffée de nuraghi et d'autres mystérieux sites préhistoriques.

Laconi

2 200 habitants

À cheval sur la SS128 qui bifurque vers le sud, Laconi est une charmante petite ville qui vaut bien un arrêt. On y trouve plusieurs centres d'intérêt comme un beau parc boisé, la maison natale de l'unique saint sarde ainsi qu'un étrange et merveilleux musée archéologique.

Laconi est également l'une des rares villes de la région où est implanté un **office du tourisme** (☎ 0782 86 70 13 ; Piazza Marconi ; ☻ 9h-13h lun-ven). Il se trouve face au *municipio* (la mairie), de style néoclassique, sur la place centrale. S'il est fermé, vous pourrez glaner des renseignements auprès du sympathique personnel du **Museo delle statue menhir** (☎ 0782 86 62 16 ; Via Amsicora ; adulte/enfant 3,50/2 € ; ☻ 9h-13h et 16h-19h avr-sept, 9h-13h et 16h-18h oct-mars, fermé 1er lundi du mois). Cet agréable musée présente une collection de 40 statues-menhirs trouvés sur les sites de la région. Ces mégalithes anthropomorphes ont quelque chose d'étrangement fascinant. On ignore presque tout de leur utilité, mais on suppose qu'ils étaient liés aux rites funéraires préhistoriques. Exposés dans la pénombre, ils paraissent encore plus mystérieux, les jeux d'ombres et de lumières faisant ressortir les reliefs sculptés érodés suggérant leur caractère "mâle" ou "femelle". L'exposition s'accompagne d'intéressantes explications (en italien). Si le sujet vous intéresse, vous aurez peut-être envie de faire un détour par Pranu Mutteddu (page suivante), plus au sud, pour voir d'autres menhirs semblables *in situ*.

En venant du Municipio, traversez la rue et prenez la Via Sant'Ignazio pour vous rendre à la **Casa Natale di Sant'Ignazio** (Via Sant'Ignazio 58), modeste maison de deux pièces où serait né saint Ignace (mort en 1781). La salle à l'arrière, au plafond bas en bois et aux murs de pierre, illustre bien ce qu'était une maison pauvre au XVIIIe siècle. Il n'y a pas d'horaires d'ouverture officiels, mais la maison est presque toujours ouverte. Si ce n'est pas le cas, renseignez-vous auprès de l'office du tourisme.

De la Via Sant'Ignazio, si vous prenez la première rue à gauche après la maison du saint, vous arriverez au **Parco Laconi** (☻ 9h-17h). Ce parc sensationnel de 22 ha plantés d'arbres exotiques (notamment un imposant cèdre du Liban et plusieurs eucalyptus), abrite des sources, des lacs, des grottes et les vestiges du **Castello Aymerich**. De là, on jouit d'une vue merveilleuse sur le parc et le paysage verdoyant autour de Laconi.

Pour passer la nuit à Laconi, direction l'**Albergo Ristorante Sardegna** (☎ 0782 86 90 33 ; www.albergosardegna.it ; s/d 36/65 €, demi-pension 52 €/pers), à l'entrée nord du village. Au-dessus du restaurant très fréquenté, les six chambres sont raffinées et certaines disposent d'une belle vue.

Les bus en direction de Laconi sont assez rares, et la plupart ne circulent que très tôt

---

HORS DES SENTIERS BATTUS

Vous voulez vraiment vous perdre dans la région de Nuoro ? Nous avons discuté avec Giancarlo, dont la passion pour la campagne sarde est un véritable atout dans son travail à l'office du tourisme local. Né à Nuoro, il a passé sa vie à explorer la région et est parfaitement placé pour vous recommander quelques sites hors des sentiers battus :

"Mon voyage alternatif ? Et bien, j'aime vraiment les villes du Flumendosa, en commençant par **Aritzo** puis **Gadoni, Seulo**, et **Seui** avant d'arriver à **Orroli**. La nature et les sites archéologiques dans cette région sont extraordinaires. Où que vous alliez, vous serez toujours très bien accueilli. Et les paysages sont vraiment splendides.

Près de Seui, la nature du **Montarbu** est magnifique, et les environs d'Esterzili comptent plusieurs sites intéressants. C'est impressionnant : on arrive à 1200 m au Monte S Vittoria, et il n'y a strictement rien alentour si ce n'est le vent et une complète solitude.

Une autre région passionnante est la zone d'**Usinava** (p. 176), près de la mer à San Teodoro. Ce n'est pas très connu, et vous ne verrez rien sur une carte. Depuis Budoni, prenez la direction de Brunella et dirigez-vous vers les montagnes. Vous verrez des bergers vivants dans de vieux *stazzi* (maisons de pierres traditionnelles), et avec un peu de chance, vous apercevrez peut-être des mouflons, des sangliers et des rennes."

---

le matin ou en fin d'après-midi. Ils relient le village à Isili (1,50 €, 35 minutes, 1/j), Aritzo (2 €, 40 minutes, 3/j lun-sam) et Barumini (2 €, 35 minutes, 2/j lun-sam).

Laconi est l'un des arrêts du *trenino verde*, sur la ligne Mandas-Sorgono. La gare se trouve à environ 1 km à l'ouest du centre-ville.

Sud de Laconi

À environ 20 km au sud de Laconi, près du centre sportif d'Isili, le **nuraghe Isparas** (☎ 0782 80 26 41 ; entrée 3 € ; ☺ 10h-13h et 15h30-19h) est connu pour sa tholos (coupole) de 11,8 m de haut, ce qui en fait la plus haute de Sardaigne.

Mais ce n'est qu'un avant-goût de ce qui vous attend 15 km plus loin, au bout d'une route spectaculaire circulant entre la Giara de Gesturi d'un côté et le Gennargentu de l'autre. Derrière le petit village de Serri, le **Santuario Santa Vittoria** (☎ 388 049 24 51 ; adulte/enfant 4/2 €, avec le Nuraghe Arrubiu et Prano Mutteddu 9 € ; ☺ 9h-19h été, jusqu'à 17h hiver) est l'un des plus grands sites nuragiques de toute l'île. Il a été découvert en 1907 puis entièrement dégagé dans les années 1960. À ce jour, seuls 4 hectares sur 22 ont été entièrement examinés.

Ce que l'on voit aujourd'hui se subdivise en trois zones. La zone centrale, le **Recinto delle Riunioni** (enceinte de réunion), correspond à une enclave unique qui abritait, pense-t-on, le siège du pouvoir civil. C'est un vaste espace ovale entouré d'une enceinte parsemée de tours et de diverses salles.

Derrière s'étend la zone religieuse, qui englobe le **Tempietto a Pozzo** (puits sacré), un deuxième puits, une construction qui devait être la **Capanna del Sacerdote** (cabane du prêtre), des tranchées défensives ainsi qu'un ajout plus tardif, la **Chiesa di Santa Vittoria**, petite église de campagne à laquelle le site doit son nom actuel. Séparée de ces deux zones, la **Casa del Capo** (maison du chef) tient peut-être son nom du fait que c'est l'habitation la mieux préservée avec ses murs qui atteignent 3 m de haut. Enfin, une zone distincte, constituée de plusieurs constructions circulaires, correspondrait au principal quartier d'habitation.

Nuraghe Arrubiu

Surplombant la plaine de Sarcidano, environ 10 km au sud d'Orroli, le **nuraghe Arrubiu** (adulte/enfant 4/3 €, billet incluant la visite du Santuario Santa Vittoria et de Prano Mutteddu 9 € ; ☺ 9h-13h et 15h-20h30 tlj mars-oct, jusqu'à 17h nov-fév), tient son nom (*arrubiu* signifie "rouge" en sarde) de la couleur rougeoyante que lui donne la trachyte. C'est une construction impressionnante, centrée autour d'une robuste tour haute de 16 m, dont on pense qu'elle atteignait 30 m à l'origine. Celle-ci est entourée de cinq tours défensives et, au-delà, par les vestiges d'une enceinte extérieure et d'un village. Les objets retrouvés sur le site indiquent que les Romains l'utilisèrent également.

Pranu Mutteddu

Près du village de Goni, **Pranu Mutteddu** (☎ 0782 84 72 69 ; entrée 4/2 €, avec le nuraghe Arrubiu et le Santuario Santa Vittoria 9 € ; ☺ 9h30-20h30 été, 9h-13h et 14h-18h hiver) est un site funéraire qui remonte à la culture néolithique Ozieri (entre le 3e et 4e millénaire av. J.-C.). Une série de *domus de janas* domine le site hérissé de quelque 50 menhirs, dont 20 alignés d'est en ouest, en fonction, sans doute, de la trajectoire du soleil. Ce spectacle, unique en Sardaigne, rappelle certains sites similaires de Corse.

Pour y accéder, empruntez la même route vers le sud sur 11,5 km jusqu'à Escalaplano puis sur 8 km encore en direction de Ballao. Prenez la première route à gauche vers Goni, que vous atteindrez au bout de 9 km. Le site apparaît quelques kilomètres plus loin, juste au nord de la route.

GOLFO DI OROSEI

Ce golfe splendide est la partie marine du Parco Nazionale del Golfo di Orosei e del Gennargentu. Ici, les hautes montagnes du Gennargentu tombent à pic dans la mer, dessinant un arc de falaises grandioses émaillées de criques et baignées d'une eau cristalline. La région est très fréquentée au milieu de l'été, lorsque les touristes italiens envahissent les plages isolées. Mais il y a suffisamment de possibilités d'hébergement pour tout le monde, notamment dans l'arrière-pays.

OROSEI

6 400 habitants

Plus grande ville du golfe, Orosei se trouve à la pointe nord de celui-ci, entre les vergers et les carrières de marbre. Petite ville prospère au joli centre historique, Orosei était autrefois un grand port pisan. Mais l'endiguement du rio Cedrino, associé à la négligence des Espagnols, la malaria et les attaques de pirates, a précipité la ville dans la pauvreté dont elle ne s'est sortie que récemment grâce au tourisme.

Une fois en ville, suivez les indications pour le *centro* : vous atteindrez la **Piazza del Popolo** où se trouve l'**office du tourisme** (☎ 0784 99 83 67 ; Piazza del Popolo 13 ; ⏲ 10h-12h30).

Une jolie place bordée d'arbres s'étend au pied de la **Cattedrale di San Giacomo**, une église de style espagnol avec une façade néoclassique blanche et une série de dômes couverts de tuiles. De l'autre côté de la place, la **Chiesa del Rosario** est un édifice baroque jaune que l'on dirait sorti d'un western-spaghetti. La ruelle qui part sur son flanc gauche mène à la Piazza Sas Animas et à l'**église** éponyme,

plaisant édifice de pierre à l'allure vaguement ibérique. En face se dresse la carcasse vide de la **Prigione Vecchia**, ou Castello, une tour qui subsiste d'un ancien château médiéval.

À la lisière du centre historique, la **Chiesa di Sant'Antonio** remonte en grande partie au XVe siècle, mais elle a été largement remaniée au cours des siècles. La vaste cour au pavage inégal qui entoure l'église est bordée de *cumbessias* (maisons de pèlerins) basses. Un tour de guet pisane s'y dresse, solitaire.

De tous les hébergements d'Orosei, le meilleur est **Su Barchile** (☎ 0784 9 88 79 ; www.subarchile.it ; Via Mannu 5 ; s 50-80 €, d 80-120 €, demi-pension 50-120 €/pers ; ✱), installé dans une ancienne laiterie. Les chambres sont inégales, mais l'atmosphère est agréable avec une décoration rustique et des tissus sardes. En bas, le restaurant (repas 40 €) jouit d'une bonne réputation, surtout en ce qui concerne les plats sardes traditionnels.

Un autre restaurant de choix est **La Taverna** (☎ 0784 99 83 30 ; Piazza G. Marconi 6 ; repas 25-30 € ; mai-oct), où vous pourrez déguster de copieux plats de fruits de mer et de viandes sur une agréable place verdoyante (juste à côté de Piazza Sas Animas). L'établissement loue parfois quelques chambres, tentez votre chance.

Plusieurs bus quotidiens relient Orosei à Nuoro (3 €, environ 1 heure, 5/j du lundi au samedi, 3/j le dimanche) et à Dorgali (1,50 €, 25 min, 2/j du lundi au samedi, 1/j le dimanche).

Marina di Orosei

La plage d'Orosei se situe à 2,5 km à l'est de la ville. Elle se situe à la pointe nord du golfe sur lequel elle offre un large point de vue. La profonde bande de sable s'étire sur 5 km vers le sud en changeant de nom à plusieurs reprises : **Spiaggia Su Barone**, **Spiaggia Isporoddai** puis **Spiaggia Osalla**. Toutes les trois sont séduisantes et bordées presque partout d'une pinède. Vous pouvez y pique-niquer à l'ombre ou même y faire un barbecue (des équipements sont disséminés au milieu des pins).

D'étroites routes venant d'Orosei et de Marina di Orosei longent le littoral, offrant plusieurs points d'accès au rivage. La plage de Marina di Orosei est cernée au nord par le cours du Cedrino ; derrière les plages s'étendent des lagunes, appelées **Stagni di Cedrino**.

Depuis la Spiaggia Osalla, au-delà d'une grande digue, on atteint la **Caletta di Osalla** (carte p. 196), la deuxième bande de sable après la plage principale.

POUR S'ÉVADER COMPLÈTEMENT

Les artistes en quête de solitude trouveront leur content de calme au domicile de l'artiste local Zizzu Pirisi. Célèbre à Galtelli pour ses tableaux et ses sculptures, Zizzu loue un appartement indépendant pour 2 personnes dans le jardin de son domicile et atelier, une jolie villa chaulée à environ 1 km de la ville. C'est un hébergement assez rudimentaire, mais le silence est assuré dans le jardin fermé par un mur, où Zizzu expose parfois ses œuvres. Et vous ne trouverez pas moins cher (10 €/personne et par nuit). Pour plus de détails, contactez Zizzu au ☎ 333 927 68 37.

ENVIRONS D'OROSEI
Galtelli
2 500 habitants

À première vue, cette petite ville banale à 8,5 km d'Orosei ne présente pas d'intérêt. Cependant, si vous passez par là, vous découvrirez un petit centre historique plein de charme.

L'**office du tourisme** (☎ 0784 9 01 50 ; www.galtelli. com ; Via Sassari 12 ; ⏱ 9h-12h et 16h-19h juin-sept, 9h-13h mar-dim oct-mai), dans la vieille ville, pourra vous apporter des renseignements utiles.

Galtelli peut se vanter d'avoir été cité dans le roman le plus connu de Grazia Deledda, *Canne al Vento* (*Des roseaux sous le vent*, 1913). L'office du tourisme peut vous conseiller des itinéraires sur les traces de Grazia Deledda qui vous emmènent à la **Chiesa di San Pietro**, une église romano-pisane près du cimetière, et dans la **Casa delle Dame Pintor**, la demeure fictive des trois sœurs Nieddu (héroïnes de l'auteur), construite au XVIIe siècle.

Dans une belle villa du XVIIIe siècle, le **Museo Etnografico Sa Domo 'e sos Marras** (☎ 0784 9 04 72 ; Via Garibaldi 12 ; entrée 3 € ; ⏱ 9h30-12h30 et 16h30-19h30 mar-dim) contient une intéressante collection d'objets ruraux et quelques jouets d'enfants. À l'étage, les chambres ont été redécorées dans le style du XVIIIe siècle.

Également dans la vieille ville ○ l'**Antico Borgo** (☎ 0784 9 06 80 ; www.borgodigaltelli.it ; Via Sassari ; 30-40 €/pers ; ⌘) se cache derrière une entrée discrète. Disposées autour d'un jardin central, les chambres de cet hôtel tranquille sont ornées de plafonds en bois, de sols en brique et de lits en fer forgé. Si vous ne trouvez personne à la réception, dirigez-vous vers le restaurant **Il Ritrovo** (☎ 0784 9 06 80 ; Via Nazionale), tenu par la même famille.

Jusqu'à 5 bus par jour relient Galtelli et Orosei (1 €, 10 minutes).

DORGALI
8 400 habitants

Au milieu des vignes et des oliveraies qui parsèment les flancs du Monte Bardia, Dorgali est une ville de montagne typiquement sarde. Poussiéreuse et animée, elle ne présente pas grand intérêt en elle-même mais elle constitue un bon point de départ pour explorer la région : on accède facilement au Supramonte, à Cala Gonone et à la Gola Su Gorruppu. Tous ces sites peuvent être explorés en toute indépendance, comme en circuit organisé.

Renseignements

L'**office du tourisme** (☎ 0784 9 62 43 ; www.dorgali.it, en italien ; Via Lamarmora 108/b ; ⏱ 9h-13h et 15h30-19h30 lun-ven, sam en juil-août) fournit des informations sur Dorgali et Cala Gonone, ainsi que des contacts pour des excursions ou des hébergements.

Vous pouvez vous procurer des espèces auprès de la **Banca di Sassari** (Corso Umberto 48). Si vous avez besoin d'une bonne carte de randonnée, faites un tour à la **Cartolibreria La Scolastica** (Via Lamarmora 75).

À voir et à faire

En ville, vous pouvez parcourir les boutiques d'artisanat : Dorgali est réputée pour ses articles en cuir, ses céramiques, ses tapis et ses bijoux en filigrane. Vous pouvez aussi jeter un œil à la modeste collection de trouvailles archéologiques du **Museo Archeologico** (☎ 349 442 55 52 ; Via Vittorio Emanuele ; adulte/enfant 3/1,50 € ; ⏱ 9h-13h et 16h-19h juin-août, 9h30-13h et 15h30-18h sept-oct, 9h30-13h et 14h-16h30 nov-déc, 9h-13h et 15h30-18h janv-mai). Après cela, vous aurez fait le tour de Dorgali et vous pourrez parcourir les grandes étendues environnantes.

Plusieurs organismes à Dorgali proposent des excursions en 4x4, des randonnées et des explorations de grottes. **Atlantikà** (☎ 328 972 97 19 ; www.atlantika.it ; Via Lamarmora 195) est un regroupement de guides locaux qui offre toutes sortes d'escapades, de la journée de randonnée au canoë et kayak dans le Gennargentu. Dans le même esprit, la **Cooperativa Ghivine** (☎ /fax 0784 9 67 21, 349 442 55 52 ; www.ghivine.com ; Via Lamarmora 69/e) organise un large éventail d'expéditions, comme les excursions de 4 heures à la Gola Su Gorruppu (35 €/pers) ou les randonnées de 3h30 au village préhistorique de Tiscali (40 €/pers).

Où se loger et se restaurer

Si vous ne savez pas où passer la nuit à Dorgali, contactez **Cala 'e Luna** (☎ 346 235 63 46 ; www.calaeluna.com ; Via Lamarmora 4), un service local de réservation.

Hotel S'Adde (☎ 0784 9 44 12 ; hotelsadde-sardegna@libero.it ; Via Concordia 38 ; s 40-70 €, d 70-110 €, demi-pension 60-80 €/pers ; P ⌘). Après une courte marche (bien indiquée) depuis l'artère principale, ce chalet alpin se dresse au bord de la route. Les chambres en pin ont une terrasse ouvrant sur la végétation. Les propriétaires sont très accueillants et le restaurant-pizzeria (repas de 25 € à 30 €) donne sur une terrasse au 1er étage. Un supplément de 5 € est demandé pour le petit-déjeuner.

Hotel Il Querceto (☎ 0784 9 65 09 ; www.ilquerceto.com ; Via Lamarmora 4 ; s 40-100 €, d 50-190 €, demi-pension 50-130 €/pers ; P ⌘ ⌘). Cet hôtel écologique – alimenté à l'énergie solaire et à la géothermie – dispose de chambres tranquilles décorées dans des tons clairs. Il est situé légèrement hors de la ville (après l'entrée sud-ouest), mais les piscines et le jardin compenseront ce petit désagrément. Petit-déjeuner pour 7 € supplémentaires.

Ristorante Colibrì (☎ 0784 9 60 54 ; Via Gramsci 14 ; repas 30 € environ ; ☽ lun-sam). Étrangement niché dans une zone résidentielle (suivez les nombreux panneaux), c'est le paradis des carnivores, avec des plats comme le *cinghiale al rosmarino* (sanglier au romarin) et le *porceddu*. Les pâtes sont tout aussi excellentes, mais on ne peut pas en dire autant de la triste décoration.

Depuis/vers Dorgali

Les bus ARST relient Dorgali à Nuoro (3,50 €, 50 min, 8/j lun-sam, 4/j dim) ainsi qu'à Olbia (6,50 €, 2 heures, 2/j lun-sam, 1/j dim). Jusqu'à 7 bus par jour (4 le dimanche) font l'aller-retour entre Dorgali et Cala Gonone (1 €, 20 minutes). Plusieurs arrêts jalonnent la Via Lamarmora. Les billets s'achètent au bar qui est situé à l'angle de la Via Lamarmora et du Corso Umberto.

NORD DE DORGALI
Grotta di Ispinigoli

Un court trajet au nord de Dorgali conduit à la **Grotta di Ispinigoli** (adulte/enfant 7,50/3,50 € ; ☽ visite toutes les heures entre 9h-13h et 15h-19h août, jusqu'à 18h juil et sept, 9h-12h et 15h-17h mars-juin, 10h-12h et 15h-16h nov-déc, 10h-12h janv-fév), qui abrite la deuxième plus grande stalagmite au monde (la première est au Mexique et culmine à 40 m).

On y accède par un "puits" géant de 60 m de profondeur au centre duquel se dresse la grandiose stalagmite, haute de 38 m.

L'exploration systématique de cette grotte a été entreprise dans les années 1960. Au total, on y a découvert un réseau de 15 km de galeries ainsi que huit rivières souterraines. Les spéléologues peuvent s'inscrire pour des expéditions parcourant jusqu'à 8 km auprès des divers organismes à Dorgali ou à Cala Gonone. Des objets nuragiques ont été retrouvés sur le sol du puits principal et des bijoux phéniciens sur le sol du deuxième grand "puits", situé 40 m plus bas. Lors de la visite ouverte à tous, on ne pénètre pas dans le conduit menant à la deuxième cavité, également appelé l'**Abbisso delle Vergini** (gouffre des vierges) : les bijoux retrouvés ont en effet amené à penser que les Phéniciens pratiquaient des sacrifices humains rituels consistant à jeter des jeunes filles dans le puits.

Pour passer la nuit, l'**Hotel Ispinigoli** (☎ 0784 9 52 68 ; www.hotelispinigoli.com ; s/d 72/98 €, demi-pension 67 €) propose des chambres chaleureuses et rustiques à l'entrée de la grotte. Le restaurant est également renommé dans la région et prépare de copieux plats locaux. Choisissez à la carte ou parmi plusieurs menus (de 25 € à 37 €), dont un menu enfant à 14 €.

Serra Orrios et S'Ena 'e Thomes

À 11 km au nord-ouest de Dorgali (et à 3 km de la route Dorgali-Oliena) s'étendent les ruines de **Serra Orrios** (adulte/enfant 6/2,50 € ; ☽ visites ttes les heures 9h-12h toute l'année, et 16h-18h juil-août, 15h-17h avr-juin et sept, 14h-16h oct-déc jan-mars), un village nuragique occupé entre 1500 et 250 av. J.-C. Les vestiges laissent apparaître un ensemble d'environ 70 habitations groupées autour de deux temples : le Tempietto A, dont on pense qu'il était fréquenté par des pèlerins de passage, et le Tempietto B, réservé aux villageois. La découverte d'un troisième temple a suggéré aux spécialistes que le site pouvait avoir été un important centre religieux. Un schéma près de l'entrée peut être utile pour appréhender l'organisation de l'ensemble (les visites guidées se font en italien).

Après quoi, vous pouvez continuer vers le nord pour voir un bel exemple de *tomba di gigante* ("tombe de géant", une sépulture collective). Après le croisement, continuez

3 km vers le nord sur la route Nuoro-Orosei : vous verrez sur la droite l'indication **S'Ena 'e Thomes** (entrée gratuite ; ☉ lever au coucher du soleil). Le mégalithe (16 m de long sur 7 m de large) est dominé par une stèle centrale ovale qui ferme l'accès à la chambre funéraire.

SUD DE DORGALI
Gola Su Gorroppu

Surnommé le Grand Canyon de l'Europe, la Gola Su Gorruppu (gorge de Gorruppu) est une spectaculaire gorge dont les parois rocheuses s'élèvent à 400 m de hauteur. On peut y accéder par deux chemins différents.

Le plus difficile – et le premier que l'on aperçoit en arrivant du sud par la SS125 – passe par le col Genna 'e Silana. Vous ne pourrez pas le manquer, un hôtel et un restaurant sont installés à l'entrée, du côté est de la SS125 au kilomètre 183. Le sentier est indiqué à l'est de la route, et c'est à peu près le seul panneau que vous trouverez. Si vous ne vous perdez pas – ce qui peut constituer un petit exploit sans l'aide d'un guide –, vous atteindrez les gorges en deux heures environ. Vous pouvez flâner un peu sur les berges du Fluminedda, mais, au-delà, vous devrez être équipé d'un harnais et de tout le matériel approprié.

Le deuxième chemin, bien plus simple, passe par le pont Sa Barva, à 15 km de Dorgali. Pour y accéder, quittez Dorgali et suivez la route de Cala Gonone : au lieu de prendre le tunnel vers la mer, continuez en direction de Tortoli. Après environ 1 km, un panneau sur votre droite indique la Gola Su Gurruppu et Tiscali. Tournez ici et continuez jusqu'à la fin de la route bitumée (environ 20 minutes). Garez-vous et traversez le pont Sa Barva à pied : vous devriez voir le chemin pour la Gola indiqué vers la gauche. À partir de ce point, comptez environ 2 heures de marche jusqu'à l'entrée des gorges. Il est possible de continuer encore sur 500 m, mais le chemin est ensuite bloqué par d'imposants rochers au-delà desquels il vous faudra un guide.

Si certaines personnes s'y aventurent seules, vous serez bien plus en sécurité avec un guide. Outre les possibilités offertes à Dorgali (voir p. 214), la **Cooperativa Gorropu** (☎ 0782649282, 333850 7157 ; www.gorropu.com ; Via Sa Preda Lada 2, Urzulei) organise diverses excursions. Les randonnées les plus longues incluent les repas et l'hébergement.

Tiscali

Caché au creux d'un gouffre au fin fond de la Valle Lanaittu, le village nuragique de **Tiscali** (entrée adulte/enfant 5/2 € ; ☉ 9h-19h mai-sept, jusqu'à17h jan-fév et oct-déc) est l'un des grands centres d'intérêt touristiques de Sardaigne. Remontant au VIe siècle av. J.-C. et habité jusqu'à l'époque romaine, ce village ne fut redécouvert qu'à la fin du XIXe siècle. Relativement intact à l'époque, des pilleurs de tombes ont ensuite littéralement dévalisé le site, en arrachant les pierres coniques et les huttes en terre (autrefois surmontées d'un toit en bois de genévrier) pour ne laisser que les vestiges que l'on voit aujourd'hui.

De nombreux organismes à Oliena, Dorgali et Cala Gonone proposent des visites guidées de Tiscali. Elles coûtent en général 35 €/personne et comprennent parfois un repas. Si vous préférez explorer le village par vous-même, vous avez le choix entre un itinéraire simple et un autre bien plus difficile.

Le chemin le plus facile commence au pont Sa Barva, au même endroit que celui pour la Gola Su Gurruppu (voir p. 216). Le sentier est balisé et demande environ 1h45.

L'itinéraire le plus dur est moins bien indiqué. Il commence près de l'Hotel Su Gologone, indiqué à environ 7 km à l'est d'Oliena juste à la sortie de la route Oliena-Dorgali. Dépassez l'entrée de l'hôtel et tournez à droite peu après, en direction de la Valle di Lanaittu. La route s'élève puis contourne un grand rocher, derrière lequel on peut admirer la vallée dominée par d'imposants pics calcaires. Descendez vers la rivière Sa Oche, et restez à gauche lorsque la route bifurque une première fois.

Tournez alors à droite et vous arriverez à la **Grotta Sa Oche** (grotte de la voix), qui tient son nom des gargouillis que fait l'eau dans ses cavernes souterraines. À proximité se trouve le Rifugio Lanaittu, un refuge de montagne (fermé). Trois cents mètres au nord du *rifugio* s'étend sur 5 hectares le site de **Sa Sedda 'e Sos Carros** (3 € ; ☉ 9h30-16h30) où subsistent les vestiges de quelque 150 constructions nuragiques. Les ruines les plus intéressantes sont celles du **Puits sacré**, édifice circulaire entouré de trouées en pierres qui devaient alimenter en eau de source un gigantesque bassin central.

Pour continuer sur Tiscali, revenez à la fourche et, au lieu de prendre à droite, tournez à gauche (sud-ouest) sur une piste de terre escarpée. Après 20 minutes d'une rude ascension, vous arriverez à un rocher sur lequel est peinte une flèche. Là, il vous faut quitter la piste pour grimper sur la gauche (est) à travers la forêt, sur une pente très abrupte, jusqu'à ce que vous parveniez au pied d'une façade rocheuse. Sur votre gauche (nord) s'ouvre une impressionnante faille dans la montagne qu'il vous faut escalader. Après une autre courte escalade, vous émergerez de la fissure sur une large crête. Cette crête débouche à son extrémité sur le rebord ouest de l'énorme gouffre où se niche le village. On accède dans ce gouffre en le contournant par l'est (c'est-à-dire aller vers le nord puis à droite), où s'ouvre un passage qui descend entre les rochers. Un spectacle saisissant vous attend : un fouillis de ruines blotties dans la pénombre au creux de la montagne. Les habitants de Sa Sedda 'e Sos Carros venaient se réfugier ici en cas de danger et c'est grâce à l'inaccessibilité de cette cachette qu'ils ont pu échapper à toute domination jusqu'au IIᵉ siècle av. J.-C.

CALA GONONE
1 300 habitants

Même si elle est devenue une destination touristique fréquentée, Cala Gonone n'a rien perdu de son charme. Adossée aux **Monte Tului** (917 m), **Monte Bardia** (882 m) et **Monte Irveri** (616 m) et flanquée par d'impérieuses falaises, elle offre un panorama saisissant. La ville elle-même, une suite d'hôtels, de bars et de restaurants, est touristique mais sans excès.

Dans les années 1930, cet ancien village de pêcheur isolé attira l'aristocratie italienne et les dignitaires fascistes qui en firent leur rendez-vous estival. L'essor du tourisme survint au milieu des années 1950, lorsque la Grotta del Bue Marino fut ouverte au public. Aujourd'hui, de véritables flottilles mouillent dans le petit port pour proposer des excursions jusqu'aux grottes et aux falaises de la côte.

LE CROISSANT BLEU

S'il est une excursion à faire en Sardaigne, c'est bien la découverte en bateau des 20 km de côtes méridionales du Golfo di Orosei. De vertigineuses falaises calcaires tombent à pic dans la mer, interrompues de temps à autre par de ravissantes plages, des criques et des grottes. Usant d'une palette toujours changeante de sable, de rochers, de galets, de coquillages et d'eau cristalline, les forces de la nature se sont conjuguées pour composer un avant-goût de paradis. La côte resplendit de couleurs jusque vers 15h, heure à laquelle le soleil commence à disparaître derrière les hautes falaises.

En partant du port de Cala Gonone vers le sud, on rencontre la **Grotta del Bue Marino** (adulte/enfant 8/4 €, ☺ départ chaque heure 9h-12h et 15h-17h en août, 10h, 11h et 15h en juil et sept, 11h et 15h mars-juin et oct-nov), dernier refuge du phoque moine, bien que malheureusement personne n'en ait vu trace depuis longtemps. Avec ses miroitements de lumière sur les formes étranges de ses parois, cette grotte marine est à coup sûr impressionnante. Des visites guidées ont lieu jusqu'à sept fois par jour. En haute saison, vous risquez de devoir réserver à l'avance à Cala Gonone ou à Santa Maria Navarrese.

Première plage après la grotte, la **Cala Luna** dessine un croissant fermé au sud par de hautes falaises. Une épaisse végétation recouvre les montagnes qui s'étendent derrière la plage. La grève (en partie sable, en partie galets) est baignée par des eaux turquoise et vert émeraude intense, qui deviennent d'un bleu profond plus au large.

Au débouché d'une profonde vallée verdoyante, la plage suivante, la **Cala Sisine**, offre elle aussi, mais sur une étendue plus vaste, un mélange de sable et de galets. La **Cala Biriola** la jouxte presque, puis suivent plusieurs sites enchanteurs où vous pouvez plonger sous les falaises élancées qui ne vous laissent voir que quelques bribes du bleu céleste.

La **Cala Mariolu** est sans doute l'un des sites les plus sublimes de la côte. Coupée en deux par un groupe de rochers calcaires étincelants, elle n'offre quasiment pas de sable. Ne vous laissez pas dissuader toutefois par ses petits galets, blancs et lisses. L'eau qui baigne cette plage évolue du blanc transparent sur les bords à toute la gamme des bleus ciel et jusqu'à des teintes d'un violacé profond.

La dernière petite plage du golfe, la **Cala Goloritze**, rivalise avec les plus belles. À son extrémité sud, de bizarres figures granitiques émergent à flanc de falaise. Parmi elles, le **Monte Caroddi**, une flèche de 100 m qui fait la joie des amateurs d'escalade. Après la plage, vous pouvez continuer à l'ombre des parois rocheuses de la côte en direction du **Capo di Monte Santo**, le cap qui marque la fin du golfe.

Renseignements

Vous trouverez des informations pratiques auprès de l'**office du tourisme** (☎ 0784 93 696 ; www.calagonone.com ; Viale Bue Marino 1/a ; 🕒 9h-13h et 15h-17h, horaires élargis en été), dans le petit parc sur votre droite lorsque vous entrez en ville.

Un DAB est installé sur le port, et vous pouvez consulter vos e-mails dans le **cybercafé** (Piazza Da Verrazzano 3 ; 5 €/h ; 🕒 8h30-12h30 et 16h-19h30 lun-sam).

À voir et à faire

Les amateurs de plage auront l'embarras du choix à Cala Gonone. La **Spiaggia Centrale**, la plage de la ville, est correcte pour une petite baignade, mais les plages les plus agréables se trouvent plus au sud. Au sud du front de mer, la **Spiaggia Palmasera** consiste en une succession de bancs de sable très étroits séparés par des avancées rocheuses. Il est préférable de marcher encore 1 km vers le sud jusqu'à la **Spiaggia Sos Dorroles**, adossée à une étonnante paroi rocheuse d'un jaune orangé. **Cala Fuili**, à environ 3,5 km au sud de la ville (suivez Via Bue Marino), est un petit îlot rocheux précédé d'une verte vallée. D'ici, vous pouvez partir en randonnée vers le haut des falaises jusqu'à la splendide **Cala Luna**, à 4 km (environ 2h de marche).

Au nord de la ville, **Cala Cartoe** est une autre belle bande de sable soyeux coincée entre des eaux émeraude et des forêts denses. Si elle est très fréquentée en août, vous devriez vous sentir seul au monde hors saison. Pour y accéder, suivez la Via Marco Polo en voiture depuis le port jusqu'à une fourche : la baie est indiquée vers la droite (nord).

Pour jouir d'une vision panoramique sur la côte, rendez-vous de Cala Gonone au **nuraghe Mannu** (adulte/enfant 3/1,50 € ; 🕒 visites guidées toutes les heures, 9h-11h et 17h-19h juil-août, 9h-11h et 14h-16h mai, juin et sept, 9h-11h et 15h-17h avr, 10h-12h et 15h-17h mars-oct), indiqué depuis la route Cala Gonone-Dorgali. Après 3 km, la piste rocailleuse débouche sur un promontoire sauvage d'où l'on voit presque entièrement la courbure du golfe. Du nuraghe lui-même, il ne reste que de maigres vestiges, mais le site est follement romantique avec ses blocs gris argenté disséminés sous les oliviers.

Le meilleur moyen de découvrir la côte est de l'explorer par la mer. Vous pouvez louer un bateau ou rejoindre une excursion sur le port. Reportez-vous plus loin pour plus de détails.

On peut également faire de nombreuses activités : plongée au tuba ou avec bouteille, randonnée, escalade et VTT sont les plus appréciées. **Argonauta** (☎ 0784 93 046, 347 530 40 97 ; www.argonauta.it ; Via dei Lecci 10) propose des activités aquatiques comme des sorties en snorkeling (25 €, 15 € pour les enfants), de la plongée sous-marine (à partir de 35 €) et des excursions en canoë (40 €).

Les spots d'escalade les plus connus sont ceux de Cala Goloritze (accessible par bateau uniquement), Cala Fuili et la paroi de la Poltrona, face aux courts de tennis de Cala Gonone. Pour des informations sur l'escalade, contactez **Prima Sardegna** (☎ 0784 9 33 67 ; www.primasardegna.com ; Via Lungomare Palmasera 32), qui loue également des vélos, des scooters et des kayaks. Comptez 20 € par jour pour faire du VTT.

Circuits organisés

Une impressionnante quantité de bateaux, allant des puissants canots pneumatiques jusqu'aux petits yachts ou aux gracieux voiliers, vous attend dans le port de Cala Gonone pour vous faire découvrir toute la beauté du littoral.

Par exemple, le **Nuovo Consorzio Trasporti Marittimi Calagonone** (☎ 0784 9 33 05 ; www.calagononecrociere.it) propose différentes excursions aller-retour, notamment à Cala Luna (12 €), Cala Sisine (18 €), Cala Mariolu (26 €), Cala Gabbiani (26 €) et Cala Goloritze (30 €). Un trajet jusqu'à Cala Luna et la Grotta Bue Marino coûte 23 €, entrée de la grotte comprise.

Entre avril et octobre, **Cielomar** (☎ 0784 920 014 ; www.cielomar.it) propose des sorties à la journée à partir de 35 €/personne et loue des *gommoni* (canots pneumatiques à moteur) de 80 € à 120 €/jour, sans le carburant (environ 25 € en plus).

Pour naviguer avec style, louez une place à bord du **Dovesesto** (☎ 0784 9 37 37 ; www.dovesesto.com), un magnifique bateau datant de 1918. Les croisières à la journée coûtent entre 62 € et 67 €/personne, auxquels s'ajoutent 35 € si vous voulez déjeuner à bord. À partir de 4 personnes, il est également possible de louer le bateau pour des week-ends ou des croisières plus longues. Le prix dépendra alors de l'itinéraire choisi au moment de la location.

Les bateaux sont en activité de mars à début novembre environ, selon la demande.

Les prix varient selon la période, la "très haute saison" se situant approximativement entre le 11 et le 25 août. Les agences en ville ou les guichets sur le port vous fourniront tous les renseignements que vous désirez.

Plusieurs agences vous permettent d'explorer l'arrière-pays rocheux. Sur le rond-point avant d'entrer dans Cala Gonone se trouve **Atlantikà** (☎ 328 972 97 19 ; www.atlantika.it ; Localita Iscrittiore), un regroupement de guides locaux. Ils peuvent vous emmener à la Gola Su Gurruppu (35 €) et à Tiscali (35 €), et organisent des sorties en canoë, kayak, à vélo, dans les grottes ou encore des plongées.

Autre agence fiable, **Dolmen** (☎ 0784 93 2 60 ; www.sardegnadascoprire.it ; Via Vasco da Gama 18) organise des circuits en 4x4 au Supramonte et peut vous louer des vélos, des scooters et des canots pneumatiques.

Où se loger

Le parc hôtelier de Cala Gonone est riche. Néanmoins, en juillet-août, il faut réserver à l'avance.

Camping Cala Gonone (☎ 0784 9 31 65 ; www.campingcalagonone.it ; par pers avec tente et voiture 15-19 €, bungalow 2 lits 48-103 € ; 🗓 avr-oct ; 🐾). Près de l'entrée de la ville, sur la route principale en venant de Dorgali, ce camping ombragé dispose de bonnes installations telles qu'un court de tennis, une zone de barbecue, une pizzeria et une piscine. Pour le mois d'août, pensez à réserver bien en avance.

🔋 **Agriturismo Nuraghe Mannu** (☎ 0784 93 2 64 ; www.agriturismonuraghemannu.com ; sur la route SP26 Dorgali-Cala Gonone ; d 48-80 €, demi-pension 40-48 €/pers). Plongée dans la végétation, avec une vue royale sur la mer, cette ferme en activité possède 4 chambres simples et un restaurant ouvert à tous. Le menu à 23 € est un festin de produits maison : fromages, saucisson, porc, agneau et vin. Réservation indispensable. Cinq emplacements sont aussi disponibles pour planter sa tente, de 8 € à 10 €/personne.

Pop Hotel (☎ 0784 93 1 85 ; www.hotelpop.it ; s 42-68 €, d 54-106 € ; 🐾). Cet hôtel joyeux, ouvert toute l'année, est à quelques mètres du port. Les chambres sont spacieuses et lumineuses, et le restaurant en bord de route est une bonne adresse. On y sert un impressionnant choix de plats d'inspirations diverses. Les menus coûtent de 16 € à 28 €. Comptez environ 30 € pour un repas à la carte.

Hotel Cala Luna (☎ 0784 9 31 33 ; www.hotelcalaluna.com ; Lungomare Palmasera 6 ; s 45-95 €, d 72-140 € ; 🗓 pâques-oct ; 🐾 🖥). Hôtel moderne au centre du village, le Cala Luna propose des chambres propres et simples, parfaitement adaptées à la chaleur estivale. Les teintes blanches et gris perle, ainsi que la vue sur la mer pour certaines chambres, sont incroyablement relaxantes.

Hotel Costa Dorada (☎ 0784 9 33 32 ; www.hotelcostadorada.it ; Lungomare Palmasera 45 ; s 73-118 €, d 106-186 € ; 🗓 avr-oct). Le plus bel hôtel de la station, très fleuri, offre une vue superbe sur la mer et des chambres décorées avec goût, pleines d'objets artisanaux de la région. Vous le trouverez à la pointe sud du *lungomare* (front de mer), juste après la route de la plage.

Où se restaurer

La plupart des hôtels font également restaurant, à commencer par l'Agriturismo Nuraghe Mannu et le Pop Hotel indiqués ci-dessus. Sinon, vous trouverez des restaurants variés sur la promenade du front de mer ou à proximité. La majorité ferment en hiver et sont particulièrement fréquentés en été.

Ristorante Acquarius (☎ 0784 9 34 28 ; Lungomare Palmasera 34 ; pizza 6-8 €, repas 30 € environ ; 🗓 avr-sept). C'est l'un des nombreux restaurants du *lungomare*. On y sert les habituels plats de pâtes, fruits de mer et pizza au feu de bois dans une ambiance détendue. Essayez notamment les *spaghetti al ragu di seppia* (spaghetti dans leur sauce à la seiche) et les *gamberoni e scampi al forno* (crevettes et langoustines rôties).

Hotel Bue Marino (☎ 0784 92 00 78 ; www.hotelbuemarino.it ; Via Vespucci 8 ; menus 18/22 €, repas 30 € environ). La devanture face à la mer de cet élégant hôtel attire en début de soirée une clientèle chic. Le restaurant du 4e étage prépare des plats étonnamment simples pour l'endroit à des prix très raisonnables.

Il Pescatore (☎ 0784 9 31 74 ; Via Acqua Dolce 7 ; repas 35 € environ ; 🗓 avr-sept). Un peu plus cher que la moyenne, ce restaurant mise tout sur le poisson frais. C'est une excellente adresse pour un dîner marin.

Depuis/vers Cala Gonone

Les bus desservent Cala Gonone depuis Dorgale (1 €, 20 minutes, 7/j lun-sam, 4/j dim) et Nuoro (3 €, 70 minutes, 6/j lun-sam, 3/j dim). Les billets s'achètent au **Bar La Pineta** (Viale C. Colombo).

L'OGLIASTRA

Coincé entre deux provinces bien plus grandes, celles de Nuoro et de Cagliari, l'Ogliastra présente quelques-uns des paysages les plus spectaculaires de l'île. L'intérieur des terres est une mosaïque de grandes vallées sauvages, de forêts silencieuses et de parois rocheuses balayées par le vent. Quant à la côte, elle est de plus en plus spectaculaire à mesure que l'on approche du Golfo di Orosei.

On peut rejoindre l'Ogliastra par divers moyens, à commencer par la mer en accostant dans le port d'Arbatax près de Tortoli, la capitale provinciale. Si vous arrivez par le nord, la SS125 arrive de Dorgali et traverse les sols montagneux du Parco Nazionale del Golfo di Orosei e del Gennargentu. Le tronçon de 18 km au sud du col **Genna'e Silana** (1 017 m) est vraiment à couper le souffle. À l'ouest, une large vallée rejoint une grande chaîne de montagnes où culminent le **Monte Oddeu** (1 063 m) et, derrière, l'impressionnant Supramonte.

Circuler dans la région, notamment dans l'arrière-pays, demande du temps. Les distances ne sont pas grandes, mais les routes sont raides et souvent très sinueuses. Il est possible de circuler en bus, mais mieux vaut louer un véhicule pour découvrir les recoins de la région.

TORTOLI ET ARBATAX
10 300 habitants

La première impression que vous aurez de Tortoli, la capitale animée de l'Ogliastra, dépend d'où vous arrivez. Si vous débarquez juste du ferry en provenance du continent, vous risquez d'être déçu par l'apparence moderne et quelconque de la ville. Mais si vous arrivez par l'arrière-pays, les boutiques de souvenirs et les grands hôtels vous apparaîtront comme un changement bienvenu après avoir éprouvé l'épais silence de la campagne.

Les ferries en provenance de Cagliari accostent au port d'Arbatax, d'où l'on peut aussi organiser des excursions en bateau le long de la côte du Golfo di Orosei. L'été, vous pourrez également prendre le *trenino verde* à la gare d'Arbatax.

Orientation et renseignements

Tortoli est la ville principale, tandis qu'Arbatax, à environ 4 km en suivant Viale Monsignor Virgilio, est tout juste un port flanqué de quelques bars et restaurants. Les bus locaux 1 et 2 circulent entre Arbatax et Tortoli. Le n°2 roule également jusqu'aux hôtels et aux plages près de Porto Frailis.

Au moment de nos recherches, l'office du tourisme de Tortoli avait définitivement fermé ses portes. À Arbatax, un **office du tourisme** (☎ 0782 66 76 90 ; Via Lungomare 21) n'est ouvert qu'en été. Il se trouve près du terminus du *trenino verde*.

À Tortoli, vous trouverez plusieurs banques munies de DAB, comme la **Banca di Sassari** (Via Monsignor Virgilio 54) sur l'artère principale. **Frailis Viaggi** (☎ 0782 62 00 21 ; www.frailisviaggi.it ; Via Roma 12, Tortoli, ☽ 9h-13h et 16h30-20h lun-ven) est une agence de voyages bien pratique où vous pouvez réserver vos billets de ferry et d'avion, organiser des excursions en bateau (50 €/personne) et louer une voiture (70 €/jour).

À voir et à faire

Tortoli et Arbatax sont des stations balnéaires où il n'y a rien à visiter. Si vous avez un peu de temps à Arbatax, traversez la route depuis le port et continuez après la station essence jusqu'aux **rocce rosse** (rochers rouges). Ces étranges formations rocheuses sculptées par l'érosion et qui plongent dans la mer valent bien une photo ou deux. Au loin, vous apercevez les falaises impérieuses du sud de l'Ogliastra et du Golfo di Orosei.

Au port, vous pouvez organiser des **excursions en bateau** le long de la côte vers les plages et les grottes du Golfo di Orosei. Bien que variables, les prix se situent entre 40 € et 50 €/personne. Près du port se trouve le terminus du **trenino verde**, le petit train touristique qui, en été, rallie Mandas en cinq heures. Ce vieux tortillard défie les lois de la gravité pour traverser quelques-uns des paysages de montagne les plus inaccessibles de Sardaigne. Il s'arrête en chemin dans une multitude de gares, ce qui ne permet pas de faire l'aller et retour dans la journée. Les billets (17 € l'aller simple) sont en vente à l'office du tourisme d'Arbatax. Les départs ont lieu deux fois par jour (7h50 et 14h35) entre la mi-juin et la mi-septembre.

Vient ensuite le plaisir des plages de part et d'autre d'Arbatax. Les plus belles sont la **Spiaggia Orri**, la **Spiaggia Musculedda** et la **Spiaggia Is Scogliu Arrubius**, environ 4 km au sud de Porto Frailis (où se trouvent un certain nombre d'hôtels). Encore un peu plus au sud, on atteint une plage presque intacte, la **Spiaggia Cala Francese**, à la hauteur de la Marina di Gairo.

La province de l'Ogliastra produit quelques-uns des meilleurs vins rouges de Sardaigne, comme le Cannonau de Jerzu (p. 223) d'un beau rouge rubis. Vous pourrez remplir votre cave à l'**Enoteca del Cannonau** (☎ 0782 62 60 27 ; Via Monsignor Virgilio 74 ; 9h-13h30 et 15h30-20h tous les jours), à Tortoli.

Où se loger et se restaurer

Les hébergements ne manquent pas dans la région, bien que la plupart des chambres soient dans de grands ensembles hôteliers. Pour dormir les pieds dans le sable, dirigez-vous vers Porto Frailis, près d'Arbatax.

Hotel Splendour (☎ 0782 62 30 37 ; www.hotelsplendor.com ; Viale Arbatax ; s 35-50 € , d 50-70 € ; P). À mi-chemin entre Tortoli et Arbatax, cet accueillant deux-étoiles est décoré de joyeuses peintures à l'huile et de bricoles familiales. Les chambres sont petites et sans prétentions, mais elles ont toutes un balcon donnant sur un agréable jardin à l'arrière.

La Bitta (☎ 0782 66 70 80 ; www.hotellabitta.it ; Localita Porto Frailis ; s 60-190 € , d 93-290 € ; P ⊠ ⌨ ⌂). Un grand ensemble hôtelier quatre-étoiles directement sur la plage de Porto Frailis. Cet établissement luxueux dispose de chambres voûtées dignes d'un palais (celles avec vue sur la mer sont plus chères), d'une piscine face à la mer et d'un bon restaurant (fermé entre novembre et mi-février ; repas 55 €) qui prépare d'excellents fruits de mer.

Star 2 (☎ 0782 66 75 03 ; Via Lungomare, Arbatax ; pizzas 6 € , repas 25 € environ). Près du port d'Arbatax, le Star 2 est une pizzeria-restaurant animée et détendue. Le menu conviendra à tous les goûts avec des pâtes, des plats et surtout des pizzas au feu de bois qui sortent vraiment du lot. Si possible, essayez d'avoir une table en terrasse.

Depuis/vers Tortoli et Arbatax
AVION

Le petit **aérodrome** (☎ 0782 62 43 00 ; www.aero-portotortoliarbatax.it, en italien) d'Arbatax-Tortoli est à 1,5 km environ au sud de Tortoli. Il est desservi, en été seulement, par des vols charters depuis des villes italiennes telles que Rome et Albenga, en Ligurie. En général, un moyen de transport est réservé avec le vol.

BATEAU

Tirrenia (☎ 892 123 ; www.tirrenia.it) est la plus grande compagnie de ferries qui dessert Arbatax. Ils naviguent depuis/vers Gênes (57 € , 18 heures, 2/ sem), Civitavecchia (47 € , 10 heures 30, 2/sem) et, de fin juin jusqu'en août, Fiumicino (60 € , 4 heures 30, 2/sem). Des liaisons sont également organisées vers Cagliari (33 € , 5 heures 15, 2/ sem) et Olbia (31,50 € , 4 heures 30, 2/sem). Vous pourrez obtenir des renseignements et vos billets à la billetterie de Tirrenia, **Torchiani & Co** (☎ 0782 66 78 41 ; Via Venezia 10) sur le port.

BUS

Les bus **ARST** relient Tortoli à Santa Maria Navarrese (1 € , 15 min, 11/j lun-sam 2/j dim), Dorgali (4,50 € , 1 heure 50, 1/j lun-sam), Nuoro (5,50 € , 2 heures 30 à 3 heures, 4/j lun-sam), ainsi que diverses localités de la côte.

TRAIN

Le **trenino verde** (☎ 800 460 220 ; www.treninoverde. com, en italien) relie Arbatax à Mandas (17 € , 5 heures) deux fois par jour entre la mi-juin et la mi-septembre. Il s'arrête notamment à Lanusei, Arzana, Ussassai et Seui.

NORD DE TORTOLI ET ARBATAX
Lotzorai
2 200 habitants

Environ 6 km au nord de Tortoli, Lotzorai ne présente guère d'intérêt en soi, mais la ville jouxte de belles plages bordées de pinèdes, telles que la **Spiaggia delle Rose**. Pour y accéder, suivez la direction des trois campings regroupés juste derrière la plage.

Si vous souhaitez vous rassasier, arrêtez-vous à l'**Isolotto** (☎ 0782 6 69 43 ; Via Ariosto 4 ; repas environ 30 € ; mar-dim), à côté de la Via Dante. L'adresse ne paie pas de mine, mais les pâtes maison et les plats de poissons vous assureront un bon déjeuner.

Santa Maria Navarrese

À la pointe sud du Golfo di Orosei, la petite ville séduisante et sans prétention de Santa Maria Navarrese est également une station balnéaire prisée. Sa petite église dédiée à Santa Maria di Navarra fut édifiée en 1502 par des marins basques sur ordre de la princesse de Navarre, qui avait survécu à leurs côtés à un naufrage. L'église est construite à l'ombre d'un grand olivier auquel on prête près de 2 000 ans d'âge.

RENSEIGNEMENTS

Des renseignements sur la ville et ses environs vous seront fournis au bureau touristique

Tourpass (☎ 0782 61 53 30 ; www.turinforma.it ; Piazza Principessa di Navarra 19 ; ❂ 9h-15h et 14h-16h, horaires élargis en juil-août), dissimulé derrière le Banco di Sardegna, en centre-ville. Vous y trouverez également des cartes de randonnées et d'escalades à 3 €.

À VOIR ET À FAIRE

De grands pins et eucalyptus bordent une jolie plage léchée par les eaux translucides (d'autres plages de sable s'étendent vers le sud). Au large, plusieurs îlots émergent de l'eau, comme l'**Isolotto di Ogliastra**, une énorme roche porphyrique rose qui culmine à 47 m. L'extrémité nord de la plage est boisée et dominée par une tour de guet bâtie jadis pour contrer les attaques des Sarrasins.

Environ 500 m plus loin vers le nord, un petit port de plaisance abrite plusieurs agences de croisière qui organisent des excursions le long de la côte sauvage. Le **Consorzio Marittimo Ogliastra** (☎ 0782 61 51 73 ; www.mareogliastra.com) propose des visites des grottes sous-marines et emmène les passagers nager dans de splendides spots à Cala Goloritze, Cala Mariolu, et Cala Sisine (30 € à 35 €/pers). Pour une immersion complète, **Nautica Centro Sub** (☎ 0782 61 55 22) organise des plongées à partir de 35 € dans de splendides zones sous-marines (voir l'encadré p. 217).

OÙ SE LOGER ET SE RESTAURER

❂ **Ostello Bellavista** (☎ 0782 61 40 39 ; www.ostelloinogliastra.com ; Via Pedra Longa ; s 32-65 €, d 44-100 € ; ❂). Cette belle auberge – qui s'apparente plus à un hôtel – offre de superbes vues depuis son emplacement en hauteur. Les chambres, décorées de façon simple peuvent disposer de balcons (supplément de 12 €) et sont réparties dans plusieurs bâtiments à flanc de colline (plus vous montez, plus la vue est belle). Le restaurant sert d'excellents plats du terroir à des prix abordables (repas 25 € environ).

Hotel Agugliastra (☎ 0782 61 50 05 ; www.hotelagugliastra.it, en italien ; Piazza Principessa di Navarra 27 ; d 52-100 €, demi-pension 40-77 €/pers ; ❂ avr-oct ; ❂). Au-dessus d'un café sur la place centrale, ce trois-étoiles cordial possède des chambres modernes. Leur décoration quelque peu impersonnelle est largement compensée par l'emplacement pratique et la terrasse panoramique au soleil. Un repas au restaurant vous reviendra à 25 € environ.

Vous trouverez plusieurs restaurants et quelques bars à proximité du centre. Le Bar l'**Olivastro** (☎ 0782 61 55 13 ; Via Lungomare Montesanto 1)

possède des tables sur des terrasses à l'ombre des branches magnifiquement alambiquées du fameux olivier de la ville.

DEPUIS/VERS SANTA MARIA NAVARRESE

Une poignée de bus ARST relient Santa Maria Navarrese à Tortoli (1 €, 15 minutes, 11/j lun-sam 2/j dim), Dorgali (4,50 €, 1 heure 30, 2/j), Nuoro (6,50 €, 2 heures 30, 4/j lun-sam, 2/j dim) et Cagliari (9,50 €, 4 heures, 4/j lun-sam).

BAUNEI ET L'ALTOPIANO DEL GOLGO
3 900 habitants

En continuant vers le nord le long de la côte, sur 9 km environ, vous arrivez à Baunei, un village de bergers un peu triste. Il n'y a pas franchement de raison de s'y arrêter, mais l'**Altopiano del Golgo** qui s'étend au-delà vaut vraiment le détour. Cet étrange plateau où chèvres et ânes viennent paître dans le maquis et les bois poussiéreux est indiqué depuis la ville, au bout d'une route de 2 km en lacets serrés. Roulez vers le nord, et après 8 km, suivez les panneaux pour **Su Sterru** (Il Golgo) sur moins de 1 km. Laissez-y votre voiture et partez découvrir un exploit de la nature : un gouffre de 270 m de profondeur, large d'à peine 40 m à sa base. Si l'ouverture en forme de cheminée est maintenant protégée par une barrière, un seul coup d'œil dans le vide suffira à vous donner le vertige.

En face de l'embranchement pour Su Sterru, un panneau indique le **Ristorante Golgo** (☎ 337 81 18 28 ; Localita Golgo ; repas 25-30 € ; ❂ avr-sept), un restaurant installé dans une pittoresque bâtisse en pierre et spécialisé dans la viande rôtie. Il est tenu par la **Cooperativa Turistica Golgo** (www.golgotrekking.com), qui organise également des randonnées dans la région.

Encore un peu plus loin, la **Locanda Il Rifugio** (☎ 0782 61 05 99, mobile 368 702 89 80 ; www.coopgoloritze.com, en italien ; s/d 45/55 €, demi-pension 100 € ; ❂ avr-oct) est un établissement similaire, qui prépare de copieux plats et propose des chambres sommaires dans une ancienne ferme. Géré par la **Cooperativa Goloritzè** (www.coopgoloritze.com), le refuge est un excellent point de départ pour des randonnées. Il organise des excursions diverses, de la randonnée à l'équitation (15 €/h) en passant par des circuits en 4x4. La plupart des itinéraires vous feront descendre du plateau par les spectaculaires *codule* (canyons), telles que la Codula di Luna ou la Codula de Sisine, pour arriver aux plages du Golfo di Orosei. Le personnel du refuge peut également fournir une assistance logistique et des guides pour les randonneurs qui souhaiteraient s'essayer au Selvaggio Blu, le trek le plus difficile de Sardaigne (voir l'encadré p. 139). Si vous souhaitez tenter votre chance, organisez votre excursion bien à l'avance.

Les prix des activités dépendent des itinéraires – que vous pourrez choisir avant de partir – et du nombre de participants.

Juste derrière les étables du refuge, la **Chiesa di San Pietro** date de la fin du XVIᵉ siècle. Cette humble construction est entourée de petites *cumbessias*, sortes de cabanes ouvertes bien peu confortables où les pèlerins passaient la nuit pour célébrer la Saint-Pierre.

L'OGLIASTRA INTÉRIEURE

Jerzu

3 300 habitants

Jerzu, baptisée *Citta del Vino* (ville du vin), est connue pour son fameux vin rouge Cannonau. La ville semble tenir de manière bien précaire sur le flanc d'une montagne vertigineuse. Ses maisons s'empilent entre les imposantes tours calcaires que les habitants appellent *tacchi* (talons) et quelque 800 hectares de vignoble. Chaque année, 50 000 tonnes de raisin sont cueillies et transformées en 2 millions de bouteilles de vin dans la cave moderne de la ville, l'**Antichi Poderi di Jerzu** (☎ 0782 7 00 28 ; www.jerzuantichipoderi.it ; Via Umberto I ; ⏰ 8h30-13h et 15h-18h lun-ven).

Ulassai et Osini

1 600 habitants

Au nord de Jerzu, la route réserve des vues extraordinaires à mesure qu'elle serpente sur le flanc de montagnes titanesques avant de déboucher sur Ulassai, dominé par les pics rocheux du Bruncu Pranedda et du Bruncu Matzei.

Ulassai est entouré par la campagne la plus intimidante et la plus impénétrable de Sardaigne, grand terrain de jeu des amoureux de la nature offrant de superbes parcours d'escalades et de randonnées. Les grimpeurs apprécieront tout particulièrement la région : les parois rocheuses escarpées du canyon Bruncu Pranedda offrent 45 itinéraires, avec quelques montées vraiment difficiles. Les experts tenteront de franchir les falaises Lecori, où 34 chemins d'escalades sont reconnus. Les marcheurs peuvent longer le canyon ou effectuer une randonnée de 7 km vers le sud-ouest pour admirer la spectaculaire

cascade **Cascata Lequarci**, avant de pique-niquer dans les environs idylliques du **Santuario di Santa Barbara**. Le site www.ulassai.net vous sera très utile.

Nettement au-dessus du village, l'impressionnante **Grotta di Su Marmuri** (☎ 0782 7 98 59 ; entrée 7 € ; visites ⏰ 11h, 13h, 15h, 17h et 18h30 août, 11h, 14h, 16h et 18h mai, juin, juil et sept, 11h, 14h30 et 17h avr, 11h et 14h30 oct) est un réseau de grottes s'étirant sur 40 m de hauteur. Les visites sont obligatoirement guidées (groupes de 4 personnes minimum). En 1 heure environ, on arpente 1 kilomètre de galeries foisonnant de stalactites et de stalagmites. Près du parking et de la billetterie, la trattoria **Su Bullicciu** (☎ 0782 7 98 59) prépare de délicieux plats de viande rôtie pour environ 20 €/personne.

Un peu plus loin au nord, accessible par le village d'Osini, la **Scala di San Giorgio** est une gorge étroite. Elle tire son nom d'un saint qui aurait, en 1117, ouvert la roche en deux durant sa campagne de prosélytisme. Depuis le sommet, on jouit d'une belle vue d'ensemble sur la vallée et les villages abandonnés d'Osini Vecchio et de Gairo Vecchio, tous deux détruits par un glissement de terrain en 1951.

À ne pas manquer non plus, les vastes ruines du **Complesso Nuragico di Serbissi**. Elles renferment une curieuse grotte souterraine qui servait à stocker les aliments.

Vous pouvez explorer la région par vous-même, mais vous en apprendrez bien plus avec un guide. Près du village voisin d'Osini, **Archeo Taccu** (☎ 329 764 33 43 ; Via Eleonora D'Arborea, Osini) est une petite coopérative qui organise des visites guidées.

Avant de partir, prenez un moment pour aller visiter la **Cooperativa Tessile Artigiana Su Marmuri** (☎ 0782 7 90 76 ; Via Dante ; ⏰ 8h-19h tous les jours juil-sept, 8h-12h et 14h-18h lun-ven oct-juin) où un groupe de femmes se consacre à l'art traditionnel du tissage à la main. Vous pourrez également y voir des métiers à tisser bruyamment à l'œuvre et choisir parmi une sélection de serviettes, rideaux et linge de lits conçus par l'artiste locale Maria Lai (à partir de 20 € pour une serviette de toilette).

En village, c'est l'infatigable Tonino Lai et sa femme qui vous accueillent à l'**Hotel Su Marmuri** (☎ 0782 7 90 03 ; Corso Vittorio Emanuele 20 ; s/d 30/60 €), une institution bien connue dans le village qui propose des chambres simples et propres avec de superbes vues. Tonino connaît la région par cœur et aime faire découvrir ses moindres recoins aux visiteurs.

Carnet pratique

SOMMAIRE

ACHATS

Bien que la Sardaigne dispose d'un riche héritage artisanal, vous ne repartirez pas forcément les bras chargés. Les boutiques d'artisanat ou de spécialités gastronomiques locales les plus intéressantes sont souvent installées dans les zones touristiques et elles pratiquent parfois des tarifs excessifs.

Pour être sûr d'acheter des articles de qualité à un prix raisonnable, rendez-vous à la boutique locale de l'Istituto Sardo Organizzazione Lavoro Artigiano (Isola). Promoteur officiel de l'artisanat traditionnel, cet organisme garantit l'authenticité des produits qu'il vend. Il possède des boutiques dans plusieurs villes et bourgades. Nous en avons indiqué certaines dans cet ouvrage.

Chaque région se distingue par son artisanat et des traditions bien à elle. Dans le nord de l'île par exemple – surtout à Castelsardo – les femmes fabriquent encore des paniers en asphodèle, en jonc, en saule et en feuilles de palmier nain. Aggius et Tempio Pausania ont une importante industrie artisanale de tapis en laine, décorés de motifs géométriques traditionnels. Le liège est utilisé pour fabriquer de nombreux souvenirs, notamment dans la région de la Gallura. Les masques des fêtes hantent de nombreuses boutiques des environs de Nuoro.

Les céramiques, articles simples dans leurs motifs et leurs couleurs (souvent bleu et blanc, elles rappellent les céramiques grecques), sont présentes en Sardaigne depuis très longtemps. Vous trouverez les meilleures boutiques dans les zones touristiques du Nord-Ouest et du Nord-Est de la Sardaigne, et plus particulièrement sur la Costa Smeralda, ainsi qu'à Santa Teresa di Gallura et à Alghero.

Alghero et Santa Teresa di Gallura possèdent une longue tradition de fabrication de bijoux en corail. Le plus beau corail est ramassé au large de la Riviera del Corallo à Alghero. Cette activité est bien sûr strictement contrôlée. Souvent, les bijoux sont en corail et en filigrane, art pour lequel l'île est célèbre. Si vous avez la chance d'assister à une fête, vous verrez les femmes sardes arborer des pièces somptueuses. Pour acheter des bijoux en filigrane et en corail, rendez-vous à Cagliari ou Alghero.

Pour un homme sarde, il n'est de plus bel objet d'artisanat que le couteau de poche fabriqué main, à Pattada et Arbus. Les couteaux sont souvent de vraies œuvres d'art, forgés par quelques maîtres-couteliers encore à l'œuvre. De nos jours, seuls quelques-uns d'entre-eux continuent de les fabriquer. Pour plus de détails, voir l'encadré p. 135.

ACTIVITÉS

La Sardaigne est une île de rêve pour tous les sportifs. L'intérieur des terres offre de belles opportunités de randonnées à pied ou à vélo et d'escalade, tandis que les surfeurs, marins et plongeurs se dirigeront vers la côte. Pour plus de détails sur les activités de plein air en Sardaigne, reportez-vous p. 137.

PRATIQUE

■ Les DVD fonctionnent avec le système PAL.

■ Les prises sont dotées de deux fiches rondes ; le courant électrique est en 220V/50Hz.

■ Les deux journaux principaux sont *L'Unione Sarda* de Cagliari et *La Nuova Sardegna* de Sassari ; il en existe un troisième, *Il Sardegna*. Ces journaux traitent pour l'essentiel des affaires de l'île et prêtent peu d'intérêt aux actualités nationales et internationales. L'été, vous trouverez des journaux en français dans les kiosques de la plupart des centres touristiques, avec généralement un ou deux jours de retard. Hors période estivale, vous ne les trouverez que dans les grandes villes.

■ Radio Sardegna et Radiolina sont les stations de radio locales les plus écoutées. Les stations nationales RAI-1, RAI-2 et RAI-3 diffusent émissions de débat, sports, flashs info et musique. Les fréquences ne sont pas les mêmes selon l'endroit où l'on se trouve sur l'île. Le BBC World Service s'écoute sur les ondes moyennes à la fréquence 648kHz et sur 198kHz en grandes ondes.

■ Les télévisions locales, telles que Videolina et Sardegna 1, ne sont pas vraiment passionnantes et diffusent des heures d'informations, de football et de danses traditionnelles costumées. Il est possible de regarder les chaînes commerciales Canale 5, Italia 1, Rete 4 et La7, ainsi que les chaînes publiques RAI-1, RAI-2 et RAI-3. La réception n'est pas toujours idéale, notamment pour RAI-2 dans le Sud-Ouest.

ALIMENTATION

Dans cet ouvrage, l'expression "petits budgets" fait référence à des établissements où l'on prend un repas pour moins de 25 €. Pour un repas complet en établissement de catégorie moyenne, il faut compter de 25 à 40 €/personne. Les repas les plus chers vous coûteront au bas mot 40 €. Traditionnellement, ils sont constitués d'un *primo piatto*, d'un *secondo* et d'un dessert. Nous avons référencé les restaurants, à l'intérieur de chaque rubrique, par ordre de budget.

Dans les régions touristiques de la côte nord-est, à Alghero et dans le Golfo di Orosei, vous trouverez sans doute des restaurants proposant des menus touristiques autour de 15 €. Si le prix est limité, le choix le sera aussi, avec seulement un ou deux plats de pâtes et quelques plats de résistance. Les établissements de catégorie supérieure proposent également des menus fixes incluant généralement tous les plats mais pas le vin. Il faut alors compter de 40 € à 50 €/personne.

Pour plus d'informations sur l'alimentation en Sardaigne, reportez-vous p. 44, ou p. 231 pour manger au restaurant avec des enfants.

Où se restaurer et prendre un verre

Le restaurant de base est la *tavola calda* (littéralement "table chaude"), qui propose une cuisine de style cantine. Les pizzérias, dont les meilleures disposent de *forno a legna* (four à bois), servent également des menus complets. Pour emporter votre repas, rendez-vous dans une *rosticceria* (rôtisserie) ou achetez une *pizza al taglio* (pizza à la coupe). La plupart des bars et des cafés servent des brioches, *cornetti* (croissants), *tramezzini* (sandwichs au pain de mie), *panini* (sandwichs baguette), *spuntini* (en-cas) ainsi que des cafés et des boissons avec ou sans alcool. Vous pouvez également acheter votre repas dans un *alimentari* (épicerie) et leur demander de vous préparer un sandwich avec la garniture de votre choix. Dans une *pasticceria* (pâtisserie), vous trouverez des gâteaux et des biscuits, tandis que la *gelateria* vend toutes sortes de glaces. Plus il y a de monde, plus les glaces sont bonnes.

Un repas complet vous sera servi dans une *trattoria* ou au *ristorante*. Traditionnellement, les *trattorie* étaient de petits établissements familiaux qui servaient des plats locaux à des prix raisonnables. Et heureusement, certaines ont gardé cet esprit intact. Les *ristoranti* sont plus chics et offrent un plus grand choix.

Après le repas, il est habituel de prendre un café. Mais si vous avez le sommeil léger, évitez de prendre un *espresso* après le dîner. L'*espresso* est le café de base en Sardaigne, c'est ce que l'on vous servira si vous demandez *un caffè*. Un *doppio* est un double *espresso* et le *caffè americano* est un allongé. Si vous prenez du lait, plusieurs options s'offrent à vous : un *caffè latte* (café au lait) se prend traditionnellement au petit-déjeuner ; le *macchiato* est un "noisette" et le *latte macchiato* est, au contraire, un verre de lait chaud servi avec une touche de café. Le cappuccino n'est plus à présenter. Pour les plus enhardis, le *corretto* est un *espresso* "corrigé" à la grappa ou à tout autre alcool disponible. Certains Sardes le prennent pour bien démarrer la journée.

Après le repas, aucun Italien ne prendrait de *caffè latte* ni même de cappuccino, mais si vous en avez envie, ne vous en privez pas.

Le thé n'est pas une spécialité du cru. Il est servi avec du citron plutôt qu'avec du lait. L'eau du robinet (*acqua naturale* ou *dal rubinetto*) est tout à fait potable. Si vous voulez de l'*acqua minerale*, on vous demandera de choisir entre *frizzante* (pétillante) ou *naturale* (plate).

Dans les restaurants et trattorias, le *pane e coperto* (pain et couvert) est ajouté au *conto* (addition), même si vous ne consommez pas de pain. Cette taxe, standard, varie entre 1 € et 4 €. Le *servizio* (service) de 10% ou 15% n'est pas toujours inclus : dans ce cas, on s'attend à ce que vous laissiez 10% de pourboire ou que vous arrondissiez l'addition.

Il est interdit de fumer dans tous les établissements publics d'Italie.

Végétariens et végétaliens

Les végétariens risquent d'avoir la vie dure en Sardaigne, où la viande tient une place de choix. Il n'existe pratiquement aucun restaurant végétarien, et même des plats sans viande, comme le risotto ou la soupe, sont préparés à base de bouillon animal. Les végétaliens auront encore plus de difficultés à suivre leur régime, puisque presque tous les plats contiennent des produits laitiers, des œufs ou du bouillon de viande. Quoi qu'il en soit, les légumes sont de très bonne qualité et sont présents sur presque tous les menus dans les *antipasti* (hors-d'œuvre) et les *contorni* (accompagnements).

AMBASSADES ET CONSULATS

Il est important de savoir ce que peut ou ne peut pas faire votre ambassade. En règle générale, si vous êtes en tort, elle ne pourra pas grand-chose. Gardez à l'esprit que vous êtes soumis aux lois du pays dans lequel vous trouvez. N'attendez pas d'aide de votre ambassade si vous vous retrouvez en prison après avoir commis ce qui est considéré comme un crime ou une infraction sur place, même si l'infraction en question n'en est pas une dans votre propre pays.

En cas de véritable urgence, vous pourrez obtenir de l'aide seulement si tous les autres recours ont été épuisés. Par exemple, si vous devez rentrer chez vous de toute urgence, il est très improbable que l'on vous offre un billet de retour, l'ambassade comptant sur votre assurance individuelle. En cas de perte ou de vol de vos papiers et de liquidités, vous pourrez obtenir de l'aide pour l'émission d'un nouveau passeport mais rarement un prêt vous permettant de poursuivre votre voyage. En cas de véritable urgence, le consulat peut toutefois vous aider de différentes façons. Il peut notamment émettre un nouveau passeport, envoyer un message à vos amis ou votre famille et vous renseigner sur les transferts d'argent. Dans des circonstances exceptionnelles, il peut également vous prêter de l'argent pour acheter un billet de retour.

Ambassades et consulats étrangers à Rome et à Cagliari

La plupart des pays ont une ambassade à Rome, et plusieurs disposent aussi d'un consulat honoraire à Cagliari. Pour toute demande de renseignements sur les passeports, adressez-vous aux bureaux de Rome.

Belgique Rome (☎ 06 360 95 11 ; Via dei Monti Parioli 49)

Canada Rome (☎ 06 85 44 41 ; www.international.gc.ca/canada-europa/italy ; Via Salaria 243)

France Rome (☎ 06 68 60 11 ; www.ambafrance-it.org ; Piazza Farnese 67)

Suisse Rome (☎ 06 80 95 71 ; Via Barnaba Oriani 61)

Ambassades et consulats d'Italie

Voici une liste de missions diplomatiques italiennes à l'étranger. Pour les visas, il faut s'adresser au consulat plutôt qu'à l'ambassade, si les deux instances sont représentées.

Belgique Ambassade (☎ 02 643 38 54 ou 02 643 38 50 ; www.ambbruxelles.esteri.it ; rue Émile-Claus 28, 1050 Bruxelles) ; Consulat (☎ 02 543 15 50 ; consitbxl@euronet.be ; rue de Livourne 38, 1000 Bruxelles)

Canada Ambassade (☎ 613-232 2401 ; www.ambottawa.esteri.it ; 21st fl, 275 Slater St, Ottawa,

Ontario K1P 5H9) ; Consulat Montréal (☎ 514-849 8351 ; www.italconsul.montreal.qc.ca ; 3489 Drummond St, Montréal, Québec H3G 1X6) ; Toronto (☎ 416-977 1566 ; www.toronto.italconsulate.org ; 136 Beverley St, Toronto, Ontario M5T 1Y5).

France Ambassade (☎ 01 49 54 03 00 ; www.ambparigi. esteri.it ; 51 rue de Varenne, 75007 Paris) ; Consulat Paris (☎ 01 44 30 47 00 ; fax 01 45 25 87 50 ; 5 bd Émile-Augier, 75016 Paris) ; Lille (☎ 03 20 08 15 08 ; fax 03 20 22 82 12 ; consolato.lilla@esteri.it ; 2 rue d'Isly, 59000 Lille) ; Toulouse (☎ 05 34 45 48 48 ; 13 rue d'Alsace-Lorraine, 31000 Toulouse) ; Marseille (☎ 04 91 18 49 18 ; 56 rue d'Alger, 13392 Marseille Cedex)

Suisse Ambassade (ambassade ; ☎ 031 350 07 77 ; ambasciata.berna@esteri.it ; Elfenstrasse 14, 3006 Berne) ; Consulat Genève (☎ 022-839 6744 ; fax 022-839 67 45 ; 14 rue Charles-Galland, 1206 Genève) ; Lausanne (consulat général ; ☎ 021 341 12 91 ; rue du Petit-Chêne 29, 1003 Lausanne)

ARGENT

En Italie, la devise en cours est l'euro (€). Sur le rabat de la couverture de ce guide, dans la rubrique *Bon à savoir*, sont indiqués les taux de change en vigueur pour les francs suisses et les dollars canadiens. Pour vérifier les taux actualisés, consultez le site www.oanda.com. Le chapitre *Mise en route* (p. 13) donne des informations sur le coût de la vie.

Il est possible de changer des espèces dans les banques, les bureaux de poste et les bureaux de change. Les banques proposent en général les meilleurs taux, mais n'hésitez pas à vous renseigner car ceux-ci fluctuent considérablement.

Nous vous déconseillons vivement d'emporter une grosse somme d'argent liquide ; utilisez plutôt une carte bancaire ou bien des chèques de voyage.

Cartes de crédit

La carte de crédit est un moyen simple et sûr d'organiser ses dépenses. Elle évite d'avoir sur soi de grosses sommes d'argent et on peut retirer de l'argent à toute heure avec un taux de change souvent plus intéressant.

Les principales cartes de crédit, Visa, MasterCard, Eurocard, Cirrus et Eurocheque, sont acceptées en Sardaigne. Vérifiez auprès de votre banque, mais la plupart des établissements bancaires facturent environ 3% pour chaque transaction conclue à l'étranger, ainsi que 1,5% pour les retraits en DAB.

Si votre carte est perdue ou volée, faites opposition en appelant le numéro spécial du service interbancaire (☎ 0 892 705 705) qui oriente chaque appel vers le centre d'opposition compétent.

Chèques de voyage

Largement dépassés par les cartes bancaires, les chèques de voyage s'avèrent toutefois utiles comme roue de secours, d'autant que vous pouvez vous les faire rembourser en cas de vol (pensez à conserver les numéros séparément).

Les chèques American Express, Visa et Travelex sont les plus répandus, notamment en euros. Toutefois, les encaisser en dehors des pôles touristiques peut être compliqué : il existe peu de bureaux de change sur l'île et encore moins de banques prêtes à les accepter. Celles-ci prendront par ailleurs une lourde commission, même si vos chèques sont en euros. Gardez toujours une pièce d'identité sous la main pour les encaisser.

Distributeurs automatiques de billets (DAB)

Les DAB (ou *bancomat* en italien) sont largement répandus en Sardaigne et sont sans aucun doute le moyen le plus simple (et le plus sûr) de se procurer du liquide à l'étranger. La plupart acceptent les cartes Visa, MasterCard, Cirrus et Maestro, mais regardez quand même les logos sur la machine avant d'insérer votre carte. Avant votre départ, vérifiez auprès de votre banque la limite hebdomadaire de retrait ainsi que le taux de commission pour les retraits à l'étranger.

N'oubliez pas que vous aurez besoin de votre code PIN à quatre chiffres pour utiliser votre carte dans un distributeur en Italie. Si un distributeur rejette votre carte, essayez-en un ou deux autres portant le logo de votre carte de crédit avant d'attribuer le problème à votre carte.

Espèces

Vous pouvez vous procurer du liquide dans les DAB, vous n'avez donc aucune de raison d'emporter de grosses sommes. Cela dit, si votre devise n'est pas l'euro, il est plus prudent de prendre quelques billets en attendant de trouver un bureau de change ou un DAB. Lors de vos pérégrinations sur l'île, gardez à l'esprit que les cartes bancaires ne sont pas acceptées partout, notamment dans beaucoup de B&B et de petites *trattorie* ; vous aurez donc besoin d'espèces pour régler les petites transactions.

Pourboires

On ne s'attend pas à ce que vous laissiez un pourboire en plus du service, mais si vous êtes particulièrement satisfait de votre repas, rien ne vous empêche d'arrondir la note ou de laisser un supplément de 10%. Dans les bars, les Italiens ont pour habitude de laisser leur menue monnaie. Le pourboire n'est généralement pas prévu dans le cas des chauffeurs de taxi mais n'oubliez pas en revanche d'en laisser un aux bagagistes des grands hôtels.

ASSURANCES

Prévoyez une bonne assurance couvrant le vol, la perte des espèces et des papiers d'identité, ainsi que les frais médicaux. Certaines assurances couvrent aussi l'annulation du voyage ou les retards. Régler son billet d'avion par carte de crédit permet souvent d'être assuré (de façon très limitée) en cas d'accident. Vous pourrez en tout cas demander à être remboursé si l'agence ou le tour-opérateur n'émet pas le billet.

Il existe des centaines de polices d'assurance, veillez à en prendre une qui corresponde à vos besoins. Vérifiez bien que vous êtes couvert pour :
- Les activités "à risque" (plongée, moto et parfois randonnée) : certaines polices ne vous couvriront pas si vous conduisez avec un permis moto local.
- Les frais d'ambulance ou de rapatriement.

Les assurances qui paient directement les frais médicaux engagés sur place sont préférables à celles qui ne font que les rembourser. Si toutefois vous devez vous faire rembourser en rentrant, assurez-vous de garder tous les documents nécessaires. (De même, si vous devez utiliser votre assurance pour vol, n'oubliez pas de faire une déclaration auprès de la police locale.) Certains organismes demandent d'appeler (en PCV) un centre dans votre pays d'origine qui prend immédiatement votre problème en charge.

Pour tous renseignements sur les assurances des voitures ainsi que des motos, reportez-vous à la p. 249.

Pour la carte européenne d'assurance maladie, voir p. 237.

CARTES ET PLANS

Les meilleures cartes routières de Sardaigne sont produites par Michelin (1/200 000 ; 7 €) et le Touring Club Italiano (1/200 000 ; 7 €). L'Istituto Geografico de Agostini publie également une carte régionale (1/130 000 ; 7,50 €), tout comme Belletti Editore (1/300 000 ; 6 €) et Litografia Artistica Cartografica (1/250 000 ; 7,50 €).

Les plans contenus dans cet ouvrage, associés aux cartes des offices de tourisme, suffisent généralement à se repérer. Si besoin, vous trouverez des cartes plus détaillées chez les libraires de Cagliari, Olbia et Alghero. Les meilleures cartes à grande échelle sont produites par Litografia Artistica Cartografica pour Cagliari, Nuoro, Oristano et Sassari. Belletti Editore vend des cartes d'Alghero (1/5 000 ; 6 €) et de la Costa Smeralda/Olbia (1/8 000 ; 6 €), de même que Studio FMB Bologna, qui produit en outre une carte routière de la Sardaigne du nord (1/170 000 ; 7 €).

CARTES DE RÉDUCTION
Cartes senior

Les réductions ne sont pas légion pour les seniors dans toute l'île, à l'exception de quelques sites dont l'entrée coûte moins cher pour les personnes âgées de 65 ans (parfois 60 ans) et plus.

Pour y avoir droit, vous devrez prouver votre âge à l'aide de votre carte d'identité ou de votre passeport.

Carte étudiant et Carte jeune

Sur présentation d'une pièce d'identité, les ressortissants de l'UE âgés de 18 à 25 ans bénéficient d'une réduction sur certains sites. La **Carte d'identité internationale des étudiants** (ISIC ; www.isic.org) ne suffit pas toujours à prouver votre âge pour bénéficier des réductions : un passeport, un permis de conduire (avec photo) ou une carte **Euro<26** (www.euro26.org) est préférable.

La carte ISIC vous permet toutefois d'avoir droit à de nombreuses réductions pour l'hébergement, les achats et les musées de Cagliari, Sassari et Nuoro. Une carte équivalente existe pour les professeurs : la Carte d'identité internationale des professeurs (ITIC) et pour les moins de 26 ans non étudiants, la Carte jeune internationale de voyage (IYTC).

Les cartes pour étudiants sont délivrées par les associations d'étudiants, par les organismes d'auberges de jeunesse ainsi que par certaines agences de voyage spécialisées. À Cagliari, le **Centro Turistico Studentesco e Giovanile** (CTS ; www.cts.it, en italien) est habilité à délivrer des cartes ISIC, ITIC et Euro<26.

CLIMAT

La Sardaigne bénéficie d'un climat méditerranéen, caractérisé par des étés chauds et secs et des hivers doux avec peu de précipitations. Les conditions météorologiques sont différentes selon les régions de l'île. C'est en général sur la côte que le climat est le plus agréable. Les côtes méridionale et occidentale sont plus chaudes car plus exposées et proches de l'Afrique du Nord. Sur la côte orientale, protégée par le massif du Gennargentu, le temps est plus changeant.

À l'intérieur des terres, c'est différent. En été, les journées sont très chaudes et le climat sec, mais en altitude le soir et la nuit,

il peut faire étonnamment froid. Sur les plus hauts sommets, les chutes de neige sont substantielles, particulièrement en janvier. Le printemps et l'automne sont les saisons où il pleut.

Pour de plus amples précisions sur la période de l'année la plus propice à visiter la Sardaigne, reportez-vous à la p. 13.

DÉSAGRÉMENTS ET DANGERS

Réputée pour avoir été un pôle de banditisme et d'enlèvements, la Sardaigne est dorénavant une île très paisible. Vous ne risquez guère d'être la cible des escroqueries ou d'autres délits qui peuvent être commis dans d'autres régions. Agressions, vols à la tire ou surfacturation dans les hôtels sont rares. En résumé, vous ne devriez rencontrer aucun problème pendant votre séjour.

Vols

Le vol est loin d'être un problème majeur en Sardaigne. Pour autant, usez de bon sens : une ceinture renfermant vos documents principaux (passeport, espèces, cartes bancaires) est une bonne idée. Mais pour éviter de piocher dedans en plein jour, prenez un portefeuille dans lequel vous glisserez l'argent de la journée. Si vous avez un sac, mieux vaut le porter en bandoulière et ne pas le laisser dépasser côté rue. Lorsque vous vous installez en terrasse, ne laissez jamais votre sac sur une chaise près du trottoir ou sans surveillance.

Enfin, ne laissez pas d'objets de valeur en vue dans votre chambre d'hôtel. Autre conseil : ne laissez *jamais* d'objets de valeur dans votre voiture, ni quoi que ce soit d'autre d'ailleurs, et encore moins la nuit. Payer un petit supplément pour garer son véhicule dans un parking surveillé vaut vraiment la peine.

En cas de perte ou de vol, adressez-vous à la *questura* (police municipale) dans un délai de 24 heures et exigez une déclaration écrite, indispensable pour obtenir un remboursement de la part de votre assurance. Vous trouverez les numéros d'urgence dans chaque rubrique de cet ouvrage.

Circulation automobile

En juillet et en août, la circulation sur nombre de petites routes de Sardaigne peut être un véritable désagrément, de même que la recherche d'un emplacement de parking. Dans les grandes villes, gardez un œil sur ce

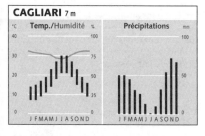

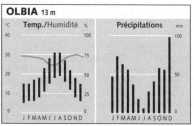

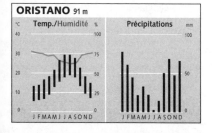

CARNET PRATIQUE

qui se passe autour de vous, surtout lorsque vous ralentissez pour regarder le nom des rues ou pour chercher une place de parking. Dans l'ensemble, conduire en Sardaigne est moins intimidant que dans les autres régions d'Italie, les Sardes sont assez respectueux du code de la route. Faites-en autant en tant que piéton et ne tentez pas le diable.

DOUANE

En venant d'un pays de l'UE, vous pouvez entrer en Italie avec 10 litres d'alcools, 90 litres de vin et 800 cigarettes détaxés. En provenance d'un autre pays, vous serez limité à 1 litre d'alcool, 2 litres de vin, 50 ml de parfum, 250 ml d'eau de toilette, 200 cigarettes et d'autres biens pour une valeur maximale de 175,50 €. Au-delà de cette limite, vous devrez déclarer vos biens et payer des taxes. Au départ de l'UE, les citoyens non ressortissants de l'Union pourront réclamer la TVA sur les produits de luxe (consultez le site www.globalrefund.com pour plus d'informations). En Italie, vous pouvez apporter jusqu'à 10 000 € en espèces.

ENFANTS

Comme tous les Italiens, les Sardes adorent les enfants et les accueillent à bras ouverts à peu près partout. Les hôtels du littoral ont tout prévu pour les familles, et les enfants seront bien accueillis. Toutefois, les lieux moins touristiques tels que les grandes villes et l'intérieur des terres, le massif du Gennargentu par exemple, sont moins bien équipés pour les accueillir. Voyager dans ces régions nécessite donc plus de planification qu'ailleurs.

Pratique

Les enfants ont droit à une réduction dans les transports en commun et sur le prix d'entrée des sites à visiter. Sur les trains et les ferries, les enfants de moins de quatre peuvent voyager gratuitement, mais n'ont pas de couchette ou de siège attitré. Les enfants entre 4 et 12 ans ont la plupart du temps droit au demi-tarif. Bien que les trains en Sardaigne soient rarement complets, mieux vaut réserver en haute saison. Pensez à réserver un siège-auto si vous comptez louer une voiture.

Le lait maternisé, liquide ou en poudre, ainsi que les solutions de stérilisation, sont en vente dans les pharmacies. Des couches jetables sont en vente en *farmacia* et en supermarché, où vous trouverez un large choix. Souvenez-vous que les horaires d'ouverture des magasins ne sont peut-être pas les mêmes que chez vous ; si vous êtes à court de couches un samedi soir, préparez-vous à un dimanche difficile. Le lait est en vente en brique de 1,5 litre dans les supermarchés et dans certains bars. Sachant que la plupart des bars ferment à 20h, il est toujours pratique d'avoir en réserve une brique de lait pasteurisé.

Activités

Sur la côte, la plage remporte tous les suffrages. La Sardaigne jouit de quelques-unes des plus longues plages de la Méditerranée, avec des eaux chaudes bordées de sable. Les plus grands voudront peut-être s'essayer aux sports aquatiques, notamment à Porto Pollo (p. 183) et dans les établissements familiaux de Cannigione (p. 182) et Cala Gonone (p. 217). S'ils ne souffrent pas du mal de mer, les enfants aimeront se promener au fil de l'eau et dans les spectaculaires grottes maritimes telles que la Grotta di Nettuno (p. 168), près d'Alghero, et la Grotta del Bue Marino (voir l'encadré p. 217), à Cala Gonone.

En s'éloignant de la mer, on peut faire de l'équitation à Oristano (voir p. 114 et p. 120) ou faire un tour sur le *trenino verde* (voir p. 76), un petit train touristique qui arpente quelques-unes des villes et des régions les plus spectaculaires et les plus inaccessibles de l'île.

Nombre de complexes hôteliers sont équipés de toutes les commodités pour accueillir des enfants. Ainsi, il est très facile de les confier aux animateurs d'un club de loisirs ou à une baby-sitter pour sortir le soir.

Se restaurer avec des enfants

Manger au restaurant avec des enfants ne pose pas de problème en Sardaigne, notamment dans les hôtels de la côte où les familles sont plus que bienvenues. Les menus enfant ne sont pas courants, les cuisiniers seront toutefois ravis se préparer une *mezza porzione* (portion enfant) du choix de votre bout de chou. Certains restaurants mettent des *seggioloni* (chaises hautes) à disposition, mais renseignez-vous à l'avance.

FÊTES ET FESTIVALS

Les Sardes célèbrent leurs traditions avec force et panache : costumes d'animaux grotesques, courses de chevaux épiques et parades passionnées ponctuent le calendrier festif de l'île.

Les fêtes les plus importantes datent d'avant l'ère chrétienne et sont liées au calendrier des récoltes. Comme partout ailleurs dans le monde chrétien, ces fêtes païennes ont ensuite été "christianisées", l'Église s'appropriant tel ou tel rituel en y attachant le nom d'un saint.

Pour un calendrier complet des festivités, reportez-vous p. 17.

FORMALITÉS ET VISAS

Les citoyens de l'Union européenne et les Suisses n'ont pas besoin de visa. Une carte d'identité suffit. Pour les Canadiens, un visa n'est pas nécessaire si le séjour n'excède pas 90 jours.

Un visa touristique pour un pays de la zone Schengen est valable 90 jours. En théorie, un visa délivré dans un pays Schengen est valable dans tous les autres de la zone, mais mieux vaut se renseigner : certains pays appliquent des restrictions supplémentaires envers certaines nationalités. Pour obtenir un visa, vous devez en faire la demande dans votre pays de résidence. Pas plus de deux visas touristiques ne peuvent être délivrés dans une période de 12 mois, ils ne sont pas renouvelables en Italie.

Pour plus d'informations sur l'espace Schengen et les demandes de visa, visitez le site www.schengenvisa.cc.

Théoriquement, tous les visiteurs étrangers doivent s'enregistrer auprès de la police locale dans les 8 jours suivants leur arrivée en Sardaigne. Mais en général, votre hôtel s'en charge pour vous : c'est pour cette raison que l'on vous demandera toujours de présenter votre passeport.

Permis de séjour

Un *permesso di soggiorno* est nécessaire pour tous les ressortissants hors UE qui restent en Sardaigne plus de trois mois. Vous devez en faire la demande dans les 8 jours suivant votre arrivée en Italie, mais bien peu de voyageurs le font. Les citoyens de l'UE n'ont pas besoin de permis de séjour.

Pour en obtenir un, il vous faut un passeport en cours de validité marqué d'un tampon avec votre date d'entrée en Italie (ce n'est pas automatique, pensez à en demander un) ; un visa étudiant le cas échéant ; quatre photos d'identité ; une preuve que vous êtes financièrement indépendant (en général, il s'agit d'une lettre d'un employeur ou d'une université) et un timbre fiscal de 14,92 € (*marca da bollo*).

Les documents demandés changent régulièrement : renseignez-vous toujours avant de vous lancer dans l'inévitable file d'attente. Vous trouverez des informations à jour sur le site web de la **Polizia di Stato** (www.poliziadistato.it, en italien).

Des kits regroupant des formulaires de demande sont disponibles dans les principaux bureaux de poste.

Visas étudiants

Les citoyens des pays non membres de l'UE voulant étudier en Italie doivent demander un visa spécifique à l'ambassade ou au consulat d'Italie de leur pays. L'étudiant doit en principe fournir des justificatifs d'inscription et la preuve qu'il peut

---

AVANT LE DÉPART

Nous vous conseillons de photocopier tous vos documents importants (pages d'introduction de votre passeport, cartes de crédit, numéros de chèques de voyage, police d'assurance, billets de train/d'avion/ de bus, permis de conduire, etc.). Emportez un jeu de ces copies, que vous conserverez à part des originaux. Vous remplacerez ainsi plus aisément ces documents en cas de perte ou de vol.

subvenir à ses besoins. Ce type de visa ne couvre que la période d'étude. Il peut être renouvelé en Italie, mais il faudra prouver que vous êtes toujours scolarisé et financièrement indépendant (relevés bancaires à l'appui).

Visas de travail

Pour travailler en Italie, les ressortissants hors UE doivent obtenir un visa de travail : faites-en la demande auprès de l'ambassade ou du consulat italien le plus proche de chez vous. Vous devrez fournir un passeport en cours de validité, une preuve d'assurance santé et un permis de travail. Si vous comptez travailler pour une entreprise italienne, c'est à elle de faire les démarches nécessaires en Italie pour obtenir le permis et de vous envoyer les documents requis pour faire la demande de visa. Dans les autres cas, adressez-vous au consulat italien de votre pays

HANDICAPÉS

La Sardaigne n'est pas très bien équipée pour les voyageurs à mobilité réduite. Peu de musées et monuments, à l'exception du Museo Archeologico Nazionale de Cagliari, ont une rampe d'accès pour fauteuils roulants.

La loi européenne veut que les aéroports soient obligés de fournir une assistance aux voyageurs avec un handicap : si vous avez besoin d'aide durant votre vol ou à votre arrivée, prévenez votre compagnie aérienne au moment de la réservation, elle en informera l'aéroport. Des informations sur les services disponibles dans les deux aéroports de Rome sont indiquées sur le site www.adrassistance.it, en italien.

Si vous avez besoin d'aide pour voyager en train, Trenitalia dispose d'un numéro spécial, ouvert tous les jours en 7h et 21h : ☎ 199 30 30 60.

L'antenne de l'office du tourisme italien installée dans votre pays d'origine vous fournira toutes les indications sur les associations italiennes d'aide aux handicapés et sur les infrastructures en place en Italie.

Les organismes cités ci-dessous peuvent s'avérer utiles :

Accessible Italy (☎ 378 0549 94 11 00 en Italie, 39-3486 91 30 64 en-dehors de l'Italie ; www.accessibleitaly.com en français et en anglais). Agence basée à Turin spécialisée dans les services aux handicapés en vacances ; entre autres, circuits organisés et location de moyens de transport adaptés.

Associazione Italiana Assistenza Spastici (☎ 070 37 9101 ; www.aiasnazionale.it, en italien ; Viale Poetto 312, Cagliari). L'association italienne d'assistance aux spastiques a une antenne à Cagliari.

En France, l'**APF** (Association des paralysés de France, 17 bd Auguste-Blanqui, 75013 Paris, ☎ 01 40 78 69 00, fax 01 45 89 40 57, www.apf.asso.fr) peut vous fournir d'utiles informations sur les voyages accessibles. Deux sites Internet dédiés aux personnes handicapées comportent une rubrique consacrée au voyage et constituent une bonne source d'information. Il s'agit de **Yanous** (www.yanous.com) et de **Handica** (www.handica.com).

HÉBERGEMENT

Les hôtels de la Costa Smeralda et de Santa Margherita di Pula alignent les étoiles et les tarifs sont prohibitifs, notamment en été. Mais dans l'ensemble, la Sardaigne compte de nombreux hébergements d'un bon rapport qualité/prix. Beaucoup d'ensembles hôteliers pratiquent des prix raisonnables, et vous trouverez également des hôtels plus modestes et des chambres d'hôte. À l'intérieur des terres, les *agriturismi* (hébergement dans une ferme, ou agrotourisme) sont très intéressants.

De manière générale, le prix des hébergements diminue avec l'éloignement par rapport à la mer. Le simple fait de parcourir 5 km dans les terres vous permettent d'économiser un peu. La baisse importante des tarifs en dehors de la haute saison (juillet-août et Pâques) constitue une agréable surprise. Dans certains cas, les prix diminuent de moitié.

Dans ce guide, les hébergements sont divisés en trois catégories : bon marché (moins de 80 € la double en haute saison), catégorie moyenne (de 80 € à 140 €) et catégorie supérieure (plus de 140 €). Toutes les chambres sont équipées d'une salle de bain privative, sauf mention contraire. En très haute saison (en août, ou du moins pendant une partie du mois d'août), de nombreux établissements ne proposent que la demi-pension (petit-déjeuner et dîner). Le cas échéant, nous avons référencé les prix maximal et minimal en haute saison. Sauf indication contraire, le petit-déjeuner est toujours inclus.

Il est impératif de réserver pour la haute saison (de mi-juin à fin août). Les tarifs augmentent de 5 à 10% chaque année et baissent de 30 à 40% en basse saison.

En hiver (de novembre à Pâques), nombre d'établissements, en particulier sur la côte, sont fermés. Dans les villes d'une certaine taille, l'hébergement reste possible toute l'année. La fréquentation touristique de l'île étant moindre en basse saison, il n'est pas difficile de trouver de la place dans les hôtels qui restent ouverts.

Contrairement aux autres régions d'Italie, on vous demandera rarement de confirmer votre réservation par lettre ou par fax dans un hôtel standard. En revanche, dans les complexes hôteliers des stations balnéaires très touristiques, il faut confirmer sa réservation par fax ou par e-mail. Dans la plupart des cas, on vous demandera également de verser des arrhes.

Sardegna Turismo (www.sardegnaturismo.it) propose une liste d'hôtels répartis sur toute l'île.

Agrotourisme et chambres d'hôte

Le séjour à la ferme est une excellente façon de découvrir la campagne sarde. Si les *agriturismi* étaient traditionnellement des fermes en activité avec une ou deux chambres d'hôte (certaines le sont encore ; la loi régionale sarde veut que ces établissements produisent la majorité de la nourriture servie), beaucoup de fermes se sont transformées en séjour rural plus sophistiqué. En général, ces fermes sont idéales pour les familles avec enfants en bas âge (elles disposent de grands espaces verts), les gourmands (on y sert à déjeuner et/ou dîner) et ceux qui veulent sortir des sentiers battus (les *agriturismi* sont pour la plupart situés dans la campagne, au bout de longues routes de terre). Seul inconvénient : vous devrez disposer d'un véhicule pour y accéder.

Parmi les sites pratiques, www.agriturismodisardegna.it propose une liste d'adresses et de prix. Visitez également www.sardiniapoint.it, tuttoagriturismo.net et www.sardegnaturismo.it.

Une autre solution prisée, notamment à Cagliari, Sassari et Alghero, est de passer la nuit dans une chambre d'hôte. Vous trouverez des hébergements de qualité à des tarifs accessibles, surtout comparés aux hôtels de la région. Il n'existe aucune chaîne sarde pour les chambres d'hôte, mais les offices du tourisme pourront vous donner des adresses. À Cagliari, **Domus Karalitanae** (www.domuskaralitanae.it, en italien) propose une liste exhaustive des chambres d'hôte de la ville.

D'autres adresses sont disponibles sur le site www.bed-and-breakfast.it.

En moyenne, prévoyez entre 25 € et 40 € par personne et par nuit en chambre d'hôte.

Auberges de jeunesse

Il existe 7 *ostelli per la gioventù* en Sardaigne (Bosa, Castelsardo, Oristano, Alghero, Lanusei, San Vito, Cagliari). Toutes sont gérées par l'**Association italienne des auberges de jeunesse** (Associazione Italiana Alberghi per la Gioventù ; ☎ 06 487 11 52 ; www.aighostels.com ; Via Cavour 44, Rome), affiliée à la fédération **Hostelling International** (HI ; www.hihostels.com). Vous aurez besoin d'une carte HI (18 €) pour réserver dans ces auberges, mais si vous voyagez uniquement en Sardaigne, il n'est peut-être pas intéressant de devenir membre.

Les dortoirs coûtent entre 13 € et 18 € avec petit-déjeuner. Toutes les auberges ont également des chambres privatives pour 20 € par personne environ. Comptez 10 € pour un repas.

En général, les auberges ferment entre 10h et 15h30. L'enregistrement a lieu de 18h à 22h30. Certaines acceptent cependant l'arrivée de pensionnaires le matin avant de fermer pour la journée (confirmez votre venue au préalable). Il faut en général payer avant 9h le jour du départ, sans quoi, on peut vous facturer une nuit supplémentaire.

Campings

Alors que les hôtels en bord de mer deviennent inabordables en juillet et août, le camping est une bonne alternative. Les campeurs seront heureux en Sardaigne : les terrains sont bien équipés avec des emplacements pour les tentes, ainsi que des bungalows, piscines, restaurants et supermarchés.

En haute saison, et surtout en août, les tarifs des campings peuvent néanmoins être étonnamment onéreux. Ceci dit, étant donné ceux pratiqués par les hôtels à la même période, le camping ou le logement en bungalow restent intéressants. Les prix vont d'environ 10 à 20 € par adulte. Il y a des frais supplémentaires pour l'emplacement, le parking, les sanitaires et l'électricité. Les tarifs mentionnés dans ce guide sont ceux de la haute saison.

Sur la plupart des terrains, il n'est pas nécessaire de réserver son emplacement de tente ou de caravane. En revanche, pour les bungalows, il faut réserver à l'avance en juillet et en août. Un bungalow pour deux coûte en général entre 60 et 100 €/nuitée.

Les campings ne sont ouverts qu'en saison, c'est-à-dire à peu près d'avril à octobre (et parfois seulement de juin à septembre).

Le camping sauvage est interdit ; toutefois, en dehors de la saison estivale, et à l'écart des grands pôles touristiques, vous pourrez sans problème camper en pleine nature à condition que vous restiez discret et que vous n'allumiez pas de feu. Demandez toujours la permission avant de planter votre tente sur une propriété privée.

Le Touring Club Italiano (TCI) publie tous les ans un guide du camping *Campeggi e Villaggi Turistici* (20 €), tandis que l'Istituto Geografico de Agostini produit, tous les ans également, son *Guida ai Campeggi in Europa*, vendu avec le *Guida ai Campeggi in Italia* (21 €). Sinon, vous pourrez vous procurer une liste des campings auprès des offices du tourisme ou sur les sites www.campeggi.com, www.camping.it ou www.touringclub.it.

Hôtels-clubs

Certains des plus beaux coins du littoral sarde sont envahis par des complexes hôteliers de style hôtels-clubs, lesquels ont en général 4 à 5 étoiles. Certains de ces établissement sont immenses – le village-vacances Forte (Forte Village) sur la côte sud-ouest compte 7 hôtels sur ses 25 000 hectares – et comprennent en général plusieurs restaurants, piscines, centre commerciaux, installations sportives et, sur la Costa Smeralda, des marinas.

Les tarifs sont bien sûr en conséquence. Forte Village et Is Morus, sur la côte sud-ouest, ou encore les grands hôtels de la chaîne Starwood sur la Costa Smeralda, facturent parfois jusqu'à 1 500 € la chambre double standard. Un petit tour sur le forum des membres de cette chaîne hôtelière vous apprendra que même la clientèle fortunée trouve le tarif de 150 € par personne le repas un peu "difficile à digérer"…

Entre ces bastions du luxe se trouvent tout de même quelques établissements plus abordables, en particulier aux environs de Villasimius sur la côte sud-est, de Cannigione et de Baia Sardinia dans le Nord-Est et de Pula et Chia sur la côte sud-ouest. Par leurs commodités et la multiplicité des activités proposées, ils peuvent se révéler intéressants pour les familles.

Hôtels et pensions

Il y a souvent peu de différence entre une *pensione* et un *albergo* (hôtel). Une *pensione*, souvent familiale, compte en général de 1 à 3 étoiles quand un *albergo* peut en avoir jusqu'à 5. Une nouveauté dans le secteur hôtelier sarde, l'*albergo diffuso* consiste en un établissement réparti dans plusieurs *palazzi* (bâtiments) remis au goût du jour dans les centres historiques des villes.

La qualité de ces hébergements est très variable, et la notation par étoile ne donne pas beaucoup d'informations. Les hôtels/pensions une étoile peuvent être très sommaires et ont généralement très peu de chambres avec salle de bain privative. Les critères de confort des établissements 2 étoiles sont à peine plus élevés, si ce n'est que les chambres ont une salle de bains privée. Dans les hôtels trois étoiles, vous pouvez vous attendre à un hébergement très correct. Les 4 et 5 étoiles offrent toutes les commodités : room-service, blanchissage, parking et Internet.

Pour loger à coup sûr dans un hôtel confortable ayant du cachet, assurez-vous de la présence à l'entrée de l'enseigne indiquant "Charme e Relax". Cette association italienne rassemble de petits et moyens hôtels, d'ordinaire installés dans des bâtiments typiques (monastères, châteaux, vieilles auberges, etc.) ou dans un cadre particulièrement plaisant. Vous y trouverez confort et qualité du service.

En général, les hôtels en Sardaigne n'ont rien d'extraordinaire. Jusqu'aux années 1960, il n'y en avait guère, aussi vos chances de loger dans un charmant vieil hôtel sont-elles minces. La plupart des hôtels n'offrent que des chambres sans imagination et comptent avant tout sur leur emplacement (face à la mer) et leurs services. Si vous recherchez un endroit avec du cachet, réservez une chambre dans un *albergo diffuso*.

Les offices du tourisme mettent à disposition des voyageurs des brochures répertoriant tous les établissements et précisant les tarifs pratiqués.

Locations

Trouver une location peut s'avérer long et difficile. Le seul moyen de trouver des *affittacamere* (chambres à louer) consiste à passer par les offices du tourisme, même si quelques-unes sont recensées dans les guides hôteliers provinciaux. On en trouve plus communément dans le Nord de l'île.

Les offices du tourisme vous fourniront également la liste des appartements et des villas à louer dans les zones touristiques telles que Santa Teresa di Gallura, Stintino et Alghero. Autrement, vous pouvez passer par l'une des centaines d'agences qui louent des appartements ou des villas. Parmi les agences fiables figurent :

Costa Smeralda Holidays (www.costasmeralda-holidays.com). Des séjours de grand standing sur la Costa Smeralda.

Cottages to Castles (www.cottagestocastles.com). Possède des propriétés sur la Costa Rei.

GULP (www.gulpimmobiliare.it, en italien). Une agence italienne avec des propriétés dans le Nord-Est.

Long Travel (www.long-travel.co.uk). Pour des appartements équipés dans le Nord.

Voyages Ilena (www.voyagesilena.co.uk). Propose une liste de 53 propriétés réparties sur l'île.

HEURE LOCALE

La Sardaigne est à l'heure GMT plus une heure en hiver et plus deux heures en été. Le changement d'heure se fait le dernier dimanche de mars et le dernier dimanche d'octobre. Elle se situe dans le même fuseau horaire que la France.

HEURES D'OUVERTURE

Les magasins ouvrent de 9h à 13h et de 16h à 20h, du lundi au samedi. En été, dans les zones très touristiques ils restent ouverts jusqu'à 23h. La pause de la mi-journée peut durer de 3 à 5 heures.

Dans les villes principales, la plupart des grands magasins et quelques supermarchés restent ouverts entre 9h (parfois 10h) et 19h30 du lundi au samedi. Certains sont également ouverts le dimanche matin, de 9h à 13h. Les magasins alimentaires ferment le jeudi après-midi pour certains, le lundi matin pour d'autres.

Les banques ouvrent en général de 8h30 à 13h30 et de 14h45 à 16h30, du lundi au vendredi. La plupart des établissements bancaires sont équipés de DAB acceptant les cartes bancaires étrangères.

Les grands bureaux de poste sont ouverts de 8h à 18h50, du lundi au vendredi, et de 8h30 à 13h15 le samedi. Les bureaux de moindre importance ouvrent d'ordinaire de 8h30 à 13h15 du lundi au vendredi, et de 8h30 à 11h50 le samedi. Tous ferment au moins

2 heures plus tôt que d'habitude le dernier jour ouvré du mois (le samedi n'étant pas compté comme tel).

Les pharmacies ouvrent de 9h à 13h et de 16h à 19h30 du lundi au vendredi et le samedi matin. En dehors de ces horaires, elles ouvrent selon des tours de garde. Lorsqu'elles sont fermées, elles sont obligées d'afficher une liste des officines ouvertes à proximité.

Les bars (au sens italien du terme, c'est-à-dire, des lieux où l'on vient boire un café et manger un sandwich) et les cafés ouvrent d'ordinaire de 7h30 à 20h. Certains restent ouverts le soir, jusqu'à environ 1h du matin en semaine, et jusqu'à 2h le vendredi et le samedi. *Les discoteche* ouvrent autour de 22h (ou avant, si elles font également restaurant), mais elles ne s'animent que rarement avant minuit. Vous pourrez alors danser jusqu'à 5h du matin.

Les restaurants ouvrent de 12h à 15h et de 19h30 à 23h (la cusine ferme une heure avant). En été (de juin à septembre), la plupart sont ouverts 7 jours/7 au déjeuner et au dîner. Dans les stations balnéaires, beaucoup ferment durant la basse saison. Ceux qui restent ouverts toute l'année s'accordent un jour de repos hebdomadaire.

Les heures d'ouverture des musées, galeries et sites archéologiques sont très variables. En règle générale, les musées sont fermés le lundi, mais de juin à septembre, nombre d'entre eux ouvrent tous les jours. Hors saison, les heures d'ouverture sont restreintes. Quant aux sites ou établissements un peu éloignés, ils ferment carrément. Les horaires d'hiver, lorsqu'ils existent, s'appliquent généralement entre novembre et fin mars/début avril.

HOMOSEXUALITÉ

Tout repose sur la discrétion. Si l'homosexualité est légale (à partir de 16 ans), la Sardaigne ne ressemble en rien à Mykonos, et les mentalités demeurent largement conservatrices. Les démonstrations publiques d'affection peuvent engendrer certains regards déplaisants, notamment dans les terres. Seules Sassari et Cagliari, les deux plus grandes villes de l'île, semblent vraiment évoluer vis-à-vis de l'homosexualité.

Le **Movimento Omosessuale Sardo** (mouvement homosexuel sarde ; 079 21 90 24 ; www.movimentomosessualesardo.org, en italien ; Via Rockefeller 16/c), basé à Sassari, est la plus grande organisation gay de l'île. **Arcigay** (www.arcigay.it/Sardegna) est une organisation nationale qui peut s'avérer pratique.

Le site www.gayfriendlyitaly.com est très utile sur la vie homosexuelle en Italie et propose des liens et des adresses de plages et de B&B homosexuels en Sardaigne.

INTERNET (ACCÈS)

Étant donné que l'ancien gouverneur régional de Sardaigne est le fondateur du fournisseur d'accès Tiscali, on s'attendrait à ce que l'île soit mieux connectée. À ce jour, le meilleur moyen d'accéder à Internet est de passer par un cybercafé. Vous en trouverez dans tous les grands centres touristiques, et à certains endroits de l'île (ils sont indiqués dans ce guide). Toutefois, ne vous attendez pas à en trouver dans les petites villes et les villages. La connexion n'est pas bon marché, autour de 5 €/heure. Notez que vous êtes tenus par la loi de montrer vos papiers d'identité dans tout cybercafé.

De nombreux hôtels proposent des accès Internet, et de plus en plus en wi-fi.

Si vous voyagez avec votre ordinateur portable, vous trouverez des prises Ethernet (pour une connexion haut débit) dans les hôtels de catégories moyenne ou supérieure. Mais il vous faudra éventuellement un transformateur (les prises sont en 220V) et une prise téléphone RJ-11 pour votre modem.

Les opérateurs italiens de télécommunication **Telecom Italia** (www.tim.it, en italien) et **Wind** (www.wind.it, en italien) vendent des abonnements vous permettant d'accéder à Internet via les réseaux de téléphonie mobile. Mais les prix sont assez élevés, à partir de 25 € par mois pendant 12 mois minimum.

JOURS FÉRIÉS

La majorité des Italiens prennent leurs congés annuels en juillet ou en août, quittant les villes pour le climat plus tempéré du bord de mer ou de la montagne. La Sardaigne étant l'une des destinations les plus touristiques de la Méditerranée, l'île est très fréquentée en été. En juillet et août, des centaines de milliers d'Italiens et de touristes du monde entier débarquent sur l'île, tandis que les habitants des villes sardes prennent quelques jours de congés dans leurs résidences du bord de mer. La plupart des commerces en ville ferment donc pour quelques semaines, généralement autour de *Ferragosto* (Assomption), le 15 août. La Semaine sainte est une autre période de

l'année où beaucoup d'Italiens partent en vacances.

Les écoles italiennes ferment leurs portes durant trois mois en été (de mi-juin à mi-septembre), pour trois semaines à Noël (deux dernières semaines de décembre et première semaine de janvier) et pour une semaine à Pâques.

Chaque ville célébrant son saint patron, (voir p. 17), il y a pour chacune des jours fériés spécifiques. Les jours fériés nationaux sont les suivants :

Capodanno (Nouvel An) 1er janvier

Epifania (Épiphanie) 6 janvier

Pasqua (Pâques) Mars/avril

Pasquetta (lundi de Pâques) Mars/avril

Giorno della Liberazione (Jour de la Libération) 25 avril.

Festa del Lavoro (fête du Travail) 1er mai

Festa della Repubblica (Jour de la République) 2 juin

Ferragosto (Assomption) 15 août

Ognissanti (Toussaint) 1er novembre

Immacolata Concezione (fête de l'Immaculée Conception) 8 décembre

Natale (Noël) 25 décembre

Festa di Santo Stefano (Saint-Étienne) 26 décembre

OFFICES DU TOURISME

Il existe beaucoup d'offices du tourisme en Sardaigne, mais la qualité de l'accueil varie considérablement. Certains bureaux sont gérés par un personnel enthousiaste et patient qui sera enchanté de répondre à toutes vos questions et de vous inonder d'informations pratiques ; d'autres sont tenus par des bureaucrates totalement indifférents ou incapables. Dans l'ensemble, le personnel des principaux points d'informations des villes touristiques (Alghero, Cala Gonone, Santa Teresa di Gallura, Villasimius) est efficace, serviable et parle anglais.

Outre les offices du tourisme officiels, il existe pléthore d'agences privées qui renseignent les touristes, vendent des séjours et proposent des hébergements. Dans certains cas, elles se révèlent plus utiles que les sources officielles. Nous en avons indiqué quelques-unes dans cet ouvrage.

Comme d'autres aspects de l'organisation régionale, l'information touristique est très structurée en Sardaigne. Par souci de simplicité, nous parlerons uniquement d'offices du tourisme dans cet ouvrage, bien qu'en réalité, les titres officiels soient bien plus complexes selon l'organisme qui les chapeaute et les finance (région, province ou conseil municipal).

Ainsi, vous croiserez peut-être l'Azienda Autonoma di Soggiorno e Turismo (AAST) qui fournit des informations telles que les plans des bus et les horaires des musées, sur certaines villes en particulier. L'Azienda di Promozione Turistica (APT) ou l'Ente Provinciale per il Turismo (EPT) fournissent des informations sur la ville et la région où vous vous trouvez. Dans les petites villes et les villages, le bureau d'informations est le Pro Loco, géré par la municipalité et dont les ressources sont limitées.

Les offices du tourisme sont ouverts entre 9h et 12h30 puis de 16h à 18h du lundi au vendredi. Les horaires sont susceptibles de s'étirer en été, lorsque certains bureaux ouvrent le samedi et le dimanche. La plupart répondent au téléphone et au courrier.

Des informations sont disponibles en ligne sur l'excellent www.sardegnaturismo. it et sur le site de l'**Agence nationale italienne pour le tourisme** (ENIT ; www.enit.it).

POSTE

La **poste** (☎ 803 160 ; www.poste.it) italienne, et donc sarde, n'est pas la plus efficace au monde, bien qu'elle se soit légèrement améliorée ces dernières années. Malheureusement, la distance qui sépare l'île du continent n'arrange pas les choses.

Les timbres (*francobolli*) sont vendus dans les postes et bureaux de tabac (*tabacchi* signalés par un T blanc sur fond noir). Le tarif dépendant du poids de la lettre, le montant des timbres achetés dans les *tabacchi* pour un envoi international par avion représente souvent une approximation du prix réel.

Une lettre de 20 g en envoi standard *posta prioritaria* coûte 0,65 € vers un pays européen (zone 1), 0,85 € pour les États-Unis (zone 2) et 1 € vers l'Océanie (zone 3). Le courrier en *posta raccomandata* (recommandé) est plus rapide et plus cher : respectivement 3,45/3,65/3,80 € pour les trois zones. Enfin, vous pouvez assurer vos envois d'une valeur maximum de 3 000 € en *posta assicurata* pour 18,45 €.

PROBLÈMES JURIDIQUES

À moins de vous être fait voler quelque chose et de souhaiter faire jouer votre assurance, vous ne devriez pas avoir à faire à la police sarde.

Les autorités policières sont divisées en trois organismes : la *polizia*, en uniforme bleu marine ; les *carabinieri*, en noir avec une bande rouge ; et la *guardia di finanza*, tout de gris vêtus, qui s'occupe de fraude fiscale et de trafic de drogue. Si vous avez le moindre problème, vous aurez probablement affaire à la *polizia* ou aux *carabinieri*. À moins que les *vigili urbani*, la police locale de la route, ne dépose sur votre pare-brise une amende pour stationnement interdit.

Si vous êtes placé en détention sur présomption de délit, les charges à votre encontre doivent vous être signifiées dans les 24h, par écrit ou oral. Vous n'avez pas droit à un appel téléphonique, mais vous pouvez choisir de ne pas répondre aux questions sans la présence d'un avocat. Dans les affaires criminelles, il est possible d'être placé en détention provisoire pendant 2 ans.

En février 2006, le parlement italien a voté des lois très sévères en matière de drogues. Désormais, aucune distinction n'est faite entre drogues dures et drogues douces, plaçant ainsi le cannabis sur le même plan juridique que la cocaïne, l'ecstasy ou l'héroïne. Si vous êtes arrêté en possession de stupéfiants clairement destinés à la revente, vous encourrez jusqu'à 260 000 € d'amende ou de 6 à 20 ans de prison.

L'alcoolémie autorisée au volant est de 0,05%. Après une série d'accidents meurtriers en 2007, les autorités sont bien moins tolérantes à l'égard de l'alcool, et les contrôles routiers effectués au hasard ne sont pas rares. Au moment de nos recherches, la police italienne expérimentait le dépistage de drogues au volant.

SANTÉ

La carte européenne d'assurance maladie (http://ec.europa.eu/social), nominative et individuelle, remplace le formulaire E111. Elle assure l'aide médicale d'urgence (mais non le rapatriement sanitaire) aux citoyens de l'Union européenne. Vous devez en faire la demande auprès de votre caisse d'assurance maladie (comptez un délai d'environ 2 semaines). Vos frais médicaux sont pris en charge dans les mêmes conditions que pour les assurés du pays qui vous accueille.

TÉLÉPHONE
Indicatifs téléphoniques

L'indicatif téléphonique de l'Italie est le ☎ 39. Les numéros de portables ont un préfixe à trois chiffres tels que 330 ou 339. Les numéros verts (*numeri verdi*) commencent en général par 800, et les numéros nationaux par 848 ou 199.

L'indicatif régional fait partie intégrante du numéro en Italie ; vous devrez le composer même si vous appelez au sein de la zone en question.

Il est très facile d'appeler l'étranger depuis la Sardaigne à partir d'une cabine ou d'un centre d'appels. Composez le ☎ 00 (indicatif international), puis l'indicatif du pays et le numéro de votre correspondant.

Téléphones portables

L'Italie est l'un des pays où la téléphonie mobile est la plus développée, et la Sardaigne ne fait pas exception. Même les bergers isolés gardent leur portable à portée de main pour rester en contact avec leur ferme.

Les téléphones fonctionnent sous le système GSM 900/1800, compatible avec le reste de l'Europe, mais pas avec le système GSM 1900 d'Amérique du Nord.

Si vous possédez un GSM bibande ou tribande déblocable (vérifiez auprès de votre opérateur), vous pouvez activer une carte *prepagata* (prépayée) en Italie. Les trois grands opérateurs **TIM** (www.tim.it), **Wind** (www.wind.it) et **Vodafone** (www.vodafone.it) vendent tous des cartes SIM dans leurs boutiques sardes. Pour recharger votre crédit, achetez une *ricarica* (recharge) dans un *tabacchi* ou chez un revendeur agréé. Le prix des appels varie selon votre forfait, mais comptez en moyenne 0,20 € la minute sur les fixes italiens et de 0,50 € à 3 € vers l'Europe et les États-Unis.

Pensez à prendre une pièce d'identité pour acheter votre carte SIM.

Téléphones publics et cartes téléphoniques

Face à la concurrence du tout-puissant *cellulare* (portable), les cabines téléphoniques Telecom Italia se font rares. Vous en trouverez encore près des gares et dans quelques bars – elles sont de couleur argentée – mais elles ne sont plus aussi répandues qu'autrefois. La plupart des téléphones publics n'acceptent que des *schede telefoniche* (cartes prépayée), mais certaines prennent encore les pièces. Dans d'autres, on peut utiliser sa carte bancaire.

Les cartes téléphoniques sont vendues aux prix fixes de 2,50 €, 5 € ou 10 € dans les bureaux de tabac et les kiosques à journaux. Pensez à détacher le coin supérieur gauche avant de vous en servir.

Autrement, vous pourrez économiser quelques euros en appelant depuis un centre d'appels ; vous en trouverez dans les grandes villes de Sardaigne. Ils font souvent office de cybercafé.

Pour obtenir les renseignements, composez le ☎ 12.

VOYAGER EN SOLO

Les femmes auront plus de difficulté à voyager seules, surtout à l'intérieur des terres. Il n'y a aucun danger particulier à signaler. Vous serez toujours reçu avec courtoisie. Mais l'attitude des populations locales reste très conservatrice quant au rôle de l'homme et de la femme. Dans les zones rurales, vous croiserez bien peu de femmes dans les bars et les cafés, et celles voyageant seules attireront sans doute des regards appuyés. Pour autant, la réprobation n'est jamais insistante, et les commentaires désobligeants ou le harcèlement sont très rares.

Le principal inconvénient à voyager seul(e) tient à la pénurie de chambres individuelles dans les zones touristiques de la côte nord-est, du golfe d'Orosei, et d'Alghero et ses environs. Dans ces endroits, il vous faudra probablement acquitter le prix d'une chambre double. En haute saison, le supplément pour une chambre simple peut coûter très cher. Si vous avez un petit budget, adressez-vous de préférence aux B&B et *agriturismi*, dont les tarifs sont nettement plus raisonnables. De surcroît, nombre de ces établissements pratiquent une facturation par personne et non par chambre. Cela dit, ces établissements disposent rarement de chambres simples. En été, lorsque la demande est forte, les tenanciers auront tendance à donner leurs chambres à des couples plutôt qu'aux voyageurs seuls.

Le voyage sac au dos n'existe pratiquement pas. Fréquenter les bars et les restaurants tout seul est une pratique si peu courante que les gens ont tendance à vous regarder comme une bête curieuse et à vous assener un : "Désolés, mais nous n'avons pas de table pour une seule personne, nous sommes complets." Les Sardes forment une communauté très unie, de sorte qu'il arrive parfois que l'on se sente un peu seul. Toutefois, contrairement aux clichés habituels, ils sont aussi très serviables et amicaux.

Bien évidemment, il faut comme toujours fait preuve d'un minimum de bon sens : évitez les rues mal éclairées et les parkings déserts la nuit à Cagliari et à Sassari, et mettez vos objets de valeur à l'abri.

Femmes seules

Les Sardes se montrent courtois avec les femmes, et il est peu probable que vous ayez à subir des avances, plus courantes sur le continent. Pour se débarrasser d'un importun, rien de tel que de l'ignorer. Si cela ne marche pas, dites que vous attendez votre *marito* (mari) ou *fidanzato* (fiancé) et éloignez-vous au besoin. Évitez de vous montrer agressive car cela débouche souvent sur une confrontation très déplaisante. En désespoir de cause, adressez-vous à un policier ou aux *carabinieri*.

Une fois encore, il faut faire preuve de bon sens. Évitez de vous promener seule dans les rues désertes et sombres et installez-vous dans un hôtel central, qui soit à courte distance à pied des restaurants où vous irez manger le soir. Nous déconseillons également l'auto-stop.

Il est sage – et courtois – de s'habiller de façon correcte et sobre dans l'intérieur des terres. Les villageois sont très conservateurs ; d'ailleurs, on voit encore de vieilles femmes vêtues de longues jupes et de châles. Une tenue trop dénudée dans ce contexte paraîtrait choquante. Inspirez-vous de la tenue des femmes locales.

Transports

DEPUIS/VERS LA SARDAIGNE

L'avion reste la solution la plus simple et la plus rapide pour se rendre en Sardaigne. Des possibilités de vols directs existent depuis l'Europe, mais de nombreux vols incluent une correspondance sur la péninsule italienne. Une autre solution, plus économique mais aussi plus lente, consiste à prendre le ferry depuis le continent italien, français ou la Corse.

ENTRER EN SARDAIGNE

Si vous arrivez en Sardaigne depuis un pays situé hors de l'Europe, vous devrez probablement changer de vol (voire de compagnie aérienne) en Italie continentale. C'est là que s'effectuent toutes les formalités de douane et d'immigration, le reste du trajet étant considéré comme un vol intérieur.

Embarquer sur un ferry à destination de la Sardaigne est aussi facile que de monter dans un bus. Il est toutefois nécessaire de réserver en haute saison. Vous n'aurez pas à présenter votre passeport ou votre carte d'identité, mais gardez-les à portée de main.

Passeport

Pour un séjour de trois mois maximum, les ressortissants de l'Union européenne doivent être en possession d'une pièce d'identité (carte nationale d'identité ou passeport) valide. Les voyageurs venant de tout autre pays doivent être munis d'un passeport valide. Même accompagnés de leurs parents, les enfants mineurs doivent également voyager avec un titre d'identité.

Si vous arrivez par avion, votre passeport sera probablement tamponné à l'aéroport, sauf si vous venez d'un pays de l'espace Schengen (voir p. 231). Les ressortissants étrangers à l'UE qui prévoient un séjour longue durée en Sardaigne doivent demander un tampon à la douane, en l'absence de quoi il pourrait être compliqué d'obtenir un *permesso di soggiorno* (permis de séjour ; voir p. 231).

VOIE AÉRIENNE

Pendant la haute saison (de juin à septembre), et lors de fêtes telles que Pâques, les prix peuvent grimper de façon significative.

Aéroports

Les vols en provenance d'Italie et d'Europe desservent les trois aéroports principaux de Sardaigne : **Elmas** (CAG ; ☎ 070 211 211 ; www.sogaer.it) à Cagliari ; **Fertilia** (AHO ; ☎ 079 93 52 82/079 935 011 ; www.algheroairport.it), à Alghero, dans le Nord-Ouest ; et l'**Aeroporto Olbia Costa Smeralda** (OLB ; ☎ 0789 56 34 44 ; www.geasar.it) à Olbia dans le Nord-Est. Les horaires sont disponibles sur les sites Internet des aéroports.

AVERTISSEMENT

Les informations contenues dans ce chapitre sont particulièrement susceptibles de changements. Vérifiez directement auprès de la compagnie aérienne ou de l'agence de voyages les modalités d'utilisation de votre billet d'avion. N'hésitez pas à comparer les prestations. Les détails fournis ici doivent être considérés à titre indicatif et ne remplacent en rien une recherche personnelle attentive.

VOYAGES ET CHANGEMENTS CLIMATIQUES

Le réchauffement climatique est une menace sérieuse qui pèse sur notre planète, et parmi les principaux responsables de ce problème, l'essor des voyages aériens joue un rôle non négligeable. Lonely Planet considère que les voyages, dans leur ensemble, sont bénéfiques, mais pense également qu'il est du devoir de chacun de limiter son impact personnel sur le réchauffement climatique.

Circulation aérienne et changements climatiques

Si la quasi-totalité des moyens de transport motorisés génère du dioxyde de carbone (la principale cause du réchauffement climatique imputable à l'être humain), les avions sont de loin les plus à blâmer, non seulement en raison des longues distances qu'ils permettent de traverser, mais aussi parce qu'ils rejettent des gaz à effet de serre très haut dans l'atmosphère. Les statistiques sont effrayantes : un vol aller-retour entre l'Europe et les États-Unis pour deux personnes contribue autant au réchauffement climatique que la consommation en gaz et en électricité d'un foyer moyen sur une année.

Programmes de compensation

Des sites Internet utilisent des compteurs de carbone permettant aux voyageurs de compenser le niveau des gaz à effet de serre dont ils sont responsables par des contributions financières au bénéfice de projets durables, applicables dans le domaine touristique et visant à réduire le réchauffement de la planète ; ils incluent notamment des programmes en Inde, au Honduras, au Kazakhstan et en Ouganda.

Lonely Planet, associé à d'autres partenaires de l'industrie du voyage, soutient les projets de compensation du dioxyde de carbone. Tout notre personnel et tous nos auteurs ont compensé leurs émissions.

Pour plus d'informations, consultez notre site Internet : **www.lonelyplanet.fr**

À 1,5 km au sud de Tortoli, sur la côte sud-est de l'île, le petit **aéroport d'Arbatax-Tortoli** (☎ 0782 62 43 00 ; www.aeroportotortoliarbatax.it, en italien) accueille en été quelques vols charters.

DEPUIS/VERS LA SARDAIGNE

De plus en plus de compagnies volent vers la Sardaigne et il est désormais facile de voyager depuis les grandes villes européennes. Toutefois, la fréquence des vols diminue fortement en hiver, notamment à destination des aéroports d'Alghero et d'Olbia, et une escale sur le continent est souvent nécessaire.

Les vols intérieurs depuis l'Italie continentale sont assurés par plusieurs compagnies internationales, comme Ryanair ou easyJet, ainsi que par les grandes compagnies nationales, Meridiana/eurofly, Air One et Alitalia (ces deux dernières ayant fusionné leurs réseaux depuis avril 2009). Comptez entre 190 € et 220 € aller-retour depuis Rome ou depuis Milan en vol régulier. Vous pouvez également prendre l'avion à Bergame, Bologne, Brescia, Florence, Naples, Palerme, Parme, Pérouse, Pise, Rimini, Trieste, Turin, Venise et Vérone.

Pour acheter un billet d'avion pour la Sardaigne à un prix intéressant, le mieux est de chercher sur Internet ce que proposent les compagnies *low-cost* (citées ci-contre).

Les jeunes de moins de 25 ans (30 ans dans certains pays) qui étudient dans des pays extra-européens ont accès à des tarifs très avantageux à condition de posséder des cartes telles que la carte d'étudiant internationale (ISIC). Sinon quelques agences ou voyagistes spécialisés dans le voyage discount proposent des billets à prix réduits.

Depuis la France

Meridiana permet de se rendre depuis Paris à Cagliari (2h10 le vol direct) et à Olbia toute l'année. D'autres vols directs sont proposés une partie de l'année par Transavia (Paris-Olbia) ; Welcome Air dessert Olbia depuis Nice, easyJet et Ryanair vous permettent de gagner Olbia, Cagliari et Alghero depuis les aéroports de Bâle-Mulhouse-Fribourg EuroAirport, Marseille, Paris-Beauvais et Lyon.

En moyenne, un aller/retour coûte 300 € en basse saison en vol régulier, généralement avec une escale ; les mêmes tarifs peuvent être obtenus en haute saison en s'y mettant plusieurs mois à l'avance. Le vol Paris-Rome dure environ 2 heures (1h30 pour Milan).

TRANSPORTS

Depuis Rome, le temps de vol est de 1 heure 05 pour Cagliari, 50 minutes pour Olbia et 2 heures pour Alghero.

Voici quelques adresses d'agences et de transporteurs susceptibles de vous trouver des vols secs pour la Sardaigne (voir aussi l'encadré ci-contre) :

Air France (☎ numéro court 36 54, 0,34 €/min ; www.airfrance.com)

Alitalia Paris (☎ 0820 315 315, 0,12 €/min ; www.alitalia.fr ; 69 bd Haussmann, 75008 Paris)

Nouvelles Frontières (réservations et informations au ☎ 01 49 20 64 00 ; www.nouvelles-frontieres.fr ; 87 bd de Grenelle, 75015 Paris)

SNCF (☎ numéro court 36 35, 0,34 €/min ; www.voyages-sncf.com)

Thomas Cook (☎ 0826 826 777, 0,15 €/min ; www.thomascook.fr ; 38 av. de l'Opéra, 75001 Paris)

Voyageurs du Monde (☎ 0892 23 56 56, 0,34 €/min ; fax 01 42 86 17 88 par fax, indiquer votre destination ; www.vdm.com ; La Cité des Voyageurs, 55 rue Sainte-Anne, 75002 Paris)

Certaines agences s'adressent plus particulièrement aux jeunes ou aux étudiants :

OTU/Voyages Wasteels (☎ 01 55 82 32 32 agences un peu partout en France)

ISIC Voyages (☎ 01 40 49 01 01 ; fax 01 40 49 01 02 ; www.isivoyages.fr ; 2 rue de Cicé, 75006 PARIS)

Vous pouvez aussi réserver auprès d'une agence en ligne ou vous renseigner auprès d'un comparateur de vols :

- www.anyway.com
- www.ebookers.fr
- www.karavel.com
- www.lastminute.fr
- www.opodo.fr
- www.odysia.fr

ou faire une recherche avec des comparateurs de prix

- http://voyages.kelkoo.fr
- www.govoyage.com
- www.easyvoyage.com

Depuis la Belgique

La compagnie *low-cost* Jetairfly est la seule à proposer un vol direct pour la Sardaigne (Bruxelles-Olbia). Sinon, pour rallier l'île en avion, il vous faudra nécessairement prendre une correspondance. L'aller-retour Bruxelles/Rome (ou Milan) coûte de 135 à 360 € en basse/haute saison sur un vol régulier. Le temps de vol Bruxelles/Rome est d'environ 2 heures.

VOLS À PRIX CONCURRENTIELS

Ces companies *low-cost* permettent de trouver des vols à prix intéressants vers la Sardaigne :

- **Easyjet** (U2 ; ☎ 08 26 10 33 20 depuis la France et 0900 000 258 depuis la Suisse ; www.easyjet.com)
- **Hapag-Lloyd Flug** (X ; ☎ 0825 026 071 ; www.hlx.com)
- **Meridiana/Eurofly** (IG ; ☎ 0 899 69 02 40 ; www.meridiana.it)
- **Myair** (81 ; ☎ 0899 190 048 depuis la France, 090 233 920 depuis la Belgique et 0900 000 411 depuis la Suisse ; www.myair.com)
- **Ryanair** (FR ; ☎ 0892 780 210 ; www.ryanair.com)
- **Jetairfly** (JA ; ☎ 070 22 00 00 depuis la Belgique et +32 70 22 00 00 depuis la France ; www.jetairfly.com)

Brussels Airlines (☎ 027 23 23 45 ; www.brusselsairlines.com) propose la meilleure offre pour les liaisons Bruxelles-Rome.

Airstop (☎ 070 23 31 88 ; fax 09/242 32 29 ; www.airstop.be ; 28 rue du Fossé-aux-Loups, 1000 Bruxelles)

Connections (☎ 070 23 33 13 ; www.connections.be)

Gigatour/Eole (☎ 02/227 57 80 ; fax 02/219 90 73 ; 43 chaussée de Haecht, 1210 Bruxelles)

Depuis la Suisse

En été uniquement, easyJet propose des vols directs depuis Genève et Bâle-Mulhouse-Fribourg en direction d'Olbia et Cagliari. Sinon, vous devrez prendre une correspondance à Rome ou à Milan. Vous trouverez des billets Genève/Rome à partir de 115 € ; depuis Zurich, le prix est un peu plus élevé. Le trajet dure 1 heure 25.

Swiss (☎ 0848 700 700 ; www.swiss.com)

STA Travel Lausanne (☎ 0900 450 402 depuis la Suisse et 058 450 49 20 depuis la France ; fax 058/450 40 64 ; www.statravel.ch). Détails des agences locales sur le site Internet.

Depuis le Canada

Alitalia propose actuellement des vols quotidiens entre Rome et Toronto. En été, Air Transat vole en continu entre Montréal et Rome. Air Canada propose également tous les jours des vols Toronto-Rome directs, ou via Montréal ou Francfort, ainsi que des Toronto-

Milan via Francfort, Munich ou Zurich. Comptez environ 750/820 C$ pour des vols depuis la côte est/ouest du Canada.

Surveillez les offres de voyages à bas prix dans *La Presse* de Montréal ou le *Toronto Globe & Mail*

Air Canada (☎1 888 247 2262 depuis le Canada ; www.aircanada.com)

Air Transat (☎1 877 872 6728 ou numéro local pour la région de Montréal 514 636 3630 ; www.airtransat.com)

Voyages Campus - Travel Cuts (☎1 866 832 7564 ; www.travelcuts.com)

VOIE MARITIME

Il existe de nombreuses liaisons entre l'Italie continentale et la Sardaigne. Le trajet en bateau le plus court va de Civitavecchia, à 70 km de Rome, à Olbia, sur la côte nord-est de l'île. La traversée peut également s'effectuer depuis d'autres ports, principalement Gênes, Livourne et Naples. Des ferries partent également de Bonifacio et Porto-Vecchio en Corse, ainsi que de Marseille et Toulon (en été), avec parfois des escales à Ajaccio et Propriano. Enfin, Grimaldi Lines (www.grimaldi-lines.com) assure des liaisons entre Barcelone et Porto Torres.

En Sardaigne, les ports d'arrivée sont Olbia, Golfo Aranci, Palau, Santa Teresa di Gallura et Porto Torres au nord de l'île, Arbatax à l'est et Cagliari au sud.

Les prix des traversées diffèrent selon la saison, atteignant leur maximum entre juin et septembre – période où il vaut mieux s'y réserver à l'avance. Les billets s'achètent dans les agences de voyages italiennes ou sur Internet.

Le site de réservation en ligne www.traghettionline.net permet de réserver n'importe quel ferry en Méditerranée. Son cousin www.traghettionline.com recense toutes les traversées permettant d'accéder à l'île et renvoie vers les sites Internet des compagnies concernées.

France

SNCM (☎825 88 80 88 France ; www.sncm.fr) et **CMN La Méridionale** (☎0 810 20 13 20 Marseille ; www.cmn.fr) relient toutes les deux Marseille à Porto Torres (via la Corse). Deux à quatre traversées sont programmées chaque semaine, certains départs se faisant depuis Toulon en juillet et en août. Le voyage dure environ 15 à 17 heures (12h30 depuis Toulon). Une place assise (fauteuil inclinable) coûte 78 € et le passage d'une petite voiture 148 €.

À Porto Torres, vous obtiendrez informations et réservations à l'**Agenzia Paglietti** (☎079 51 44 77 ; fax 079 51 40 63 ; Corso Vittorio Emanuele 19).

CORSE

Le voyage entre Bonifacio, à l'extrémité sud de la Corse, et Santa Teresa di Gallura, dans le Nord de la Sardaigne, dure 1 heure. **Saremar** (☎892 123 depuis l'Italie, 0039 02 26 30 28 03 depuis l'étranger ; www.saremar.it), filiale de Tirrenia, assure 3 départs par jours en haute saison (2 chaque week-end entre octobre et mi-mars). Un aller simple adulte en haute saison coûte 10 €, et le transport d'une petite voiture de tourisme 37 €. Les taxes portuaires s'élèvent à 8 € par prestation.

Sardinia Ferries – Corsica Ferries (☎199 400 500 depuis l'Italie, 0 825 095 095 depuis la France ; www.corsica-ferries.fr) largue également les amarres trois fois par jour entre avril et septembre, et moins fréquemment le reste de l'année. Les adultes devront s'acquitter de 10 € pour le billet et de 4,10 € de taxes. Pour un véhicule, comptez 37 € et un supplément de 2,50 € pour les taxes.

Entre fin mars et fin septembre, **Moby Lines** (☎199 30 30 40 depuis l'Italie, 0039 02 76028132 depuis l'étranger ; www.mobylines.it) effectue 4 traversées par jour. Les billets coûtent entre 9 € et 13,50 € par adulte, plus 4,20 € de taxes, et entre 22 € et 63 € (plus 2,80 €) pour un véhicule.

Les ferries de la **SNCM** (☎825 88 80 88 ; www.sncm.fr) qui relient Marseille (France) à Porto Torres font escale dans le port corse de Propriano, et parfois à Ajaccio. L'allée simple pour un adulte est de 18,50 € et de 25,50 € pour une petite voiture. Il existe aussi des forfaits "excursion" à 93 € l'aller-retour pour 1 voiture et 2 adultes, 123 € pour 1 voiture et 4 adultes). Le trajet dure 4 heures.

Italie

Les bateaux à destination de la Sardaigne partent des ports italiens de Gênes, Savona, La Spezia, Livourne, Piombino, Civitavecchia, Fiumicino et Naples, ainsi que de Palerme et Trapani en Sicile.

Le tableau ci-contre donne les tarifs ordinaires des allers simples en haute saison pour une *poltrona* (fauteuil inclinable) pour un adulte – les enfants de 4 à 12 ans payent généralement demi-tarif – et pour une petite voiture de tourisme.

Vous pouvez réserver des cabines dont le prix varie selon le nombre d'occupants (un à quatre) et la situation (avec ou sans fenêtre). La plupart des compagnies accordent des réductions, sur les allers-retours notamment. Pour les voyages de nuit, si vous préférez les couchettes, il vous en coûtera le double.

VOIE TERRESTRE

La Sardaigne est située à 200 km du continent, si bien qu'une fois l'arrivée en avion éliminée, il est impératif d'embarquer sur un ferry (voir page précédente).

À titre indicatif, pour rejoindre la frontière italienne en voiture, comptez environ 700 km depuis Paris, 850 km depuis Bruxelles (en passant par l'Est de la France et la Suisse) et 300 km depuis Zurich. Nice est à une trentaine de kilomètres de l'Italie et Grenoble à environ 140 km par le tunnel du Fréjus.

Si vous allez en Italie en bus, en train ou en voiture, assurez-vous que les pays à traverser n'exigent pas de visa.

Passage de frontières

Les principaux points d'accès à la frontière italienne sont l'autoroute A8 Nice-Vintimille (Vintimiglia), reliée à l'A10 vers Gênes ; le tunnel du Mont-Blanc à Chamonix (France) et le tunnel du Grand-Saint-Bernard en Suisse (SS27), qui rejoignent tous deux l'autoroute A5 pour Turin et Milan ; le tunnel du Saint-Gothard, également en Suisse ; le tunnel de base suisse du Lötschberg, qui relie le tunnel centenaire du Simplon en Italie ; et le col du Brenner en Autriche (A13) qui conduit jusqu'à la A22 vers Bologne.

Les tunnels sont ouverts toute l'année. En hiver, et parfois en automne et au printemps, ils constituent des options plus fiables que les cols de montagne, souvent fermés. Pour la traversée des cols en saison hivernale, équipez votre véhicule de chaînes.

Bus

Eurolines (☎ 0 892 89 90 91 depuis la France 0,34 €/min, 0900 573 747 depuis la Suisse 1,49 CHF/min, 02/274 13 50 depuis la Belgique ; www.eurolines.com), un regroupement de 32 compagnies européennes de bus, circule dans toute l'Europe et possède des bureaux dans les principales villes. Les bus en direction de l'Italie s'arrêtent à Ancône, Florence, Rome, Sienne et Venise. Le site, disponible en plusieurs langues, contient des informations sur les tarifs, les abonnements et les agences de voyages où vous pouvez réserver vos billets.

Train

Plus cher que le bus, mais plus rapide et plus confortable, le train vous conduira au port

d'embarquement le mieux adapté à votre périple, en général Marseille ou Gênes.

Gênes est accessible depuis Paris via Milan ou Nice. Pour rejoindre Milan, il vous faudra prendre le train de nuit Stendhal depuis la gare de Bercy à Paris, puis un train Intercity vous amènera à Gênes, d'où vous pourrez embarquer sur un ferry en direction d'Olbia, Arbatax ou Porto Torres. Entre Paris et Milan, comptez entre 30 € et 90 € pour une cabine à six couchettes ; le train Milan-Gênes revient à 16 € environ.

Autrement, il est possible de prendre un train-couchette Train Bleu depuis Paris Austerlitz jusqu'à Nice, et de continuer sur un EuroCity vers Gênes. Sur le Paris-Nice en cabine 6 couchettes, il vous en coûtera entre 30 € et 110 €, puis 20 € de Nice à Gênes.

Certaines grandes lignes internationales transportent les véhicules privés – une option à considérer pour vous épargner des centaines de kilomètres en voiture.

Pour vous rendre en Italie, contactez la compagnie ferroviaire du pays de départ :
SNCF (☎ 36 35 0,34 €/min ; www.sncf.com)
SNCB (☎ 02 258 28 28 ; www.b-rail.be)
CFF (☎ 0900 300 300 1,19 CHF /min ; www.sbb.ch)

Vous pouvez également consulter le site très complet www.seat61.com. Vous y trouverez à peu près tout ce qui est possible de savoir sur les voyages en train en Europe et dans le monde entier.

Voiture et moto

Le réseau des transports publics sardes étant limité, il n'est pas sans intérêt de disposer d'un véhicule. Louer sur place une voiture ou une moto ne pose aucun problème, mais les prix restent élevés. Si vous pouvez voyager avec votre propre véhicule, vous devrez alors choisir un port où embarquer. Les voyageurs venant de France, d'Espagne ou du Royaume-Uni trouveront pratique d'embarquer à Marseille en été. Pour un embarquement depuis l'Italie, beaucoup optent pour Gênes, mais si quelques kilomètres supplémentaires ne vous font pas peur, continuez jusqu'à Livourne d'où la traversée est plus rapide.

VOYAGES ORGANISÉS

Destination de rêve pour les amoureux de plages et de nature, la Sardaigne offre aussi des possibilités illimitées pour les sportifs et les marins. Des tours-opérateurs sont répartis sur toute l'île et proposent toutes sortes de circuits et d'excursions. Pour en obtenir une liste complète avec, éventuellement, leurs spécialités, adressez vous à l'**Office national du tourisme italien** (www.enit.it).

Archeo Tours (☎ 329 764 33 43 ; Via Eleanora D'Arborea, Osini). Cette petite association organise des visites archéologiques et naturelles dans la campagne autour d'Osini et d'Ulassai.

Atlantikà (☎ 328 972 97 19 ; www.atlantika.it ; Via Lamarmora 195, Dorgali). À Dorgali, ce consortium de guides propose des activités variées, de la journée de randonnée au canoë et kayak dans le Gennargentu.

Barbagia No Limits (☎ 078 45 29 06 ; www.barbagianolimits.it ; Via Cagliari 85, Gavoi). Cette agence sportive organise des sorties telles que des explorations de grottes, des circuits en jeep et des cours de survie.

Esedra Sardegna (☎ 0785 37 42 58 ; www.esedrasardegna.it ; Corso Vittorio Emanuele 64 ; Bosa). Esedra permet d'explorer la région de Bosa et le reste de l'île.

Gallura Viaggi Avventura (☎ 079 63 12 73 ; c/o Office du tourisme Pro Loco, Piazza Gallura 2, Tempio Pausania). Un petit groupe local qui organise des circuits à pied ou à vélo sur le Monte Limbara.

Mare e Natura (☎ 079 52 00 97 ; www.marenatura.it ; Via Sassari 77, Stintino). Offre la possibilité de visiter le Parco Nazionale dell'Asinara, une petite île au large de la côte nord-ouest.

Sardinia Hike and Bike (☎ 070 92 43 23 29 ; www.sardiniahikeandbike.com ; Loc Pixina Manna, Pula). Installée sur la côte sud, cette agence propose des itinéraires pour marcheurs et cyclistes de tous niveaux, de la demi-journée au marathon d'une semaine.

Outre ces organisations spécialisées, vous trouverez des centaines d'opérateurs permettant de faire un tour en bateau dans les eaux sardes, notamment à Alghero, Cala Gonone, Stintino, Santa Maria Navarese et Porto San Paolo.

SÉJOURS

Il existe un nombre important de séjours en hôtels-clubs dans les grandes stations balnéaires de l'île, incluant le transfert en avion à des prix parfois inférieurs à celui d'un vol sec. Renseignez-vous précisément avant de choisir car les prestations hôtelières et les activités proposées sont très variables. **Sardaigne-online** (www.sardaigne-online.com) propose diverses formules de séjours balnéaires. Examinez aussi les offres des voyagistes mentionnés ci-après (circuits) ainsi que dans la rubrique *Voie aérienne* p. 240.

CIRCUITS

Akaoka (☎ 0825 000 840 et 04 99 53 08 57 ; www.akaoka.com ; Hameau de la Combe, 30440 Saint-Laurent-Le-Minier). Plusieurs séjours au choix mêlant marche à pied et déplacements en voiture, ainsi qu'une formule sportive (kayak de mer, descente de canyons, spéléologie…).

Arts et vie (☎ 01 40 43 20 21 ; www.artsetvie.com). Séjour culturel sur les traces de la civilisation nuragique. Toutes les coordonnées des agences locales sur le site Internet.

Bravo voyages (☎ 01 45 53 43 00 ; www.bravovoyages.fr ; 5, rue de Hanovre, 75002 Paris). Ce spécialiste du voyage en Italie propose différentes formules pour découvrir la Sardaigne.

Chamina voyages (☎ 04 66 69 06 09 ; www.chamina-voyages.com) propose des itinéraires d'une semaine à la découverte de la Sardaigne.

Comptoir d'Italie (☎ 0892 239 339 ; www.comptoir.fr) Des séjours sur mesure et personnalisables.

Images du monde (☎ 01 44 24 87 88 ; www.images-du-monde.com ; 14 rue Lahire 75013 Paris). Organise différents circuits à travers la Sardaigne.

Nomade Aventures (☎ 0825 701 702 ; www.nomade-aventure.com). Ce spécialiste du trek propose un séjour de marche autour du Golfo di Orosei.

Sweet Sardinia (☎ 0039 070 66 41 69 depuis l'Italie ; www.vacancesensardaigne.fr). Ce tour opérateur basé à Cagliari vous permet de réserver, outre le transport, des séjours et des circuits à la carte.

Voyageurs du Monde (☎ 0892 23 56 56, 0,34 €/min ; www.vdm.com). Plusieurs séjours et circuits.

COMMENT CIRCULER

Si possible, vous avez tout intérêt à venir avec votre propre véhicule en Sardaigne. Toutefois, même si parcourir l'île en transports publics est compliqué et demande du temps, cela reste possible. De manière générale, préférez les bus aux trains, qui sont souvent plus lents et nécessitent de faire de longs changements.

Le site www.getaroundsardinia.com (en anglais) fournit des informations utiles pour se déplacer sur l'île sans voiture.

AVION

Étant donné la taille de la Sardaigne, les vols intérieurs ne sont pas forcément la solution la plus pratique. **Meridiana** (☎ 0 899 69 02 40 ; www.meridiana.it)) assure toutefois un vol quotidien entre Cagliari et Olbia. Il dure 35 minutes et coûte entre 30 € et 90 €.

BATEAU

Les compagnies locales **Enermar** (☎ 0789 70 84 84 ; www.enermar.it) et **Saremar** (☎ 892 123 depuis

TRANSPORTS

l'Italie, 0039 0226 302 803 depuis l'étranger ; www.saremar.it)
relient Palau à l'Isola della Maddalena. L'été,
des ferries partent toutes les 15 minutes ;
la traversée de 20 minutes coûte 5 € par
personne et 13 € pour un véhicule.

Dans le sud-ouest, Saremar assure jusqu'à
17 jonctions par jour entre Portovesme et
Carloforte, sur l'Isola di San Pietro. Le voyage
de 30 minutes vous coûtera 5,90 €/9,80 € par
personne/voiture. Saremar assure également
la liaison entre Carloforte et Calasetta, sur
l'Isola di Sant'Antioco : en été, 9 traversées
ont lieu tous les jours entre 7h35 et 20h20.
La traversée de 30 minutes se monte à 5,30 €
par personne et 8,40 € par véhicule. Pour
vous y rendre de nuit, **Delcomar** (☎ 0781 85 71
23 ; www.delcomar.it) vous demandera 5/15 € par
personne/véhicule.

En hiver, les liaisons sont bien moins
fréquentes, renseignez-vous toujours à
l'avance. Si vous souhaitez embarquer avec
votre véhicule en été, pensez à venir assez
tôt : les bateaux se remplissent vite.

Excursions

Les excursions en bateau, organisées depuis
de nombreux ports, permettent de découvrir
les coins les plus inaccessibles de la côte sarde.
L'excursion la plus prisée longe le Golfo
di Orosei de Cala Gonone à Santa Maria
Navarrese. Vous pourrez aussi découvrir les
îles de l'Arcipelago della Maddalena. Depuis
Porto San Paolo, au sud d'Olbia, des bateaux
longent la côte et poussent jusqu'à l'Isola
Tavolara. D'autres proposent des circuits
au départ d'Alghero et de la Peninsula du
Sinis.

Les excursions se font en général à bord
d'embarcations à moteur ou de ferries, mais le
voilier est une option à ne pas négliger. Pour
de plus amples informations, reportez-vous
au chapitre de chaque destination.

BUS

De nombreuses compagnies privées couvrent
les lignes locales et interurbaines, assurant
des jonctions entre les petits villages. Il est
possible de se rendre à peu près n'importe
où sur l'île avec les transports publics, mais
il faut s'armer de patience (il n'y a souvent
qu'un départ par jour). Toutefois, les bus
restent plus fiables que les trains.

Le transporteur sarde principal est l'**Azienda
Regionale Sarda Trasporti** (ARST ; ☎ 800 865 042 ; www.
arst.sardegna.it, en italien), qui assure la plupart des
trajets locaux et longues distances. L'autre
grande compagnie de transport est la **Ferrovie
della Sardegna** (FdS ; ☎ 070 34 31 12 ; www.ferroviesar-
degna.it, en italien). Outre les bus, cette dernière
gère quelques chemins de fer privés, à l'image
du *trenino verde* (voir p. 76).

Au moment de nos recherches, le réseau
de bus devait être réorganisé à la suite de
la récente cessation d'activité des Ferrovie
Meridionali Sarde : vous constaterez peut-être
des changements sur certains trajets.

Chaque grande ville de province possède sa
station de bus ARST, située en général dans
le centre-ville, sauf à Nuoro. Ces stations
peuvent parfois être utilisées par les autres
compagnies. Dans les petites localités, les bus
interurbains s'arrêtent à la *fermata* (arrêt),
dont l'emplacement n'est pas toujours facile
à repérer.

Si vous voyagez avec ARST ou FdS, vous
devrez acheter vos billets avant de monter dans
le bus, soit à la station, soit dans un café, un
tabacchi, ou encore dans le kiosque à journaux
le plus proche. Les autres compagnies vendent
les billets à bord. Il arrive que les horaires
soient affichés près de l'arrêt, mais c'est plutôt
rare. Dans les villes les plus importantes,
les offices de tourisme disposent parfois des
horaires locaux.

Sur certaines lignes, les liaisons se raréfient
ou ne fonctionnent ni le dimanche ni les jours
fériés. Pensez-y si vous ne voulez pas rester
coincé dans un petit village.

EN STOP

Faire du stop présentant des risques dans
n'importe quel pays, nous ne vous le recom-
mandons pas. Sachez de plus que les Sardes n'y
ont pratiquement jamais recourt et, en conséquence, se méfient des auto-stoppeurs.

Si vous pratiquez le stop, adoptez une tenue
présentable et voyagez léger. Indiquez en
italien votre destination sur une pancarte. À
savoir encore : laissez de côté le traditionnel
signe du pouce qui, en Sardaigne, est un
geste d'insulte…

TRAIN

Parcourir la Sardaigne en train est peut-être
long, mais ce n'est ni coûteux ni compliqué.
Trenitalia (☎ 89 20 21 ; www.trenitalia.com) est l'entreprise ferroviaire publique qui gère les quelques
chemins de fer sardes. Vous trouverez l'*orario*
(horaires) sur les panneaux d'affichage de la
gare. Les *partenze* (départs) et *arrivi* (arrivées)

LES FERRIES POUR LA SARDAIGNE

Le tableau ci-dessous recense les principales lignes de ferry pour la Sardaigne, la compagnie qui assure la traversée et les détails du trajet. Les tarifs indiqués correspondent à une *poltrona* (fauteuil inclinable) de 2e classe en haute saison. Les enfants âgés de 4 à 12 ans bénéficient d'un demi-tarif ; les moins de 4 ans voyagent gratuitement.

Départ	Destination	Compagnie	Tarif (€)	Voiture (€)	Durée	Fréquence
Civitavecchia	Arbatax	Tirrenia	47	94	10h30	2 par semaine
Civitavecchia	Cagliari	Tirrenia	56	102	14h30	tous les jours
Civitavecchia	Olbia	Moby	60	111	4h30-10h	4 par semaine mi-mars à mai, tous les jours juin à septembre
Civitavecchia	Olbia	SNAV	56	116	7h30	tous les jours
Civitavecchia	Olbia	Tirrenia	41	100	7h	tous les jours
Civitavecchia	Golfo Aranci	Sardinia F	52,50	inclus	6h45	3 par semaine mi-mars à mai, tous les jours juin à septembre
Civitavecchia	Golfo Aranci+	Sardinia F	76,50	133	3h30	3 par semaine mi-mars à mai, tous les jours juin à septembre
Fiumicino	Arbatax+	Tirrenia	60	107	4h30	2 par semaine fin juillet à août
Fiumicino	Golfo Aranci+	Tirrenia	60	107	4h	tous les jours fin juillet à août
Gênes	Arbatax	Tirrenia	57	104	18h	2 par semaine
Gênes	Olbia	GNV	92,50	155	8-10h	tous les jours mi-mai à mi-septembre
Gênes	Olbia	Moby	86	132	10h	tous les jours mi-mai à mi-octobre
Gênes	Olbia	Tirrenia	59	106	13h15	3 par semaine, 5 par semaine juillet à août
Gênes	Palau	Enermar	70,50	118,50	11h	5 par semaine juin à septembre
Gênes	Porto Torres	GNV	89	152	11h	4 par semaine, tous les jours mi-mai à mi-septembre
Gênes	Porto Torres	Moby	86	132	10h	6 par semaine mi-mai à septembre
Gênes	Porto Torres+	Tirrenia	105	179	10h	tous les jours
Livourne	Golfo Aranci	Sardinia F	51,50	inclus	10h	tous les jours mars à octobre
Livourne	Golfo Aranci+	Sardinia F	73,50	131	6h	tous les jours mars à octobre
Livourne	Olbia	Moby	66	120	7-9h	tous les jours
Naples	Cagliari	Tirrenia	52	91	16h15	1 par semaine, 2 en août
Palerme	Cagliari	Tirrenia	50	90	14h30	1 par semaine
Piombino	Olbia	Moby	65	118	6h30	6 par semaine, tous les jours mi-mai à septembre
Trapani	Cagliari	Tirrenia	50	92,50	11h	1 par semaine

+ liaison rapide

Compagnies de ferry

Enermar (☎ 899 20 00 01 ; www.enermar.it). De Gênes à Palau.

Grandi Navi Veloci (☎ 010 209 45 91 ; www.gnv.it). De Gênes à Olbia et Porto Torres.

Moby Lines (☎ 199 30 30 40 ; www.mobylines.it). De Civitavecchia, Gênes, Livourne et Piombino à Olbia ; de Gênes à Porto Torres.

Sardinia Ferries (☎ 199 400 500 ; www.sardiniaferries.com). De Civitavecchia et Livourne à Golfo Aranci.

SNAV (☎ 081 428 55 55 ; www.snav.it). De Civitavecchia à Olbia.

Tirrenia (☎ 892 123 ; www.tirrenia.it). De Civitavecchia, Naples, Palerme et Trapani à Cagliari ; de Civitavecchia et Gênes à Olbia ; de Civitavecchia, Fiumicino et Gênes à Arbatax ; de Fiumicino à Golfo Aranci ; de Gênes à Porto Torres.

sont clairement indiqués. Notez toutefois que les horaires sont à géométrie variable et que les trains circulent bien moins fréquemment le dimanche. Cherchez les horaires *feriale* (jours ouvrables, du lundi au samedi) et *festivo* (dimanche et jours fériés).

La ligne principale de Sardaigne relie Cagliari et Oristano, et continue jusqu'à Chilivano-Ozieri,

TRANSPORTS

où elle se divise en deux branches. L'une se dirige vers Sassari et Porto Torres au nord-ouest, l'autre vers Olbia et Golfo Aranci au nord-est. De nombreux trains passent également par Macomer, avec des liaisons pour Nuoro.

Les chemins de fer privés **FdS** (☎ 800 460 220 ; www.ferroviesardegna.it, en italien) offrent des services limités. Les trains sont tout sauf modernes et ne constituent généralement qu'un assemblage de vieux wagons. Les lignes desservies sont Sassari–Alghero, Sassari–Nulvi, Sassari–Sorso, Macomer–Nuoro et Monserrato–Isili.

Entre la mi-juin et début septembre, FdS gère un service de train touristique, le **trenino verde** (☎ 800 460 220 ; www.treninoverde.com, en italien), qui circule sur quatre lignes : Arbatax-Mandas (avec des liaisons pour le métro de Mandas-Cagliari), Isili–Sorgono, Bosa Marina–Macomer (relié à la ligne Macomer-Nuoro) et Palau-Nulvi (d'où vous pouvez prendre un train Trenitalia pour Sassari) via Tempio Pausania. En termes de transport, le *trenino verde* est très lent et dessert peu de destinations. C'est toutefois un excellent moyen de découvrir la campagne sarde spectaculaire et peu accessible que vous ne verriez probablement pas autrement. La ligne Mandas-Arbatax est particulièrement impressionnante.

Pour plus d'informations sur les prix et les horaires, reportez-vous aux rubriques Depuis/ vers des chapitres concernés.

Classes et tarifs

Il n'y a qu'une seule classe dans les trains sardes, la classe unique *regionale*. Quelques trains proposent cependant des wagons de 1re classe, qui ne se distinguent des autres que par le prix. Seuls ceux qui aiment payer plus cher les emprunteront.

Pour vous donner une idée approximative, voici quelques tarifs : de Cagliari à Sassari : 13,65 €, Oristano : 5,15 €, et Olbia : 14,60 € ; d'Olbia à Sassari : 6,35 € ; et de Sassari à Alghero : 2,20 €.

Forfaits ferroviaires et réductions

Si vous ne voyagez qu'en Sardaigne, inutile d'acheter une carte Eurail or InterRail.

TRANSPORTS URBAINS
Bus

Les grandes villes disposent généralement d'un réseau de bus urbain. Mais la plupart du temps, vous n'en aurez pas besoin car les services touristiques, les hôtels, les restaurants et les gares routières sont concentrés dans un périmètre assez restreint. Les billets (autour de 1 € le ticket) s'achètent dans les kiosques à journaux, et les *tabacchi* proches des arrêts, ou aux endroits indiqués sur les bus.

Des navettes relient toujours les aéroports au centre des villes les plus proches.

VOITURE ET MOTO

Conduire en Sardaigne est assez reposant. En dehors des grandes villes (Cagliari, Sassari, Olbia notamment), et en basse saison, la circulation pose rarement problème et les conducteurs sont plutôt courtois. Dans certaines villes de campagne, vous croiserez peut-être quelques bandes de jeunes filant en

Distances routières (km)

	Alghero	Bosa	Cagliari	Iglesias	Nuoro	Olbia	Oristano	Porto Torres	Santa Teresa di Gallura	Sant'Antioco	Sassari
Bosa	45										
Cagliari	247	180									
Iglesias	255	192	58								
Nuoro	155	86	180	193							
Olbia	138	143	265	285	105						
Oristano	155	88	94	110	90	173					
Porto Torres	39	117	230	250	137	120	135				
Santa Teresa di Gallura	196	208	335	345	162	62	243	101			
Sant'Antioco	288	220	84	38	219	315	132	268	375		
Sassari	37	94	217	220	123	106	126	20	100	256	
Tempio Pausania	110	128	256	260	146	46	157	75	58	290	68

direction des boîtes le samedi soir. Autrement, les troupeaux de moutons et les paysages spectaculaires constituent le seul danger.

Pour explorer l'île en profondeur, mieux vaut emprunter les *strade provinciali* (P ou SP sur les cartes). Ces axes, parfois de simples routes de campagne, traversent les paysages les plus beaux et donnent accès à de nombreux bourgs et villages. La majorité des plus belles plages ne sont accessibles que par des routes de terre.

La fièvre du deux-roues n'a pas encore contaminé la Sardaigne, même s'il y a un bon nombre de motards autrichiens ou allemands qui parcourent les lacets sinueux de l'île. La moto permet de circuler plus facilement dans les villes et il n'est pas toujours nécessaire de réserver sur les ferries avec une moto. Le port du casque est obligatoire.

Automobile-clubs

L'association italienne **Automobile Club d'Italia** (ACI ; www.aci.it) est une excellente source d'informations et fournit une assistance routière 24h/24 ; appelez le ☎803 116 ou le ☎800 116 800 depuis un mobile étranger. Il n'est pas nécessaire d'être inscrit à l'ACI pour bénéficier de l'assistance, mais il faudra s'acquitter de 100 € à 120 € de frais (supplément de 20% week-end et jours fériés).

Transport de véhicule

Les voitures qui entrent sur le territoire italien doivent obligatoirement posséder une plaque d'immatriculation et une carte grise en règle. Ayez toujours sur vous les papiers du véhicule. Comme en France, un triangle de signalisation et un gilet jaune ou orange sont obligatoires en cas d'accident. Une trousse de premiers secours, un kit d'ampoules de rechange et un extincteur sont également recommandés.

Permis de conduire

Tous les permis de conduire délivrés au sein de l'Union européenne sont reconnus. Si vous venez d'un autre pays, procurez-vous auprès de votre automobile-club national un permis international d'une validité d'un an.

Carburant

Le prix des carburants est élevé en Sardaigne. Comptez 1,15 € par litre pour la *benzina senza piombo* (super sans plomb) et 1 € par litre pour le *gasolio* (diesel). Les stations-service sont nombreuses, que ce soit dans les villes ou en périphérie, ou sur les axes principaux.

Location

Mieux vaut louer son véhicule depuis son pays d'origine. Certaines agences offrent des formules vol + location de voiture à des prix abordables. Toutes les grandes compagnies disposent de bureaux dans les aéroports où vous pouvez retirer votre véhicule au départ et le laisser à la fin de votre séjour. Voici les agences internationales ou nationales les plus avantageuses :

Avis (☎ 0820 05 05 05, 0,12 €/min ; www.avis.fr)

Budget (☎ 0825 00 35 64, 0,15 €/min ou 199 30 73 73 depuis l'Italie ; www.budget.com)

Europcar (☎ 0825 358 358 depuis la France ou 199 307 030 depuis l'Italie ; www.europcar.fr)

Hertz (☎ 0825 001 185 depuis la France ; www.hertz.fr)

Italy by Car (☎ 091 6393120/1/2/3 depuis l'Italie ; www.italybycar.it)

Maggiore (☎ 0039 06 22 45 60 60 depuis l'étranger, 199 151 120 depuis l'Italie ; www.maggiore.com)

Si vous souhaitez louer une voiture pour quelques jours, ou si vous vous décidez une fois sur place, vous trouverez des services de location dans la plupart des stations balnéaires. Toutefois, les principales compagnies internationales ne sont présentes que dans les grandes agglomérations. Il existe des restrictions d'âge différentes selon les agences, mais il faut en général avoir plus de 21 ans. Si vous avez moins de 25 ans, vous devrez probablement vous acquitter d'un supplément jeune conducteur. Le tarif moyen pour une Fiat Punto ou équivalent varie entre 55 € et 65 €. Une carte bancaire vous sera demandée.

Quel que soit l'endroit où vous louez, vérifiez que le prix facturé inclut le kilométrage illimité, les taxes, les assurances tous risques, etc. Renseignez-vous sur le montant de la franchise et du dépôt de garantie. Mieux vaut souscrire une assurance complète couvrant les éventuelles éraflures et bosses.

Vous pourrez louer motos ou scooters dans les endroits les plus touristiques comme Santa Teresa di Gallura et Alghero. Comptez 60 € par jour pour une 600 cm³ et de 25 à 35 € par jour pour un scooter.

Les locations s'adressent d'ordinaire aux plus de 18 ans. Beaucoup d'agences exigent une caution substantielle et vous risquez même être amené à rembourser une partie du véhicule en cas de vol.

Assurance

En Italie, l'assurance responsabilité civile et la carte verte d'assurance internationale, que

TRANSPORTS

TRANSPORTS

vous obtiendrez auprès de votre assureur, sont obligatoires. Votre assureur vous fournira un formulaire européen de déclaration d'accident qui simplifiera les choses le cas échéant. Une assurance couvrant les pannes s'avère utile (voir Automobile-clubs p. 249).

État des routes

L'état des routes sardes dépend des reliefs de l'île : une grande partie des routes de montagne ne sont pas bitumées, et il est généralement plus facile de circuler entre le Nord et le Sud qu'entre l'Est et l'Ouest.

L'artère principale de l'île est l'autoroute deux voies SS131 Carlo Felice, entre Cagliari et Sassari (et jusqu'à Porto Torres), via Oristano et Macomer. Elle se dédouble à Abbasanta et devient la SS131dcn jusqu'à Olbia via Nuoro. Un autre tronçon (la SS130) part de la Carlo Felice vers Iglesias. Une nouvelle extension à quatre voies (SS291) relie Sassari à Porto Torres et, sur une partie du trajet, à Alghero.

Le long de la côte nord, la SS200 part de Porto Torres, contourne Castelsardo et continue jusqu'à Santa Teresa di Gallura. Depuis Palau, juste à côté, la SS125 (Orientale Sarda) est une autre grande route de l'île qui longe le littoral est jusqu'à Cagliari, au sud.

Dans l'ensemble, les routes côtières très touristiques sont en bon état, mais étroites et sinueuses. En été, vous vous trouverez souvent pris dans des embouteillages, en particulier entre Olbia et Santa Teresa di Gallura. À l'intérieur de l'île, les routes sont inégales ; les voies principales, bien entretenues mais étroites, n'en finissent pas de tourner, et les routes secondaires présentent de nombreux nids-de-poule.

Sortir ou entrer dans des villes comme Cagliari ou Sassari met les nerfs à rude épreuve aux heures de pointe.

Vous serez également surpris par la quantité de routes pavées qui ne manqueront pas de vous inquiéter – et de vous secouer – lorsque vous roulerez en pleine montagne au volant de votre précieuse voiture de location.

Code de la route

En Sardaigne, la conduite est à droite. Sauf indication contraire, vous devez céder la priorité à droite aux croisements. La ceinture de sécurité est obligatoire à l'avant comme à l'arrière sous peine d'amende payable sur-le-champ.

La police effectue occasionnellement des tests d'alcoolémie. Les peines encourues en cas d'accident en état d'ébriété sont lourdes. Le taux d'alcool autorisé dans le sang est de 0,05%.

La vitesse est limitée à 110 km/h sur les voies rapides (il n'y a pas d'autoroute en Sardaigne), à 90 km/h sur les routes secondaires et à 50 km/h dans les agglomérations. Les amendes pour excès de vitesse suivent les critères de l'UE et sont proportionnelles à l'excès ; elles peuvent atteindre 1 466 € et être accompagnées d'une suspension de permis. Depuis 2002, les feux de croisement doivent être allumés nuit et jour sur les voies rapides.

Pour conduire un deux-roues de moins de 50 cm³, il faut être âgé de 14 ans minimum mais aucun permis n'est nécessaire. Vous ne pouvez pas transporter de passager ni circuler à plus de 40 km/h. Les engins jusqu'à 125 cm³ nécessitent d'avoir 16 ans minimum et d'être détenteur au moins d'un permis voiture. Le casque est obligatoire. Au-delà de 125 cm³, un permis moto est nécessaire.

Un deux-roues permet d'entrer sans difficulté dans les zones urbaines restreintes au trafic automobile, et la police de la route se montre généralement indulgente avec ceux qui se garent sur les trottoirs. Les motos n'ont pas à garder leurs phares allumés de jour.

VÉLO

La Sardaigne se prête bien au vélo : les routes sont peu fréquentées en dehors de la haute saison, les paysages sont splendides et il pleut rarement. Toutefois, il faut tenir compte des reliefs vallonnés (voire montagneux) qui peuvent venir à bout des plus endurants, et de la chaleur en été.

Il n'est pas compliqué d'apporter son vélo en Sardaigne. Les consignes diffèrent selon les compagnies aériennes, mais la plupart vous demanderont de ranger votre cycle dans un sac ou une boîte spéciale, pédales et guidon démontés et pneus dégonflés. Un supplément de l'ordre de 25 € à 40 € est habituel. Embarquer sur un ferry avec votre vélo vous reviendra moins cher, autour de 3 € à 10 €. La plupart des trains acceptent les vélos gratuitement.

Location

On trouve des vélos à louer dans de nombreuses villes et stations touristiques, telles Alghero, Santa Teresa di Gallura, La Maddalena, Palau et Olbia. Les tarifs vont de 10 € la journée à 25 € pour les VTT. Pour plus de détails, reportez-vous à la rubrique *Comment circuler* de la ville concernée.

Langue

Si les Sardes se sont ouverts au monde extérieur avec l'essor du tourisme, ils demeurent bien peu nombreux à maîtriser une langue étrangère. Les employés des offices du tourisme, des hôtels et des restaurants des principales stations balnéaires parleront sûrement quelques mots de français, d'anglais ou d'allemand, mais ce ne sera pas le cas à l'intérieur des terres. Connaître quelques mots d'italien se révélera à la fois pratique et culturellement enrichissant.

Les Sardes sont souvent bilingues : ils parlent avec la même aisance le sarde et l'italien, même si la pratique de la langue de l'île (subdivisée en plusieurs dialectes) a tendance à se perdre dans les villes d'une certaine importance. À Alghero, on parle encore un catalan datant du XVIe siècle.

ITALIEN

L'italien est une langue romane apparentée au français, à l'espagnol, au portugais et au roumain. Elle fait partie des langues indo-européennes. Le français et l'italien partageant des racines latines, vous identifierez de nombreux mots.

L'italien littéraire moderne a commencé à se développer aux XIIIe et XIVe siècles, essentiellement grâce aux œuvres de Dante, de Pétrarque et de Boccace, qui écrivaient surtout en dialecte florentin. La langue s'est nourrie de son héritage latin et de divers dialectes pour devenir l'italien d'aujourd'hui. Bien que les dialectes soient encore utilisés dans les conversations courantes, l'italien est la langue nationale, utilisée dans les écoles, les médias et la littérature et parlée dans tout le pays.

Si vous parlez italien, sachez que de nombreux Sardes s'attendent toujours à ce que vous vous adressiez à eux à la troisième personne de politesse (*lei* et non *tu*). De même il est impoli de saluer des inconnus d'un *ciao*, à moins qu'ils ne l'utilisent eux-mêmes ; il vaut mieux dire *buongiorno* (ou *buona sera*, en fonction du moment de la journée) et *arrivederci* (ou *arrivederla*, encore plus correct). Ces usages ont cours dans la majeure partie de l'Italie mais, en Sardaigne, ne pas les respecter peut passer pour une grave impolitesse, voire même dans certains cas pour une insulte, en particulier quand on s'adresse à une personne âgée.

La plupart des phrases proposées ci-dessous répondent aux usages de la politesse dans la manière de s'adresser à autrui. Les expressions plus familières sont indiquées par "fam". Nous mentionnons également, en les séparant par une barre oblique, les formes masculine et féminine (elles se terminent le plus souvent respectivement par "o" et par "a").

Pour un manuel de conversation plus complet, procurez-vous le *Guide de conversation Italien* de Lonely Planet.

PRONONCIATION

La prononciation sarde de l'italien standard est claire et facile à comprendre, même pour qui n'a qu'une maîtrise limitée de la langue.

De même, une fois que l'on a intégré quelques règles de base, la prononciation de l'italien s'apprend assez aisément.

Voyelles

Les voyelles **a**, **i** et **o** se prononcent comme en français. Le **e** et le **u** se prononcent de la façon suivante :

e   "é" fermé comme dans "musée" : *mettere* (mettre) ; "è" ouvert comme dans "lettre" : *mela* (pomme)

u   "ou" comme dans "chou" : *puro* (pur)

LE SARDE : UNE LANGUE LATINE ET SES DIALECTES

Ceux qui parlent italien ne tarderont pas à remarquer les spécificités du sarde (*sardo*). Panneaux, noms de famille ou de lieu et menus traditionnels vous déconcerteront par l'abondance des suffixes en "uddus" et autres sonorités étranges. Autre particularité, les articles définis *su, so, sa, sus, sos, sas*, etc., au lieu de *il, lo, la, i, gli* et *le* en italien.

Depuis l'occupation de l'île par les Romains il y a plus de 2 000 ans, la Sardaigne a vu passer une foule d'envahisseurs, de pirates, de colons, de rois et de vice-rois. En réaction, les Sardes se sont souvent repliés sur eux-mêmes et sur leur île. Cette défiance à l'égard de l'étranger a sans doute en grande partie contribué à la préservation d'un élément clé de leur identité : leur langue.

Les Sardes vous diront avec une sorte d'orgueil que leur langue reste beaucoup plus proche de ses racines latines qu'aucune autre langue, l'italien et tous ses dialectes y compris. De simples mots témoignent du bien-fondé de cette affirmation : alors qu'en italien le mot "maison" se traduit par *casa*, les Sardes ont conservé le mot latin *domus* (l'équivalent italien *duomo* en est venu à désigner une "cathédrale").

La forme la plus "pure" du sarde serait le logudorese, le dialecte de la région de Logudoro, dans le Nord de l'île – c'est en fait le dialecte le plus parlé. Le campidanese, dans le Sud, est également répandu. Mais il existe encore bien d'autres variantes de dialectes dans l'île.

La question de la survie du sarde se pose aujourd'hui de la même façon que celle d'autres langues de minorités ethniques face aux langues nationales imposées. Depuis l'unité italienne au XIXe siècle, on parle de moins en moins sarde dans les villes. Même si de nombreux insulaires comprennent encore leur langue, les citadins ont tendance à ne plus l'employer. Vous aurez donc davantage l'occasion d'entendre parler sarde dans les bourgs et les villages de l'intérieur.

Aucune langue n'étant totalement imperméable, le sarde a inévitablement été marqué par des siècles de domination catalano-aragonaise et espagnole. Ainsi des mots catalans se sont glissés dans le vocabulaire. En Catalogne et en Sardaigne, on appelle ainsi généralement une rivière un *riu* (qui est souvent transformé en *rio*, d'après l'espagnol, dans la Sardaigne actuelle), de même que les verres s'appellent *ulleres* en Catalogne et *oglieras* en Sardaigne. Si l'orthographe est différente, la prononciation reste quasiment la même.

Consonnes

La plupart des consonnes se prononcent de la même façon qu'en français. La prononciation des lettres suivantes obéit cependant à certaines règles :

c	"k" devant **a**, **o** et **u** ; "tch" devant **e** et **i**
ch	"k"
g	"g" dur devant **a**, **o**, **u** et **h** ; "j" devant **e** et **i**
gli	"lli" mouillé comme dans "million"
gn	"gn" comme dans "montagne"
h	toujours muet
r	"r" roulé
sc	"ch" devant **e** et **i** ; "sk" devant **a**, **o**, **u** et **h**
z	"ts" sauf au début d'un mot, où il se prononce "dz"

Quand "**ci**", "**gi**" et "**sci**" sont suivis d'un **a**, d'un **o** ou d'un **u**, le "**i**" ne se prononce pas sauf s'il porte l'accent tonique. Ainsi, par exemple, le prénom "Giovanni" se prononce-t-il "jo-*va*-ni".

N'hésitez pas à allonger les consonnes doubles, faute de quoi le sens du mot peut en être affecté, comme dans *sonno* (sommeil) et dans *sono* (je suis). Le contexte de la phrase permet néanmoins bien souvent de comprendre le sens du mot mal prononcé.

Accent tonique

Nous l'indiquons en italique. Il est souvent placé sur l'avant dernière syllabe, comme dans spa-*ghet*-ti, sauf s'il est indiqué par un accent sur une lettre précise, comme dans cit-*tà* (ville).

HÉBERGEMENT

Je cherche...	Cerco...	tchèr·ko...
une pension	*una pensione*	ou·na pèn·*sio*·né
un hôtel	*un albergo*	oun al·*ber*·go
une auberge	*un ostello per*	oun os·te·lo pèr
de jeunesse	*la gioventù*	la jo·vèn·*tou*

Où puis-je trouver un hôtel bon marché ?

Dov'è un albergo	do·ve oun al·*ber*·go
a buon prezzo ?	a bouon *pré*·tso

Quelle est l'adresse ?
Qual'è l'indirizzo? coua·*lè* lin·di·*ri*·tso
**Pourriez-vous m'écrire l'adresse,
s'il vous plaît ?**
Può scrivere l'indirizzo, pouo *skri*·vé·ré lin·di·*ri*·tso
per favore? pèr fa·*vo*·ré
Est-ce qu'il vous reste des chambres ?
Avete camere libere? a·*vé*·té ka·mé·ré *li*·bé·ré
Je voudrais... *Vorrei...* vo·*réi*...
  un lit *un letto* oun *le*·to
  une chambre *una camera* ou·na ka·mé·ra
  simple *singola* *sin*·go·la
  une chambre *una camera* ou·na ka·mé·ra
  double *matrimoniale* ma·tri·mo·*nia*·lé
  une chambre *una camera* ou·na ka·mé·ra
  avec des lits *doppia* *do*·pia
  jumeaux
  une chambre *una camera* ou·na ka·mé·ra
  avec salle *con bagno* kon *ba*·gno
  de bains
  un lit *un letto* oun *lè*·to
  en dortoir *in dormitorio* in dor·mi·*to*·rio

Combien coûte- *Quanto costa...?* kouan·to ko·sta...
t-elle... ?
  pour une nuit *per la notte* pèr la *no*·té
  par personne *per persona* pèr pèr·*so*·na
Puis-je la voir ? *Posso vederla?* po·so vé·*dèr*·la
Où est la salle de bains ?
Dov'è il bagno? do·*vè* il *ba*·gno
Je pars/nous partons aujourd'hui.
Parto/Partiamo oggi. *par*·to/par·*tia*·mo o·dji

FAIRE UNE RÉSERVATION
(formules à inclure dans vos lettres, fax, courriers
électroniques)
À... *A...*
De la part de... *Da...*
Date *Data*
Je voudrais réserver... *Vorrei prenotare...*
(voir la liste ci-dessus pour les différentes chambres
possibles)
au nom de... *nel nome di...*
Pour la/les nuit/s du... *per la notte/le notti di...*
carte de crédit... *carta di credito...*
  numéro *numero*
  date d'expiration *data di scadenza*

Merci de confirmer *Vi prego di confirmare*
disponibilité et prix. *disponibilità e prezzo.*

CONVERSATION ET SALUTATIONS

Bonjour *Buongiorno* buon d*jor*·no
  Ciao. (fam) tchao
Au revoir *Arrivederci.* a·ri·vé·*dèr*·tchi
  Ciao. (fam) tchao
Oui *Sì* si
Non *No* no
S'il vous plaît *Per favore/* pèr fa·*vo*·ré/
  Per piacere pèr pia·*tché*·ré
Merci *Grazie (mille)* *gra*·tsié (*mi*·lé)
(beaucoup)
De rien *Prego* *prè*·go
Excusez-moi *Mi scusi* mi *skou*·zi
(pour solliciter l'attention)
Pardon *Permesso* pér *mè*·so
(pour passer)
Je suis désolé *Mi dispiace/* mi dis·*pia*·tché/
  Mi perdoni mi pèr·*do*·ni

Comment vous appelez-vous ?
Come si chiama ? ko·mé si *kia*·mai
Come ti chiami ? (fam) ko·mé ti *kia*·mi
Je m'appelle...
Mi chiamo... mi *kia*·mo...
D'où venez-vous ?
Da dove viene ? da *do*·vé *vié*·né
Di dove sei ? (fam) di *do*·vé *sé*·i
Je viens de...
Vengo da... *vèn*·go da...
Aimez-vous...?
Le piace...? lé *pia*·tché...
J'aime (je n'aime pas)
(Non) Mi piace... (non) mi *pia*·tché...
Un instant.
Un momento oun mo·*mèn*·to

DIRECTIONS

Où est...?
Dov'è...? do·*vè*...
Allez tout droit.
Vada sempre diritto. Va da *sèm*·pré di·*ri*·to
Vai sempre diritto. (fam) va·i *sèm*·pré di·*ri*·to
Tournez à gauche.
Giri a sinistra. *ji*·ri a si·*ni*·stra
Tournez à droite.
Giri a destra. *ji*·ri a *dè*·stra
au prochain croisement
al prossimo angolo al *pro*·si·mo *an*·go·lo
aux feux *al semaforo* al sé·*ma*·fo·ro
derrière *dietro* *dié*·tro
devant *davanti* da·*van*·ti
loin (de) *lontano (da)* lon·*ta*·no (da)
près (de) *vicino (di)* vi·*tchi*·no (di)
en face de *di fronte a* di *fron*·té a

LANGUE

PANNEAUX SIGNALÉTIQUES

Ingresso/Entrata	Entrée
Uscita	Sortie
Informazione	Informations
Aperto	Ouvert
Chiuso	Fermé
Proibito/Vietato	Interdit
Camere Libere	Chambres libres
Completo	Complet
Polizia/Carabinieri	Police
Questura	Poste de police
Gabinetti/Bagni	Toilettes
Uomini	Hommes
Donne	Femmes

la plage	*la spiaggia*	*la spia*-dja
le pont	*il ponte*	*il pon*-té
le château	*il castello*	*il kas-té*-lo
la cathédrale	*il duomo*	*il douo*-mo
l'île	*l'isola*	*li*-so-la
la place	*la piazza*	*la pia*-tsa
(principale)	*(principale)*	*(prin-tchi-pa-lé)*
le marché	*il mercato*	*il mèr-ka*-to
la vieille ville	*il centro*	*il tchèn*-tro
	storico	*sto*-ri-ko
le palais	*il palazzo*	*il pa-la*-tso
les ruines	*le rovine*	*lé ro-vi*-né
la mer	*il mare*	*il ma*-ré
la tour	*la torre*	*la to*-ré

EN CAS D'URGENCE

Au secours !
Aiuto!   a-*iou*-to

Il y a eu un accident !
C'è stato un   tchè *sta*-to oun
incidente !   in-tchi-*dèn*-té

Je me suis perdu/e.
Mi sono perso/a.   mi *so*-no *pèr*-so/a

Allez vous-en !
Lasciami in pace !   *la*-cha-mi in *pa*-tché
Vai via ! (fam)   *va*-i *vi*-a

Appelez...! *Chiami...!*   ki-*ia*-mi...
un médecin *un dottore/*   oun do-*to*-ré/
    un medico   oun *mé*-di-ko
la police *la polizia*   la *po*-li-*tsi*-ia

SANTÉ

Je suis malade.	*Mi sento male.*	mi *sèn*-to *ma*-lé
J'ai mal ici.	*Mi fa male qui.*	mi fa *ma*-lé *koui*

Je suis...	*Sono...*	*so*-no...
asthmatique	*asmatico/a*	az-*ma*-ti-ko/a
diabétique	*diabetico/a*	di-a-*bé*-ti-ko/a
épileptique	*epilettico/a*	é-pi-*lè*-ti-ko/a

Je suis allergique...	*Sono allergico/a...*	*so*-no a-*lèr*-dji-ko/a...
aux antibiotiques	*agli antibiotici*	a-lyi *an*-ti-bi-*o*-ti-tchi
à l'aspirine	*all'aspirina*	a-*la*-spi-*ri*-na
à la pénicilline	*alla penicillina*	a-la *pé*-ni- ci-*li*-na
aux noix	*alle noci*	a-le *no*-tchi
antiseptique	*antisettico*	an-ti-*sè*-ti-ko
aspirine	*aspirina*	as-pi-*ri*-na
préservatifs	*preservativi*	pré-zèr-va-*ti*-vi
contraceptif	*contraccetivo*	kon-tra-tchè-*ti*-vo
diarrhée	*diarrea*	di-a-*ré*-a
médicaments	*medicina*	mè-di-*chi*-na
crème solaire	*crema solare*	*krè*-ma so-*la*-ré
tampons	*tamponi*	tam-*po*-ni

PROBLÈMES LINGUISTIQUES

Parlez-vous français ?
Parla francese?   *par*-la fran-*tché* zé

Y a-t-il quelqu'un qui parle français ?
C'è qualcuno che   tchè koual-*kou*-no ké
parla francese?   *par*-la fran tché zé

Comment dit-on... en italien ?
Come si dice... in   *ko*-mé si *di*-tché... in
italiano?   i-ta-*lia*-no

Que signifie...?
Che vuol dire...?   ké vouol *di*-ré...

Je (ne) comprends (pas)
(Non) capisco.   (non) ka-*pi*-sko

Pouvez-vous l'écrire ?
Può scriverlo, per favore?   pouo *skri*-vèr-lo pèr fa-*vo*-ré

Pouvez-vous me montrer (sur la carte) ?
Può mostrarmelo   pouo mos-*trar*-mè-lo
(sulla pianta)?   (sou-la *pian*-ta)

CHIFFRES

0	*zero*	*dzé*-ro
1	*uno*	*ou*-no
2	*due*	*dou*-é
3	*tre*	tré
4	*quattro*	*koua*-tro
5	*cinque*	*tchin*-koué
6	*sei*	séi
7	*sette*	*sé*-té
8	*otto*	*o*-to
9	*nove*	*no*-vé
10	*dieci*	*dié*-tchi
11	*undici*	oun-*di*-tchi
12	*dodici*	do-*di*-tchi

13	tredici	tré·*di*·tchi
14	quattordici	koua·*tor*·di·tchi
15	quindici	kouin·di·tchi
16	sedici	sé·di·tchi
17	diciassette	di·tcha·*sé*·té
18	diciotto	di·*tcho*·to
19	diciannove	di·tcha·*no*·vé
20	venti	vèn·ti
21	ventuno	vèn·*tou*·no
22	ventidue	vèn·ti·*dou*·é
30	trenta	trèn·ta
40	quaranta	koua·*ran*·ta
50	cinquanta	tchin·*kouan*·ta
60	sessanta	sé·*san*·ta
70	settanta	sé·*tan*·ta
80	ottanta	o·*tan*·ta
90	novanta	no·*van*·ta
100	cento	tchèn·*to*
1000	mille	mi·*lé*
2000	due mila	dou·é *mi*·la

IDENTITÉ

nom	nome	no·mé
nationalité	nazionalità	na·tsio·na·li·*ta*
date/lieu	data/luogo	da·ta/*louo*·go
de naissance	di nascita	di *na*·chi·ta
sexe	sesso	sè·so
passeport	passaporto	pa·sa·*por*·to
visa	visto	*vi*·sto

QUESTIONS

Qui ?	Chi ?	ki
Quoi ?	Che ?	ké
Quand ?	Quando ?	*kouan*·do
Où ?	Dove ?	do·vé
Comment ?	Come ?	ko·mé

ACHATS ET SERVICES

Je voudrais acheter...
Vorrei comprare... vo·*réi* kom·*pra*·ré...

Combien ça coûte ?
Quanto costa? *kouan*·to ko·sta

Ça ne me plaît pas.
Non mi piace. non mi *pia*·tché

Puis-je regarder... ?
Posso dare un'occhiata? po·so *da*·ré ou·no·kia·ta

Je regarde seulement
Sto solo guardando. sto so·lo gouar·*dan*·do

Ce n'est pas cher.
Non è caro/cara. non è *ka*·ro/*ka*·ra

C'est trop cher.
È troppo caro/a. è *tro*·po *ka*·ro/*ka*·ra

Je l'achète.
Lo/La compro. lo/la *kom*·pro

Prenez-vous les cartes de crédit ?	*Accettate carte di credito ?*	a·tché·*ta*·té *kar*·té di *kré*·di·to

Je veux changer...	*Voglio cambiare...*	*vo*·lio kam·*bia*·ré...
de l'argent	del denaro	dèl dé·*na*·ro
des chèques	assegni	a·*sèe*·gni
de voyage	di viaggio	di vi·*a*·djo

plus	più	piou
moins	meno	mè·no
plus petit	più piccolo/a	piou *pi*·ko·lo/la
plus grand	più grande	piou *gran*·dé

Je cherche...	*Cerco...*	*tchèr*·ko...
une banque	un banco	oun *ban*·ko
une église	la chiesa	la *kié*·za
le centre-ville	il centro	il *tchèn*·tro
l'ambassade de...	l'ambasciata di...	lam·ba·*cha*·ta di...
le marché	il mercato	il mèr·*ka*·to
le musée	il museo	il mou·*zé*·o
la poste	la posta	la *po*·sta
des toilettes	un gabinetto	oun ga·bi·*nè*·to
le central téléphonique	il centro telefonico	il *tchèn*·tro te·le·*fo*·ni·ko
l'office du tourisme	l'ufficio di turismo	lou·*fi*·tcho di tou·*riz*·mo

HEURES ET DATES

Quelle heure est-il ?	*Che ore sono?*	ké o·ré so·no
Il est (8 heures).	*Sono (le otto).*	so·no (lé o·to)

du matin	di mattina	di ma·*ti*·na
de l'après-midi	di pomeriggio	di po·mé·*ri*·djo
du soir	di sera	di sé·ra
Quand ?	Quando?	*kouan*·do
aujourd'hui	oggi	o·dji
demain	domani	do·*ma*·ni
hier	ieri	ié·ri

lundi	lunedì	lou·né·*di*
mardi	martedì	mar·té·*di*
mercredi	mercoledì	mèr·ko·lé·*di*
jeudi	giovedì	djo·vé·*di*
vendredi	venerdì	vé·nèr·*di*
samedi	sabato	sa·ba·to
dimanche	domenica	do·mé·ni·ka

janvier	gennaio	djé·*na*·io
février	febbraio	fé·*bra*·io
mars	marzo	*mar*·tso
avril	aprile	a·*pri*·lé

LANGUE

mai	maggio	ma·djo
juin	giugno	jou·gno
juillet	luglio	lou·lio
août	agosto	a·gos·to
septembre	settembre	sé·tèm·bré
octobre	ottobre	o·to·bré
novembre	novembre	no·vèm·bré
décembre	dicembre	di·tchèm·bré

TRANSPORTS
Transports publics

À quelle heure part/arrive...?	A che ora parte/ arriva...?	a ké o·ra par·té/... a·ri·va...
le bateau	la nave	la na·vé
le bus (de la ville)	l'autobus	la ou·to·bous
le bus (interurbain)	il pullman	il poul·man
l'avion	l'aereo	la·é·ré·o
le train	il treno	il trè·no

Je voudrais un billet...	Vorrei un biglietto...	vo·réi oun bi·lié·to...
aller simple	di solo andata	di so·lo an·da·ta
aller-retour	di andata e ritorno	di an·da·ta é ri·tor·no
1re classe	di prima classe	di pri·ma kla·cé
2e classe	di seconda classe	di sé·kon·da kla·cé

Je veux aller à...	Voglio andare a...	vo·lio an·da·ré a...
Le train a été annulé/retardé.		
Il treno è soppresso/ in ritardo.		il tré·no è so·prè·ço/ in ri·tar·do

le premier	il primo	il pri·mo
le dernier	l'ultimo	loul·ti·mo
quai (deux)	binario (due)	bi·na·rio (dou·é)
guichet	biglietteria	bi·liè·té·ri·a
horaire	orario	o·ra·rio
gare	stazione	sta·tsio·né

Transports privés

Je voudrais louer...	Vorrei noleggiare...	vo·réi no·lé·dja·ré...
une voiture	una macchina	ou·na ma·ki·na
un 4x4	un fuoristrada	oun fouo·ri·stra·da
une moto	una moto	ou·na mo·to
un vélo	una bici(cletta)	ou·na bi·tchi·(klè·ta)

Est-ce la route pour...?		
Questa strada porta a...?		koué·sta stra·da por·ta a...

Où puis-je trouver une station-service ?
Dov'è una stazione di servizio ? — do·vè ou·na sta·tsio·né di sèr·vi·tsio
Le plein, s'il vous plaît.
Il pieno, per favore. — il pié·no pèr fa·vo·ré
Je voudrais (30) litres.
Vorrei (trenta) litri. — vo·réi (trèn·ta) li·tri

gazole/diesel	gasolio/diesel	ga·zo·lio/di·zèl
super	benzina con piombo	ben·dzi·na kon piom·bo
sans plomb	benzina senza piombo	ben·dzi·na sèn·dza piom·bo

(Combien de temps) puis-je me garer ici ?
(Per quanto tempo) Posso parcheggiare qui? — (per kouan·to tèm·po) po·so par·ké·ja·ré koui
Où paie-t-on ?
Dove si paga? — do·vé si pa·ga
J'ai besoin d'un mécanicien.
Ho bisogno di un meccanico. — o bi·zo·nio di oun mé·ka·ni·ko
La voiture/moto est tombée en panne (à...).
La macchina/moto si è guastata (a...). — la ma·ki·na/mo·to si é gouas·ta·ta (a...)
La voiture/moto ne démarre pas.
La macchina/moto non parte. — la ma·ki·na/mo·to non par·té
J'ai un pneu à plat.
Ho una gomma bucata. — o ou·na go·ma bou·ka·ta
Je suis en panne d'essence.
Ho esaurito la benzina. — o é·zo·ri·to la ben·dzi·na
J'ai eu un accident.
Ho avuto un incidente. — o a·vou·to oun in·tchi·dèn·té

PANNEAUX ROUTIERS

Dare la Precedenza	Céder le passage
Deviazione	Déviation
Divieto di Accesso	Accès interdit
Divieto di Sorpasso	Dépassement interdit
Divieto di Sosta	Stationnement interdit
Entrata	Entrée
Passo Carrabile	Sortie de voitures
Pericolo	Danger
Rallentare	Ralentir
Senso Unico	Sens unique
Uscita	Sortie

AVEC DES ENFANTS

Y a-t-il...?	C'è...?	tchè...
Il me faut...	Ho bisogno di...	o bi·zo·nio di...

une salle de bains	*un bagno*	oun *ba*-gno kon
avec une table à langer	*con fasciatoio*	fa-cha-*to*-io
un siège enfant	*un seggiolino per bambini*	oun sè-djo-*li*-no per bam-*bi*-ni
un/une baby-sitter	*un/una babisitter*	oun/ou-na bé-bi-*si*-tèr
qui parle français	*(che parli francese)*	(ké *par*-li fran tch
un menu enfant	*un menù per bambini*	oun mé-*nou* pèr bam-*bi*-ni
des couches (jetables)	*pannolini (usa e getta)*	pa-no-*li*-ni (*ou*-sa é dje-ta)
du lait en poudre	*latte in polvere*	*la*-té in *pol*-vè-ré

une chaise haute	*un seggiolone*	oun sé-djo-*lo*-né
un pot	*un vasino*	oun va-*zi*-no
une poussette	*un passeggino*	oun pa-sé-*dji*-no

Est-ce que ça vous dérange si j'allaite mon bébé ici ?
Le dispiace se allatto il/la bimbo/a qui?
lé dis-*pia*-ché sé a-*la*-to il/la *bim*-bo/a koui

Acceptez-vous les enfants ?
sono ammessi i bambini ?
so-no a-*mè*-si i bam-*bi*-ni

Également disponible,
le *Guide de conversation Italien*
de Lonely Planet

Glossaire

AAST – Azienda Autonoma di Soggiorno e Turismo ; office du tourisme local
ACI – Automobile Club d'Italia ; automobile club italien
aereo – avion
affittacamere – chambres à louer, meublé
agriturismo – agrotourisme, hébergement à la ferme, tourisme vert
albergo – hôtel (jusqu'à cinq-étoiles)
albergo diffuso – hôtel réparti sur plusieurs sites, en général dans le centre historique d'une ville
alto – haut
ambasciata – ambassade
ambulanza – ambulance
anfiteatro – amphithéâtre
aperitivo – apéritif
ARST – Azienda Regionale Sarda Transporti (Compagnie régionale de bus)
assicurato/a – assuré(e)

bancomat – DAB (distributeur automatique de billets)
benzina – essence
benzina senza piombo – essence sans plomb
borgo – bourg

camera – chambre
campanile – clocher, campanile
cappella – chapelle
carabinieri – gendarmes (voir polizia)
Carnevale – carnaval ; entre l'Épiphanie et le début du Carême
carta – menu, papier
cartolina – carte postale
castello – château
cattedrale – cathédrale
cena – dîner
centro – centre
centro storico – centre historique, vieille ville
chiesa – église
chiostro – cloître ; galerie à colonnes entourant une cour carrée
città – ville
colazione – petit-déjeuner
comune – municipalité, commune ; au Moyen Âge, une ville indépendante, une cité-État
coperto – couvert (au restaurant supplément à payer pour dresser la table)
corso – avenue
cortile – cour intérieure
CTS – Centro Turistico Studentesco e Giovanile ; l'agence de voyages pour les jeunes et les étudiants

cumbessias – hébergements pour les pèlerins que l'on trouve dans les cours entourant les églises de campagne
cupola – coupole, dôme

denaro – argent (monnaie)
deposito bagagli – consigne
digestivo – digestif
distributore di benzina – pompe à essence
dolce – gâteau, sucrerie
domus de janas – littéralement "maison des fées" ; tombe du néolithique taillée dans le roc
duomo – cathédrale

ENIT – Ente Nazionale Italiano per il Turismo ; Office national du tourisme italien
enoteca – bar à vin ou marchand de vin

farmacia – pharmacie
farmacia di turno – pharmacie de garde
festa – fête
fiume – fleuve (ou grande rivière).
francobollo – timbre postal
fregola – pâtes de blé dur ressemblant à de gros grains de couscous

gasolio – fioul, gazole, diesel
gelateria – glacier
giudicato – province ; à l'époque médiévale, la Sardaigne était divisée en quatre *giudicati* : Cagliari, Logudoro, Gallura et Arborea
golfo – golf
grotta – grotte, caverne
guardia medica – service médical d'urgences

isola – île

lago – lac
largo – (petite) place
lavanderia – laverie
libreria – librairie
lido – partie de plage aménagée
lungomare – front de mer ; promenade

macchia – maquis méditerranéen
macchina – voiture
mare – mer
mattanza – littéralement "mise à mort" ; pêche annuelle au thon dans le sud-ouest de la Sardaigne
mezza pensione – demi-pension

monte – mont, montagne
municipio – hôtel de ville, mairie
muristenes – voir cumbessias
murra – jeu populaire dans la région de la Barbagia ;
les participants essaient de deviner les nombres
que leurs adversaires vont indiquer avec leurs doigts

Natale – Noël
nave – bateau, navire
numero verde – numéro vert ; numéro gratuit
nuraghe – tour en pierre de l'âge du bronze

oggetti smarriti – objets trouvés
oratorio – oratoire
ospedale – hôpital
ostello per la gioventù – auberge de jeunesse
osteria – restaurant bon marché

palazzo – palais ; grand bâtiment, parfois un immeuble
panetteria – boulangerie
parco – parc
Pasqua – Pâques
passeggiata – promenade
pasticceria – pâtisserie
pensione – petit hôtel, faisant souvent pension
piazza – place
pietà – littéralement "pitié" ou "compassion" ;
sculpture, dessin ou peinture représentant le Christ mort,
soutenu par la Vierge Marie
pinacoteca – galerie de peinture, pinacothèque
polizia – police
poltrona – fauteuil ; siège inclinable sur un ferry
ponte – pont
portico – portique, arcades couvertes généralement
attenantes à l'extérieur d'un bâtiment
porto – port
pronto soccorso – premiers secours

questura – poste de police

rio – petite rivière
riserva naturale – réserve naturelle
rocca – forteresse

sagra – fête, foire (généralement dédiée
à une spécialité gastronomique, tels que
les champignons, le vin, etc.).
saline – salines, marais salants
salumeria – charcuterie, traiteur
santuario – sanctuaire, souvent avec une chapelle
de campagne
scala – escaliers
scalette – escaliers, passage ou ruelle avec marches
servizio – service (supplément pour le)
spiaggia – plage
stagno – étang, lagune
stazione marittima – gare maritime, terminal
des ferries
stazzo/u – ferme dans la région de la Gallura
strada – rue, route

tabaccheria, tabacchi – bureau de tabac
teatro – théâtre
tempio – temple
terme – thermes
tesoro – trésor
tholos – utilisé pour décrire la forme conique
des nuraghi
tomba di gigante – littéralement "tombe
de géant"; tombe monumentale datant de l'époque
nuragique
tonnara – ensemble des filets utilisés pour la pêche
au thon ; lieu où elle se pratique
tophet – site funéraire phénicien ou carthaginois
sacré où étaient enterrés les bébés et
les enfants
torre – tour
tramezzino – sandwich
treno – train

ufficio postale – bureau de poste
ufficio stranieri – bureau des étrangers (police)

via – rue, route
via aera – par avion
viale – avenue
vicolo – ruelle

L'auteur

DUNCAN GARWOOD

Avec cet ouvrage, Duncan complète son cycle sur l'Italie. Il a écrit des guides sur Rome, le Piémont, Naples et la côte amalfitaine, et a contribué aux trois dernières éditions des guides Lonely Planet Italie. Originaire du Sud de l'Angleterre, il a fait ses premières gammes de journaliste dans un quotidien local, à Slough, avant de décrocher un emploi dans le journal interne d'une grande entreprise de service public. Le plaisir d'écrire sur les eaux usées et les bienfaits de l'eau du robinet s'étant vite estompé, il sauta sur l'occasion lorsque se présenta en 1999 l'opportunité de partir pour l'Italie. Duncan vit actuellement dans une petite ville de la banlieue de Rome, partageant son temps entre sa famille, l'écriture et, à l'occasion, la traduction.

Mes coups de cœur

"En sillonnant la Sardaigne, j'ai eu le sentiment d'aborder un pays entièrement différent sans toutefois quitter le sol italien. J'ai exploré la majeure partie de l'Italie, mais je n'ai jamais rencontré une telle richesse et une telle diversité de paysages – tranquilles, silencieux et d'une incroyable beauté. Je n'ai eu que des coups que de cœur : la côte autour de Cala Gonone (p. 217) et les vallées boisées autour de Tempio Pausania (p. 191), la péninsule du Sinis (p. 114) et les plages sauvages de la Costa Verde (p. 89). Partout où je suis allé, j'ai été accueilli avec politesse ; dans certains villages isolés, j'ai même vu des femmes en costume traditionnel me saluer en me croisant dans la rue."

L'AUTEUR

En coulisses

À PROPOS DE CET OUVRAGE

Cette deuxième édition en français est traduite de la troisième édition du guide *Sardinia* (en anglais) écrite par Duncan Garwood.

Responsable éditorial : Didier Férat
Coordination éditoriale : Sandrine Gallotta
Coordination graphique : Jean-Noël Doan
Maquette : Aude Gertou
Cartographie : Mark Griffiths et Herman So
Cartes adaptées en français par Martine Marmouget
Couverture : Brendan Dempsey
Adaptation en français, Alexandre Marchand

Mille grazie à Dominique Bovet, Ludivine Bréhier, Christine Liabeuf, Nicolas Benzoni et Françoise Blondel pour sa précieuse contribution au texte

Traduction : Laurent Laget, Thérèse de Cherisey

UN MOT DE L'AUTEUR
DUNCAN GARWOOD

La Sardaigne est peut-être une île isolée, mais j'ai toujours été accueilli avec gentillesse et hospitalité. Je dois remercier beaucoup de personnes. À Cagliari, *grazie* à Simone Scalas, Maria Antonietta Goddi et Giulia Fonnesu pour leur temps et leurs précieux conseils ; à Nuoro, Giancarlo s'est mis en quatre pour m'aider, tout comme Tonino Lai à Ulassai et Zizzu Pirisa à Galtelli ; la famille Marogna m'a renseigné sur les bijouteries d'Alghero, et Paola et Andrea m'ont donné d'innombrables conseils sur Oristano et les plages de Sinis. Merci également aux offices du tourisme, et notamment à Adriana de Tempio Pausania, Mariangela Pepetto de Carloforte, Emanuela du bureau Tourpass de Santa Maria Navarrese, Francesco et Valeria de Cala Gonone, et aux équipes d'Alghero, Nuoro et Dorgali. Les autres voyageurs n'étaient pas non plus avares de conseils, merci donc à Alan Paddison, Alice Grigg, Hema Mistry, Samantha Prymaka, Roberto Milia, Luca Antonelli et Stefania Masella.

À Lonely Planet, tous mes remerciements vont à Paula Hardy pour la commande, à Michala Green pour ses conseils et à Mark Griffiths pour les cartes. Ce fut une longue aventure, et je n'y serais jamais parvenu sans le soutien de ma belle-famille, Nello et Nicla Salvati, de ma femme si patiente, Lidia, et de nos deux petits garçons, Ben et Nick.

À NOS LECTEURS

Nous remercions vivement les lecteurs qui ont pris la peine de nous écrire pour nous communiquer informations, commentaires et anecdotes :

B Sabrina Boyer, Sandrine Burban **C** Francis Callens, J.-P. Carrasco **D** Bénédicte Daix **F** Séverine Facca, François Florin **M** Agathe

---

LES GUIDES LONELY PLANET

Tout commence par un long voyage : en 1972, Tony et Maureen Wheeler rallient l'Australie après avoir traversé l'Europe et l'Asie. À l'époque, on ne disposait d'aucune information pratique pour mener à bien ce type d'aventure. Pour répondre à une demande croissante, ils rédigent leur premier guide Lonely Planet, écrit sur un coin de table.

Depuis, Lonely Planet est devenu le plus grand éditeur indépendant de guides de voyage dans le monde et dispose de bureaux à Melbourne (Australie), Oakland (États-Unis) et Londres (Royaume-Uni).

La collection couvre désormais le monde entier et ne cesse de s'étoffer. L'information est aujourd'hui présentée sur différents supports, mais notre objectif reste constant : donner des clés au voyageur pour qu'il comprenne mieux le pays qu'il découvre.

L'équipe de Lonely Planet est convaincue que les voyageurs peuvent avoir un impact positif sur les pays qu'ils visitent, pour peu qu'ils fassent preuve d'une attitude responsable. Depuis 1986, nous reversons un pourcentage de nos bénéfices à des actions humanitaires, à des campagnes en faveur des droits de l'homme et, plus récemment, à la défense de l'environnement.

VOS RÉACTIONS ?

Vos commentaires nous sont très précieux et nous permettent d'améliorer constamment nos guides. Notre équipe lit toutes vos lettres avec la plus grande attention. Nous ne pouvons pas répondre individuellement à tous ceux qui nous écrivent, mais vos commentaires sont transmis aux auteurs concernés. Tous les lecteurs qui prennent la peine de nous communiquer des informations sont remerciés dans l'édition suivante, et ceux qui nous fournissent les renseignements les plus utiles se voient offrir un guide.

Pour nous faire part de vos réactions, prendre connaissance de notre catalogue et vous abonner à Comète, notre lettre d'information, consultez notre site web : **www.lonelyplanet.fr**

Nous reprenons parfois des extraits de notre courrier pour les publier dans nos produits, guides ou sites web. Si vous ne souhaitez pas que vos commentaires soient repris ou que votre nom apparaisse, merci de nous le préciser. Pour connaître notre politique en matière de confidentialité, connectez-vous à : www.lonelyplanet.fr/confidentialite/index.cfm

Manceaux-Demiau **C** Pascale Reymond **S** Renaud Saada, Anne Sieczkowski **T** Andrée Troadec **V** Carole Vergères **Y** Dominique Yvelin.

REMERCIEMENTS

Merci à ©Mountain High Maps 1993 Digital Wisdom, Inc. pour nous avoir autorisé à utiliser l'image de la mappemonde en page de titre.

Index

Les références des cartes sont indiquées en **gras**.

INDEX

INDEX

INDEX DES ENCADRÉS

Index écotouristique

Le développement à grande échelle du tourisme balnéaire en Sardaigne contribue peu à la sauvegarde de l'environnement de l'île. Nous avons sélectionnés ici des organismes et des activités pour leur engagement en faveur du développement durable. Vous trouverez ici des adresses d'hébergement, des boutiques, des activités de plein air ou des visites de sites archéologiques, des marchés ou encore une sélection de fêtes : tous ont en commun de préserver les traditions rurales, de limiter l'impact de leurs activités sur l'environnement et de profiter à l'économie locale.

Nous souhaitons continuer à étoffer notre liste d'adresses écologiques. Si vous pensez que nous avons omis un établissement qui devrait figurer ici, ou si vous désapprouvez nos choix, n'hésitez pas à nous en faire part sur le site Internet : **www.lonelyplanet.fr**

LÉGENDE DES CARTES

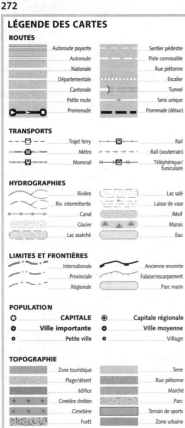

ROUTES

- Autoroute payante
- Autoroute
- Nationale
- Départementale
- Cantonale
- Petite route
- Promenade
- Sentier pédestre
- Piste carrossable
- Rue piétonne
- Escalier
- Tunnel
- Sens unique
- Promenade (détour)

TRANSPORTS

- Trajet ferry
- Métro
- Monorail
- Rail
- Rail (souterrain)
- Téléphérique/ funiculaire

HYDROGRAPHIES

- Rivière
- Riv. intermittente
- Canal
- Glacier
- Lac asséché
- Lac salé
- Laisse de vase
- Récif
- Marais
- Eau

LIMITES ET FRONTIÈRES

- Internationale
- Provinciale
- Régionale
- Ancienne enceinte
- Falaise/escarpement
- Parc marin

POPULATION

- ✪ **CAPITALE**
- ◉ Capitale régionale
- ◎ **Ville importante**
- ◉ Ville moyenne
- ○ Petite ville
- ○ Village

TOPOGRAPHIE

- Zone touristique
- Plage/désert
- édifice
- Cimetière chrétien
- Cimetière
- Forêt
- Terre
- Rue piétonne
- Marché
- Parc
- Terrain de sports
- Zone urbaine

SYMBOLES

À VOIR/À FAIRE	RENSEIGNEMENTS	ACHATS
Plage	Banque/distributeur	Magasins
Pagode	Ambassade/consulat	**TRANSPORTS**
Château	Hôpital	Aéroport/aérodrome
Cathédrale	Renseignements	Poste frontière
Culte confucéen	Cybercafé	Arrêt de bus
Site de plongée	Parking	Piste cyclable
Temple hindouiste	Station-service	Transports
Mosquée	Police	Taxi
Temple jaïna	Poste	Chemin de randonnée
Synagogue	Téléphone	**TOPOGRAPHIE**
Monument	Toilette	Danger
Musée	**SE LOGER**	Phare
Pique-nique	Hôtel	Point de vue
Centre d'intérêt	Camping	Montagne, volcan
Ruine	**SE RESTAURER**	Parc national
Culte shinto	Restauration	Oasis
Temple sikh	**BOIRE UN VERRE**	Col
Ski	Bar	Sens du courant
Culte taoïste	Café	Gîte d'étape
Vignoble	**SORTIR**	Point culminant
Zoo, ornithologie	Spectacle	Rapide

Note : tous les symboles ne sont pas utilisés dans cet ouvrage

Sardaigne

2e édition

Traduit et adapté de l'ouvrage *Sardinia (3rd edition), May 2009*

© Lonely Planet Publications Pty Ltd 2009

Traduction française :

place des éditeurs

© Lonely Planet 2010,
12 avenue d'Italie, 75627 Paris cedex 13
☎ 01 44 16 05 00
💻 lonelyplanet@placedesediteurs.com
💻 www.lonelyplanet.fr

Dépôt légal
Janvier 2010
ISBN 978-2-81610-104-1

© photographes comme indiqués 2010

Photographie de couverture : Bosa, Sardaigne, Peter Adams/ Photolibrary. La plupart des photos publiées dans ce guide sont disponibles auprès de notre agence photographique Lonely Planet Images : www.lonelyplanetimages.com

Imprimé par CPI - Hérissey, Évreux, France

Sources Mixtes
Groupe de produits issu de forêts bien gérées et d'autres sources contrôlées
www.fsc.org Cert no. BV-COC-070810
© 1996 Forest Stewardship Council

Bien que les auteurs et Lonely Planet aient préparé ce guide avec tout le soin nécessaire, nous ne pouvons garantir l'exhaustivité ni l'exactitude du contenu. Lonely Planet ne pourra être tenu responsable des dommages que pourraient subir les personnes utilisant cet ouvrage.